陳昌眠
11.12

茅尾港在《三六九小報》的樣貌。（資料來源：國立臺灣文學館）

小封神史遺金魁星。（資料來源：國立臺灣文學館）

《臺灣民報》創立紀念合影。左起：蔣渭水、蔡培火、蔡式穀（後）、陳逢源、林呈祿、黃呈聰（後）、黃朝琴、蔡惠如。（資料來源：維基共享資源）

日刊報紙《臺南新報》一直是臺南在地文學的重要平臺。（資料來源：國立臺灣歷史博物館）

臺灣文化協會活動寫真部紀念（1927年1月4日）前排左起：盧丙丁、蔡培火、林獻堂、林幼春、林秋梧。（資料來源：國立臺灣文學館）

謝國文（謝星樓，1887～1938）。（資料來源：國立臺灣大學圖書館）

張梗（生卒年不詳，推測為1900～1935年前後），臺南鹽水人。（資料來源：國立清華大學圖書館珍藏資料）

林秋梧（左）與盧丙丁（右）拜訪省三醫院的林瑞西（中坐）。（資料來源：國立臺灣文學館）

1928 年因勞工運動入獄的張晴川、黃賜、梁加升、陳天順四人出獄時，於王受祿寓所合影。前排右起：張晴川、黃賜、（幼兒）、梁加升、陳天順；二排右起：曾銘池、林占鰲、薛應得、韓石泉、王受錄、林宣鰲；三排右起：盧丙丁、陳華、蔡培火、郭琴堂。（資料來源：國立臺灣文學館）

赤崁勞働青年會，盧丙丁（站立右四）、林占鰲（左五）、郭琴堂（右一）、林宣鰲（右三）（資料來源：
國立臺灣文學館）

興文齋書局。右起：林占鰲、林宣鰲。（資
料來源：林宗正）

莊松林（中）與集美中學同學合影。（資
料來源：國立臺灣文學館）

《赤道》雜誌創刊號封面（1930 年 10 月
31 日）（資料來源：中央研究院臺灣史研
究所檔案館）

左翼雜誌《擲彈兵》封面，1931 年
2 月 2 日出版。（資料來源：國立
臺灣圖書館）

1930 年赤崁勞働青年會發行的
《反普特刊》。（資料來源：國
立臺南大學數位學習科技學系）

「反對普度演講會」傳單。（資料來源：莊明正）

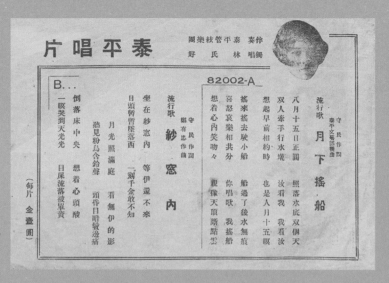

守民（盧丙丁）作詞的臺語流行歌〈月下搖船〉，由林氏好演唱。（資料來源：國立臺灣文學館）

蔡德音、林月珠、趙啟明參與的臺灣文藝協會，於1934年7月發行的全漢語機關刊物《先發部隊》。（資料來源：國立臺灣文學館）

1935年臺灣文藝協會發行機關刊物第二號時改題為《第一線》，當期推出「臺灣民間故事特輯」。（資料來源：國立臺灣文學館）

1935 年台灣文藝聯盟佳里支部發會式合照。第一排左二起：楊逵長子楊資崩（幼兒）、葉陶，左五起石錫純、林茂生、王烏硈，右一吳乃占、右三毛昭癸；第二排右起：吳新榮、王登山，右五起吳萱草、王詩琅、郭水潭，左一黃清澤、左三鄭國津、左五曾對；第三排右起林精鏐、徐清吉，左起葉向榮、郭維鐘。（資料來源：國立臺灣文學館）

楊逵創刊的《臺灣新文學》，是「臺南藝術俱樂部」成員主要的發表園地。（資料來源：國立臺灣文學館）

張慶堂的小說〈老與死〉，刊登於 1936 年《臺灣新文學》第一卷第七號。（資料來源：國立臺灣大學圖書館）

1933 年安平共勵會成員向李文揚學習北京語。右起林八豹（人頭像）、李阿買、李命、林勇、李建章、李文揚、邱三奇、吳讚成。拍攝地點為今安平古堡入口處。（資料來源：臺南市文史協會）

1925 年 4 月 6 日，李章三於安平設立的蘭谷軒書房。照片右起：郭永鎮、李建章、吳讚成、林勇、張長庚、李章三、游美治、游林芽、林霞、陳紅緞、林小玉。（資料來源：臺南市文史協會）

1962 年臺南縣、市文獻委員會委員合影於鹿耳門鄭成功登陸地點紀念碑前，碑文出自楊雲萍之手。照片左起林英良（吳新榮之妻）、吳新榮、蔡草如、林錫田（林勇之子）；右起黃天橫、江家錦、鄭喜夫、石暘睢、林勇；坐者為莊松林。（資料來源：臺南市文史協會）

郭水潭（1908～1995），鹽分地帶「北門七子」之一。此獨照拍攝於 1929 年 4 月 7 日。（資料來源：國立臺灣文學館）

1928 年劉吶鷗在上海創辦「第一線書店」並發行《無軌列車》文藝半月刊。（資料來源：國立臺灣文學館）

劉吶鷗《永遠的微笑》劇本手稿。（資料來源：國立臺灣文學館）

《民俗臺灣》第二卷第五號「臺南特輯」封面，1942 年 5 月出版。（資料來源：國立臺灣圖書館）

《民俗臺灣》第二卷第七號「北門郡特輯」目次，1942 年 7 月出版。（資料來源：國立臺灣圖書館）

吳新榮 1936 年 4 月 5 日的日記，記載張慶堂來
訪，一同至陳培初家，與郭水潭、黃平堅、王登
山、楊貴、黃清澤等人見面。（資源來源：吳三
連台灣史料基金會）

1941 年 9 月 7 日《臺灣文學》同仁來訪，合影於吳新榮宅。前排右起：巫永福、張文環、陳逸松、王井泉、
黃得時；後排右起：黃清澤、林芳年、吳新榮、王碧蕉、郭水潭、陳穿、王登山、莊培初、徐清吉。（資
料來源：國立臺灣文學館）

民族學、考古學者國分直一（1908～
2005）。（資料來源：國立臺灣大學
圖書館）

1927 年的臺南大天后宮。（資料來源：國立臺灣大
學圖書館）

西川滿著《赤嵌記》（日孝山房私藏版，1940 年）。（資料來源：國立臺灣歷
史博物館）

風車詩社成員李張瑞（左前）、張良典（左後）、楊熾昌（右後）與友人福井敬一（中）、大田
利一（右前）合影。（資料來源：臺南市政府文化局）

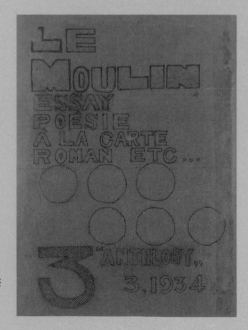

《風車詩刊》為風車詩社發行的詩誌，共
出版四期，此圖為第三期。（資料來源：
國立臺灣文學館）

葉盛吉（1923～1950）。（資料來源：中
央研究院臺灣史研究所檔案館）

龍瑛宗（1911～1999），1946 年起擔任《中華日報》日文版「文藝欄」主編。（資料來源：
國立臺灣文學館）

1972年6月17日行政院長蔣經國（右）於行政院內接見邱永漢（左）。（資料來源：中央通訊社）

黃靈芝（1928～2016）。（資料來源：文訊・文藝資料研究及服務中心）

臺南文學史

Tainan Literary History

古典文學 日治～戰後 1895—
現代文學 日治 1895—1945

主編 陳昌明
作者 薛建蓉 施懿琳 許倍榕 鳳氣至純平

璀璨臺南四百　輝煌文學榮光

　　四百多年來，「青暝蛇」曾文溪不斷舞動它蜿蜒的身軀，變化莫測的移動過程在嘉南平原上潤澤出一片肥沃豐饒的土地，眾多流經此地的溪河，或流入倒風內海，或進到臺江內海，逐漸孕育成今日大臺南的風土。不同族群在此匯聚，文化間的碰撞、對話與積累，進而編織出形塑臺南文學的搖籃。

　　文學在臺南這塊土地扎根茁壯、開花結果，是無數文人、作家與熱愛這片鄉土的人們共同努力和投入的成果結晶。凡提及臺南文學，我們不能不提古典詩興盛的南社、充滿鹽分地帶地方采風的北門七子、超現實主義文學的風車詩社；以及諸如〈西拉雅吉貝耍開關鬼門傳說〉、《小封神》、《送報伕》、《臺灣男子簡阿淘》、《鹽田兒女》及《花甲男孩》等眾多臺南作家的文學作品。直至今日，臺南仍是許多作家的故鄉，或文學靈感發想與創作的筆耕之地。

　　臺南作為文化古都，市府為迎接 2024「臺南 400」，與國立成功大學合作編纂《臺南文學史》，由陳昌明名譽教授擔任主持人，集結施懿琳、

呂美親、鳳氣至純平、蘇敏逸、陳家煌、林培雅、廖淑芳、洪文瓊、薛建蓉、秦嘉嫄、趙慶華與許倍榕等臺灣文學領域之重量級專家學者撰稿成書，並與文訊雜誌社合作出版。《臺南文學史》全書共五冊，依時間軸從十七世紀古典文學到二十一世紀現代文學，橫跨數百年間不同歷史時期，涵蓋原住民口傳文學、臺語文學、兒童文學、神話傳說與民間文學等文學類型，彰顯臺南文學在臺灣文學史當中的重要意義及地位，更凸顯臺南文學的豐富與多樣。

　　臺南文學不只是地方文學，而是臺灣文學的歷史縮影。藉由回首臺南文學史，瞭解這座城市的前世今生，放眼前瞻未來臺南文學的可能性。臺南作為臺灣文學城市，將持續綻放其文學魅力，璀璨光彩輝煌下一個百年榮光。

臺南市　市長　黃偉哲

悠南文學好日　回首臺南

　　都說城市如詩，臺南這座城市所帶給我們的南方想像，像是重拾那些巷弄裡遙遠歷史的記憶，軸走在此時彼時漫長流轉的時間洪流，品嘗美食當中南風帶鹹的土地文學味，用指尖在書本紙張上的文字語句之間漫步，翻過一頁一頁的南土好日。

　　臺南便是如此充滿文學的城市。因此在即將迎接「臺南400」之際，無法忽視臺南文學史所占有的重要地位。本書《臺南文學史》自109年起與國立成功大學共同合作，歷時長達三年的時間，經過多位專家學者撰寫及審查委員審閱編校後，終於在今112年問世亮相。《臺南文學史》全書有五冊，分別為《古典文學卷：鄭轄～日治（1651～1895）》由施懿琳、陳家煌主筆；《古典文學卷：日治～戰後（1895～）／現代文學卷：日治（1895～1945）》由薛建蓉、施懿琳、許倍榕、鳳氣至純平主筆；《現代文學卷：戰後（1945～）》由廖淑芳、蘇敏逸主筆；《臺語文學卷》為呂美親撰寫；《現代戲劇卷‧兒童文學卷‧神話傳說與民間文學卷》則是秦嘉嫄、洪文瓊、趙慶華、林培雅主筆。總計文字量超過一百萬字，

可見其纂修資料之豐富及繁複。

在此感謝擔任計畫主持人的陳昌明名譽教授不辭辛勞，召集編纂撰寫的專家學者們皆為一時之選。以及感謝三年期間協助審查的委員張良澤、廖振富、江寶釵、王建國，總是在忙碌之餘熱心提供許多貴重建議。並特別感謝國立成功大學的支持，讓如此有劃時代意義的《臺南文學史》得以順利完成。

猶如出身臺南的臺灣文壇巨擘葉石濤所言「沒有土地，哪有文學」，大臺南是個多元文化交匯的所在，蘊含厚實歷史文化能量，百年以來激發許多來往此處的騷人墨客們創作書寫的靈感，稿紙落筆之處盡是字句耕耘。文化局將持續以文學城市為願景，發掘更多臺南文學獨有魅力，期待《臺南文學史》能讓更多人認識臺南文學不僅只是回望臺灣文學史當中的一頁篇幅，而是悠然自在地寫下屬於自己的文學好日。

臺南市政府文化局　局長

臺灣地方文學史的永恆資產

　　在臺南生根立足、成功大學近百年的發展一直與府城共好共榮，也為其迤邐綿長的城市風華鑲嵌著曖曖含光的驕傲！

　　「2024臺南四百」也是臺灣四百、更是各界矚目的文化大事。於此關鍵時刻，我有幸在校長任內與師生一起貢獻！從推動「臺灣學研究」，包括「熱蘭遮城400：世界體系與影響」、「偎海e所在」、「如何成為臺灣人」；相關策展，例如：「城東有成──成大✕印象✕臺南」、「鯤首之城：十七世紀荷治福爾摩沙的熱蘭遮堡壘與市鎮」、「1643熱蘭遮虛擬實境：堡壘、市鎮與市民特展」；也在歷史現場舉辦以「走讀府城，重回熱蘭遮城時代」的論壇；無一不在為城市的過去尋溯更多觀照的視角，讓她多元飽滿的面貌漸露光影，為我們所見。

2019 年終之際，本校在行政與經費上全力支持，與臺南市合作「四百年臺南文學史」，由陳昌明教授統籌。參與資料蒐集、編寫的校內外專家學者皆為一時之選，呈現恢弘的視野，更推進了臺灣地方文學史的書寫層次，可謂當今最系統性、亦是首見涵蓋各文類的大作。

　　國立成功大學素以成為一所能夠回應社會與世界關鍵議題的大學為使命，期待未來得以持續透過與臺南文化內涵的深度結合，驅動出更豐富的文學研究與活動，為師生擴展更多樣的共學場域，建立使大學、文化與社會得以永續發展的基礎，也為下一個四百年的臺南文學史留下不可替代的永恆資產。

國立成功大學第十七任校長　蘇慧貞

追溯文化根源

　　四十多年前就讀成功大學，當時臺南對我是純然陌生的都市，只知小吃豐富，古蹟林立。因為師友的帶領，才慢慢辨識這個城市的紋理，深刻感受此城市歷史文化的魅力。大二開始，拜訪過葉石濤、黃天橫、趙雲、蘇雪林、紀剛、林宗源等人，初識前輩文人風采。又跟張良澤老師、張恆豪、張德本、許素蘭、陳國城（舞鶴）在筆鄉書屋校看《前衛》雜誌；因緣際會下與班上同學帶李喬、洪醒夫尋訪玉井噍吧哖故地，都開啟我對臺南文學與歷史的認識。三十多年前回成大任教，幫文化中心籌畫臺南市作家作品集，後來擔任臺灣文學館副館長，更有機會蒐集前輩作家作品，接觸更多當代作家。其中與楊熾昌多次聚餐，呂興昌、陳萬益、林瑞明、葉笛以及南臺灣作家經常性的聚會，優游臺南作家之中，算是對臺南文學的初步認識。而開始編纂文學史，才是對臺南文學的深度感受。

　　臺南是文化古都、全臺首學，文化教育開發甚早，可謂人文薈萃，俊才輩出。不管在文學創作或文化活動上都成果斐然，其中文人創作甚多，留下傑出佳篇，形成臺南文學。所謂「臺南文學」乃指籍隸臺南或曾居臺南，或以臺南的人、地、事、物、景等為題材所創作出來的文學作品，包括口傳文學、古典文學，日治時期文學，以至戰後現當代文學。在府城建

城四百年出版一部臺南文學史，是文化界眾所期盼之事。過去雖有學者撰寫相關著作，如彭瑞金教授的《臺南文學小百科》、龔顯宗教授《臺南縣文學史（上）》，及日本大東和重教授《台南文学の地層を掘る》等著作，都貢獻卓著，但因為篇幅無法呈現前後相承的完整性。因此有意藉此機會，召集志同道合的學術伙伴，共同來承擔這次《臺南文學史》的編纂工作，希望在文類與歷史的傳承上有較深入的探討。

　　臺南自 1624 年荷蘭東印度公司築安平築熱蘭遮城開始，至 2024 年將屆滿 400 年，所以明年將有系列慶典活動，也會透過「博覽會」形式，探討臺南城市發展與文化構築等相關議題。三年前時任文化局的葉澤山局長，為籌畫臺南 400 年相關活動，委請我編纂臺南文學史，當時我正想退休而婉拒。他轉而與成大蘇慧貞校長洽談，蘇校長對我說，不論我是否退休，成功大學作為位居臺南的頂尖大學，似乎責無旁貸，希望我能接任。於是請我召集學者，古典文學委請施懿琳、陳家煌主筆，日治時期古典散文、日文現代文學、漢文現代文學由薛建蓉、鳳氣至純平、許倍榕主筆，戰後現代文學由廖淑芳、蘇敏逸主筆，現代戲劇由秦嘉嫄主筆，臺語文學由呂美親主筆，口傳文學由趙慶華主筆，次年又加入兒童文學，由洪文瓊

教授主筆，然口傳文學因趙慶華工作繁忙，由林培雅老師接手，林老師重新改寫神話傳說與與增加民間文學，成為新的面貌。每位教授都在忙碌的研究工作中，願意撥出時間擔任此辛苦工作，熱情讓人感動。

　　撰作之初，困擾最大的是體例建構與寫作的方式，所以一開始的籌備會，由幾位教授們討論彼此的分工，臺南文學史撰寫體例則由我初擬，原則上將臺南文學史分成幾個領域，即上述的口傳文學、古典文學、日治時期日文文學、日治時期漢文學、現當代文學、戲劇、台語文學等方面，後來在執行九個月後，因為臺南作家作品集發表會上，兒童文學作家陳玉珠提出，臺南文學史應加入兒童文學，次年才委請洪文瓊教授加入團隊。至於各領域敘述則以時間軸為主，章節由各領域撰寫老師安排，每一章節前有一文學演變的總敘述，透過時間軸繫人（作者）、繫事（重要文學事件）。時間的標示，以西元紀年後附年號，作者首次出現標生卒年，其他引文或附註形式細節，也都透過體例說明，我們都知道每位寫作者有自己的寫作習慣，但在要求較淺顯易讀的情況下，希望能有其嚴謹性。然而分工整合的部分最難處理，我們一開始採分類各自書寫方式，但又怕有些跨時代與跨文類作者會有重複的問題，經過顧問會議，邀請陳萬益、彭瑞金、龔顯宗三位教授提供經驗，文學史以時間軸為主，部分寫作在時代與文類上進行協作。到第二年末我們又進行了一輪體例的修訂，由於有個別寫作的差異，文類上又進行了拆解，為了尊重撰寫老師各自的特性，乃成為今日的面貌。

　　府城建城 400 年，臺南文學當然不只 400 年，臺灣作為矗立海上千萬年的美麗島嶼，原始初民在六千多年前已活躍於這塊土地上，然而原住民透過口說相承，缺乏文字記載，早期的文學殊難查考。本文學史提到臺南

西拉雅口傳文學，涉及新港社、目加溜灣社、麻豆社、蕭壟社等平鋪族群，乃根據 1628 年荷蘭牧師喬治 甘迪留斯（Georgius Candidius）《臺灣島略說》的記載。清朝陳第《東番記》、黃叔璥《臺海使槎錄》僅提供少數原住民口傳文學與傳說。對原住民較大規模的調查要等到日治時期，我們今日所見如佐山融吉、大西吉壽《生番傳說集》，小川尚義、淺井惠倫《原語にょる臺灣高砂族傳說集》，都是日治時期調查的重要文獻。更早的資料難以索求，我們只能透過想像，那個林野開闊，百萬野鹿奔騰於嘉南平原上，茫昧缺乏紀載的時代。

所以臺南文學史雖涉及原住民口傳文學，實際主軸卻從漢人的傳統文學開始，雖非故意呼應府城建城 400 年，無意中卻不謀而合。古典文學從明鄭、清領至日治，沈光文設帳講學始，我們會看到許多府城膾炙人口的掌故，以及精采多元的佳篇。施懿琳與陳家煌兩位教授長期從事相關研究，提供我們宏觀的視野，古臺南的生活景貌，仕紳往來，盡收眼底。於是我們會接觸到如沈光文、朱術桂、陳永華、鄭成功、鄭經、郁永河、孫元衡、黃叔璥、陳輝、章甫、施瓊芳、劉家謀、許南英、施士洁、蔡國琳、蔡碧吟、羅秀惠、楊宜綠、連橫、黃欣等知名文人。我們今日遊府城時，聽到耆老談到赤崁樓、孔廟、五條港、米街、關帝廳、大舞臺、新町……這些老地名，或者進入小巷，與荷蘭、明鄭、清領、日治等各個時代的歷史痕跡相會面，透過臺南文學史的映照，會有更深層的認識。所以至赤崁樓，會讓人懷想施瓊芳、施士洁父子兩進士故居，至水仙宮則可遙想章甫的〈水仙宮志〉。總之，這些古典文人作品處處可與府城生活相輝映。

至日治時期，漢詩文與現代文學的承轉，也對應到政治演變所引發文學社群的質變。從古典文學進入現代文學的寫作，也有新舊文學交替的問

題，最明顯的如古典文學跨越日治時期，有著新舊文學各自爭鋒，加上日語的書寫，形成複雜的多樣面貌，所以在寫作上除了古典詩，又加入漢文小說、散文，以及漢語現代文學、日語現代文學的分類。這些新舊文學交錯時代，有許多作者跨越新舊文類寫作，如黃欣、王開運、洪坤益、許丙丁等。其中楊宜綠作為傳統古典詩人，他的兒子楊熾昌在日治時期成立「風車詩社」，標榜法國象徵詩派，是臺灣最早的超現實主義書寫者，父子兩人正代表古典至現代的轉型。而現代文學的風潮是隨著現代文明與現代生活產生的作品，相映於臺灣當時與現實政治抗爭的年代，臺灣文藝聯盟佳里支部的成立，關懷故土與生活的居民，隱然與殖民主義相對抗，楊逵、鹽分地帶文學群、以至葉石濤，都有此種精神的延續。當然，臺南也有仕紳文人風花雪月的一面，詠嘆景物、居食、藝文之美的篇章，別有風光。

臺南現代文學的發展非常精采，類型多元且人才薈萃。書寫過程以時序先後撰寫，後來又將文類區分開來，曾經多次修訂改版，負責戰後現代文學的廖淑芳與蘇敏逸老師又都重視文本閱讀，改版過程頗為辛苦。但也讓我們從新巡禮了葉石濤、楊逵、吳新榮、郭水潭、許丙丁、姜貴、紀剛、蘇雪林、周梅春、林宗源、許達然、楊青矗、葉笛、呂興昌、林瑞明、林佛兒、白萩、羊子喬、桑品載、黃武忠、蔡德本、黃勁連、袁瓊瓊、蘇偉貞、舞鶴、蔡素芬、趙雲、王家誠、張德本、陳耀昌、陳正雄、鹿耳門漁

夫、張瀛太、賴香吟、鴻鴻、利玉芳、顏艾琳、孫維民、張耀仁、伊格言、邱致清、施俊州、黃崇凱、楊富閔等作者。臺南文學史有許多過去文學史較少碰觸的分類，前文已提及，譬如將日治時期漢語古典小說、散文與現代文學分開，又獨立書寫日文現代文學，幸好近年相關研究已較成熟，建蓉與倍榕兩位老師幫忙彙整。日文部分則請日本來臺研究臺灣文學的鳳氣至純平老師幫忙，也得以順利進行。戲劇與兒童文學在傳統文學史頗受忽略，這部文學史則將此兩文類委請秦嘉嫄與洪文瓊老師撰寫，以示重視。而臺語文學的編著，是臺南文學史不可或缺的一環，全國各地雖有臺語文作家，但沒有能像臺南這樣的質量與重量，雜誌、作品、人才輩出，委請移居於臺南，在臺灣師範大學從事相關研究與教學的呂美親教授撰寫，是熱情又適當的人選。

臺南作為全國開發最早的古都，文化的展現豐富多元，許多文人風貌，歷史掌故口耳相傳，或經文字記載下來，成為今日我們認識己身文化、認識臺灣土地的憑據。這部臺南文學史相當龐大，是追溯文化臺南的重要著作，能夠完成殊為不易。然臺南文學史今雖有紙本出版，未來更重視可讓讀者在網路查索，而且出版後若有遺漏需增補，或錯誤需修訂，希望可在網路版本繼續進行。文學史的撰寫不可能完美，但我希望臺南文學史是一部可以滾動修正，讓讀者愈來愈喜歡的文學史。

《臺南文學史》編纂主編　
國立成功大學中文系名譽教授

圖片輯——1

市長序　璀璨臺南四百　輝煌文學榮光／黃偉哲——18

局長序　悠南文學好日　回首臺南／謝仕淵——20

國立成功大學校長序　臺灣地方文學史的永恆資產／蘇慧貞——22

主編序　追溯文化根源／陳昌明——24

古典文學卷

目錄

中篇

**十九世紀末到二十世紀中期（1895～1945）
的臺南古典文學　薛建蓉**

第四章　　**日治時期臺南古典散文的書寫主題**——33

　　　第一節　　前言：日治時期古典散文與漢文小說的特色——34

　　　第二節　　臺南出版報紙與雜誌——37

　　　第三節　　臺南古典散文家與寫作特色——41

　　　第四節　　臺南古典散文書寫主題——43

第五章　　**日治時期臺南古典小說書寫主題**——133

　　　第一節　　洪鐵濤與鬼怪敘事——134

　　　第二節　　趙鍾麒與歷史考究——142

　　　第三節　　許丙丁與諸神英雄——148

　　　第四節　　譚瑞貞與社會言情——150

　　　第五節　　《三六九小報》轉載小說——152

下篇

二十世紀中期至今（1945～）的臺南古典文學　施懿琳

第一章　　**戰後臺南古典詩壇與詩社**——161

　　　第一節　　戰後臺南古典詩壇概況——162

　　　第二節　　戰後臺南古典詩社——167

　　　第三節　　戰後臺南地區古典詩社尋求生存之道——182

第二章　　**戰後臺南古典詩人與寫作主題**——191

　　　第一節　　戰後臺南地區古典詩人——192

　　　第二節　　戰後臺南古典詩社群的寫作主題——209

日治時期現代文學卷　許倍榕、鳳氣至純平

上篇　**漢語現代文學**　許倍榕——231

第一章　　**「現代文學」的出現**——237

　　　第一節　　從文章到語言藝術——238

　　　第二節　　從文言到白話——246

第二章　　**社會運動脈絡下的文化活動與文學**——255

　　　第一節　　「臺南文化劇團」與「赤崁勞働青年會」——256

　　　第二節　　《赤道》旬刊——258

第三章　　**文學本格化時期的漢語現代文學**——273

　　　第一節　　「文藝大眾化」與「文學本格化」——274

　　　第二節　　臺灣文藝協會的蔡德音——279

　　　第三節　　臺灣新文學社的楊逵——282

第四章　　**從文學到民俗研究**——285

　　　第一節　　臺南藝術俱樂部——286

　　　第二節　　民俗研究與文獻整理——290

　　　第三節　　誰是赤崁生？——295

第五章　　**臺南人的島外文化活動**——301

　　　第一節　　郭丙辛與江萬里——302

　　　第二節　　宋斐如——303

　　　第三節　　劉吶鷗——304

下篇 **日語現代文學** 鳳氣至純平—— 309

第一章 **日治初期至中期的日語文學——** 313

第一節　一九二〇年代的文學活動——
《荊棘の座》與今村義夫—— 314

第二節　日人臺南題材作品的指標性存在——
佐藤春夫的〈女誡扇綺譚〉—— 318

第三節　《擲彈兵》與《赤道》——
臺日人分別創辦的左翼雜誌—— 320

第二章 **一九三〇年代臺灣人的日語文學——** 327

第一節　風車詩社—— 330

第二節　鹽分地帶—— 335

第三章 **一九三〇年代日本人的日語文學——**
岸東人與《臺灣日報》「學藝欄」—— 343

第一節　《臺灣日報》的學藝欄—— 344

第二節　聚集《臺灣日報》的日本文化人—— 345

第四章 **戰爭時期的臺南日語文學——**
文學與臺灣史、臺南史—— 349

第一節　《文藝臺灣》與《臺灣文學》
兩大陣營與臺南作家—— 351

第二節　歷史作為文學素材—— 353

第三節　西川滿〈赤嵌記〉—— 356

第四節　《文藝臺灣》的臺南特輯—— 359

第五節　《民俗臺灣》的「臺南特輯」、「北門特輯」—— 360

第六節　其他作家—— 366

第五章 **戰後臺南的日語文學——** 369

第一節　《中華日報》——日文「文藝欄」
主編龍瑛宗及其他作家—— 370

第二節　持續筆耕的臺南出身日文作家——
葉盛吉、郭淑姿、邱永漢、王育德、黃靈芝—— 386

第四章

日治時期臺南
古典散文的書寫主題

◆薛建蓉

第一節　前言：日治時期古典散文與漢文小說的特色 ───────

　　從「府城」到「南瀛」發展出臺南地區的文學特色，從清代至日治，一直以來漢詩為發展主軸，發表園地多與詩社聚會有關，直至日治時期報刊雜誌、私人遊歷紀錄等古典散文、漢文小說刊載在「報紙雜誌」上者，受保存之便，才得以留存。本章依據臺南及其周邊南瀛地區臺南文人「古典」散文與漢文小說作品進行介紹，取材主要來源，因臺南地區出版的報紙與雜誌所刊登的作品量較多，故以報刊雜誌為主，其他出處者為輔。

　　考察日治時期古典散文與漢文小說多保存於報刊雜誌，肇因於 1895年（明治 28）日本治臺之後，因應臺灣總督府對臺的媒體政策，促使臺灣報業有了蓬勃的發展。「報業」（Journalism）指日本帝國與 1895 年（明治 28）殖民地臺灣法律所規定「新聞紙」經營事業。[604]而且根據日治時期新聞紙經營事業法律，未受相關法律認定的「新聞紙」者，不得從事「時事」的報導或評論，因此在日治時期有許多刊物是屬於「文藝雜誌類」，不得歸類於「報業」。[605]日本政府對待殖民地的檢閱體制是為了掌控言論與被殖民者的知識活動，[606]當時臺灣北中南三個主要城市陸續有數種臺灣人主編、日本人主編或日本本土各式日、週、旬刊等出現，則是因應臺日人對時事新聞或知識需求的呈現。[607]

　　研究報紙消費者發現，日治時期閱讀報紙者大多以官署、日人及部分臺人仕紳為主，從經營角度看來，報業難以蓬勃發展，仍須肇因於識字率不高，這也是讓後藤新平（1857.7.24 ～ 1929.4.13）稱臺灣需要「殖民地特有」媒體政策有其論據。[608]值得注意的是，報刊雜誌在排版時有些空缺，

604── 李承機，〈日治時期的報業發展〉，「焦點報導」，《臺灣學通訊》第 85 期，2015 年 1 月。
　　　參見 https://www.ntl.edu.tw/public/Attachment/512910125196.pdf，瀏覽日期：2020.07.08。
605── 李承機，〈日治時期的報業發展〉，「焦點報導」，《臺灣學通訊》第 85 期，2015 年 1 月。
　　　參見 https://www.ntl.edu.tw/public/Attachment/512910125196.pdf，瀏覽日期：2020.07.08。
606── 韓基亨，〈文化政治期的檢閱政策與殖民地媒體〉，《臺灣文學學報》第 21 期 2012 年 12 月，頁 177。
607── 李承機，〈日治時期的報業發展〉，「焦點報導」，《臺灣學通訊》第 85 期，2015 年 1 月。
　　　參見 https://www.ntl.edu.tw/public/Attachment/512910125196.pdf，瀏覽日期：2020.07.08。
608── 李承機，〈日治時期的報業發展〉，「焦點報導」，《臺灣學通訊》第 85 期，2015 年 1 月。
　　　參見 https://www.ntl.edu.tw/public/Attachment/512910125196.pdf，瀏覽日期：2020.07.08。

因此有「補白」的發表園地出現，給予通俗小說與散文發表空間；更大的目的在於吸引讀者群，因此提高閱讀率的和歌、漢詩、日文小說與漢文通俗小說也因應而生。[609]這些看似補白的通俗文學，實際上也是時人獲取現代性知識、瞭解社會的方法，因此這些古典散文、漢文小說筆下的「臺南」就有多樣性的呈現。

這些在報刊媒體上撰寫古典散文與漢文通俗小說作者的舊文人群，多半在報社擔任過記者，包括臺南前世代與衍生世代作家[610]：趙鍾麒（1863～1936）、趙雅福（1894～1962）、謝雪漁（1871～1953，北上）、連橫（1878～1936）、王開運（1889～1969）、吳子宏、洪坤益（1892～1967）、韓浩川、許丙丁（1899～1977）、南瀛詩人邱水、黃清淵（1881～1953）；日本人：三屋大五郎等。[611]尤有甚者古典散文與漢文通俗小說出刊量最大的時期，為1905年（明治38）至1911（明治44）年間《漢文臺灣日日新報》出刊期間；另外，就是一九三〇年代由南社成員出版《三六九小報》與《臺南新報》。

報刊雜誌出刊帶動了舊文人投入古典散文與漢文通俗小說的撰寫，如二〇年代臺中櫟社詩人集資出版的《臺灣文藝叢誌》，內容刊載大量翻譯他國文史的作品，但都抵不過三〇年代臺南《三六九小報》與臺北《風月報》的作品量，因此筆者定義三〇年代臺灣，為漢文報刊蓬勃發展期。

漢文小說在文學史定位上多以「通俗」為概念，不僅意味著當時作者會在文章中增加趣味性與可讀性外，更呈現其重視不同程度的讀者[612]，但是這些漢文小說絕對不是要與「雅文學」對立，從日治時期臺灣漢文生成

609—— 黃美娥，〈日治時代臺灣漢文通俗小說選本序〉，《日本統治期臺灣文學集成·臺灣漢文通俗小說集》，頁1。參見 https://www.zo.uni-heidelberg.de/md/zo/sino/research/09_5b_chinesenovel.pdf，瀏覽日期：2022.12.01。

610—— 阮淑雅，〈中國傳統小說在臺灣的續衍：以日治時期報刊神怪小說為分析場域〉，國立政治大學臺灣文學研究所碩士論文，2010年，頁10。

611—— 北上謝雪漁因其發表多以北部刊物與北部地理空間為主，在此略而不談。

612—— 黃美娥，〈日治時代臺灣漢文通俗小說選本序〉，《日本統治期臺灣文學集成··臺灣漢文通俗小說集》，頁2。參見 https://www.zo.uni-heidelberg.de/md/zo/sino/research/09_5b_chinesenovel.pdf，瀏覽日期：2022.12.01。

脈絡來看，不僅可追溯日本大眾文學與臺灣通俗文學的淵源性，這些作品既具殖民地漢文的特色，又與中國白話文文體相仿，加上作者長期閱讀其他翻譯作品累積演化而成[613]。從日治時期漢文小說內容來看，有相當多作品翻譯自他國[614]，因此這些漢文作品雜揉了和製漢語、臺語、中國白話文與日文等[615]，從中可看出二〇～三〇年代報刊漢文欄內容的駁雜性、新穎性之外，刊載在報刊的作品其實對當時代現代性知識擴散與保存在地文化是不可或缺的。這些作品的讀者舉凡新文學作家王詩琅（1908～1984）、楊逵（1906～1985）；政治文化菁英林獻堂（1881～1956）與黃旺成（1888～1978）等[616]都是閱讀者，因此這類作品不僅是日治時期臺灣人閱讀來源，也是文人傳遞思想，甚至報刊雜誌作品對時人學習文體產生莫大的影響。[617]

日治時期臺灣漢文作品不僅雜揉中國通俗白話文、和製漢文、甚至會交雜著臺灣話文音讀等，另一個原因在於日語尚未快速普及前，官方為有效而快速吸引一些傳統漢文教育從事者傳遞日本文化的同化目的，會透過漢文小說的通俗性、或翻譯他國趣聞的古典散文等來達到傳播官方意識形態的目的。[618]因此，在解讀日治時期古典散文和漢文小說之際，不僅要對其通俗化、趣味性、轉譯他國文章、記錄臺地風俗等進行瞭解，另需注意內容中具有教化讀者與傳播官方意識形態的論點，相較於官辦《臺灣日日新報》或臺北文人，臺南文人自籌出版的《三六九小報》或臺南文人自費出版的作品，鮮少中國俠義或日本武士道精神等類型的作品外，其呈現的愛情觀、國際觀較多在地文化的觀點或紀錄，這也是日治時期臺南文人漢文小說與古典散文作品一大特色。

613── 陳培豐，〈日治時期臺灣漢文脈的漂游與想像：帝國漢文、殖民地漢文、中國白話文、臺灣話文〉，《臺灣史研究》，2008 年 12 月，頁 59。

614── 黃美娥，〈日治時代臺灣漢文通俗小說選本序〉，《日治時代臺灣漢文通俗小說選本》，《日本統治期臺湾文学集成・臺湾漢文通俗小説集》，頁 2。參見 https://www.zo.uni-heidelberg.de/md/zo/sino/research/09_5b_chinesenovel.pdf，瀏覽日期：2022.12.01。

615── 陳培豐，〈日治時期臺灣漢文脈的漂游與想像：帝國漢文、殖民地漢文、中國白話文、臺灣話文〉，《臺灣史研究》，2008 年 12 月，頁 53。

第二節 臺南出版報紙與雜誌

　　本節先釐清日治時期在臺南出刊的雜誌、報紙，以呈現本章漢文小說、古典散文作品主要出處，尤以《臺南新報》與《三六九小報》為主。[619]

一、《臺南新報》

　　《臺南新報》原名《臺澎日報》，1899年（明治32）由日本人富地近思創立於臺南市。1903年（明治36）始改名《臺南新報》，與臺北的《臺灣日日新報》、臺中的《臺灣新聞》，並列日治時期臺灣三大官報。《臺南新報》內容包羅萬象，除官方的法令規章與各類新聞外，還大量刊載宗教、民俗、音樂、戲曲、遊藝等活動，乃研究日治時期臺灣社會面貌與庶民生活最具價值的史料之一。1925年（大正14）為快速傳達訊息，並爭取廣大讀者，社長富地近思、經理田中政太郎、主筆中村事努力改革，一方面增刊「夕刊」，一方面先後於臺北、臺中、嘉義、高雄、屏東、新竹、東京、大阪設立支局，頗具蓬勃氣象。

616—— 《水竹居主人日記》「己酉年（明治42年，1909年）舊八月廿五日，新十月八日，木〔金〕曜日，晴天。往墩，到泰和藥舖，聞謝先生說《水滸傳》，遂在彼午飯。」；《灌園先生日記》「昭和17年（民國31年，1942年），頁新七月十七日，舊六月五日，金曜日，雨。十二日熱難退，倦於讀詩，終日惟讀《水滸傳》，相連五日，本日乃再讀蘇詩。」《黃旺成先生日記》「大正2年（民國2年，1913年）土曜甲，申五月三日，天氣陰晴北風強，寒暖冷，今天全校大部分都恢復穿黑色的衣服，只有我、胡桂林和葉木○白色衣服。教完課後抽虎鬚，我抽到虎頭，交十五錢出來。在採昌只購買麻布三碼一・四圓、竹子一根二十二錢。請天寶司裁製衣服。向張麟書老師借小說《花月痕》。」參考張麗俊，《水竹居主人日記》，臺北：中研院近史所，2000年，頁13-15；黃旺成，《黃旺成先生日記》，臺北：中研院近史所，2010年12月1日，頁24；林獻堂，《灌園先生日記》，臺北：中研院近史所，2000年，頁35；另外，楊達談《水滸傳》在臺灣的影響力見，楊達，〈談水滸傳〉，《臺灣新聞》，1942年8月24日。

617—— 陳培豐，〈日治時期臺灣漢文脈的漂游與想像：帝國漢文、殖民地漢文、中國白話文、臺灣話文〉，《臺灣史研究》，2008年12月，頁53。

618—— 陳培豐，〈日治時期臺灣漢文脈的漂游與想像：帝國漢文、殖民地漢文、中國白話文、臺灣話〉，《臺灣史研究》，2008.年12月，頁53。

619—— 許俊雅，〈為客觀論述奠下堅實基礎--「日治時期臺灣文學刊史編纂」總論〉，《文訊》，第304卷，2011年2月，參見 http://dhtlj.nmtl.gov.tw/opencms/period/Period0001.html，瀏覽日期：2020.07.09。

1937 年（昭和 12）4 月總督府下令所有報刊停止漢文欄，此後《臺南新報》更名為《臺灣日報》。報社因應「南進國策」及為避免產生「跼蹐於南部臺灣一隅」之誤解，於 1937 年（昭和 12）3 月將社址移至臺南市北門町二丁目六一番地（今臺南市北門路），並於同年 4 月正式改名為《臺灣日報》，發行至 1944 年（昭和 19）3 月底止，總計發行一萬兩千多號，1944 年（昭和 19）3 月，《臺灣日報》與《臺灣日日新報》、《臺灣新聞》、《興南新聞》、《東臺灣新聞》、《高雄新報》等日報同遭廢刊，而後齊併為《臺灣新報》刊行。

　　曾擔任過《臺南新報》漢文部記者的有金丸市作、黃拱五、李廷昭、劉清龍、王鵬程、許子文、陳世壽、林本元、王銘臣、張淑子、黃梧桐、彭啟明、連雅堂、施宗立、楊宜綠等人有發表過。[620]臺南文人如謝籟軒、林湘沅、陳渭川、連雅堂、楊宜綠、王芷香、蔡佩香、黃拱五、趙劍泉、王則修等都曾擔任過該報的記者，且報社與地方文人團體，如臺南最大古典詩社「南社」關係頗密切。

　　《臺南新報‧漢文欄》相較其他臺灣地區的新聞紙，《臺南新報‧漢文欄》有專門以「諧」為旨趣寫作技巧的欄位，該欄位撰寫人物，包括：文人、醫生、寺僧、市民、鄉婦等……諸形象進行嘲諷，作品尤以讀者投書，以詼諧嘲諷的寫作手法呈現，刊載時間主要集中於 1926（昭和 1）至 1927 年（昭和 2）間，當時《漢文欄》編輯由楊天健與黃拱五（1878 ～ 1949）輪流負責，可見這些欄位寫作風格與報紙編輯有關，尤以 1926 年（昭和 1）9 月至 11 月間刊載篇幅占整體版面的十二分之一為最。1922 年（大正 11）以前《臺南新報》諧相關欄位並非固定，直至 1922 年（大

620── 吳青霞，〈「臺南新報」解題〉，《臺南新報總目錄》，臺南：臺灣歷史博物館、臺南市立圖書館，2009 年，頁 9。

正 11）4 月開始，才以「諧藪」、「消夏談」、「酒後談」等作為欄位名。整體而言，諧趣、戲謔的寫作手法於 1921 年（大正 10）至 1922 年（大正 11）頻繁出現，1922 年（大正 11）中旬後便鮮少刊載，直至 1926（昭和 1）、1927 年（昭和 2）左右才又增多。當時漢文版主編為三屋清陰，各式欄位均出自三屋之手，期間詩話、傳奇及各式雜說文章漸增，也可見得三屋個人選錄標準的愛好。三屋清陰離開後，《臺南新報》主筆則由楊宜綠、黃拱五輪日擔當，主筆改變欄位風格亦隨之更動。

二、《三六九小報》

一九三〇年代，日本在經過日俄戰爭、第一次世界大戰，國家資本大幅躍進，促進了報刊雜誌媒體的出版，尤其一九三〇年代的日本正值媒體「爭奪讀者大眾的年代」，這個現象可以從：「漢文欄雖然在部分臺灣知識分子的參與之下，多少對臺灣人社會具有傳達『文明』與『近代』之功能，但源於殖民地統治下所具有『主宰』地位，日本語仍然是主要的傳播媒介使用語言。」[621]這個觀點來看，當時文人為了追求文明知識，也促成漢文報刊雜誌的出版。

仔細觀察《三六九小報》刊載作品，包括現代性文化新知與許多在地文化紀錄，不同於當時報刊夾雜官方意識形態，《三六九小報》臺南文人書寫的文體，夾雜許多臺灣話文、刊載作品有許多俚俗諺語，甚至紀錄臺南清代或更早之前的文史特色。

《三六九小報》於 1930 年（昭和 5）9 月 9 日創刊，至 1935 年（昭和 10）9 月 6 日第 479 號後廢刊，歷時五年之久，全報以漢文出版，共發

621—— 李承機，〈殖民地時期臺灣人社會「知」的迴路：語言工具性的「侵占」與「復權」〉，《「帝國」在臺灣：殖民地臺灣的時空、知識與情感》，臺北：國立臺灣大學出版中心，2015 年 12 月 21 日，頁 141。

行 475 期。趙雅福為報刊發行人兼編輯,洪坤益、陳圖南(871～989)、譚謔貞(?～1958)為編輯,趙雲石為顧問,王開運和蔡培楚(888～?)為理事兼編輯,蘇錦墩、張振樑、鄧燦琳為理事。刊載在報刊的臺南文人亦有王大俊、許丙丁、連橫、黃拱五等人。發行日期如報名所示,於每月日數末碼逢 3、6、9 出刊,也就是 3、6、9、13、16、19、23、26、29 日為報刊發行日,平均每月出刊九期。發行五年間共歷經五次休刊、兩次停刊、一次跳號 62 和一次重號,異常出刊日期及期數的月份共有十五個月。」《三六九小報》從發行人趙雅福和洪益坤對創刊緣由與報刊定位來看,最主要出刊目的在於延續漢文。[622]而洪坤益亦將其為茶餘酒後的八卦流言、傳說軼事、談笑消閒的發表園地;王亞南則認為是刊載奇文異事、詼諧幽默與宏揚漢文化的刊物;王開運表示小報是集詼諧、諷刺、微言、狂語、突兀於一身的報刊,從中可看出,編輯群極富巧思定位與命名,實際上該刊物以幽默風趣、不正經的寫作手法,其中蘊含著嘲諷該時代人事與種種對政經議論的寓意。[623]在《三六九小報》刊載週年號(第 108 號)趙雅福提出「種遊戲文字,作為聊之消遣,其中愛者助之,忌者惡之。」觀點;鯤南居士更為小報定位:「文化賴其維持,筆效春秋,頹風藉以挽正。故我鯤南,視諸近歲。所謂輿論之先聲者,竟有奇聞可共賞焉。」[624]《三六九小報》雖標榜與當時官方媒體刊載內容有異,但撰文者對時事、國事的關心仍不鮮見。

　　儘管《三六九小報》筆耕者多未支領稿費,然其停刊最主要的原因仍是經濟問題。基本上,小報是以捐款和單期零售販售和多期訂閱報刊所得為收入來源,肇因於訂閱收費制度不健全,也沒有專人處理報費收入,所

622—— 榕庵,〈雜俎〉,《三六九小報》,第 243 號,1942 年 8 月 24 日。

623—— 陳思宇,〈《三六九小報 · 新聲律啟蒙》人文現象之研究〉,臺灣師範大學臺灣文化及語言文學研究所碩士論文,2011 年,頁 20。

624—— 鯤南隱士,《三六九小報》,第 108 號,1931 年 9 月 9 日。

以容易出現訂閱前金制度的漏洞，如訂閱者不付尾款或約定好要訂閱卻仍不繳費用者，因此造成小報在經營上出現收支失衡的問題，根據統計，在小報中刊載懇請讀者支付足額報費的訊息，前後多達三十一次。包括在五週年之時《臺灣日日新報》亦刊載《三六九小報》廢刊相關訊息，若從該時代的視角觀察出小報廢刊有三大原因，包括：傳統漢儒支持不力、經濟因素和雅俗深淺難以定調，以致無法掌握固定讀者群。因此，《三六九小報》刊行至 479 號左右。[625]

值得注意的是，《小報》同人裡不少具有商人身分，應與王開運擔任「臺南商工業協會」會長頗有關聯[626]，例如王開運是會長，蘇錦墩曾任該會會計、鄧堯山、蔡培楚以及負責印製《小報》的鴻文活版舍店主黃振耀，則曾經分別擔任該會的常置評議員與評議員；加上《小報》刊載了王氏在1933 年（昭和 8）前往日本的〈東游日記〉，實為日本商工考察報告，所以，王開運加入《小報》，等於是帶入了「廣闊的政商關係，對於《三六九小報》業務的推廣，自有其相當大的助益」。[627]另外，當時《小報》為了向北臺市場推廣，在愛愛寮設置取次所販售，這也是王開運與施乾（1899 ～ 1944）在「愛護會」交集下促成的機緣，[628]報刊業務能在商業界拓展，應與王開運在工商界的身分有關。

第三節　臺南古典散文家與寫作特色

臺南古典散文部分已出書結集，部分散見《臺南新報》、《三六九小報》，按照「第一章 日治時期臺南古典文學作家及作品」介紹順序排列，包括：趙鍾麒（1863 ～ 1936）其以雲石、畸雲、鍊仙、鴛鴦梅館主、老

625—— 施懿琳，〈民歌采集史上的一頁補白—蕭永東在《三六九小報》的民歌仿作及其價值〉，《通俗文學與雅正文學》，2002 年 12 月，頁 281。

626—— 此論點轉引自林建廷，〈臺南仕紳王開運社會活動與文學作品研究〉，國立成功大學臺灣文學系碩士論文，2012 年，頁 185。

627—— 此論點轉引自林建廷，〈臺南仕紳王開運社會活動與文學作品研究〉，國立成功大學臺灣文學系碩士論文，2012 年，頁 185。

628—— 此論點轉引自林建廷，〈臺南仕紳王開運社會活動與文學作品研究〉，國立成功大學臺灣文學系碩士論文，2012 年，頁 185。

雲等在《三六九小報》發表散文與短篇小說，多刊載於「史遺」、「梅館漫錄」、「開心文苑」等專欄；趙鍾麒之子趙雅福，筆名頑刊載「墨餘」、亞雲在「史遺」、榕庵在「雜俎」、贅仙發表於「開心文苑」；連橫作品可見《臺灣通史》、《大陸游草》、《劍花室文集》等；王開運以幸盦在「雜俎」專欄以「變態偉人」「幸盦隨筆」發表、王開運發表「東遊日記」[629]；吳子宏以「冷猿」筆名於「花叢小記」和「紫紅閣塵談」發表；洪坤益以鐵濤筆名發表小說與散文，記錄臺灣民俗、生活瑣事與當時文人交遊；韓浩川以「海客」筆名在「餘沫」專欄發表轉譯自國外的新聞或文明觀；作者、短劇形式的對話笑話「寸劇」欄固定供稿者有：許丙丁（綠珊、綠珊、綠珊盦主）有漢文小說〈小封神〉，還有其他散文作品；譚瑞貞（恤、恤紅）有連載電影小說；邱水以「濬川」筆名在《三六九小報》發表〈綠波山房摭談〉等；黃清淵發表《茅港尾紀略》[630]，值得注意的是連雅堂，其歷經清末科舉考試、遊歷日本與中國，又曾經擔任林熊徵華南銀行籌備辦事處核心主管一職，見多識廣博覽群書，書寫內容深入政治、社會局勢、經濟、文學流變，甚至為寫《臺灣通史》考察明鄭、滿清許多歷史人物事蹟，相較於其他臺南文人，書寫內容多語帶評論、不時融入新視野新觀點。

臺南一九二〇與一九三〇年代是古典散文與漢文小說大量出現的時期，其記錄臺灣民俗與戲謔諧趣的寫作手法不僅出現在《三六九小報》，也出現在官方新聞紙《臺南新報》中。《臺南新報》的「諧藪」、「趣談」、「諧著」、「消夏錄」、「酒後談」、「打油詩」等欄位，藉由臺南人物典故、日常生活百態，與近代化新事物來進行戲謔或敘述。相較於

629—— 王開運散文今已收錄在《王開運全集》雜文卷，由施懿琳、陳曉怡、吳青霞、林建廷等合編，臺南：國立臺灣文學館出版，2009 年 7 月。

630—— 黃清淵《茅港尾紀略》原以黃憚園刊載《三六九小報》，3 版 265 卷，1933 年 2 月 26 日，以「黃葉村山房哀話」連載，後刊於《南瀛文獻》季刊第 1 卷第 3 期第 4 期，頁 53-57。今分析採用此版。

《臺灣日日新報》，可以發現《臺灣日日新報》著重於臺灣各地軼聞與奇特事蹟，或中國內地情勢，從該報可以觀察整個國家局勢與潮流；《臺南新報》散文則著重於在地敘事，有些文章甚至有為戲謔而戲謔有只為博君一笑之感，看不出地方特色或指涉人事；至於《三六九小報》無論是記錄臺灣民俗、國際新聞、文明理念翻譯等，均以有趣、戲謔為寫作手法，頗具臺南古典散文特色。本文著重討論臺南在地紀錄相關作品為主，部分涉及他國、他地或時事且未涉及臺南者，在此不論。

第四節　臺南古典散文書寫主題

古典散文為用文言文撰寫而不必押韻排偶的文章。若以實用性作為散文分類依據，則有議論、序跋、書信、碑志、遊記、傳記、日記等，具有敘事議史、評論政策、記錄風土民情或書寫心志的功能，內涵多與文化現象及社會性有關。[631]

本節將日治時期以臺南地區相關紀錄的古典散文進行收羅與分析，其中包括《臺南新報》漢文欄、《三六九小報》，以及各文人單篇或結集成冊的作品。古典散文在報刊雜誌的欄位名大多為：「雜錄」、「叢錄」、「雜著」、「雜俎」、「摭談」、「論議」等。《三六九小報》古典散文專欄包括：「雜俎」、「幸盦隨筆」、「開心文苑」、「諧鐸」、「筆記」、「太空論壇」、「評古錄」、「常識」、「鯤海風雲」、「遊記」、「梅館漫錄」、「花叢小記」、「來稿」、「空談」、「荒唐齋小話」、「新書少介」、「幸盦隨筆」、「冷紅室隨筆」、「拉雜談」、「古香零拾」、「雞窗瑣談」、「醉餘軒叢筆」、「科學趣味」、「噴飯錄」等欄位，

631—— 林淑慧，〈古典散文〉，《臺灣大百科全書》，民 98 年 10 月 28 日。參見：https://nrch.culture.
　　　tw/twpedia.aspx?id=2131，瀏覽日期：2021.07.07。

這些欄位作者分別有：少丑、小丑、庸、贅仙、幸盦、坤五、刀水、榕庵、嘯天、宗漢、連雅堂「雅言」連載、濤川、黃文虎、杏狂、蒐、雪軒、健、冷紅生、變態偉人、野狐禪室主、有的沒寫作者的直接寫「編」等，藉由筆名得知，趙雅福、洪鐵濤、王開運、鄭坤五、連雅堂、黃文虎等，均有參與撰寫；這些作品有的以臺南為書寫內容，有的例如「開心文苑」與邱水〈綠波山房摭談〉大多針對社會時事抒發議論或對科學新知做轉譯解析等。

　　關於《臺南新報》古典散文的部分，會因為廣告篇幅大小而刪減漢文欄的欄位，散文欄位包括：「竹頭木屑」、「諧藪」、「諧令」、「諧詩」、「消夏談」、「酒後談」、「萬殊一本」、「消夏閒談」、「趣語」、「百舌籠」、「禹域奇談」、張淑子「意向隨筆」、「雜報」等欄位，不定期刊出。《臺南新報》刊載大量 1917 年（大正 6）10 月以「儒教」為號召成立的團體「崇文社」徵文訊息與徵文文章，該社自從 1918 年（大正 7）7 月開始每個月徵文，入選作品會刊載在《臺灣日日新報》、《臺南新報》或《風月報》等官方媒體等。部分讀者投書，抒發對臺南日常生活地方事物的觀察或對時事的議論；純文學作品可見《支那文學史一斑》、詩話、雜文、小說與傳奇等欄位。從目前所能見的報紙來看，1921 年（大正 10）至 1922 年（大正 11）的文學活動刊載，以「南社」與「崇文社」徵文文章或詩作為主，可知南社以及臺南文人在《臺南新報》所具有的樞紐作用。[632]從《臺南新報》與《三六九小報》觀察，刊載在兩報的古典散文多採用詼諧諷喻寫作手法，兩報雖分屬不同性質的報紙，其中擔任編輯群與撰寫者有重疊[633]，因此寫作手法類似。

632—— 李郁芬，〈《臺南新報》漢文欄之研究〉，國立成功大學臺灣文學系碩士論文，2011 年，頁 3。

633—— 瘦峰「編輯日誌」所記：「執筆人少，編輯仍不落後，瘦菊先退，芷香次之，天健殿焉。」參見《臺南新報》，編輯日誌，1921 年 9 月 28 日，第六版。

日本統治臺灣之時，1895年（明治28）至1945年（昭和20）間日本統治臺灣時期，一步步透過殖民現代性具體政策實施，包括人口普查、地籍資料建立、地圖檔案建立、博覽會、公用建築修築、市區改正、輕便鐵道、水利系統、與皇民化教育等架構著臺灣。王育德（1924～1985）曾提醒「臺灣人被強迫投入近代社會，不管願意與否，享受近代化的恩惠。」[634]而這個殖民現代性帶給殖民政府的是一年達兩千萬圓的砂糖出廠稅，各種企業巨額紅利，但對臺灣人升學意願卻一直採取限制的政策，直至1943年（昭和18）4月才實施全民義務教育，也造成在臺日籍公教人員的薪俸比臺籍多六成等不公平且為日本帝國進出南支南洋跳板。[635]在〈日治時代臺灣經濟發展〉文中提「經濟學中所謂之經濟成長指的是平均每人實質所得長期持續的增加。而所謂的經濟發展則是指除了成長以外，還隱含著制度、觀念、結構的變化，例如產業比重的轉型（如工業化）、與都市人口比率的增加（都市化）。」而所得成長主要透過下列途徑，包括透過大規模經濟的生產方式，使得勞動力增加，分工專業化；再者，透過公共衛生以及教育設施等的建立，以累積人力資本，以及技術進步創造較多的產出等改變，並藉由教育及公共衛生的提升，提高人力資源的累積量，因此在看待日治時期的經濟、人民對金錢的觀點，都必須與殖民政府帶動現代化政策相互對照。所以，「漢文欄雖然在臺灣知識分子的參與下，多少對臺灣人社會具有傳達『文明』與『近代』之功能，但源於殖民地統治下所具有『主宰』地位，日本語仍然是主要的傳播媒介使用語言。」[636]基於上述推論，日本語仍為日本統治臺灣時期最主要的傳播時事與知識的管道，那麼官報漢文欄與臺灣文人自辦報

634—— 王育德著、黃國彥譯，《臺灣，苦悶的歷史》，臺北：前衛出版社，2000年4月，頁114。

635—— 梁華璜著，《臺灣總督府南進政策導論》，臺北：稻鄉出版社，2003年，頁48-49。

636—— 李承機，〈殖民地時期臺灣人社會「知」的迴路：語言工具性的「侵占」與「復權」〉，《「帝國」在臺灣：殖民地臺灣的時空、知識與情感》，臺北：國立臺灣大學，2015年12月，頁141。

刊、或文人作品個人出版作品集等文章，是不同讀者訴求下的產物。官媒訴求讀者能夠獲得現代性知識、以文明知識包裝的國體論與愛國意識形態為主；相對而言，臺灣文人自辦刊物或個人出版作品集，其撰寫現代性啟蒙知識、為在地文史進行考察的紀錄，是為了教育與延續臺灣漢文讀者知識，以解決臺灣長年受教權不平等的問題。不容忽視的是，傳播媒體的編輯負有權力操控與編輯主體性的介入，因此臺灣漢文人傳遞給臺灣讀者的新知，不僅與官媒不同，更囊括外來時事轉譯、金錢觀、性別觀點、對時事的呼應與在地文史紀錄等多樣化的知識。

這些古典散文可以視為臺灣漢文人接觸世界文化文明的管道，所以在解讀這些作品時，一定要在日治時期臺灣處於全球化新興文化場域[637]的概念來分析。此外，有些轉譯自國外的時事新聞或文明知識應非憑空而來，《三六九小報》外國時事的作者應不是第一個作者或翻譯者，如韓浩川以「海客」刊載或改寫大量轉譯自國外的新聞或文明觀等。本文著重瞭解其翻譯的主題，並沒有追溯該文源自於哪位作者。而這些轉譯的作品，古圓（蕭永東，1895～1962）擔任速記的〈讀者坐談會〉[638]中提到讀者最喜歡的專欄是「花叢小記」與「東鱗西爪」，所以「東鱗西爪」刊載的科學趣味文章是相當受當時讀者歡迎的。此外，親身前往日本與中國的遊記可見到王開運刊載在《三六九小報》的〈東遊日記〉與連橫的臺南地景書寫等，均可瞭解時人經驗異地行旅與臺南在地的空間記憶。

一、臺南空間記憶

紀錄臺南地景作品，不僅反應在地文人對自己家鄉生活的紀錄，更呈現當時文人對地方脈絡生成特色與時人的生活情境，這其中尤以曾於1912

637—— 黃美娥在〈「文體」與「國體」：日本文學在日治時期臺灣漢語文言小說的跨界行旅、文化翻譯與書寫錯置〉一文中提到「日治時期的臺灣正處於一個全球化下的新興文化場域，故這些以文言文為載體的小說，在寫作上不乏受到世界文學的刺激與影響，從而出現了「從東亞到西方」各式文本、文類、文化的跨界移植進入臺灣小說界的現象，最終甚至有了形形色色的生產與再製，而別具意義。」，《臺灣翻譯史：殖民、國族與認同》，臺北：聯經出版公司，2019年9月21日，頁32-33。

638—— 古圓速記，〈讀者坐談會〉，《三六九小報》，第270號，1933年3月13日，第4版。

年（大正 1）至 1914 年（大正 3）前往中國，並將瀏覽紀錄寫成《大陸遊記》的連橫與《三六九小報》編輯洪鐵濤為最。連橫因經常旅行或異地工作，透過他周遊各地的視角，其紀錄臺南文史的目的為「余既撰《臺南古蹟志》，因念偏囿一隅，未及全局，乃作此編，以為讀書稽古之助。俟殺青後，當將《古蹟志》併入於內。」[639]以史學家考察臺南地理從古至今的由來，撰寫這些作品也是讀書紀錄，因此每個地點考察詳略不一。〈臺灣史跡志〉在〈承天故府〉之後介紹臺南的「半月城」、「大東門」、「春牛埔」、「鯽潭」、「安平」、「林鳳營」、「查畝營」、「官佃莊」、「果毅後莊」、「曾文溪」、「鐵線橋」、「漚洪」、「舊社」、「龍湖巖」；其餘分別以「嘉義故縣」與「萬年故縣」等進行三縣頗具歷史意義的地點，大部分集中在中西區。洪鐵濤筆下的臺南地景，不僅包含人事物，甚至臺南特殊飲食烹煮方式等。本節以臺南空間紀錄為主，下節再分析臺南特殊人物、物產或飲食等主題，這些紀錄日治時期臺南重要地景的作品，尤其對於現今已經消失特殊建物的時代情感頗具意義。

（一）中西區

1. 承天故府

承天故府即今「赤崁樓」。該文追溯明朝三保太監下西洋，以蕃名「赤崁」命名臺南，之後荷蘭人入侵建立公署赤崁樓，到延平郡王來臺，改名為「東都」並設立承天府，並在縣城附近設立天興縣與萬年縣，改隸東寧，陳永華建立衙署、學宮，振興文教，1683 年（康熙 22）清人克澎湖，鄭克塽降清，建立清朝，設立臺灣府、建立臺灣縣、鳳山縣、諸羅縣，且隸屬福建布政司。臺灣歷經 1721 年（康熙 60）朱一貴事件、

639—— 連雅堂，《雅堂文集校注》，卷三〈臺灣史跡志〉，臺北：臺灣學生書局，2020 年，頁 295。

1787 年（乾隆 51）林爽文事件與蔡牽事件、林恭事件等，直到 1888 年（光緒 14）建省，整個政治中心北移[640]，這是篇記錄臺灣建省、被不同統治者治理的歷程，尤其文中提到「而政令移於臺北，然文教之興，尚冠全土，士習詩書，人懷禮義，延平之風，猶未墜也。」[641]可看出連橫遵循鄭治遺訓之風。

2. 五妃廟

五妃廟位於臺南市中西區五妃街 201 號。連雅堂〈重修五妃廟記〉文中稱讚五妃為國捐軀的態度，該廟宇在改隸後荒廢，所以連橫聯合其他臺南友人一起修建廟宇，並邀張子甡擔任董事，於 1903 年（明治 39）6 月完工。每年 6 月 25 日獻祭，以告五妃為堅貞愛國節烈而亡之靈。[642]

3. 馬兵營

馬兵營位於臺南市中西區府前路一段原臺南地方法院前。連橫〈過故居記〉描寫舊居寧南坊馬兵營，過去鄭氏軍隊駐紮之地，連橫寫過去居住時，其父種植果樹數十，果子結實纍纍，美味甘甜；幼年時夏秋間淹水，直到 8、9 月才乾涸，加上人口漸多，12 歲時開始擴大房屋規模，又買下鄰近吳園，讓連氏兄在那讀書，另聘謝琯樵為師，寓居其中。家裡經濟是靠經商，加上先父洗多春秋、戰國、三國演義等忠義小說，對其學問養成有莫大影響。這篇文章不僅寫出連橫家學，也寫出家中經濟與當時居住規模，與曾劉永福軍隊，又被日本徵收為法院等歷程，是篇很重要馬兵營地景演變紀錄。另外，連雅堂也曾記載當初先祖在馬兵營掘地開井時，得到高二尺的古甕一對，這對古甕長年裝滿清水放置家中，只是不知是何時代製作由誰埋入地下。[643]其又在〈臺南古蹟志〉中提到

640── 連雅堂，《雅堂文集校注》，卷三〈臺灣史跡志〉，臺北：臺灣學生書局，2020 年，頁 295。
641── 連雅堂，《雅堂文集校注》，卷三〈臺灣史跡志〉，臺北：臺灣學生書局，2020 年，頁 295。
642── 連雅堂《雅堂文集校注》，臺北：臺灣學生書局，2020 年，頁 354。
643── 連雅堂《雅堂文集校注》，臺北：臺灣學生書局，2020 年，頁 289。

「馬兵營」並為該處作詩「海上燕雲涕淚多，劫灰零亂感如何！馬兵營外離離柳，夢雨斜陽不忍過。」文中紀錄該處有泉水甘美的井，令連橫懷念不已。[644]

4. 瑞軒記

「瑞軒」位於臺中市平等街至市府路到公園路以北，連雅堂〈萬梅庵記〉記錄林獻堂與連雅堂合力在臺中霧峰林家種植梅樹，三年後梅樹繽紛，連雅堂覺得美景何必外求，在家在近處皆是美景。對經常遊歷中國、南洋的連雅堂來說，文中描述其見過天下美景甚多，讀到起居瑞軒寓，該處建於今臺中公園內，為林獻堂堂弟林瑞騰所築，原屬林家私人花園，後連雅堂旅居臺中的居所，也為當時文友聚會之處。瑞軒寓十步一芳草、四周有柳樹，附近有人賣酒，臺中砲臺山為其屏障，風景自然優美。

5. 開山宮

開山宮位於今中西區民生路一段 156 巷 6 號。連雅堂〈開山宮記〉記載該宮為鄭氏所建，祭祀隋虎賁中郎將陳陵，相傳為臺南最早祭祀保生大帝的廟宇，實際上祭祀隨鄭氏來臺的陳陵，而命名其「開山」最重要是為了要紀念陳陵平定琉球有功。另外在〈臺灣史跡志〉紀錄已頹倒原位於東安坊的「開山王廟」，今已改為「延平郡王祠」，是鄭氏家廟，位於五地廟街。原乾隆年間何燦鳩建立，又稱為王公廟、大人廟與三老爺廟，不知祭祀什麼神明，傳說是澎湖將軍澳的神明，連橫從《府志》中看到相關記錄。日治時期為開山神社。[645]附近也有「彌陀寺」位於臺南市東安坊東門里東門路 121 號，連橫紀錄是鄭經所建，且為東都最古之寺，根據盧嘉興考察結果，該處並非臺南最古寺。[646]

644—— 連雅堂，《雅堂文集校注》，卷三〈臺灣史跡志〉，臺北：臺灣學生書局，2020 年，頁 351。

645—— 連雅堂，《雅堂文集校注》，卷三〈臺南古蹟志〉，臺北：臺灣學生書局，2020 年，頁 356。

646—— 連雅堂，《雅堂文集校注》校注者考察彌陀寺應為鄭轄時期洪姓施主所建，日治時期改為新豐郡役所，參見連雅堂，《雅堂文集校注》，卷三〈臺南古蹟志〉，臺北：臺灣學生書局，2020 年，頁 358。

6. 法華寺〈石虎〉與半月樓

法華寺位於今臺南市中西區法華街 100 號，連雅堂記錄葬在法華寺北邊的〈石虎〉並有〈祭閒散石虎文〉一文，該處本來荒草漫生，後因臺南師範附屬學校擴建校地受到破壞，後來連雅堂抗議該墓為明朝遺民，遂移到法華寺後園。文末連雅堂說明其認為葬在法華寺四周必定與李茂春有關係，且墓碑上不留年號，其目的應是為了隱藏身分，更增添幾許神秘感。

法華寺旁邊有半月樓」位於小南門外，寬廣十畝，又稱「南湖」，湖水來自左蓬溪，以接內山，右出大南門，經新昌里入海，是知府蔣允焄為了疏濬所建。連橫記載端午節時，妙齡女子穿著清涼會持畫槳在此競渡，水花濺身，衣著透明，來往者爭相觀之，現樓已毀。[647]

7. 延平祠

延平祠今位於臺南市中西區開山路 152 號。連雅堂寫〈延平祠記〉藉由臺南延平郡王祠在福建船政大臣沈葆楨來臺時春秋致祭，描述鄭成功不理會鄭芝龍勸告投降，退居臺灣奮戰，後鄭經與鄭克塽均無法力抗清朝，最終臺灣落入清朝之手的過程，鄭成功為明朝拼命的行為，對連雅堂來說仍是忠貞愛國的表現。連雅堂非常推崇鄭氏與明鄭時期在臺抗清的明朝遺民，無論是寧靖王、五妃，或是李茂春等。〈寧靖王笏〉描述咸豐年間有人在臺南市南區水交社一帶俗稱「桶盤棧」的一個高地得到一玉，適巧法華寺僧侶購回，瞭解為寧靖王笏，放在法華寺供民眾參觀。後由臺南三郊在改隸前收藏保存。〈鄭氏故物〉這篇考察寧靖王笏留存在何方，諸傳由臺中吳鸞旂留存。在「一元子園亭」中以寧靖王在西定坊建造園亭為主，也是今大天后宮所在。[648]

647—— 連雅堂，《雅堂文集校注》，卷三〈臺南史蹟志〉，臺北：臺灣學生書局，2020 年，頁 361。
648—— 連雅堂，《雅堂文集校注》，卷三〈臺灣史跡志〉，臺北：臺灣學生書局，2020 年，頁 351。

8. 浮瓠草堂

連橫〈浮瓠草堂〉為同知孫元衡建於1701年（康熙40）的海防署（今臺南市友愛市場後面）曾為該處寫跋「五石之瓠，慮為大樽，而浮江海，善用大也。浮之爾，于瓠乎何有？苟之於無何有之鄉，余心與俱也」藉由該處期許自己能如樽般，小物有大用。該處連橫紀錄時已廢。[649]

9. 宜秋山館

宜秋山館位於今臺南市中西區永福路一段，該處又稱為「磚仔橋」是吳家另一房吳春祿所建，吳春祿經「吳昌記」，地大五畝，花木幽靜，有泉石之美，且北白川宮能久親王曾下榻，後病逝於側廂房。是個適宜怡情養性的地方，秋天最美。連橫紀錄時也表達因該處損毀，無限感嘆。[650]

10. 大井頭

大井頭位於臺南州治西定坊，今臺南市中西區民權路二段「全美戲院」附近。是臺南最古的古蹟，過去來臺之人由此登岸，又稱「大井頭」，附近又為市場又為住宅區，加上井裡水質甘美，可供萬人飲用，淤塞後，井留置在路中間，本來欲填補該井，引發連橫撰寫此文在《臺南新報》呼籲該井有保存下來的必要性。 西定坊附近還有「東寧總制府」，也是下太埕的陳氏宗祠，是陳永華子孫建立的宗祠，稱為聚德堂，奉祀總制，內有一石觀音，高三尺重三百斤，雕琢細緻，是陳氏宗祠之寶。

11.「赤崁城」

記錄荷蘭人建造在安平的熱蘭遮城，文中也點出臺灣由來在於「海濱水曲為灣」，又言泊船處為「灣」，並記錄荷蘭人以一張牛皮購買赤崁城，城內建造堅固，並有大砲、瞭望亭、形狀非常雄偉，該處也是荷蘭人

649── 連雅堂，《雅堂文集校注》，卷三〈臺南史蹟志〉，臺北：臺灣學生書局，2020 年，頁 361。
650── 連雅堂，《雅堂文集校注》，卷三〈臺南史蹟志〉，臺北：臺灣學生書局，2020 年，頁 365。

辦公的地方，荷蘭人透過經營臺灣鎮壓蕃民，成為當時海上霸權之一。
又在「桔柣門」這裡紀錄安平過去建造都城門桔柣門之事，雖然該門遺
址已經不可考，但也讓連橫在考察不果時，有了不勝唏噓的感慨。 安
平過去是讓來往臺南舟楫進出的港口，因鄭成功以此地進入臺南，又名
「國姓港」。 在這裡連橫點出臺灣還有許多地方以「國姓」為地名，
這是追溯明朝、視為正統的表現。〈臺南古蹟志〉「赤崁樓」是指建立
在今中西區民族路二段二層樓建物。該處為荷蘭人所建，當時四周皆是
臺江內海，海水直到樓下，可與安平船隻往來。鄭成功入臺時先攻破此
樓，才圍城，而令荷蘭人投降。該處城牆由糖水調和石灰建造而成，非
常堅固，今已改建為海神廟。 城內另有「荷蘭井」水質甘美，距樓可
二十餘丈，風雨過後常有龜蛇浮於水面，1749 年（乾隆 14）知縣魯鼎
梅移建縣署於內。

連橫曾見過安平舊天后宮有兩石像，稱之為「石將軍」。其石質與刻
工，一為荷蘭教堂之物；另一則鄭延平墓前之翁仲。因安平天后宮為荷蘭
教堂舊址，直到清朝之後才改建廟宇，運用泉州石，雕一平埔番人半身像，
長約二尺八寸，以布纏額，兩手在胸合握劍柄，從眼神看起來像是荷蘭人
一般，曾移到小北門外的洲仔尾，今已不得見。[651]

12. 天池井

該篇為連橫為鎮北坊做紀錄。鎮北坊今北門路以西，西門路三段以
東，成功路以北、公園北路以南範圍，有一低窪處為天池，附近有數十株
古榕樹，該處為「井亭夜市」區。附近又有「林投井」，又號稱「烏鬼井」，
為荷蘭東印度公司 1653 年（永曆 7）所鑿。在東安坊有一處叫「烏鬼埕」

651── 連雅堂，〈雅言（五四）〉，《三六九小報》1932 年 7 月 3 日，第 195 號。

是當時黑奴聚集的地方，那些外國人多在臺灣擔任白種人底下勞力者，且「烏鬼」多來自非洲，可見當時有許多外國人在臺南墾荒闢地。[652]本門有陳氏園，為陳永華所建花園，大約兩百畝，日後歸於吳氏，位於臺南市永康市中正二街以東、正南五街以南以及正南一街以北。

13. 臺南最古的廟宇「小南天」

小南天臥於蕃薯崎，今臺南忠義路巷內，以蕃薯店林立而得名，且祭祀福德正神，是荷蘭時期漢人所建，相傳廟中有匾額「寧靖王」筆墨，該處現在是臺南市商業市場人生鼎沸之地。 除此之外，他還考察鄭氏舊居地位置，根據遺跡大約在大北門米市附近，也是舊縣衙所在。 鄭成功建造的「承天舊署」位於東安坊，後來改為臺灣府，當時鄭成功分為東安、西定、寧南與鎮北四坊治理臺南，而承天府內有一株古榕樹。連橫回顧時瓦礫頹傾，文中有懷古遺憾之感。[653]

14. 禾寮港

「禾寮港」記錄過去鄭轄時期還有港道的地方，是日治時期的打銀街，位於德慶溪下游與溝仔底溪水合流為禾寮港，位於今民族路二段與公園路遠東百貨附近，在民族路與中成路口立「禾寮港遺址」，連橫寫作當時已經淤積。[654]

15. 秀峰塔

位於臺南孔廟之東，由 1741 年（乾隆 6）巡臺御史楊二酉（1705～1780）所建，該塔廣九尺、高七尺，共有六層，位於左山右海，面對魁斗，連橫覺得該塔景色奇勝。[655]另外孔廟旁有榕壇，海東書院在旁，原為徐樹人講學之所，提供給當時學子聽經講道之處。[656]

652—— 連雅堂，《雅堂文集校注》，卷三〈臺灣史跡志〉，臺北：臺灣學生書局，2020 年，頁 348。
653—— 連雅堂，《雅堂文集校注》，卷三〈臺灣史跡志〉，臺北：臺灣學生書局，2020 年，頁 350。
654—— 連雅堂，《雅堂文集校注》，卷三〈臺南古蹟志〉，臺北：臺灣學生書局，2020 年，頁 355。
655—— 連雅堂，《雅堂文集校注》，卷三〈臺南古蹟志〉，臺北：臺灣學生書局，2020 年，頁 358。
656—— 連雅堂，《雅堂文集校注》，卷三〈臺南古蹟志〉，臺北：臺灣學生書局，2020 年，頁 362。

16. 斐亭

斐亭建於1693年（康熙32）巡道高拱乾道署內，今臺南市永福國小，原為巡道周昌建的「寓望園」高拱乾改建，該亭左右多竹，有聽濤之景。1888年（光緒14）唐景崧重修改「寓望園」為「淨翠園」，並邀當時文人一同於該亭擊缽吟詩，唐景崧有楹聯紀錄：「鐵馬金戈，萬里歸來真臘棹，錦袍紅燭，千秋高會斐然鐘。」[657]形容詩人們該處清幽文人雅士喜愛在此以文會友，該處「斐亭聽濤」列為臺灣八景之一[658]，左邊還有「澄臺」又言「澄臺觀海」；而「宜亭」在斐亭之西，1762年（乾隆27）巡道覺羅四明興建檳榔十數株；「禔室」亦在旁，該室建於1765年（乾隆30）巡道蔣允焄所建，該區有十三勝，包括：半月樓、魚樂檻、叢桂堂、延薰閣、小仇池、花韻欄、得樹亭、接葉亭、花南小榭、挹爽廊、瑞芝巖、疊雲峰、醉翁石等，連橫書寫時已全無存。唐景崧將這些擊缽吟作品收錄《詩畸》內[659]，根據見連橫《雅言》第93條，「詩鐘」源於「斐亭」，不過後人考證已推翻，藉此可知連雅堂給當時唐景崧斐亭詩會相當高的評價。

臺南道署也位於今永福國小，內有奎樓，建於1726年（雍正4），為考取生員者聚會之地，內祀奎星，日治時期道路拓寬後，遷至臺南市府前路一段90巷34弄25號。另有唐景崧藏書的萬卷堂，左右植梅竹，今已不存。[660]

17. 吳園飛來峰

吳園位於今臺南市中西區民權路二段30號，連橫文中描寫占地廣闊庭園，內有仿造杭州飛來峰，以珊瑚堆疊成峰巒，高數丈，峰下有水塘，旁邊有東園，樓臺花木宛如城市中山林美景。[661]

657—— 根據向麗頻考察，該聯尚保存在臺南市延平郡王祠文物館地下室。參見向麗頻，〈唐景崧《詩畸》研究〉，《東海大學文學院學報》47卷，頁126。

658—— 據考察斐亭左側有「澄臺」，當時登臨盡收臺南美景。連雅堂，《雅堂文集校注》，卷三〈臺南古蹟志〉，臺北：臺灣學生書局，2020年，頁359。

659—— 向麗頻，〈唐景崧《詩畸》研究〉，《東海大學文學院學報》47卷，頁123。

660—— 向麗頻以施士洁〈自序〉「在同治年間即有李崧臣、沈桐士等人在臺南府城常設詩鐘局，施士洁的詩鐘技法，即受其業師李崧臣啟蒙，而臻善於沈葆楨席上。」臺地詩鐘的興起，應可再往前

18. 半月城

〈臺灣史跡志〉文中仔細考察每一個地點修建時間與名稱由來，如「半月城」名稱可追溯自1723年（雍正元）知縣周鍾瑄建造木柵的七門，到1733年（雍正11）巡撫鄂彌達改以刺竹修建，當時西邊缺建，1788年（乾隆53）福康安從東、南、北來改建，當時西方臨海，內縮一百五十餘丈，以半月沈江之姿，稱「半月城」。[662]

19. 迎春門

迎春門位於今臺南市東區東門路一段243號，稱為「大東門」又名「迎春門」，建造於林爽文事件後，當時來自鳳山的莊大田與莊錫舍連宮小南門，謝檜攻擊大東門，林永宮大北門、許尚攻打小北門，攻打府城的林爽文軍隊從四面而來，因此總督常青帶著自己的部屬到大東門迎戰，終於擊退林爽文等軍來襲，現大東門尚存，城已毀損。[663]而大東門裡有「春牛埔」，指立春前一天，有官吏會在大東門迎春，當時觀禮者人山人海，現該禮俗已廢，故紀錄之。[664]

20. 鯽潭

「鯽潭」又成「鯽潭霽月」指在小東門外，今臺南市永康區崑山科技大學裡，因有許多田，放眼望去如同湖泊，加上鯽魚肥美，提供鄭氏食用，而且又稱為龍潭，舊時供無雨時祈雨之用，連橫撰寫時已經淤積。[665]

21. 安平

連橫將「安平」定義為「臺南的門戶」，提供舟楫往來，有安平晚渡之景，來形容船隻從早到晚絡繹不絕，清代設水師副將，1864年（同治3）始設海關，1871年（同治10）英軍與人民有 互相威嚇，造成英兵夜襲安

推溯到清同治四、五年（1865-1866）間。參見向麗頻，〈唐景崧《詩畸》研究〉，《東海大學文學院學報》47卷，頁124。

661—— 連雅堂，《雅堂文集校注》，卷三〈臺南史蹟志〉，臺北：臺灣學生書局，2020年，頁364。
662—— 連雅堂，《雅堂文集校注》，卷三〈臺灣史跡志〉，臺北：臺灣學生書局，2020年，頁296。
663—— 連雅堂，《雅堂文集校注》，卷三〈臺灣史跡志〉，臺北：臺灣學生書局，2020年，頁296。
664—— 連雅堂，《雅堂文集校注》，卷三〈臺灣史跡志〉，臺北：臺灣學生書局，2020年，頁297。
665—— 連雅堂，《雅堂文集校注》，卷三〈臺灣史跡志〉，臺北：臺灣學生書局，2020年，頁297。

平，副將江國珍自戕而死，1884 年（光緒 10）法國占據基隆，想繼續攻打臺南，兵備道劉璈抵禦成功，安平難攻易守，近年已經泥沙淤積安平就逐漸消失港口經濟效益。[666]

22. 鐵線橋堡

查畝營位於鐵線橋堡，今臺南市柳營區，又名「通濟橋」。[667]為 1665 年（永曆 19）陳永華屯田制度下建立軍營，負責農地勘查、丈量與分配之用，因為曾文溪北邊多是這樣的屯田，因此建立查畝營是當時控制附近墾田的機關來管理這附近的屯田。[668]

23. 官佃莊

「官佃莊」位於鐵線橋堡，今臺南市新營區，荷蘭時期為了招募耕耘王田的佃農，而開闢的村莊，到了鄭轄改為「官佃」，連雅堂紀錄時僅存大道與二十餘株老樣在附近。[669]在〈臺南古蹟志〉紀錄在寧南坊與連橫舊宅馬兵營相連有一大片樣林，位於今臺南市中西區中正路一帶，對面即府前路地方法院，福安坑溪與德慶溪臺南舊城兩大河川，也是施靖海祠舊址。[670]

24. 果毅後莊

「果毅後莊」位於果毅後堡，今臺南市柳營區，原為鄭氏部隊屯墾柳營區果毅村、神農村一帶，遂以為地名，1734 年（雍正 12）沿用，並設立果毅後堡，家儀也有類似的營區舊跡。[671]

25. 漚洪莊

「漚洪莊」在蕭　附近，今臺南市佳里區是臺南將軍鄉舊名，其原為蕃社所在地，荷蘭時與麻豆、新港、目加溜灣、大穆降、大傑顛等歸化為

666── 連雅堂，《雅堂文集校注》，卷三〈臺灣史跡志〉，臺北：臺灣學生書局，2020 年，頁 298。
667── 連雅堂，《雅堂文集校注》，卷三〈臺灣史跡志〉，臺北：臺灣學生書局，2020 年，頁 300。
668── 連雅堂，《雅堂文集校注》，卷三〈臺灣史跡志〉，臺北：臺灣學生書局，2020 年，頁 299。
669── 連雅堂，《雅堂文集校注》，卷三〈臺灣史跡志〉，臺北：臺灣學生書局，2020 年，頁 298。
670── 連雅堂，《雅堂文集校注》，卷三〈臺南古蹟志〉，臺北：臺灣學生書局，2020 年，頁 354。
671── 連雅堂，《雅堂文集校注》，卷三〈臺灣史跡志〉，臺北：臺灣學生書局，2020 年，頁 300。

六社，且連橫提到「此則漢族流血之地！苟非延平之神武，天戈一指，醜虜偕逃，則故鬼含冤，新鬼且哭矣！」提到郭懷一因為當時荷治時期賦稅過重，為了農民起事，死於砲火的英勇事蹟。[672]

26. 龍湖巖

「龍湖巖」又叫赤山巖，俗稱巖龍湖庵，位於臺南市六甲區，當時鄭氏陳永華行軍至此，因此建立該寺，寺外有一龍湖潭，中植有荷花美如畫，1736 年（乾隆元）六甲莊人林超水、漆林莊、蔡壯猷曾募款改建過，寺內祭祀延平郡王。[673]

27. 鹿耳門

「鹿耳門」位於今臺南市安南區 709 臺灣臺南市安南區媽祖宮一街與顯宮一街，在戰略史上具重要地位。鹿耳門之北又稱國姓港，南為七鯤身，在農曆四月二十六日以後，從夏至秋海浪澎湃海水直立，因天候的關係造成鹿耳門海浪驚濤洶湧，宛如盪氣迴腸的海吼聲，蔚為奇觀，不僅在文學上稱臺灣八景之一的「鹿耳門」；又因地勢之故，荷治時期荷蘭人為抵禦鄭成功軍隊入臺，沈舟於門內，堵住港道，未料那天潮水暴漲，大小戰艦順勢登陸，剋破赤崁城，荷軍投降。蔡牽於叛變時占據臺江之外的沙洲以四草為首的「北汕」，且沈舟堵住港道抵禦官兵；爾後泥沙淤積，船隻僅能停在四草湖，清張鷺洲曾言「錢唐八月之潮比不上鹿耳門」指出鹿耳門海浪變幻無窮的特色。[674]

28. 七鯤身

「七鯤身」的地理位置與由來，七鯤身位於臺南城外西南方，一鯤身與安平區相接，七鯤身彼此間在海底下地勢相聯，海平面看起來平靜，海

672—— 連雅堂，《雅堂文集校注》，卷三〈臺灣史跡志〉，臺北：臺灣學生書局，2020 年，頁 301。
673—— 連雅堂，《雅堂文集校注》，卷三〈臺灣史跡志〉，臺北：臺灣學生書局，2020 年，頁 301。
674—— 連雅堂，《雅堂文集校注》，卷三〈臺灣史跡志〉，臺北：臺灣學生書局，2020 年，頁 302。

底下山勢洶湧，宛如石堆於海底，若外來船隻不知道七鯤身的位置，行船時容易擱淺，又稱「沙鯤漁火」之景。[675]

29. 北園

「北園」指在鎮北門外由鄭經所建，原為供養母親董夫人之處，1690年（康熙 29）巡道王效宗、總兵殷化行改為海會寺又稱「榴禪」，目前有碑紀錄其改名歷程。[676] 相傳臺南開元寺三寶殿上有一個木蓮瓶一花、一蕊一房、二葉，瓶高有五吋，花高約三尺，是林朝英所晉獻。[677] 臺南延平郡王祠內種植古梅一株，為鄭成功所植，該梅原本在鴻指園，是清朝臺灣知府蔣允焄臺灣府署的四合亭，因取自蘇軾「雪泥鴻爪」，才命名為「鴻指園」，直到沈葆楨移植到延平郡王祠，蔣允焄所建「鴻指園」在今臺南市中西區青年路 21 號 147 巷。開元寺的東南邊還有臺灣縣武解元李楨鎬「李氏園」，有匾額寫「聚星」，當時有許多官員聚集在此。[678]

30. 官佃莊與一峰亭

曾文溪以北多屬鄭氏屯田是官佃莊，其中有老芒果樹，相傳荷蘭人所種植的行道樹。[679]

一峰亭位於臺南驛（火車站）至綠園稱大正町，日治時期改為「大正公園」。該亭創建者林朝英（1739-1816），原籍福建漳州府海澄縣坂尾錦里社，小名耀華，或作夜華，字伯彥，自從祖父林登榜於 1693 年（康熙 32）攜家帶眷渡臺，創立「元美」號，經營布匹、砂糖海運生意蒸蒸日上，培養林朝英琴棋書畫，1778 年（乾隆 43）在臺南三界壇興築宅第，懸掛「一峰亭」木匾，為人重義疏財，樂善好施，1789 年（乾隆 54）為貢生，清嘉慶 7 年（1802）以資授中書科中書，並贈匾額。1813 年（嘉慶 18）獲朝廷

675—— 連雅堂，《雅堂文集校注》，卷三〈臺灣史跡志〉，臺北：臺灣學生書局，2020 年，頁 303。
676—— 連雅堂〈北園〉，江寶釵等校注《雅堂文集校注》，臺北：學生書局，2020 年 6 月，頁 352。
677—— 連雅堂〈木蓮〉，江寶釵等校注《雅堂文集校注》，臺北：學生書局，2020 年 6 月，頁 282。
678—— 連雅堂，《雅堂文集校注》，卷三〈臺南古蹟志〉，臺北：臺灣學生書局，2020 年，頁 363。
679—— 連雅堂〈老欉〉，江寶釵等校注《雅堂文集校注》，臺北：學生書局，2020 年 6 月，頁 279。

褒揚，封六品光祿寺署正，賜「重道崇文」匾、自費修文廟建牌坊，1816年（嘉慶 21）壽終正寢，受清廷諡封「謙尊」，今亭毀，連橫紀錄時牌坊仍存於龍王廟，今臺南美術館處，廟今不存。[680] [681]

連雅堂在《雅言》中提到「臺灣文學傳自中國，而美術亦受其薰陶，臺南北極殿、彌陀寺、海會寺等，尤見當時氣象。近來各地寺院重修之際，至有改為歐式者，已為變態……臺南竹溪寺，勝境也；清溪一曲，修竹萬竿，……而名剎變為俗窟矣。」[682]文中對於後來重修寺廟跳脫過去修築裝飾帶有批評的語氣。

（二）臺南物質文化

1. 屋脊特殊裝飾

臺南屋脊立有土偶，以騎馬彎弓威猛的形象呈現，為中國古代蚩尤形象塑造的。連橫考證在屋脊豎立蚩尤像的緣由，其認為蚩尤威震天下，立於屋脊以壓鬼，呈現出透過裝飾建築物的動機，達到內心辟邪或審美的願望，是臺南很特別的建築特色。[683]屋脊上的蚩尤也稱風獅爺，目前在臺南海山館屋脊上仍可見。[684]

2. 墓誌銘

連雅堂留下數篇墓誌，不僅留下該處附近地景原貌，更寫下該人物與事件起源，對歷史、地景記錄、詮釋以及連氏的閱讀研究，都有助於我們考察臺南地景或史實時，很重要的參考依據，在〈明定國將軍墓記〉提到：「改革之際，文獻飄零，世多忌諱，莫敢表彰，遂使忠義之士湮沒不傳。其幸而傳者，殘山賸水之間，斷簡零編之內，潛德幽光，時見一二。」表明紀錄碑記是為過往人、事留下紀錄，避免後世難尋。〈明定國將軍墓

680—— 連雅堂，《雅堂文集校注》，卷三〈臺南古蹟志〉，臺北：臺灣學生書局，2020 年，頁 363。
681—— 參見網頁：https://tmach-culture.tainan.gov.tw/warehouse/B4CB5CFC-64EE-4457-91C12C1D38F93F8C/659248D259BB4AB1-A9AD-476BCE453C92.pdf（瀏覽日期：2023 年 6 月 1 日）
682—— 連橫，〈雅言（七三）〉，《三六九小報》，第 214 號，1932 年 9 月 16 日。
683—— 連雅堂〈蚩尤〉，江寶釵等校注《雅堂文集校注》，臺北：學生書局，2020 年 6 月，頁 262。
684—— 圖片參見蘇箏，〈【民俗采風】鎮風辟邪瓦將軍〉《人間福報》2022 年 3 月 10 日，網址：https://www.merit-times.com/NewsPage.aspx?unid=762478（瀏覽日期：2023 年 6 月 1 日）。

記〉記錄臺南市小東門竹子林裡明定國將軍施公墓的墓碑，這位施公雖知立碑者為其子招寶，但不知道光緒年間哪一位施公？是角宿鎮施廷還是水師後鎮施舉。連橫透過事蹟推斷德葬東寧者為施舉，施舉封為定國，表示其討伐有功。

連橫在記錄南山公墓時，看到鄭成功陳、蔡二姬墓； 同樣南山公墓近仁和里今臺南市永安街旁有兩公子墓，碑文上紀錄「皇明聖之，省之二鄭公子墓」現均荒廢，為鄭成功四子鄭睿、十子鄭發，皆未娶而卒。不過連橫曾考察鄭克臧與陳夫人合葬在武定里洲子尾處真實地點，卻因沒有留下碑記或其他遺跡，而遍尋不得，現只存牌位留在延平王祠今開山王廟內。

3. 奇異天候

在《雅堂文集》記錄臺南奇異天候，包括「旋風」又名「鴟尾」[685]，沿海人於海中見到，水矗力高齊天，又稱做「龍柱」。連雅堂根據 1877 年（光緒 3）6 月初三過午記載南勢街（今臺南西區和平街）有人眼見風閃爍如銀，旋風過處，屋瓦盡撤，在鎮渡頭的古榕，被拔出數十丈之外，演武亭的屋頂也被掀到空中，甚至有人被吹到山中，被蕃救起，數十日才知自己被吹到阿里山，距離府城二百餘里外。可見此旋風很大值得被特別記錄下來。

連雅堂記錄年少時見過「彗星」，如同法人之役時，彗星出現令夜晚如極光永晝般，又如星星從天上墜落般，不過沒有真正從天文望遠鏡看過，所以只是經驗紀錄。[686]

記錄安平天候與鹿耳門地形，連雅堂〈南吼〉紀錄安平驚濤駭浪，遠近馳名，胡南溟曾有〈南吼行〉以「海吼是雨徵也。若冬月，則不雨而主

685── 連雅堂〈旋風〉，江寶釵等校注《雅堂文集校注》，臺北：學生書局，2020 年 6 月，頁 270。
686── 連雅堂〈彗星〉，江寶釵等校注《雅堂文集校注》，臺北：學生書局，2020 年 6 月，頁 271。
687── 連雅堂〈南吼〉，江寶釵等校注《雅堂文集校注》，臺北：學生書局，2020 年 6 月，頁 271。
688── 連雅堂〈盪櫻〉，江寶釵等校注《雅堂文集校注》，臺北：學生書局，2020 年 6 月，頁 272。
689── 連雅堂〈五色水〉，江寶釵等校注《雅堂文集校注》，臺北：學生書局，2020 年 6 月，頁 277。

風」來形容安平的浪。[687]連橫也曾以〈赤崁筆談〉提到臺灣沒有險峻的地形，四周都是海，水底鐵板沙線很像金屬製造的城鎮，尤其鹿耳門的地形迂迴，南邊豎立白旗、北邊豎立黑旗又稱盪櫻，方便行船人出入，潮漲水深四、五尺，退潮不及一尺，想入鹿耳門必須倒退進入，吳玉麟的《素村小草》〈渡海歌〉「片帆紆迴向晚人，盪櫻遙辨鉦鳴銅。」就是描寫鹿耳門特殊沙線地形[688]，另篇〈五色水〉形容黑水溝因地形深淺而海水顏色變幻，遠一點底深海水如墨、近一點淺藍色，進入鹿耳門水黑白跟河水般，形容臺灣四周海域底下深淺不一。[689]而從鹿耳門出發至澎湖，若以帆船航行，到澎湖水程五更，澎湖到廈門七更。「更」的意思是六十里為一更，《樵書》解釋「更的意思是一日一夜為十更，焚香為度。」這個計算距離時間的方法相傳自王三保，但是因船速會因風速海況而有快慢變化，因此這種計算模式連雅堂也不全然認同。[690]

臺灣天候溫熱，土地肥沃一年可收兩次稻獲，又稱「雙冬」，收割時在六月跟十月，六月是小冬、十月是大冬，四月和八月播種，足以供三年糧食。[691]

透過常民生活經驗對天候的觀察，所產生出對氣象天候的諺語，連雅堂《雅言》約有十則，包括「六月初三雨，七十二雲頭」指農曆六月初三這天若下雨的話，一年雨量則豐沛，農作物可大豐收。[692]「芒種雨，五月無乾塗，六月火燒埔」，芒種之時臺灣已夏天，若這天下雨的話，五月則會進入陰雨綿綿的梅雨季，梅雨季過了六月結束後，則會進入乾旱。[693]「六月一雷止九颱，九月一雷九颱來」指六月份打雷的話，可以抵掉九個颱風，相反的，若九月份打雷的話，九個颱風就會來。[694]「雨前濛濛終不雨，雨

690—— 連雅堂〈洋更〉，江寶釵等校注《雅堂文集校注》，臺北：學生書局，2020 年 6 月，頁 273。
691—— 連雅堂〈雙冬〉，江寶釵等校注《雅堂文集校注》，臺北：學生書局，2020 年 6 月，頁 273。
692—— 賴麗娟，〈《雅言》之臺灣俚諺探析〉，《立德學報》，1(2), 2004 年，頁 181。
693—— 賴麗娟，〈《雅言》之臺灣俚諺探析〉，《立德學報》，1(2), 2004 年，頁 181。
694—— 《雅言》第 38 則，頁 17。

後濛濛」說的是久雨過後仍見細雨濛濛如霧般，即便天氣晴朗，不久又會下雨。[695]「送神風，接神雨」指農曆 12 月 24 日為送神日，為了早日送神上天，所以祈求這天最好有風以助神升天，而農曆正月初四日是接眾神的日子，所以當天若下雨，就代表神下凡所帶來的神雨，才有此諺。[696]「未食午節粽，破裘惚甘放」指端午節前，雖屬初夏，仍冷熱不定，不宜貿然換季。[697]「正月寒死豬，二月寒死牛，三月寒死播田夫，四月寒死健乖新婦。」指氣候劇烈變化，以致於凍死豬、牛、田夫和新婚婦女，誇飾之詞最大的目的在於呈現臺南天候變化迅速，造成常民身體不適應。[698]「淡水是這天，雨傘倚門邊」表示淡水長年多雨，雨傘都放門邊方便取用。[699]這些天候都是連雅堂長年待過臺南與北部的感受，也是當時臺灣人藉由俚語向後人傳達先人面對氣候變化的方法。

4. 俚俗文化

連雅堂《雅言》原載於《三六九小報》「雜俎欄」從第 142 期 1932 年（昭和 7）1 月 6 日連載到 241 期 1932 年（昭和 7）12 月 6 日，共刊 100 則，連橫自序：「俚言俗諺，聞之似鄙，而每函真理，古人談論，每援用之。」文中所收錄的臺灣俚諺是紀錄先人的智慧，在《三六九小報》「來稿」中讀者曾回應「我愛讀的就是「雅言」、「幸盦隨筆」、「綠波山房隨筆」及各種的笑話小唱以及詩詞」。[700]《雅言》後來於民國 101 年（2002）再版，書中收錄五十七則臺灣俚諺，包括禁忌、俗傳、諷誡、氣象、人生觀、道德、賭博、風俗、不平之鳴、歧義殊見、不曉事理及歇後語式等俚諺，文中可見連雅堂撿

695—— 賴麗娟，〈《雅言》之臺灣俚諺探析〉，《立德學報》，1(2), 2004 年，頁 181。

696—— 賴麗娟，〈《雅言》之臺灣俚諺探析〉，《立德學報》，1(2), 2004 年，頁 181。

697—— 《雅言》第 40 則，頁 18。

698—— 《雅言》第 40 則，頁 18。

699—— 《雅言》第 41 則，頁 18。

700—— 《三六九小報》270 期，1933 年 3 月 13 日「雜俎」欄，古圓速記。

701—— 賴麗娟，〈《雅言》之臺灣俚諺探析〉，《立德學報》，1(2), 2004 年，頁 168。

702—— 賴麗娟，〈《雅言》之臺灣俚諺探析〉，《立德學報》，1(2), 2004 年，頁 171。

擇對人生哲學、時代感慨、胸襟識見及對當時社會現況的批判[701]，諺語是流行在市塵街坊中樸實無華言語淺俗的道理[702]，因此探究諺語可以對當時代背後的歷史意義，以下撿擇跟臺南有關的諺語分類敘述之：[703]

（1）生活禁忌

對人民生活有所妨礙的事，都會被視為禁忌，如習俗、遺傳、衛生等都屬之[704]包括：「七不出，八不歸。」[705]傳統年俗中正月初七，俗稱「人日」或「七元日」，相傳晉宗《荊楚歲時記》以七種菜為羹，閩俗稱『七寶羹』或戴頭鬢又登高賦詩，這是傳統「人日」的習俗用來象徵祥瑞並祈福辟邪。另外，「七不出」是指農曆正月初七不宜外出。正月初七閩南俗稱「冰消」，禁止家人出遠門，其意隱喻出外旅行，或經營事業，都會遭到「冰消瓦解」之不祥，所以強調「七不出」。而「八不歸」乃言正月初八不宜言歸，因為這天是掌管十八層地獄的閻羅王的生日，因為人類一向諱言「死」，所以人們忌諱在此日「歸」，因而稱「八不歸」。[706]

「借人死，惣借人生。」[707]一般人忌喪諱死，但遇到生重病的人來借宿，也不忍心拒絕，而且就算對方死在這裡，也不計較。因為俗諺有「怨生，無怨死」，死的人最大，且以為死者會因自己的施恩借宿而庇佑他。「惣借人生」，則是說家中不願借給別人生孩子，因為害怕自己的福份會被剛出生的小孩搶走，所以有所禁忌，而惣借人生。[708]

「參生疥兮像床，惣參 痫對門。」是說寧可跟長疥癬的同床睡覺，也不願和得瘋瘋病的住在對門，因害怕被傳染。[709]

703——本文分類法參考賴麗娟，〈《雅言》之臺灣俚諺探析〉，《立德學報》，1(2), 2004 年，頁 171。

704——賴麗娟，〈《雅言》之臺灣俚諺探析〉，《立德學報》，1(2), 2004 年，頁 168。

705——《雅言》第 42 則，頁 18。

706——賴麗娟考察〈客家山歌瑣談〉也有此說法，參見賴麗娟，〈《雅言》之臺灣俚諺探析〉，《立德學報》，1(2), 2004 年，頁 175。

707——第 42 則，頁 19。

708——賴麗娟，〈《雅言》之臺灣俚諺探析〉，《立德學報》，1(2), 2004 年，頁 175。

709——賴麗娟，〈《雅言》之臺灣俚諺探析〉，《立德學報》，1(2), 2004 年，頁 175。

「會過祖，昧過某。」此言仍延續著上一句提到的痲瘋病，表示會遺傳給子孫。當時人認為痲瘋病是遺傳病，潛伏期甚長，會遺傳給子孫輩，而不會傳給老婆。此則之「過」即傳染也；「某」就是臺語的「老婆」；而「會過祖」之「會」，就是「能」之意，「昧過某」之「昧」就是「不」的意思。[710]

「千滾無（病＋黃），萬滾無毒。」臺灣人禁忌喝生水、禁忌吃未煮熟的物品，認為食物都須事先經過煮沸，且煮愈久愈好，所以有此言。[711]

「食龍眼放木耳，食藍茇放銃子。」「藍茇」即俗稱的番石榴，「食龍眼放木耳，食藍茇放銃子」，是說龍眼和番石榴這二種水果不易消化，所以禁止兒童食用，尤其吃龍眼沒好好咀嚼，則排便時會排出像木耳形狀的東西。同樣地，番石榴多子又硬，故吃「藍茇」時，若連同裡面的子也吃進去的話，將會排出像銃子（即子彈）的東西。[712]

（2）俗傳

「林道乾鑄銃撲家治。」林道乾為潮州惠來人，年輕時擔任過現吏，為人狡詐，嘉靖初年，倭寇南竄時，勾結邵安人吳平，以南澳、浯嶼為巢穴，橫行閩粵海上，後輩戚繼光、俞大猷等官兵追討，後來林道乾逃到臺灣，追兵俞大猷追至澎湖，因港道紆迴所以守候鹿耳門外，林道乾以為臺灣無人，恣殺土蕃造舟逃逸，最後逃至中南半島的崑崙島，與馬來半島的北大年，並娶北大年王女為妻，仿效葡萄牙設置兵工廠與鑄大炮，結果在試炮時炸死自己，才有此諺語。[713]

710——賴麗娟，〈《雅言》之臺灣俚諺探析〉，《立德學報》，1(2), 2004 年，頁 176。
711——賴麗娟，〈《雅言》之臺灣俚諺探析〉，《立德學報》，1(2), 2004 年，頁 176。
712——賴麗娟，〈《雅言》之臺灣俚諺探析〉，《立德學報》，1(2), 2004 年，頁 176。
713——賴麗娟，〈《雅言》之臺灣俚諺探析〉，《立德學報》，1(2), 2004 年，頁 177。
714——賴麗娟，〈《雅言》之臺灣俚諺探析〉，《立德學報》，1(2), 2004 年，頁 178。
715——賴麗娟，〈《雅言》之臺灣俚諺探析〉，《立德學報》，1(2), 2004 年，頁 179。
716——《雅言》第 32 則，頁 14。

「文中有一薛，武中有一吉；任是蔡牽來，土城變成鐵。」因為薛志亮與吉凌阿兩人合作，將土城抵禦成一座固若金湯的鐵壁，藉史實比喻團結合作的重要性。[714]

「王廷幹，看錢無看案。」這句話形容貪官污吏，只看錢不辨是非的行為。王廷幹 1844 年（道光 24）接替鄧元資擔任臺灣府海防兼南路理番同知，1853 年（咸豐 3）王廷幹回任鳳山縣知縣，後因林恭之亂而死。

（3）諷誡指責

俚諺諷諭的內容包括指責、督責、鼓舞、獎勵或勸誡等，藉以看出當時社會思想，甚至也引以為戒。在《雅言》中有相當多藉由臺灣俗語諷誡的語句。例如「作雞著掅，作人著秉」是藉由雞用雙腳扒草叢覓食的動作，勸誡人要勤於工作營生，像雞一樣奮力翻找食物。[715]「三代粒積，一旦傾筐」[716]指祖先辛苦累積下來的財產，遇到不肖子孫一夜就會被敗光，暗喻守城不易。「三年水流東，三年水流西」訓誡世人盛衰無常，風水輪流轉，貧富變化不已，也比喻人要時時累積實力，終有時來運轉的一天。[717]「日出也著備雨來糧」告誡人們要未雨綢繆，才能有備無患。[718]「刻薄成家，理無久亨」指得是為富不仁，財富也無法永久留存。[719]

（4）人生觀與道德觀

透過俚諺看出時人對人生的態度，也藉由連雅堂的《雅言》記錄日治時期臺灣人的想法。包括「有食燒酒也穿破裘，無食燒酒也穿破裘」表示當事人樂觀天性只要有酒喝，根本不管經濟是否拮据。[720]「萬事不如杯在手，一年幾見月當頭」指人生苦短，不如及時行樂。[721]「福地福人居」表示不要迷信風水，就能隨遇而安。[722]「一枝草、一點露，隱龜兮雙點露」

717—— 賴麗娟，〈《雅言》之臺灣俚諺探析〉，《立德學報》，1(2), 2004 年，頁 180。
718—— 賴麗娟，〈《雅言》之臺灣俚諺探析〉，《立德學報》，1(2), 2004 年，頁 180。
719—— 賴麗娟，〈《雅言》之臺灣俚諺探析〉，《立德學報》，1(2), 2004 年，頁 180。
720——《雅言》第 33 則，頁 14。
721—— 賴麗娟，〈《雅言》之臺灣俚諺探析〉，《立德學報》，1(2), 2004 年，頁 182。
722—— 賴麗娟，〈《雅言》之臺灣俚諺探析〉，《立德學報》，1(2), 2004 年，頁 181。

指任何人都可以像草一樣受到露水的滋潤，如同得到上蒼的眷顧般一點一滴一定會有成就。[723]不過，這些俗諺也隱含著孝順與婦道的社會規約，包括「濟囝餓死父」比喻家貧孩子太多，父親反被餓死，也暗喻重視後代不孝順長輩的意思。[724]「一錢二父子」比喻錢比父子之情更重要，形容人太吝嗇連孝順都想省了。[725]相反的，「濟囝惚認窮」只一個人即便自己窮困孩子又多，卻咬牙拉拔小孩，相對而言，對小孩的教育大部分的時人都較為讚許。[726]「呂祖廟燒金，糕仔昧記提來」指婦女不修婦德，指流連忘返歡場，以前相傳臺南呂祖廟有僧尼，但不守清規，所以有此俗諺。[727]「拔番仔樓倒」番仔樓是指赤崁樓，賭博借的錢要等到赤崁樓倒了才拿得到，這部分是暗喻根本無法拿回借給賭博人的錢。[728]

「煙火好看無賴久」指煙火的美好轉眼即逝，也暗喻人生榮華富貴短暫，過去在臺南府前、南門路南面兩側於每年 2 月 12 日花朝前後會在菜市埔大放煙火，[729]從黃昏至黎明，因此當時附近開設許多炮店，呈現出臺南花朝節帶來的炫麗與繁華。[730]「安平迎媽祖，無旗不有。連雅堂以「旗」、「奇」同音相諧，一語雙關的用法，藉指安平迎媽祖，臺南是以綢緞製旗，甚至以金銀環綴，非常奢華，而各行各業也以自己店鋪代表物如五穀、餅店、香店等物均可作旗，數十年後，因經濟凋零而光景不再，才有此諺語。[731]「鹿耳門寄普」比喻無業者依人餬口，寄人籬下之意，因鹿耳門位於安平的西邊，在 1831 年（道光 11）經歷過大風雨中，鹿耳門曾被曾文、灣裡二溪溪水淹沒，廟中神明遂被寄奉到到府城五條港（今神農街）的水仙宮，因一向從事海上貿易的府城貿易組織「三郊」，憐憫此次災厄，所以在每年七月十四日假水仙宮[732]設立水

723—— 賴麗娟，〈《雅言》之臺灣俚諺探析〉，《立德學報》，1(2), 2004 年，頁 181。
724—— 《雅言》第 30 則，頁 15。
725—— 賴麗娟，〈《《雅言》之臺灣俚諺探析〉，《立德學報》，1(2), 2004 年，頁 183。
726—— 賴麗娟，〈《《雅言》之臺灣俚諺探析〉，《立德學報》，1(2), 2004 年，頁 183。
727—— 賴麗娟，〈《雅言》之臺灣俚諺探析〉，《立德學報》，1(2), 2004 年，頁 184。
728—— 賴麗娟，〈《雅言》之臺灣俚諺探析〉，《立德學報》，1(2), 2004 年，頁 184。
729—— 臺南鞭炮店位於臺南市中西區新美街與臺南市東門圓環附近。

路道場以祭幽魂，因此「寄普」是寄居他廟，由他人代為舉行普渡，也暗喻無業者寄人籬下之意。[733]「有孝後生來弄饒，有孝查某仔來弄猴」，這句俗諺來自於喪禮的習俗，從清代起，臺灣喪禮儀式大多以佛、道儀式為主，相傳辦喪事時需延請僧道念經為亡者祈福，誦經數日以弄饒破地獄，不過當時在誦經儀式後，若是佛教念經後在中午則會擇一廣場以飛饒鈸連雅堂在《雅言》中提到這個俗諺時，感慨「父母之喪，為人子悲痛之時，乃信僧道邪說，糊紙厝、燒庫錢，打獄門、放赦馬，損財費事，誇耀里閭。」其對這習俗鋪張，失去喪禮悲痛失親的意義，有所譴責。[734]「針鼻有看見，大西門無看見」形容一個人粗心大意且見小失大，「針鼻」是指針孔，也稱之為「針眼」在這裡對比臺南最大的城門「大南門」，指一個人眼界小因小失大，大到連最大的城門也沒看見。[735]

　　日治臺語書面化發展大體有教會羅馬字、日文假名拼音、漢字等三種模式。教會羅馬字目的非保存臺語語彙而是利於宣教事業々以日文假名拼寫的書籍以會話教科書為主，鎖定日本低階官即以便加強對臺人的統治。面對殖民官方文化的鯨吞蠶食，臺籍知識分子起身捍衛臺灣主體性文化與語言，却時將臺語從「方言」、「土語」提升至「真正漢民族的民族語言」，而「漢民族的固有語言」也逐漸被「漢字臺灣話」取代，進而以「普羅大眾聽得懂的語言」邀請民眾進入抵抗的文化陣線之中。

　　洪鐵濤也談臺語字音用法，包括臺語「育兒」為「腰囝」，該句起源洪鐵濤推測為司馬溫公家訓，「教婦初來」、「教子嬰孩」的「嬰」字的意思。也藉由「猴」這個字意義來談論當時不倫風氣，藉此解釋臺語的「抓猴」。[736]

730—— 賴麗娟，〈《雅言》之臺灣俚諺探析〉，《立德學報》，1(2), 2004 年，頁 186。
731—— 賴麗娟，〈《雅言》之臺灣俚諺探析〉，《立德學報》，1(2), 2004 年，頁 186。
732—— 水仙宮位於今址臺南市中西區神農街 1 號。
733—— 賴麗娟，〈《雅言》之臺灣俚諺探析〉，《立德學報》，1(2), 2004 年，頁 186。
734—— 賴麗娟，〈《雅言》之臺灣俚諺探析〉，《立德學報》，1(2), 2004 年，頁 186。
735—— 賴麗娟，〈《雅言》之臺灣俚諺探析〉，《立德學報》，1(2), 2004 年，頁 192。
736—— 洪鐵濤，〈餐霞小紀〉《三六九小報》1934 年 06 月 26 日，第 353 期。

（三）臺南特產與烹煮特色

　　洪鐵濤在《三六九小報》中介紹臺南飲食，包括擔仔麵、清涼飲料、咖啡、肉燥等熱門飲食，尤其「擔麵」今稱「擔仔麵」更是文人日常飲饌。連橫在《三六九小報》「雅言八五」中提到「臺南點心之多，屈指難數，市上有所謂擔麵者，全臺人士靡不知之。麵與平常同，食時以熱湯茗之，下置鮮蔬。和以肉與蝦汁，糝以烏醋胡椒，熱氣上騰，香聞鼻觀，初更後。始挑擔出賣，宿於街頭，各有定處，呼之不去，恐失信於顧客也。」[737]寫出擔麵透過移動小攤販賣以肉與蝦汁混合熱湯的麵，最重要是加了烏醋和胡椒提味，邱濬川在〈綠波山房摭談〉提到當時擔麵約五錢，好吃到可以連吃三碗。[738]洪鐵濤在〈擔麵擔腳談片〉中提到擔仔麵攤子洋溢著香味，下面要求老闆下面要加的料，多加肉燥，湯不要太多，要鹹一點、豆菜多一點，胡椒重一點等，一碗麵滿足鹹香酸，蝦味肉燥味十足。[739]不過，在外食用肉燥，洪鐵濤卻描述家中烹煮「肉脞」過程中需要剁肉，烹煮成肉燥，反而令洪鐵濤看到血肉模糊，而害怕不敢食用。[740]

　　臺灣夏天相當酷熱，因此從日本引進清涼飲料冰雪蓮藕風味的「シトロン」當時譯「雪濤浪」，出自（Ribbon CITRON）是百佳札幌食品碳酸飲料，是相當受到世人喜愛，洪鐵濤也紀錄這個時髦的日本清涼飲料。連雅堂也紀錄在還沒有冰品的時期，以仙草和愛玉解熱的習慣。包括轉引《臺灣府誌》仙草高五、六尺曬乾做茶或加粉漿成凍和糖，喝來消暑。愛玉凍最早紀錄可追溯至道光年間，在臺南媽祖樓街有人販賣，且詠愛玉者多，像林南強有兩首詠愛玉凍，連橫視為佳作。可見當時暑熱難耐，詩人多愛清涼飲料，愛玉凍尤勝仙草一籌。仙草原為產在東亞的草本植物，愛

737——連橫，〈雅言（八五）〉《三六九小報》1932 年 10 月 16 日，第 226 號。

738——邱濬川，〈綠波山房摭談〉《三六九小報》1930 年 10 月 29 日，第 16 號。

739——洪鐵濤，〈擔麵擔腳談片〉《三六九小報》1930 年 10 月 29 日，第 16 號。

740——懺紅，〈餐霞小紀〉《三六九小報》1934 年 3 月 23 日，第 325 號。

玉原為分布在亞洲低海拔地區桑科榕屬植物，1904年（明治37）日本植物學家牧野太郎在嘉義發現新種愛玉。[741]另外，與「咖啡」有關新穎的詞語包括：「檜」對「菫」、「黑貓」對「青鳥」、「荷蘭」對「蓬萊」等，甚至當時流行賞茗，受喜愛的有竹山凍頂茶、武夷種茶等，加上品茗家哄抬出名的茶種，洪鐵濤藉此比喻時人文章需要名家點評才得以被世人廣知。[742]洪鐵濤文中點出當時咖啡館流行，歌臺酒榭備受影響，彼此對立，洪鐵濤戲稱「米粉紅燒魚，火鍋黃雞酒」笑鬧這場紛爭。紀錄當時以西洋重量計量單位「噸」比喻船舶或酒樽，與過去以「石」數為單位不同。這篇看似寫飲食，實際上也寫出當時代帶動流行事物的西洋與東洋文明如何吸引著時人，是當時代物的跨國界交流歷程。

　　當時飲食也有醫病的傳言，洪鐵濤紀錄某醫在運河內洗澡與放尿自飲，提起病者喝小兒尿治病的事。描述南米（南美洲）有一種酒樹「椰陶巴」豐厚巨大，果實用刀刃刺穿，就有漿液可喝，如酒的芬芳，鮮少酒精成分。這裡應該是指椰子汁有點酒精發酵的味道，卻不含酒精，不會令人酒醉，頗受洪鐵濤喜好。[743]臺灣端午節要包角黍，就是俗稱粽子，角黍有甜鹹之分，洪鐵濤每次食用都覺得甜的用一砂製作，鹹的包一條蟲，這裡的「蟲」就是讓洪鐵濤覺得怪異的地方。在此的「蟲」應該是油蔥酥黑黑小小的，分佈在糯米上看似小蟲形狀，而非真實的蟲，只是炒過油蔥酥的糯米雖然香氣十足，但是米顏色看起來甜粽 - 鹹粽深，才引起洪鐵濤這樣誤會。[744]

　　洪鐵濤記錄將穿山甲的肉加香油、薑絲煎炒食用者可治疥瘡，俗呼「蟧蜋」。[745]食用生蛋搭配在牛魚肉上，建議要打蛋至發泡才比較好食用。食用蝸牛在洪鐵濤撰寫時，[746]西方早年已經大肆流行，近年臺灣有養殖

741—— 翁佳音、曹銘宗，《吃的臺灣史》，（臺北：城邦出版，2021.10）頁80-81。

742—— 懺紅，〈餐霞小紀〉《三六九小報》1934年3月26日，第326號。

743—— 懺紅，〈餐霞小紀〉《三六九小報》1934年6月9日，第384號。

744—— 懺紅，〈餐霞小紀〉《三六九小報》1934年6月23日，第352號。

745—— 懺紅，〈餐霞小紀〉《三六九小報》1934年6月16日，第359號。

746—— 懺紅，〈餐霞小紀〉《三六九小報》1934年9月6日，第374號。

食用蝸牛，味美不輸西歐。 根據魏清德的詩作〈食用蝸牛行〉記錄當時流行飼養非洲大蝸牛，進而引發將大量蔬菜農作物破壞之事。 臺灣在日治時期 1932 年（民國 22 年或作昭和 8 年）由臺北帝國大學日籍教授下條久馬一以食用因素自新加坡將引入，在洪鐵濤書寫當時並沒有看到蝸牛災害。

連橫曾記載自己吃過昆蟲，他吃的是「蔗龜蜂芽蠶蛹土猴」，因為秋天下雨後臺南士猴頗多，因此捕捉起來棄頭及 以蒜瓣與鹽納入用油炸之，比蔗龜好吃，不過蔗龜來自福建同安，是拿來下酒的吃物，現在已經沒人吃了。[747]

相傳麻豆文旦特別美味，皮薄肉厚，甘若冰糖，而且樹叢是越小越老越美味甘甜。[748]除了文旦外，林坦埔種植紅藷千斤，每個紅藷大如鵝蛋，蒸食後相當美味。[749]連橫表示臺南歸仁種植菠蘿蜜數株，相傳是荷蘭人從南洋移植，味美果實重達三、四斤。

洪鐵濤以筆名「黑潮」在《三六九小報》「半樓零星」專欄〈十三里半燒芋〉提到「地瓜」盛產於臺灣與日本，臺灣叫蕃薯，多火烤熟食用，日本叫薩摩芋，洪鐵濤記載距離日治時期 320 多年前，由沖繩移植到薩摩島（鹿兒島），後來青木昆陽還提倡以地瓜代替白米，拯救飢荒時期，於是地瓜便擴大植栽。寬政五年有燒芋，起源於老人賣燒烤地瓜，但較烤栗子風味劣，所以烤栗子叫八里半，燒芋又叫十三里半，相傳為跟烤栗子相比。[750]

洪鐵濤在〈耳食齋食譜〉[751]藉由「閉門羹」以食物嘲諷，該詞盛行於花柳界，用於女性拒絕客人用的。「烏貓烏狗大會」[752]諷刺廣東龍虎會食蛇，以狗壯陽貓滋陰來嘲諷食用者，文中也提到有人認為食貓狗帶獸

747── 連雅堂〈雅言（八六）〉《三六九小報》「雜俎」1932 年 10 月 19 日，第 227 期。
748── 連雅堂〈文旦〉，江寶釵等校注《雅堂文集校注》，臺北：學生書局，2020 年 6 月，頁 283。
749── 連雅堂〈紅藷〉，江寶釵等校注《雅堂文集校注》，臺北：學生書局，2020 年 6 月，頁 284。
750── 洪鐵濤（筆名「黑潮」），「半樓零星」〈十三里燒芋〉，《三六九小報》，第 364 號，1934 年 8 月 3 日，第 2 版。
751── 刊於《三六九小報》第 178 號，1932 年 5 月 6 日第 4 版，以「陶醉」為筆名的專欄。
752── 刊於《三六九小報》第 179 號，1932 年 5 月 9 日第 4 版。
753── 刊於《三六九小報》第 181 號，1932 年 5 月 16 日第 4 版。
754── 刊於《三六九小報》第 181 號，1932 年 5 月 16 日第 4 版。

性，另外諷刺有人因喪貓狗而哭泣，所謂食用者獸性狂。實則批評食用貓狗者。「凝心丸」[753]諷刺婦女喜吃醋，怒火攻心控制家庭狀況，好處是不讓家財外流，壞處是常常會有爭執。「�餅」[754]挷餅這個看起來大如石般的特色美食，實際上空心又軟，宛如財主給夥計的獎賞，空而無用，藉由挷餅物品的特色，暗喻現實人生。相對連橫對「餅」的感受，專注在糕餅的餡料，糕餅內餡稱之為「餌」，他提到糕餅有的是用麵粉麥有的用稻米做外皮，外表顏色很多，臺南最有名的是挷舍龜首，那是以糯米為皮，豆沙為餡。相傳富人吳挷舍嗜此故命名之。[755]

洪鐵濤非常喜歡收集特色食物，不僅介紹他的食用方式或口感，還用該食物暗諷社會時事，如「鋪面蟶」[756]蟶這類海鮮價格低廉，本是送人體面的海鮮，卻因價格成為棄之無謂的食材。暗諷那些吹拍會只求表面，有會員，卻對一般人民無助益的團體。「海熊肉」[757]海熊生於熱海，味苦，肉若老母雞，吃多亦有痛風，不是美味好食材。「法螺」[758]象徵殼大無肉的海鮮，看起來像是碰風或說謊，比喻人無真才實學，只會說大話而已。「打某菜」[759]用細葉菜菜好入口，但烹煮時會萎縮的特性，來比喻丈夫喜食，但婦人不喜煮，因為會被丈夫誤會偷食，導致於被家暴，實則本文是指責會毆打妻子的男性。「撚麵」[760]宛如好女色之事，好女色之老翁，多食容易引發婦人醋海生波。「淡水毛蟹」[761]蟹有分等級，並非大就好食，南部有蟹「大管仙」實際上又稱「撿屎管」不好食。「鱸鰻」[762]尤其特色滑溜善於遊走人際之間，比喻人有假名喜自炫耀之意。「國姓魚」相傳是番語指產於鹿耳門的魚，現在臺南多以魚塭養殖，秋天最為肥美，相傳鄭

755—— 連雅堂〈雅言（八六）〉《三六九小報》「雜俎」1932 年 10 月 19 日，第 227 期。
756—— 刊於《三六九小報》第 184 號，1932 年 5 月 26 日第 4 版。
757—— 刊於《三六九小報》第 184 號，1932 年 6 月 6 日第 4 版。
758—— 刊於《三六九小報》第 189 號，1932 年 6 月 13 日第 4 版。
759—— 刊於《三六九小報》第 189 號，1932 年 6 月 13 日第 4 版。
760—— 刊於《三六九小報》第 190 號，1932 年 6 月 16 日第 4 版。
761—— 刊於《三六九小報》第 190 號，1932 年 6 月 16 日第 4 版。
762—— 刊於《三六九小報》第 190 號，1932 年 6 月 16 日第 4 版。

成功入臺後才有此魚，也是今日的虱目魚。[763]臺南料理魚的方法用「泔」烹魚，泔就是醃，先以豬油入鼎，次以葱珠熰焦，下魚後以醬油煮之，連橫表示這是臺南烹魚的方法，當時北部人並不知道。另外，番檨皮綠肉黃氣辛味甘，切片久醃後，又做成蓬萊醬。臺南人以醃檨煮魚，風味極佳，而且這種魚湯可醒酒，甚至赤嵌筆談提到臺人以婆羅蜜煨肉，黃梨煮肺，跟中國吃法不同。不過黃檨盛產時，不能吃太多，以免胃痛，這就是檨子痧，必須食用破布子才能轉好。破布子是樹子也，下鹽煮之，可佐飯，又可以豆腐一起烹煮，濃淡適中且味尤甘美，連橫提到臺南人愛食黃檨，很少人會胃痛，是因為食用破布子的緣故。[764]菊花魚為臺南佳饌。其製法與廣東之魚鍋罟相似。唯以都督魚切成薄片。湯沸時。與菊花同下。夾而食之。清芬甘脆。菊花魚之名頗雋永。視之尊羹鱸膾。風味當不遜矣。[765]

連橫記載小東門外有西瓜園，終年都有收成，尤以七月採收味美，甚至冬天時會進貢入朝廷，供元日那天食用。[766]臺南有皇帝豆，傳說鄭經喜歡食用故以為名，連橫推測該豆本名黃莢，呼音訛傳皇帝，像是承天府是神仙府的諧音，豆仁偏大，皮有紅紋，作饌極為美味，冬天量產。[767]

（四）臺南風俗

臺南過去到元宵節有賽花的習俗，許多人會將飼養的水仙陳列於「三山國王廟」，互相爭豔，[768]而連橫也特別喜愛種植水仙，可惜寫作之時大約三〇年代，已經不再有人賽花了。

臺南多在春秋佳日建醮，當天擇寬曠之地設置神壇，有天帥壇、觀世音壇、玄天上帝壇，裝飾華美，並七巧棹陳列壇內，上置金石古玩，並 上蓮花與曇花，以莊嚴的態度執行儀式。連橫紀錄此儀式也因為當時已經鮮少處執行建醮。[769]

763—— 連雅堂〈國姓魚〉，江寶釵等校注《雅堂文集校注》，臺北：學生書局，2020 年 6 月，頁 279。
764—— 連雅堂〈雅言（八四）〉《三六九小報》「雜俎」1932 年 10 月 13 日，第 225 期。
765—— 連雅堂〈雅言（八四）〉《三六九小報》「雜俎」1932 年 10 月 13 日，第 225 期。
766—— 連雅堂〈西瓜〉，江寶釵等校注《雅堂文集校注》，臺北：學生書局，2020 年 6 月，頁 283。
767—— 連雅堂〈雅言（九一）〉《三六九小報》「雜俎」1932 年 11 月 6 日，第 232 期。
768—— 連雅堂〈雅言（九七）〉《三六九小報》「雜俎」1932 年 11 月 26 日，第 238 期。

當時在臺南販賣食品時，小販會吹奏不同樂器，「賣肉者吹螺、賣餳者擊銅鉦，賣雜細者搖鼗鼓」[770]呈現出這些食品小販常走入居家巷弄販賣，也代表常有人購買。

1. 臺南友人

連雅堂一直在中國遊歷時，配合著工作，包括，參與「新吉林報社」社長楊怡山等人邀請入報社任職，在報刊被袁世凱查禁後，加入日本人兒玉多一辦的《邊聲》後由被禁。

連雅堂為其岳父沈德墨寫傳記，沈德墨安溪淵兜鄉人，曾到廈門學做生意，貿易於東南亞，包括日本、安南、泰國、印尼、印度和菲律賓、新加坡等地，掌握南洋大權，回臺經營糖業、樟腦，銷售天津上海或歐洲，未料乙未後，公司衰敗，1905 年（明治 38）病逝。葬於南門外鄭氏宅。其王夫人於 1910 年（明治 43）葬於竹溪寺外。連雅堂有數篇為當時文人作品寫的序，包括〈人文薈萃序〉描述自己閱讀過臺北遠藤寫真館主遠藤克己編輯的《人文薈萃》。該書出版於 1921 年（大正 10）。

連雅堂為當時交往友人作傳，〈謝頌臣先生傳〉紀錄臺中人謝頌臣一生重要事蹟，謝氏曾於乙未時，曾助唐景崧等組義勇軍並擔任統領抗日，即便唐景崧、丘逢甲離臺，仍留守在臺灣，卸下兵權後回家鄉擔任醫師。並買下穴地為自己辦生壙，邀請友人置酒高會，其子林癡仙為當日詩作結集。

連雅堂記錄友人沈少鶴一生之事，其為妻弟，因兩人身體均弱，性格相仿，有相惜之情，沈少鶴曾與南方人士合組臺灣實業會社，未料數個月後竟過世，給連雅堂事未竟成的惆悵。

769—— 連雅堂〈雅言（九九）〉《三六九小報》「雜俎」1932 年 12 月 3 日，第 240 期。

770—— 連雅堂〈自吹自擂〉，《雅言》，臺北：實學社，2002 年 6 月，頁 182。

連雅堂記錄曾在書房與臺南友人陳鞠譜與胡南溟一起談論天下事的痛快之感，未料連雅堂前往廈門辦報，陳鞠譜病死，遂為其作傳。文中記錄陳鞠譜性情豪邁，乙未之時曾協助臺南劉永福守住臺南，後攜眷渡廈門，著書《拾唾》對時事多有針砭，回臺後經商有成，1906 年（明治 39）逝世。兩位友人為連雅堂知交，性情豪爽，對古今事均有自己見解，對連雅堂來說，若一個國家多幾位豪邁之人，國家必強，文字中得見其對陳鞠譜之讚譽。

連雅堂記臺中人林癡仙，林癡仙少時聰慧絕倫，乙未時曾避禍於泉州，好詩文，與苑裡蔡啟運、鹿江陳懷澄、大社賴紹堯成立櫟社，社規嚴格，僅二十餘人入社。林癡仙號友，移居聚興莊命名為「無悶」，妙筆好文且好女色，每當歡快中意之餘便贈詩，逝世後結集成《無悶詩詞》數百首，謝籟軒論林癡仙：「癡仙能適其樂，一日之生勝於常人三日。」敘述出時人對林癡仙的獨特感受。

連雅堂記好於絲竹的臺南人郭壽青，郭壽青曾與連雅堂、沈少鶴、李兆陽等友人泛舟安平，邊遊邊彈，尤以〈水操〉宛若戰場之聲，令人印象深刻，未來郭壽青久不得志竟受貧病而死，連雅堂不勝唏噓。

連橫記錄臺中人何水昌長年照護半癱的父親，家中清貧，又患肺病，需靠友人接濟，記錄日治時期長照悲歌，即便 1910 年（大正 9）市協議員林耀亭表揚其孝行，亦無助益。

洪鐵濤介紹諸多臺南地區名士，包括種植牡丹蘇友讓，可讓來自中國種的牡丹可以在海拔四千尺的地方種植成功。善化儒醫蘇建琳自製黃連膏對於湯火傷非常有療效。講述新竹王石鵬所著《臺灣三字經》仿蒙經音節和諧，適合當少年必讀教本，未料洪鐵濤書寫時，該書已經絕版，當時世面上多濫印書籍，卻沒有人印製王石鵬之作，洪鐵濤不勝唏噓。另文

提起臺北教授漢學與臺灣語劉克明來臺南一遊，南社友人於吳園開擊缽吟大會接待；紀錄清代林朝英提字「一峰亭」，已遭戰火燒毀。另文描述與鳳山王坤泰交友歷程，王君號太瘦生，善詩善繪畫，曾贈洪鐵濤〈黛玉葬花圖〉，圖中瀰漫蕭瑟、愁蛾之感，後因肺病過世，洪鐵濤不勝唏噓。洪鐵濤記錄中國重要翻譯家林紓，翻譯作畫與書法寫作等逸品很多，然而洪鐵濤卻發現閩畫中贗品也很多。

洪鐵濤記錄日本風俗女兒節以桃花為裝飾，又點出桃花、桃木避邪，有「鬼外福內」的意味。 批評女性穿著，藉由飼養孔雀來嘲諷女性，原來幼時醜過家雞，等到長大後誇張裝飾，讓自己變美。[771]也可以看出洪鐵濤對於當時女性打扮花俏的反感。 記錄當時有一法蘭西天文學者孚媚兒氏，表示伯爵夫人酥肩媲美天界明星，因此夫人過世後留肩皮裝飾為書皮，完成「天與地」的書。

連橫有提到臺南有七子班，祖傳源自泉州，像是梨園，班中祀有神田元帥。田元帥原名唐樂工雷海清，字棄雨，福建蒲田縣興化有廟祭祀，寺廟木門不施油漆仍香火鼎盛。[772]

連橫曾紀錄臺南有名刻木匠叫馬奇，店開在針街，曾經為北極殿祀玄天上帝製作神輿，從選石到雕出三十六天罡之像，並以花木鳥獸雕刻，花費三年才完成，乙未之役造成駐兵鋸斷數片，之後居北勢街的陳亦瑞收藏著，本篇紀錄清代北極殿鎮殿之寶雕刻的由來。[773]

二、現代化文明

在日治時期常可見許多轉譯自他國關於現代化文明的作品，這些看似與政令無關的西方新聞或現代性知識，從文字內容中傳達給讀者全新

771——懺紅，〈餐霞小紀〉《三六九小報》1934 年 3 月 3 日，第 319 號。
772——連雅堂〈田元帥〉，江寶釵等校注《雅堂文集校注》，臺北：學生書局，2020 年 6 月，頁 265。
773——連雅堂，〈雅言（五五）〉《三六九小報》1932 年 7 月 6 日，第 196 號。

的摩登感受，無論是新的疾病治癒方法、性別觀或衣著流行物品，在在顯示出日治時期臺南文人跨越邊界的接受歷程。吳文星曾探討臺灣受過日本殖民教育的菁英，在追求具現代化意義的社會變遷與抗拒日本同化間，如何迎拒與抉擇，其分析出自臺灣知識份子的文明論述主要在於「日本係以一新興的西化中國家統治臺灣，其非但不是本著東亞文化圈之一員來與「上國」子民共處，反而是以「先進」的文明國家心態鄙視「落後」的臺人」[774]，前文提醒著日本統治臺灣「企圖藉著「新文明」及日本國民精神的灌輸，同化臺人成為新日本人。」身處臺灣追求進步的知識分子能否自覺追求新文明的同時，也與殖民者觀點同化了，這也呈現臺人長期不斷地在迎拒殖民者和抉擇知識中矛盾的現象。從《臺灣文藝叢誌》中世界各國歷史與政治介紹，到三〇年代《三六九小報》大量轉譯西方文明與西方新聞的作品，可以從中瞭解想像現代文明到追求現代文明的歷程。這些作品中有純文明知識、有醫療想像經驗的描寫、有特殊現代文明新聞的轉譯等作品。

洪鐵濤〈毒瓦斯小話〉發表於 1934 年（昭和 9）從第 369 連載至 375 號，文中介紹瓦斯的知識與危險性，肇因於當時正值西方世界戰亂不斷，這些致人於死無色透明的有毒鎔劑常在空襲警備之時就需先做好防備，或每家都該準備一間防毒室，可緊閉門窗全家人躲避之用，還有中毒後的處理方法等資訊。

關於醫療文明的文章，《三六九小報》多刊載在「東鱗西爪」專欄，該欄位由韓浩川筆名「海客」或「海」撰寫，該專欄描述醫學文明的文章分兩種類型：一種是醫學文明的發現與技術改進，另一類為諷刺

774——吳文星，《日治時期臺灣的社會領導階層》，臺北：五南圖書出版公司，2008 年，頁 312。

嘲弄當時疾病的作品，如〈昆蟲換頭〉，以倫敦動物醫院執事前往奧地利首都維也納參觀由外科醫生所做的「昆蟲換頭」的試驗，諷刺不僅昆蟲，甚至活蛙眼移植也可以讓盲蛙重見天日，不過最後海客透過彼此換頭甚至連基本個性都可以互換[775]的嘲諷，來表達自己對此醫療技術的懷疑與嘲諷。而〈皮膚進食〉[776]則描述奧大利醫生將提供身體所需的蛋白質、糖類等營養透過皮膚注射到血管，為無法咀嚼、食用一般食物的病患補充體力，不過文末「近來上海人最喜歡用『肉感』這個名詞，如今皮膚會吃東西。那麼除了發生肉感之外，更大有用場了。」[777]諷刺中國上海流行文化，呈現出作者對當時肉感暴露文化的不認同。而〈骨〉則以科學性的知識為主題，說明人體二百零八具骨頭，加上早上吞下的一魚骨共有二百零九具[778]，嘲諷時人對日常瑣事熟悉，對科學根據不熟的滑稽貌。

《三六九小報》〈揶揄醫匠〉以「流氓」之眼來觀察市井中的醫生與木匠：「醫曰：『俗云醫生有割股之心，誰家有病當盡義務。』……醫聞言，大怒曰：『爾請我看病，誰欲買爾的棺耶？』匠曰：『方纔爾貴价來云，老師母死，欲尋棺木，是誰請你看病耶？』二人知被揶揄，醫始喪氣而歸。」[779]文中安排乞丐為正義之士，反觀社會地位占優勢的醫者與木匠卻無德，最後讓流氓惡作劇教訓兩人，暗喻有地位者無良，不如乞丐跟流氓，這試作者以對權威挑戰，對社會地位僵固觀點的反諷。

洪鐵濤對於新文明事物或新聞非常有興趣，包括「山嶽症」為今日的「高山症」，文中記錄時人登高山達三年米以上即會感受到疲勞、四肢無力、頭痛、呼吸不順，直到後來有處置方法，方可緩解。洪鐵濤記錄當時

775—— 海客，〈東鱗西爪・昆蟲換頭〉，《三六九小報》，第 237 號，1932 年 11 月 23 日，第 4 版。
776—— 海客，〈東鱗西爪・皮膚進食〉，《三六九小報》，第 308 號，1933 年 7 月 19 日，第 4 版。
777—— 海客，〈東鱗西爪・皮膚進食〉，《三六九小報》，第 308 號，1933 年 7 月 19 日，第 4 版。
778——《臺南新報》，「諧藪」欄，1926 年 9 月 27 日，第 6 版。
779——《臺南新報》，「諧藪」欄，1927 年 4 月 23 日，第 6 版。

要瞭解海深使用音響測探器，當時每秒以 80 米測量，以聲音返回陸地算出深度。記錄西方戰爭的事，包括西班牙與法蘭西國境的「比禮涅」山脈，六個村莊全部的人都投入陸軍。1934 年（昭和 9）呈現西方人投入戰爭中，一方面顯示當時戰事緊張，二方面有無勸導讀者投筆從戎的意味。洪鐵濤說明當時為了表揚參與戰事的功勳，特製甲種金鵄勳章、乙種旭日章、丙種瑞寶章，作者是雕刻大師池田勇八和曰名字實三兩氏製作。

三、新舊文化的衝突

（一）性別觀念

儒家「男尊女卑」的人倫關係，是奠基於數千年前的古老傳統。從先秦禮典中大量「陽貴陰賤」、「丈夫雖賤皆為陽，婦人雖貴皆為陰」等倫理論述看來，婦女的卑賤性透過經典而被正當化，「男尊女卑」成為一套由內而外、潛移默化的儒家傳統價值觀。[780]從清治時期臺灣來看，儒漢社會中的傳統女性不具備隨意外出的行動自由，所以婦女的社會參與相對受限，多集中於家庭、宗教信仰等生活空間。《三六九小報》在刊載中西女性的文章中，可分成介紹西方女性、東方女性，以及藝妲等幾個部分的作品，三種不同的女性，所談論的面向亦不同。值得注意的是，除了作者談論女性的觀點之外，日治時期大部分報刊的讀者為男性居多，所以這些作者或讀者，不論是傳統文人或新式知識分子，他們都具有相當程度的「文化資本」甚至是「社會地位」；這些知識分子與殖民政府之間的關係一直都是非常模稜兩可曖昧不清的，那也是日本殖民臺灣時期的獨特現象[781]，所以觀察這些描述東西方女性或藝妲的作品，更可觀察當時的男性觀點與權力觀點，但是那跟當時代真實女性自身的話語，是有落差的。

---

[780]── 呂明純，〈第一章日據時期臺灣女性生活處境〉，《徘徊於私語與秩序之間 - 日據時期臺灣新文學女性創作研究》，臺北：臺灣學生書局，2007 年 10 月 1 日，頁 12-13。

臺南出現藝旦的選美活動，於 1930 年（昭和 5）9 月 26 日起的第六與七號之第一版刊出由嘉義鷗社主辦的花榜評選廣告為「花選小啟」，並也在之後各期詳細介紹每次的票選結果以及獲花榜之藝旦的特點與寫真。除了選美活動之外，更多的是「花叢小記」描寫各地名妓的生平、生活、樣貌與外表。

（二）男性觀點下的女性裝扮

〈現代之摩登女觀〉對臺灣摩登時髦的女性描述：「古之斷髮者，或因偷漢而彼截（按：被截），或為皈佛而剃度；今之斷髮為省梳掠之時間，斷却煩惱絲，不加膏澤，更施熨盪，迎風而舞，儼若天魔下道場。」[782] 嘲諷古時候女子頭髮剪短是因為紅杏出牆被懲罰或是為了皈依佛門而剃度；現代女性為了省卻梳理頭髮的時間而剪短髮，不但沒有為頭髮施以脂膏潤澤，甚至有人熨燙頭髮，任髮絲在空中飛舞，就像是群魔亂舞的道場。除了髮型，軟紅也對化妝提出見解，他認為，「現代女性之施脂傅粉，一味濃抹，如戴一假面，難窺廬山，妍媸不辨」[783]。作者認為現代女性濃妝艷抹，就像戴著假面具的「妝飾」，因此「誠足噴飯也」[784]。而且，穿著上面對透過「露胸」引起異性好奇的女性，反而會引人犯罪，所以此風不可長。作者對於穿著「短袖」女性的評價是個將肉體之美誇示於人的人，作者表示雖穿著長衫而獨獨手臂比較不怕冷，露出一大截來；而露出腿部曲線，也不符合臺灣亞熱帶日照強烈的天氣，作者表示因為紫外線強，腿部曬太陽後便成焦黑色，若是「歐美女子，種係白皙，且不重風教，故半裸而誇美。」[785] 嘲諷臺灣女子學習歐美的穿著，卻不如歐美女子皮膚白皙，變成不重禮教裸露身體來炫耀自己身體之美，沒有自知之明的行為。

781──張志樺，〈情慾消費於日本殖民體制下所呈現之文化與社會意涵──以《三六九小報》及《風月》為探討文本〉，成功大學臺灣文學系碩士論文，2005 年，頁 119。
782──軟紅，「太空論壇」〈現代之摩登女觀〉，《三六九小報》，第 442 號，1935 年 5 月 3 日，第 2 版。
783──軟紅，「太空論壇」〈現代之摩登女觀〉，《三六九小報》，第 442 號，1935 年 5 月 3 日，第 2 版。
784──軟紅，「太空論壇」〈現代之摩登女觀〉，《三六九小報》，第 442 號，1935 年 5 月 3 日，第 2 版。
785──軟紅，「太空論壇」〈現代之摩登女觀〉，《三六九小報》，第 442 號，1935 年 5 月 3 日，第 2 版。

面對中國女性外表穿著的批評，蔡培楚提出「中國婦女之服裝，趨時尚奇，日新月異，大體漸傾於歐化。但是否適於身裁，合乎衛生，則不甚研究也。」[786]文中對中國女性盲目追隨西方潮流，以歐洲當時代流行的穿著為目標，也不管它是否適合自己的身材體形或衛生，包括學生裝的窄衣短裙、旗女服裝的長衫闊袖，最後，裙子只到膝蓋的長度，衣袖愈來愈短，終至裸露手肘；再者，提到「西女之蜷髮，本出天然，欲求直而不能者，誠為憾事。」[787]文中以西方人的捲髮的基因對照臺灣女性直髮的基因，諷刺臺灣女性燙髮行為是醜化了的「東施效顰」。

洪鐵濤〈我的美人之美〉說世上的美醜，並無定論，所以「大凡世間的美人，自頭至足，總要配置得宜，又要別有異人之處，方稱為美，縱有一處不合適，就是如西施的美，也不足為奇。」[788]洪氏眼中的美人一定要有異於他人之處，像是頭髮要烏黑濃密、螺髻的頭髮、蟬翼的雙鬢還要摻雜幾根紅形色的金絲；兩道眉毛要像濃密的夏草般、卻又有秋天樹木參差的氣概；一雙眼要水汪汪且明亮，又像肥美又黑白分明的胡桃；兩腮要有豔麗而光彩奪目的五彩色；鼻子要直而圓，像膽囊的形狀，卻不能像倒掛彎橋；嘴形要像白兔；脖頸要有古柏般蒼勁之貌；兩乳要呈布袋形；腰圍要有十圍大小，柳腰太過削瘦，看起來就是窮人家的窮酸相；手指像觀音菩薩的五指山，春蔥般的手指頭則過於纖細尖銳；頭要像斗；齒要如同豬八戒的釘鈀；兩足要愈大愈好，最好是像二尺蓮船[789]；作者不喜歡纏足，除了限制了身體的發展，更是頭重腳輕像虎頭配鼠尾般；身高要像佛像的一丈六尺高。[790]洪鐵濤也表示「歐風東來，女性之肉體，咸以露出為美，……然冶容誨淫，近來姦情之案，所以獨多也歟。」[791]其反對婦女

786——植歷，「雜俎」〈芳圃閒話〉，《三六九小報》，第95號，1932年7月3日，第2版。
787——植歷，「雜俎」〈芳圃閒話〉，《三六九小報》，第95號，1932年7月3日，第2版。
788——野狐禪室主，〈雜俎・我的美人之美〉，《三六九小報》，第2號，1930年9月13日，第2版。
789——古圓，〈秋鳴館苦笑錄・想着就錄〉，《三六九小報》，第200號，1932年7月19日，第4版。
790——古圓，〈秋鳴館苦笑錄・想着就錄〉，《三六九小報》，第200號，1932年7月19日，第4版。
791——洪鐵濤，〈我的美人之美〉，《三六九小報》，第286號，1933年5月6日，第4版。

穿著暴露，以引起犯罪為由。古圓筆下的女性極其現代，既符合現代之美，又符合國策禁止纏足，反倒在此呈現他不傳統女性外貌為標準。

在臺南有許多藝閣，為了這些藝閣女子，《三六九小報》第四版固定為其開設專欄「花叢小記」，由洪鐵濤、趙雅福、譚瑞貞、趙雲石、蔡培楚、王開運、張振樑、許丙丁等臺南文人以不同筆名輪流撰寫，亦有他人投稿。「花叢小記」專欄記載崁城南眉旗亭、醉仙閣、陽春樓、稻江獅館巷、蓬萊閣、崁城小樂天旗亭、嘉義西薈芳旗亭、崁城寶美亭、嘉義文明樓、城西昭和樓、高雄樓、高雄鹽埕洋式茶店、臺中醉月樓、西關外桂花亭等地藝妓的特色與故事。

專欄中洪鐵濤以筆名「鴛囚」記錄來自高雄的穎川生為醉仙閣詹阿月，與葫蘆墩畔某生散盡家產，也記錄雛妓特受文人喜愛，包括佳里第一樓雛妓兩名巧雲與秀英；陽春樓藝妓阿珠其悲苦被賣去岡山臺南的一生等。其認為女性動人之處在於韻，有楊柳腰、笑渦，歌聲如鶯簧尚澀、膚白似雪、、喜年紀不滿二十者。[792]

專欄中蕭永東提到自己喜歡大腳的女性，卻不喜歡過度裝飾的女性，文中提到常常看到時人掛金目鏡、金牙齒、金錶鎖、金手指、金鈕，其用品不離金的裝飾，豈真是美化？最不合理者，就是草地婦女的裝飾，金花、真珠片花、真珠領練、金手環手指，而配烏淺布衫褲，脫赤腳，兩枝脫筒現現，只知裝飾用金器珍珠做本位，全不知美醜的所在，實亦可笑的事實。[793]為什麼這些草地婦女有辦法買金飾或裝飾品呢？清代臺灣尚處於農業社會，經濟主力為米糖輸出，大部分女性均在家中操持家務或家中農務，其生活、人際社交或禮教規範均圍繞著家庭。[794]從清末天

792——參見洪鐵濤，《洪鐵濤文集》，臺南：臺南市政府文化局，2017 年 2 月，頁 152。

793——古圓，〈秋鳴館苦笑錄 · 想着就錄〉，《三六九小報》，第 200 號，1932 年 7 月 19 日，第 4 版。

794——呂明純，〈第一章日據時期臺灣女性生活處境〉，《徘徊於私語與秩序之間－日據時期臺灣新文學女性創作研究》，臺北，臺灣學生書局，2007 年 10 月 1 日，頁 21。

81 ——— 古典文學卷

津條約對外開放了淡水、基隆、打狗、安平等通商口岸後，茶、糖、樟腦成了臺灣三大重要出口品，也因開港後茶、糖、樟腦的生產造就了許多婦女的就業機會，尤其開港後，茶的地位日趨重要，從清末起臺灣女性加入採茶的工作，根據 1905 年（明治 38）的統計，大稻埕每年需雇用二十萬的採茶女上山採茶，在大稻埕的「亭仔腳」能常見揀茶女埋頭挑揀茶葉的身影，當時平均每日被大稻埕雇用的揀茶女超過兩萬人，因此，大量的出口貿易需求，增長了女性就業機會[795]，所以，這些以勞動為主業的婦女，在經濟寬裕後，不免有打扮的機會與有餘裕購買飾品，尤其他們生活或工作的地方會接近較為繁華的商業區[796]，如大稻埕。所以，作者否定流行的裝扮，特以「草地婦女」為言，或許是指他們的身分、身處的社會地位，也諷刺當時臺灣婦女裝扮是虛榮心理在作祟。

王開運以「臺灣婦女髻名，多取義於形，俗惡不堪。觀其命名，則可見我臺之婦女之野鄙不文。」[797]從臺灣婦女對髮髻的命名批評其「鄙野不文」，同時也建議「向婦女宣傳讀書運動，其力遠不如舞女與妓女服式之容易使伊們注意而仿效。」對作者而言，穿著不如藝姐的臺灣婦女不如多讀書。變態偉人以地位特殊的藝姐和妓在裝扮上跟一般婦女比較，最重要的是，該文強調婦女要多讀書，不要花心力在裝扮上。依據游艦明研究顯示，日治時期的女子教育不管內地或本島，均以培養嫻淑溫雅的日本女性，以鞏固國體、強化家族制度的未來，加強女子守備後方家庭，且重視女子在國防、生產與生活上訓練的教育目標為主。[798]若以此概念來看，作者強調女子應多讀書，實際上不僅是呈現當時知識分子希望女性多接受教育，更重要的是身為知識分子對文明進步的期待。[799]

795—— 參見陳惠雯《大稻埕查某人地圖／婦女的活動空間—近百年來的變遷》附錄四「大稻埕女子公學校學生資料」，臺北：博揚文化，1999 年 7 月 31 日，頁 171-176。

796—— 花道人，〈職業女四詠 · 女車掌〉，《三六九小報》，第 90 號，1931 年 7 月 9 日，第 4 版。

797—— 變態偉人（本名：王開運），頁「雜俎」〈幸盦隨筆〉，《三六九小報》，第 174 號，1932 年 4 月 23 日，第 4 版。

798—— 游鑑明，《日據時期臺灣的女子教育》，臺北：國立臺灣師範大學歷史研究所專刊，1988 年，頁 55。

蔡培楚認為「昔時婦女妝飾之爭奇鬥豔，皆始於妓女。盖彼輩須炫服而求售，故不得不爾。久之良家乃稍稍習而倣之。今之時髦則反創始自閨秀，妓女因倣而效之，以自矜貴，而高抬其聲價焉。」[800]以前，婦女的穿著打扮爭奇鬥豔都是從妓女開始，她們為了招攬客人不得不穿得光彩耀眼；後來，逐漸有良家婦女仿傚她們的穿著。作者反向觀察到當時流行的趨勢反而是大家閨秀所帶動的流行趨勢，竟而特殊行業的妓女追求這些大家閨秀的裝扮，非但沒有稱讚大家閨秀帶動流行，反而諷刺大家閨秀跟特殊行業女子裝扮相似。到底當時女子對裝扮的態度，以及男性對女子裝扮的評價如何？〈醉餘雜錄〉文中對當時女子裝扮下了評價，文中描述當時流行裝扮，無論貧富美醜、體態胖瘦的女子均衣著華美，追求裝扮新奇，但是，作者對於這些裝扮背後的花費卻相當擔心，認為這不是每一個家庭負擔得起，所以他反對裝扮；另一個反對的理由是他認為男女姦淫不雅的事，多半由濃妝豔抹開始，因此愛好裝扮的女子，必定會引起登徒子的注意，這樣的女子不但貞節不保，還容易淪為男子的玩物，因此作者相當反對裝扮，甚至認為女子解放是思想解放，不該解放在裝扮上。[801]在此，可以看見當時代男性對於女性身體的干預，包括不符合時代的「纏足」、花費不貲的裝扮，纏足代表「不進步的」、「過時的」、「不合乎現代社會需求」所以必須改變；而裝扮代表「奢侈浪費」、「淫蕩不雅」所以必須禁止。張志樺觀察到臺灣男性知識階層對於臺灣女性的掌控從來不曾鬆懈過[802]，實際上，筆者在此看到傳統漢文人藉由纏足對於國策的呼應、對於裝扮的花費是時代經濟的焦慮，對於裝扮引來登徒子追求，是對於女子對戀愛自由的追求態度的恐懼。張志樺用「骨子裡精算著如何將女性塑造成

799—— 呂明純，〈第一章日據時期臺灣女性生活處境〉，《徘徊於私語與秩序之間－日據時期臺灣新文學女性創作研究》，臺北：臺灣學生書局，2007 年 10 月 1 日，頁 46。

800—— 植歷，〈雜俎·芳圃閒話〉，《三六九小報》，第 195 號，1932 年 7 月 3 日，第 4 版。

801—— 心，〈醉餘雜錄〉，《三六九小報》，第 126 號，1931 年。

802—— 張志樺，〈情慾消費於日本殖民體制下所呈現之文化與社會意涵──以《三六九小報》及《風月》為探討文本〉，〈情慾消費於日本殖民體制下所呈現之文化與社會意涵──以《三六九小報》及《風月》為探討文本〉，成功大學臺灣文學系碩士論文，2005 年，頁 83。

『恰恰好』的進步，在適當的範圍內，女性得以擁有男性所允許退讓出的某種程度的包容與自由」[803]，這其中看出傳統漢文人男性對於秩序的掌控，藉由言論帶動時代觀點，尤其在以讀者可能是大量識字的男性上，企圖引發觀點的共鳴。

　　這樣的觀點對照盧承基〈現代之摩登女觀〉[804]，文中對於當時女性流行的裝扮從頭到腳一一加以評論，「斷髮」，作者認為女子披頭散髮宛如「天魔下道場」般恐怖；「粉面」薄施脂粉的女性很美，但是濃粧像是戴上假面具，不能看清盧山真面目；「露胸」描述女子穿著暴露，在追求進步流行之餘坦胸露乳，淪為誘惑挑發異性的工具；「短袖」形容女子為了展露手臂，忍耐天氣、暴露在寒冷中忽略保暖；「現腿」更是下半身裸露的象徵；「拜金」在女子好裝扮下，追逐金錢的態度。軟紅完全對當時代女性追求流行裝扮後，造成花費較不打扮婦女高，且當時流行衣著不包覆手臂、腿部給予負面的評價，這種一面倒向希望婦女恢復保守、安於室、不裝扮、少花費舊秩序的評價，在在顯示當時代的言論是掌握在男性筆下，女性用行動改造自我，還是得面臨當時代男性包括統治者的國策與知識分子的期許與投射[805]，洪郁如表示「她們被期待扮演一種新的『賢內助』角色，那就是以受教育所得之近代知識協助男性，在仕紳的家庭與事業兩方皆能有所貢獻。」[806]所以男性會用女子應該多花心力在接受教育，而不花心力在濃妝豔抹花費不貲的裝扮

803——張志樺，〈情慾消費於日本殖民體制下所呈現之文化與社會意涵——以《三六九小報》及《風月》為探討文本〉，〈情慾消費於日本殖民體制下所呈現之文化與社會意涵——以《三六九小報》及《風月》為探討文本〉，成功大學臺灣文學系碩士論文，2005 年，頁 83。

804——軟紅（盧承基），頁〈現代之摩登女觀〉，《三六九小報》，第 442 號，1935 年。

805——呂明純，〈第一章日據時期臺灣女性生活處境〉，《徘徊於私語與秩序之間 - 日據時期臺灣新文學女性創作研究》，臺北：臺灣學生書局，2007 年 10 月 1 日，頁 47。

806——洪郁如，《近代臺灣女性史：日治時期新女性的誕生》，東京都，勁草書房，2001 年，281。

807——呂明純，〈第一章日據時期臺灣女性生活處境〉，《徘徊於私語與秩序之間 - 日據時期臺灣新文學女性創作研究》，臺北：臺灣學生書局，2007 年 10 月 1 日，頁 50-51。

808——古圓，〈秋鳴館苦笑錄 · 想着就錄〉，《三六九小報》，第 200 號，1932 年 7 月 19 日，第 4 版。

上，這些裝扮代表女子想走出家庭被觀看，而原先解纏足後，希望女性成為可以投入國家的國策或知識分子，希望成為家庭的生力軍的勞動力，為國家與社會服務的勞動力，即便是推動對女子接受更多的教育都是在工具性利用的前提下，因此才會與女子追求自我裝扮出走中與期待衝突[807]，最大衝突的原因，扣除原來就是上層階級家中經濟不錯的女性外，且從古圓〈想着就錄〉提「草地女」[808]粗手大腳也濃妝豔抹的文章對照 1937 年（昭和 12）10 月的臺北市女性勞動者收入調查，當時女性已經有將近五十餘種的職業可從事[809]，因此消費得起裝扮奢侈品的女性也代表在經濟上擁有工作與金錢上的自由，在在讓當時代的男性更難控制，原先希望這些女性投入家庭生產力，擔任男性家庭穩定的後盾的期待會落空，因此給予女性裝扮負面的評價。

上述臺灣漢文人為何給予婦女暴露裝扮負面評價呢？連雅堂曾寫下臺南女子有「含蕊傘」的習俗，其指臺南民風純樸，多沿用朱熹當初治理漳州的方法，主張「節民力、易風俗」，婦女出門多以紙蓋面，可謂含蕊傘。[810]藉此習俗對比上面女性濃妝打扮、穿著顯眼的態度，這些文人當然會對不同於習俗的婦女多所負面評價。

洪鐵濤記錄歐美女子手戴訂婚指環，會戴在左手第四指，比喻左手與心臟比較近，第四指有細筋直通心臟，也將指環男女餽贈，象徵彼此有婚約且遙遙相對。[811]亦紀錄英國北部舉行婚禮時，將喜糕切碎灑於人群中，

809—《臺灣婦人界》裡面紀錄的職業有：女醫師、產婆、女學校教員、藝旦、廣播員、巴士車掌、看護婦、打字員、舞者、新聞記者、會社事務員、土木匠、自動車運轉手…… 等等，詳見《臺灣婦人界》，第 5 卷第 1 號，1937 年，轉引自張志樺，〈情慾消費於日本殖民體制下所呈現之文化與社會意涵——以《三六九小報》及《風月》為探討文本〉，〈情慾消費於日本殖民體制下所呈現之文化與社會意涵——以《三六九小報》及《風月》為探討文本〉，成功大學臺灣文學系碩士論文，2005 年，頁 71-72。

810— 連雅堂，《雅堂文集校注》，臺北：臺灣學生書局，2020 年，頁 287。

811— 洪鐵濤，刊於《三六九小報》第 394 號，1934 年 11 月 13 日，參見《洪鐵濤文集》，臺南：南市政府文化局，2017 年，頁 244。

臺南習俗喜糕將豬肉混入製作，讓賓客分食，且口唸「人未到，緣先到」直到新娘進房為主，且讓賓客食用喜糕是為了新娘討喜用。[812]

1. 女性穿著與形象

臺南文人對女子穿著打扮的評價，對照當時代的藝姐的穿著打扮與評價，就不難看出男性兩極化的態度。在男性筆下對藝旦身材的描述，包括：「玉秀斷髮摩登，貌雖中姿，肌理白皙。」[813]、「謝素貞，肌理白皙，其生母為豔名鼎鼎之南管嬌蓮。」[814]、「星子秋水凝神，肌膚如凝脂。」[815]從前述得知當時男性頗注意皮膚白皙、眼睛有神的女性，尤其藝姐的身體是他們展現自我、被注意的謀生工具，藉助白皙的肌膚、眼睛的神采，更容易被男性關注，視為獨特的個體。

除了容貌外，衣著也是男性文人筆下喜愛捕捉的細節，「此妓愛穿綠衣，問其何故，答曰綠色近青，妓既欲青其色身，何妨又青其名。且近來巴黎女子多好以配戴綠色粧具，標示待字之身，以便求愛也。」[816]、「雅櫻微具英雌氣，平生好著黑色衣。窄袖長裙，不施脂粉，望之有大家風度。」、「稻江幼良、紅綢與小阿素等，多好著紅衫紅履。」藝旦的衣著不僅受男性關注，包括「窄」、「長」展顯出身體的線條，強烈的顏色「綠」、「黑」、「紅」突顯出視覺被色彩衝擊，對比「不施脂粉」的美貌，這些強調身體與描繪穿著的書寫是他們被男性留下深刻印象的象徵，更是他們達到被注意的結果。王開運筆下「情人眼內出西施是一個沒有辦法陳述的標準，不能用哪一個時代的標準套用，也不是單一人的言論」[817]，呈現出男性的主觀態度，所以「美」是男性的視覺享受，對於美醜會因男性欣賞者的觀點不同，這種一切女性的評價

812── 洪鐵濤，刊於《三六九小報》第 395 號，1934 年 11 月 16 日，參見《洪鐵濤文集》，臺南：南市政府文化局，2017 年，頁 244。

813── 〈花叢小記〉，《三六九小報》，第 100 號，1931 年。

814── 〈花叢小記〉，《三六九小報》，第 323 號，1934 年。

815── 〈花叢小記〉，《三六九小報》，第 326 號，1934 年。

816── 〈花叢小記〉，《三六九小報》第 185 號，1932 年。

817── 變態偉人，〈雜姐・幸蠹隨筆〉，《三六九小報》第 176 號，1932 年 4 月 29 日，第 4 版。

掌握在男性筆下的權力，正是當時寫作者是男性，讀者也多為男性的共犯結構形成的。

「一兒迷路，哭於途，巡查過而問之曰：『何哭？』兒曰：『我母親走失，我又不知路徑，故哭。』巡查曰：『你行路時，何不將你母親裙子揪住？』兒曰：『我母親裙子，高穿在半天上，我那裡揪得着。』巡查不覺啞然，此亦為母者，好學時髦粧之弊也夫。」[818]藉小兒身高搆不到母親裙擺，諷刺當時女性流行穿著不符身分，實則是一種男性批判女性穿著視角出發的言論，也是反西方自由穿著的言論。洪鐵濤也紀錄當時婦女流行穿高跟蠻鞋，鞋聲細若碎玉，期能令柳腰娉婷，蓮步婀挪，不過穿此鞋女性骨盆易變形，有難產之虞，所以根據醫學當時並不鼓勵女性穿高跟鞋。[819]

這樣的關注不代表男性文人希望每一位女性都被人注意，一九三〇年代男性文人筆下，哪種女性可以被注意、可以打扮，都被文字支配，甚至希望透過這類文字，達到規訓女性的目的。除了男性文人傳達規訓的準則之外，這些能見到藝妲的男性文人，更是消費得起藝妲的身分，展現出這些男性具備選擇誰可以打扮、誰必須受教育、該怎麼過日子的權力，這是男性支配女性權力的象徵，更是當時代女性必須成為家庭或男性輔助角色社會秩序的展現。正如連雅堂為《惜別吟詩集》[820]描寫到「同此體魄，同此靈魂，男女豈殊種哉？謂女子從人者也，奴隸待、牛馬畜，生死榮辱，仰息他人，莫敢一破其綱牢。」連橫為當時女性屈居人下的命運感到不平。

818——哈仙，《三六九小報》第 45 號，1931 年 2 月 9 日，頁 3。

819——洪鐵濤，刊於《三六九小報》第 412 號，1935 年 1 月 19 日，參見《洪鐵濤文集》，臺南：南市政府文化局，2017 年，頁 248。

820——初刊載在《鷺江報》，光緒廿九年連橫為蘇寶玉《惜別吟詩集》序，文末署名臺南連橫天縱。轉載自林文月，《青山青史：連雅堂傳》，臺北，有鹿文化視野有限公司，2010 年 8 月 13 日，頁 58。

2. 女性追求自由

當時代女性追求自由、平等，在觀念上已不似傳統重視貞節，從一而終不再是女性唯一的選擇，這樣的氛圍可以從日本總督府提倡天然足這件事來看，在不明令禁纏足的態度上，報章雜誌許多文人投入這樣的宣導，包括臺南文人蔡國琳〈天然足會祝辭〉[821]、〈臺南天然足會序〉、趙雲石〈論纏足之弊害及其救濟策〉等，根據林淑慧研究這些解纏足的論點多為舊紳商成立集會，在報章宣導。儘管對當時新式知識份子來說，沒有帶動龐大的影響力[822]，不過，這些言論也可看出政策帶動文人思想觀念，間接對女子產生影響。不僅是禁纏足，當時連橫也發表〈禁養苗媳議〉[823]直指當時代女性位居弱勢的陋習。

《三六九小報》有文提到，名妓雅斯麗者擔任貞節會的幹事，特別反對法國女子不知恥，提倡貞節。作者強調「妓女獨能倡言貞節，亦殊可佩也已！」以淫亂之國反而強調貞節的筆法，實際上是對女性傳達「忠貞」的觀念，忠貞可適用的範圍包括父執輩、丈夫以及國家，若以讀者多數為男性來看，這些文字更是對男性讀者傳達「忠貞」的觀念。[824]

邱濬川〈維新婦〉[825]描述一個受過新式教育生性卻懶惰的妻子，不煮飯不做家事，把家裡大小事都丟給丈夫做的女性，文中描述丈夫稍有埋怨，就得遭受「河東獅吼」之苦，而妻子的說法是：「今昔不同，潮流亦異，願君勿相束縛，阻我自由。」[826]展現奉行自由的妻子偷懶，在家兇惡與傳統乖順且在家中承擔一切家務的女性不同；丈夫也表示：當今真的實行自由主義的女性到底有多少人？而現在女子的作為令這位丈夫無顏見江東父老，更何況向西學自由，不跟過去跟蠻夷學習一樣，傳統文化的優點

---

821 —— 蔡國琳，〈天然足會祝辭〉，《臺灣日日新報》，第 566 號，明治 33 年 3 月 24 日；連雅堂，〈臺南天然足會序〉，《臺灣日日新報》，第 574 號，明治 33 年 4 月 3 日；趙雲石，〈論纏足之弊害及救濟策〉，《臺灣日日新報》，第 5223 號，大正 4 年 1 月 3 日。

822 —— 林淑慧，〈日治時期臺灣婦女解纏足運動及其文化意義〉，《國立中央圖書館臺灣分館館刊》，10 卷 2 期，民 93 年 6 月，頁 76-93。

823 —— 連橫，〈禁養苗媳論〉，《漢文臺灣日日新報》，1911 年 6 月 12 日，第 1 版。

怎麼能捨棄而去學蠻夷之國的缺點呢！好言相勸妻子不要再拋棄傳統。[827]

文中指西方比喻為蠻夷之國，以「傳統」對比「自由」，以「西方蠻夷」對比「東方文明」來反對女子追求自由，而文中的「自由」的行為是不做家中大小事，這是男性反對女性不輔助家庭之事的理由，更是男性對當時代女性的選擇的否定，所以五四推行的自由與當時代男性對女性的需求，實際上有莫大的衝突。後來，文中的丈夫與妻子協議：「先開口說話的人，就要一輩子負責家中一切繁瑣的事務。」隔天是元旦，親戚朋友上門賀新春，但夫婦二人都不開口說話，眾人都很驚訝，以為發生了什麼事，於是找來他們的外甥。外甥無論叫舅舅或舅媽，他們兩人都不回答。外甥以為他們二人被下毒，誤食了啞巴藥，所以立刻轉身奔向縣衙，為他們擊鼓鳴冤。縣令問話時，夫婦二人都不回答，就下令鞭打這個丈夫。受到鞭打的丈夫強忍著痛，屏氣凝神，假裝已死，很久都沒有醒過來。妻子看見這種情形，以為丈夫已死，便流淚大喊：「我夫！」此時詐死的丈夫便起身，因為他已經贏了。透過趣味嘲諷當時代鼓吹女性追求自由，但是不管傳統觀念是什麼，當時代的女性還是逃不出「愛」男性的態度；文中的女性到底愛不愛丈夫，無從得知，但是文中婦女的選擇，實為女性為現實與丈夫詐死強勢脅迫下，所做的妥協。

在〈人世百面觀〉中，作者認為現今婦女蠻橫不講理而驕縱、驕縱而凶悍，最後造成沒有品格、壞了名譽，這樣的婦女實在是多得數不清。若仔細分析的話，因為驕縱所以對父母、兄弟不能孝順、友愛；因為蠻橫不講理，所以對公婆、夫婿不能尊重、順承；因為凶悍，所以和妯娌、鄰里不能相處和諧融洽，婦女敢如此肆無忌憚取決於結交損友和母親的溺愛。

824——〈花叢小記〉，《三六九小報》第 185 號，1932 年。
825——邱濬川，〈綠波山房摭談・維新婦〉，《三六九小報》，第 89 號，1931 年 7 月 6 日，第 4 版。
826——邱濬川，〈綠波山房摭談・維新婦〉，《三六九小報》，第 89 號，1931 年 7 月 6 日，第 4 版。
827——邱濬川，〈綠波山房摭談・維新婦〉，《三六九小報》，第 89 號，1931 年 7 月 6 日，第 4 版。

若母親善盡教育督導的責任，對她交往的對方加以審視，就不至於如此了。說到底，當時代的女性仍須在男性安排好的性別秩序中行動，如同呂明純說言，「無論在哪一時期，都還是不脫被利用、被支配的工具性命運。即使是在島內接受新文明洗禮後，父權社會的規劃，還是期待女性已親近習得的現代知識，擔任男性輔助者的角色，而不是做個可以主控一切的主體。」[828]

蕭永東〈代作一首（並序）〉敘述兩個推崇自由主義的男女，主張「戀愛自由、結婚自由、死活自由，萬事皆可自由矣。」[829]當自由男遇到自由女，兩人自然會情投意合，古圓寫道：「病同性異更相憐，奔女狂童亦夙緣。是妾芳心甘委地，非君色胆敢包天。偷來暗去傷親目，公討私求愛汝錢。男女自由平等日，爹娘古董已無權。」[830]在自由主義男女的心中，舊禮教的束縛已蕩然無存，不僅如此，父母的話也失去了作用。也就是說，在自由主義高張的社會，父母的思想已被當成古董一般了。筆下之意，嘲諷自由主義奉行者不只不守禮教，而且目無尊長的地步了。文中對「自由」以不守禮教與目無尊長對照舊禮教，看似文明與傳統的衝突，實際上是對當時「自由」風行的反對，例如：「甲婦—你辦的那所女子職業學校。成績怎麼樣。……乙婦—怎麼不是。伊們不但得了職業。并且結果都嫁與伊們的雇主。做起老板娘娘或總經理太太來了。」[831]諷刺女性上學受再好的教育，最後仍走入家庭，實則對女性受教育這件事不同意，也認為女性走入家庭不需要受教育。為什麼寫此文的文人不同意女性受教育呢？或許，步入婚姻、照顧家庭對他們來說沒用；再者，對女性職業學校的教學也質疑，也因為當時沒有足夠的女性可從事的職業，所以入學與真正進入職場者對

828—— 呂明純，〈第一章日據時期臺灣女性生活處境〉，《徘徊於私語與秩序之間－日據時期臺灣新學女性創作研究》，臺北：臺灣學生書局，2007 年 10 月 1 日，頁 63-64。

829—— 古圓（蕭永東（1895-1962），頁號冷史，另有古圓），頁〈代作一首（並序）〉，《三六九小報》，第 112 號，1931 年 9 月 23 日，第 2 版。

830—— 古圓，〈代作一首（並序）〉，《三六九小報》，第 112 號，1931 年 9 月 23 日，第 2 版。

831—— 海客，〈餘沫〉，《三六九小報》第 110 號，1931 年 9 月 16 日。

比差異，所以才有女性職業學校無用論的觀點。連橫在《大陸游草》對中國當時女性從事特殊行業提出「近世文明諸國，始有廢娼之論」[832]傳達他想要仿效西方文明的觀念，以及，連橫對上海婦女崇尚奢靡，喜遊園、觀劇、聚賭等驕奢淫佚風氣；女學生裝飾門面與勾闌娼妓競美之行為，不以為然[833]，對照上述臺南文人對婦女的粧扮與競美的非議，如出一轍。重點是真的與娼妓競美，還是當時女性開始重視自己的身體自主，穿上較為暴露的衣裙，對日治時期臺南男性文人來說都看不慣。

《三六九小報》中，除了對女性的書寫，對於巴黎的女性也有許多描述。「法國的婦女，都喜運動，游泳、打網球之類，普遍已極，但因此兩足也特粗。」、「在有名的幾條馬路上，時有人來誘你去看戲找女人，有時很容易上仙人跳。」對於巴黎這個現代都市中的女性，作者認為她們腿粗、會耍「仙人跳」的把戲，不但不見仰慕之情，甚至有貶抑的嫌疑。

在〈康有為之纏足談〉[834]藉康有為描述婦女纏足的歷程與痛楚，女子為了綁小腳，從剛斷奶起就要用三尺的布和七尺的帶子加以綑綁，讓腳骨變形、彎曲，還要浸泡藥水，想辦法讓腳不能伸展，無法長得粗壯。綁成了小腳後，走路很不方便，常常要靠著牆壁移動。而女性要做家裡的大小雜務，煮飯、洗衣、照顧年幼的孩子、侍奉生病的婆婆，一天到晚走個不停，總要嘆息自己的小腳帶來自己額外的痛楚與不便。這些纏足的女性，有人因為登上梯子不幸墜落而喪命，有人因為纏足的痛楚而失去生命。遇到天災人禍，必須逃離家園之時，溪澗過不去、高山難攀上、亂石阻塞道路、荊棘鈎衣裳，纏足的女性在這樣的情況下，有人在樹上自縊、有人跳樓自盡。[835]這篇藉由康有為敘述纏足女性一生痛楚的文章，呼應日

832——張靜茹，〈以林癡仙、連雅堂、洪棄生、周定山的上海經驗論其身分認同的追尋〉，臺灣師範大學國文研究所博士論文，2003 年，頁 100。

833——張靜茹，〈以林癡仙、連雅堂、洪棄生、周定山的上海經驗論其身分認同的追尋〉，臺灣師範大學國文研究所博士論文，2003 年，頁 100。

834——程，〈康有為之纏足談〉，《三六九小報》第 289 號，1933 年 5 月 16 日，第 4 版。

835——程，〈康有為之纏足談〉，《三六九小報》第 289 號，1933 年 5 月 16 日，第 4 版

治時期殖民政府廢除纏足的重要政策，這不僅是身為知識分子男性對於女性的新期待，也是當時代男性對於女性走出家庭，甚至能成為國家勞動力的國策的呼應。[836]

　　還有藉由對原住民守節的描述，悻庵描述不受控制的原住民，竟然還會遵守愛與貞節，重視自己已經過世的丈夫，可見守貞是愛的表現，不分有無受過教育的人。王開運強調「古以女子無才便是德，間有一二閨秀，便多自負，若今日，教育振興，才媛輩出，不唯女秀才，則女鬥士，亦遍地簇出，隨處蜂起矣。」[837]文中提到教育造成的女鬥士造成各處紛爭，這是男性地位面臨挑戰的言論。本節透過男性文人的筆觸呈現當時代女性的改變，也看出男性文人貶抑與嘲諷女性追求自由，與傳統衝突的貶抑，文中不斷強調貞節、禮教的遵守與受教育的女性，藉由「傳統」的框架束縛著女性，實際上是父權主義希望女性依附與輔助家庭，和官方希望男性讀

836── 呂明純，〈第一章日據時期臺灣女性生活處境〉，《徘徊於私語與秩序之間－日據時期臺灣新文學女性創作研究》，臺北：臺灣學生書局，2007年10月1日，頁50-51。

837──〈幸鑫隨筆〉，《三六九小報》第6號，1930年9月26日，第4版。

838── 呂明純，〈第一章日據時期臺灣女性生活處境〉，《徘徊於私語與秩序之間－日據時期臺灣新文學女性創作研究》，臺北，臺灣學生書局，2007年10月1日，頁110。

839── 呂明純，〈第一章日據時期臺灣女性生活處境〉，《徘徊於私語與秩序之間──日據時期臺灣文學女性創作研究》，臺北：臺灣學生書局，2007年10月1日，頁89。

840── 溥慈，〈雙清閣漫筆〉，《三六九小報》第167號，1932年3月29日，第4版。

841── 庸，〈人世百面觀（一一）〉，《三六九小報》第168號，1932年4月3日，第2版。

842──「至1921年（大正10年）8月，各州針對總督府提出的政策，擴充社會事業的項目，且於1922年（大正11年），總督府在預算中加入社會事業費一項，社會事業體制於此正式確立。此後，臺灣社會事業急速擴大。總督府施行社會事業政策的理由有二：第一，一次大戰後受到世界經濟變遷的影響，總督府認為以「防貧」為本的社會政策和社會設施是必要的。第二，思想界的動搖和經濟界的變化，將會造成日後的社會問題。因此，社會事業政策付諸實行後，各地的方面事業、職業介紹所、授產所、公設住宅、免費寄宿所、公共浴場、公共產婆、兒童健康諮詢所、兒童保護、職業少年教育、風俗改良、社會教化、生活改善等社會事業漸次展開。此時期的「風俗改良」則從原來的地方提倡性質，變為社會事業中的專門項目，以節省冗費為目標，「聘金」一項成為此次改革的重點之一。因此，一個婚姻是否具備「文明結婚」的特徵則強調「聘金」的收取與否，臺中地方法院檢察官上內恒三郎表示，臺灣婚姻制度的弊害在於以「買賣婚」為本質，他認為臺灣僅上流社會仍遵行嫁娶禮制，但中流以下則純粹是買賣婚姻，而其中的聘金並非「結納」的意思，而完全是新娘的「身價金」。婚姻締結時，以聘金的多寡為取捨的條件，既不問男方的人品如何，也不問大家的地位如何，而其「身價金」由女方父母、兄弟或其他主婚人取得，媒人則如同仲介協尋買主，並在事後收取仲介費，甚至婚後丈夫若嫌棄妻子而將其轉賣的例子也不在少數，名義上雖為離婚，實則是前夫將妻子賣給後

者重視「忠貞」的雙重強勢國家觀念的推動，這些漢文人有選擇性的推展有利於自己身分或生活的新文明，相對而言，也對殖民統治者的政策與權力合理化的詮釋。

（三）婚姻自由

隨著西方思潮傳入臺灣，從日治初期的《臺灣民報》上已然出現一些打倒封建婚姻、鼓吹自由戀愛進步的言論，這些對傳統封建禮教婚姻挑戰的言論，實際上是為號召所有青年兒女們一起投入反傳統革命的行列。[838]在《三六九小報》「開心文苑」、「雜俎」與「東鱗西爪」等專欄，常見到中西方婚姻觀點的書寫，這些男性作家筆下的婚姻觀點，是站在強調社會秩序互動的驚艷上，不同於女性作家強調婚姻成員間親密情感流動的細節。[839]從這些男性筆下的婚姻觀點，可以看出當時代臺灣文人對舊式婚姻與西方自由戀愛下婚姻的看法。

1. 反對童養媳習俗

庸〈人世百面觀〉[840]描述童養媳悲慘的人生，表面上視為家中一女，實際上卻以照顧幼子、長大嫁子、死子改嫁的童養媳被他人操控一生的命運來看，男性漢文人對於這些下層女性被迫人身買賣的不自由感到惋惜，就像溥慈〈雙清閣漫筆〉[841]在詩中高喊著要像林肯解放黑奴般解放這些童養媳。這種解放人身買賣的聘金觀念，可追溯自 1919 年（大正 8）10 月，臺灣首任文官總督田健治郎（1855～1930）到任後，治臺方針標榜為「內臺融合」與「一視同仁」的「同化」政策有關。[842]

一九二〇年代初期臺灣社會因「矯風政策」所引發對「聘金制度」的討論，不分新舊文人均對臺灣的舊婚制度進行檢討，值得注意的是，兩者

夫。在民法延長實施的一年後（1924 年大正 13），臺中地方法院院長田中吉雄也同樣表達出對於特別立法的遺憾。他認為，由於臺灣的繼承習慣和內地的「家督相續」制度大異其趣，所以〈相續編〉採取特別立法乃是情有可原；但因〈親屬編〉關係到戶籍法和內臺共婚等重要問題，所以〈親屬編〉還是應該以內地民法為準。」轉引自廖靜雯，〈「自由結婚」：日治時期臺灣的婚戀論述（一九一〇～一九三〇年代）〉，（新竹：國立清華大學歷史學研究所碩士論文，2013 年 6 月），頁 97。原源自大友昌子，《帝国日本の植民地社会事業政策研究》，京都：ミネルヴァ書房，2007 年，頁 162-167。

皆認為聘金制度對青年男女「人格」造成侮辱[843]，除了一九一〇年代以來的風俗改良會和同風會等原有的社會教化團體外，殖民政府更引進日本內地的「方面委員」制度，於 1923 年（大正 12）起實施於全臺各州市，以貫徹內地延長主義的「矯風」政策，尤其在「聘金廢止」上，同風會委員不論是在調查、宣傳矯正等方面皆不遺餘力。至 1924 年（大正 13）裕仁皇太子大婚，竹東青年會為配合一連串的慶祝事宜，曾於 1924 年（大正 13）1 月 26 日舉行「御成婚紀念及人身買賣聘金廢止」宣傳會，以宣傳改革陋習作為誌慶。其他又如景尾主婦會對於聘金制度的討論，臺北州同風會對於聘金制度的調查，以及基隆方面委員救濟因無法籌措聘金而患精神病者的個案等，皆呼應此時期殖民政府在矯風政策中所強調的「廢止人身買賣聘金制度」[844]。從這個歷史脈絡來看，漢文人之所以會在文章中反對童養媳制度，實際上也是當時政風氛圍下的養成。

這股反對聘金的風氣至《昭和新報》刊出聘金制限論，連橫於《臺灣民報》236 號又撰文「夫婚姻之制，由掠奪而購買，購買而戀愛，此進化之程也。聘金為購買之代名詞，人非牛馬，何用購買？故臺灣今日而有聘金，是臺灣之恥也。該報而果有思想善導之學識與精神，則當簡直而論曰聘金廢止，或進一步而大呼曰「婚姻自由」。」[845]其對用聘金在婚約上，類似買賣的手法，非常反對。

2. 嘲諷高漲的女權地位

《三六九小報》對於「怕老婆」這件事有許多篇章，呈現出文人對於女權高漲的負面態度：「有一學生，像論語中：『君子有三畏，畏大人之大字，上頭加上一畫，變作畏夫人。』塾師回答塾師詔笑曰：『請

843——簡漁舫，〈婚姻問題としての聘金制度を廢止せよ〉，《臺灣》，1924 年 4 月 10 日，頁 65-68。轉引自廖靜雯，〈「自由結婚」：日治時期臺灣的婚戀論述（1910-1930 年代）〉，國立清華大學歷史學研究所碩士論文，2013 年 6 月，頁 100。

844——轉引自廖靜雯，〈「自由結婚」：日治時期臺灣的婚戀論述（1910-1930 年代）〉，國立清華大學歷史學研究所碩士論文，2013 年 6 月，頁 104。

845——轉引自轉載自林文月，《青山青史：連雅堂傳》，臺北：有鹿文化視野有限公司，2010 年 8 月 13 日，頁 229。

夫人勿作歧想，予正深嘉此子之機巧，第所以薄懲者，因其話加得太遲耳。』」[846]透過學生之口，呈現出地位崇高學究怕老婆的日常，也顛覆男性當時在家裡地位大男人的地位。

藉由中國各地婚姻習俗來看中國對女性「出嫁」的觀念，如「東鱗西爪」〈婚話（一）〉提到山西省的人嫁女兒的習俗，「晉人凡嫁女者，彩輿出門後，父母著五色衣，端坐堂中椅上，如寒蟬之噤口。他人以甜糖進，問：『甜否？』必應曰：『甜。』以為如此則女到夫家，必可得翁姑歡心。」[847]文中看出中國女性結婚仍須以夫家為貴，受到夫家喜愛為目標。

〈咒草奇風記〉描述中國雲南女子為了婚後的幸福，「有咒草之風。…… 女子在待嫁之年，為將來制服所天7計。」[848]雲南的女子為了結婚之後能夠制服「新郎」，必須費時三年來完成「咒草」的儀式。咒草是「擇定一草咒之。其法每日晨起，獨步至草邊，先向之呵氣者三，然後與之作私語曰：『我愛你……你能聽我話否？……能如我意否？』如是朝朝，定為常課。無間風雨行之三年，草即終歲不黃，而通靈矣。」[849]最後作者下了「意者。化外蠻民自成異俗。精誠所結。金石為開。或亦理有宜然者歟。」[850]其對中國雲南有此習俗，既感到有趣，又帶有異國情調的貶抑。

中國江蘇省有「打喜」習俗，「凡娶妻逾歲不育者，每至新年，里中之惡少，輒乘新婦不備，曳之入土地廟。以撲打新婦為戲，是謂打喜；或與其夫偕者，則並其夫而曳之，洵陋俗也。」[851]作者將江蘇省為不孕婦女打喜，實際上為惡少戲謔少婦的行為感到鄙陋。

846——冷，滑稽新語「畏夫人」，《三六九小報》第 293 號，1933 年 5 月 29 日，頁 4。
847——某，〈東鱗西爪‧婚話（一）〉，《三六九小報》第 186 號，1932 年 6 月 3 日，第 4 版。
848——蝶，〈東鱗西爪‧咒草奇風記〉，《三六九小報》第 174 號，1932 年 4 月 23 日，第 4 版。
849——蝶，〈東鱗西爪‧咒草奇風記〉，《三六九小報》第 174 號，1932 年 4 月 23 日，第 4 版。
850——蝶，〈東鱗西爪‧咒草奇風記〉，《三六九小報》第 174 號，1932 年 4 月 23 日，第 4 版。
851——某，〈東鱗西爪‧婚話（二）〉，《三六九小報》第 187 號，1932 年 6 月 6 日，第 4 版。

寄涯〈小丈夫之怪俗〉[852]提到中國閩省（福建省）有娶小丈夫習俗，作者用「乃始駭為未經見，異而詢之，曰：『此即所謂討小丈夫也。』」文中解釋娶小丈夫原因在於「此則正為有子女而使然，名曰『幫夫』意蓋贊助其夫處理家事也。」[853]其以娶小老婆為正常，娶小丈夫為駭人聽聞之異俗，亦為對福建省此習俗有歧見。

除了上述結婚的怪俗之外，蒲如〈蒲溪雜拾—記甘民異俗〉描寫中國「甘省係邊陬之地，男多女少，故男女之事甚奇。」[854]甘肅省因為男多女少，所以哥哥往生後，弟弟就娶嫂嫂為妻，同姓的只有同一個曾祖的才不通婚，其他的都不受限，也可以兄弟好幾個人合娶一個妻子，輪流和妻子過夜。甚至可以租用他人的老婆、簽訂契約，以兩年、三年或者以孩子出生為期限。「客遊是地者，亦可租婦以消遣客況。署券立限，即宿其夫家，限內其夫當迴避，限外無論其夫不許（按：許不許），即其妻素與客最篤，亦拒不納。欲續舊好，當再出租價，乃可延長。」[855]作者也表示自己妻子租給他人，實在無奇不有。

「東鱗西爪」專欄〈婚話（一）〉[856]提到燕省（河北省）早婚，由男子八、九歲時，父母為他娶二十左右少婦照顧年幼的丈夫，可是若花樣年華的女子被他人欺騙感情或逃跑後，夫妻雙方會因此有所衝突，因此「其地多因姦謀殺案」[857]，這樣的怪俗讓社會不安寧，「近由有司嚴禁，此風稍替。」[858]由中國政府出面禁止，這樣的問題才停歇。

除了中國，關於「婚話」的書寫也有記錄到德國與英國，文中提到「外國的婦女們，很重視虛榮，所以常把貞操，來換取頭銜。」[859]主要是說明改成共和國的德國，因為取消了貴族爵位的頒訂，因此想得名位的婦女就

852——寄涯，〈東鱗西爪・小丈夫之怪俗〉，《三六九小報》第161號，1932年3月9日，第4版。
853——寄涯，〈東鱗西爪・小丈夫之怪俗〉，《三六九小報》第161號，1932年3月9日，第4版。
854——蒲如，〈蒲溪雜拾・記甘民異俗〉，《三六九小報》第66號，1931年4月19日，第4版。
855——蒲如，〈蒲溪雜拾・記甘民異俗〉，《三六九小報》第66號，1931年4月19日，第4版。
856——某，「東鱗西爪」專欄〈婚話（一）〉《三六九小報》第186卷，1932年6月3日，第4版。
857——某，「東鱗西爪」專欄〈婚話（一）〉《三六九小報》第186卷，1932年6月3日，第4版。

跟貧窮的貴族結婚，以取得爵位頭銜。文中又提到英國婚姻儀式分為法定和宗教兩種。法定儀式規定未婚夫婦要在戶籍地居住七天以上，才能登記結婚，在此之前要在戶籍館公布欄上貼出結婚公告，21 天內沒有人反對的話，就可以結婚，這是一種避免糾紛的方法。另外，「（女）子不能懷孕，男子沒有贍養的能力，在英國的婚姻律例裏面，對方是可以隨時請求取消的。」[860]作者以「這是英國對於婚姻的佳點，所以離婚案的數目少得很哩。」[861]作者取其平權的態度來看待英國的婚姻制度，給予相當高的評價。

另外在〈讀四書〉提到婚外情；還有將牛郎、織女的神話故事改造者：〈戲擬織女對牛郎解除夫婦名義之宣言〉將牛郎織女的愛情傳說，改為牛郎債臺高築，而織女欲訴請離婚的故事，相當符合日治時期的時代風潮與社會情境。又如〈髮不能結〉：「近年以來，自由之風盛行，太太小姐，咸無範圍。於是姦拐捲逃，離婚另配之案層見疊出。……曰古者夫妻，稱曰結髮。今日辮子被剪，髮不能結。故妻逃逸咎非在友乎，官為之失笑。」[862]以當時層出不窮的戀愛事件為主軸，主角的妻子逃逸，而主角卻興訟告友人，原因則在於友人幫其剪辮以致「髮不能結」。此文雖呈現主角的愚昧狀態，然而「髮」之長短所代表的意涵可能是從舊時代過渡到新時代的社會現象，「髮不能結」何嘗又不是對於時代風潮的真實嘲諷。而〈遺腹子〉一文則講述寡嫂與小叔產子的故事：「某氏者，年未廿而喪所天。叔見嫂體態輕盈，遂私焉。朝夕往來，相親相愛數年，便便如大腹賈。……則直截答曰，此吾夫死後十一年之遺腹子也，聞者哂之。」

858——某，「東鱗西爪」專欄〈婚話（一）〉《三六九小報》第 186 卷，1932 年 6 月 3 日，第 4 版。
859——岱峯，〈雜俎‧外國婚話〉，《三六九小報》第 198 號，1932 年 7 月 13 日，第 4 版。
860——岱峯，〈雜俎‧外國婚話〉，《三六九小報》第 198 號，1932 年 7 月 13 日，第 4 版。
861——岱峯，〈雜俎‧外國婚話〉，《三六九小報》第 198 號，1932 年 7 月 13 日，第 4 版。
862——《臺南新報》，「諧藪」欄，1926 年 1 月 15 日，第六版。

當中的趣味點來自於「此吾夫死後十一年之遺腹子也，聞者哂之」令人莞爾。而針對以上敘述，可知女性情慾或是男女關係的風氣在此時是較為開放的，雖然可能受到輿論的諷刺與攻訐，但仍是此時代的社會情景之一。

1921 年（大正 10）楊天健於《臺南新報》發表〈遊廓記〉[863]，該篇以「婆娑之洋，瀛洲之島，有遊廓焉」為開頭，說明此篇討論「遊廓」這件事。文中提到「遊廓」是採相近方言「廓」的音。文中以遊廓男女的百態，以及沉迷此中人身心消耗衰損，借用秦始皇「銷金窟」作為「遊廓」代稱[864]，節錄如「中曰銷金窟，為秦始皇鑄天下兵，鑄金人十二。於此髑髏纍纍堆積成邱，殆所謂淒淒北邙山者歟。窟之旁曰『迷樓』，之下曰陷坑，二處皆克通遊廓然。……經銷金窟，達溫柔鄉，血肉狼藉，腥臭撲鼻，望其氣可使暈眩倒。沿鄉而過，禍水出焉。甘旨如飴，膠黏似漆。終夕滾滾，抵曉稍息。因群呼為『蕩子流』，或又謂『壞身泉』、『吸民膏』。」[865]藉由同音字，如「近溫柔有石林（淋同音）」、「林之後曰梅瀆（毒同音）」、「瀆之上有花神廟在焉」等[866]影射遊廓生活會感染性病，將花柳情事，笑謔曹阿瞞齷齪的思想，並援引嫪毐、張昌宗、鄧通等史上有名之男寵，自比曾受宮刑而因此能秉公記事的太史公記載遊廓的生態。楊宜綠以遊廓生態為題材的紀錄，不僅戲謔當時男女百態，也記錄「廓中人盡冷眼於貧賤，俱薰心於富貴，甚至欺老喜壯，好大凌小。」[867]充分展現當時嫌貧愛富、煙花柳巷紙醉金迷的生活形態，文中的社會現實實則呈現臺南貧富差距的樣貌。

1921 年（大正 10）《臺南新報》署名「捉鬼生」，以新聞劉澎湖與集英樓妓共赴雲雨馬上瘋而死亡之事，經由新聞的報導，成為樓青閣老茶

863——該文連載兩日，刊於《臺南新報》，「諧文」欄，1921 年 6 月 17 日，第 22 版、6 月 18 日，第 18 版。
864——李郁芬，〈《臺南新報》漢文欄之研究〉，國立成功大學臺灣文學系碩士論文，2011 年，頁 57。
865——《臺南新報》，「諧文」欄，1921 年 6 月 17 日，第 22 版。
866——以上三句皆引自《臺南新報》，「諧文」欄，1921 年 6 月 17 日，第 22 版。
867——《臺南新報》，「諧文」欄，1921 年 6 月 17 日，第 22 版。

餘飯後的笑柄。文中提到當時良家女子與老婦、小女孩、少婦、中年婦女以及年輕女郎於臺南公園乘涼談論此事，文中透過名為「定師」的臺南人，將路過、聽聞的訊息投稿。文中強調這種露骨與床笫的言論出自一般尋常百姓之口，可見當時床笫言論受當時代矚目，文中藉由一問一答的呈現對床笫之事的詮釋，「然則劉何以死？曰雲雨過度耳。曰何謂雲雨？曰房事耳，曰何謂房事？曰房事則交媾耳。曰交媾維何？ 是以夜壺置於馬桶耳。」[868] 聽聞小女孩一說，眾人皆鬨堂大笑，遊客也拍手叫好，眾女子驚覺有人偷聽，便作鳥獸散。這則訊息的趣味感來自於女性對床笫情色的討論與好奇，一方面呈現民風漸開，大家敢談論床笫性事；另一方面呈現討論地點臺南公園，此一現代化公領域的話題，已經不是由男性帶動，而是當時代鄰家婦女也可到公園公領域聚會、討論的用途。這篇文章展現出當時公領域已經不分男女皆可出入，也呈現新聞紙消息傳播力已逐漸增強，容易形成輿論，而且在新聞紙上有出現吸引讀者且媚俗的文章。

（四）金錢觀念

村嶋帰之曾提出「被稱呼為文明人的人們，為了增加刺激感，無論是在精神層面，或是身體方面都逐漸地走向病態。」[869]《三六九小報》中有大量金錢使用、反應當時景氣與各階層價值觀的作品，包括〈貨幣會談〉專欄，專欄中以虛構的方式，藉由臺灣總督府場景，透過其發行的各式貨幣集會對話來呈現荒謬感，文中五十圓、十圓、五圓、一圓等貨幣，陰錯陽差聚集在銀行的金庫中，五十圓紙券開口說：「吾等自出生受註冊記號以來，國家珍以重寶之名，然不似保存重寶之實，如我五十圓之大，亦曾易主數千人，若十圓一圓五角一角五錢一錢，想多數倍……老朽不堪為世

868——《臺南新報》，1921 年 9 月 3 日，第 8 版。
869——收錄於津金澤聰廣、土屋礼子，《大正昭和の風俗批評と社会探訪──村嶋帰之著作選集 第 1 卷 カフェー考現学》，東京，柏書房，2004 年 10 月，1-4。村嶋帰之（1891-1965），頁 1915 年進入大阪每日新聞社，持續對於賣春、風俗、勞動等問題進行報導，於社內有「資料魔の村鳩」之稱號。轉引自廖怡錚，〈傳統與摩登之間──日治時期臺灣的珈琲店與女給〉，（新竹：國立清華大學歷史學研究所碩士論文，2013 年 6 月），頁 25。

用者，即受火化之際，君等為之有何打算？」[870]文中呈現五十圓紙券已屆使用終止的年限，它回想自己被標上記號，成為紙鈔之初，多麼受到眾人珍愛，曾輾轉於多人手中，在此年壽將盡之際不禁感慨萬千。另一旁十圓券對社會人情冷暖更能感同身受，聽了五十圓的際遇，開始敘述自己一生。原來十圓券初出社會時，曾被一農婦收私房錢，藏於床頭空隙數年，只有在春秋二季因清潔房屋得以重見天日，數年後農婦終於用十元卷上市場買肉，十圓券才得以流入屠戶再轉入飼豬之家、米店櫃內，最後進入了信用組合，得以在金庫裡和其他錢券進行會談。

藉由金錢聚在銀行的金櫃裡感嘆著自己一生的話語，看到他們被不同階層人們使用的一生，也宛如曾被珍惜愛護最後因失去價值被拋棄的歷程，紙鈔們反應著「被使用」的一生，也宛如人在年輕有用時，被利用的過程。這專欄也揭示時人價值觀或金錢觀扭曲，肇因於人被金錢所操縱，小報中有關於金錢敘述的文本，包括討取數百金嫁粧，方肯允諾結婚的浪漫女[871]；迷信罩線，投機買賣的米株店[872]；私取父親金庫的阿舍[873]；半年內敗光家產的故家子[874]；誇口得妻家錢財的搩風家[875]；為著四角錢狼狽追野狗的阿片將[876]；沉迷賭博的婦女；打麻雀時過於激動，竟將與自己同床的小孩推向床下[877]；經濟困窘無法發展自身才華，反被同鄉里的土豪劣紳刺激，最後因錢發狂的青年[878]；寡婦因丈夫過世而領取保險金致富的快樂[879]；對著鏡子吃飯幻想吃了兩碟菜的貧戶[880]；歌妓為了有錢老人的錢妝點黛綠粉白[881]；少妻在老潤舍旁裝溫柔，竟是為了銀子等。[882]上述文章，其諷刺指涉部分有特定人物，王開運〈演說的秘訣〉述說一位敗盡家產的故家子王芹生，因遇貴人得以出洋留學，回鄉後僅憑著小伎

870——〈開心文苑・貨幣會談〉，《三六九小報》，1931 年 6 月 23 日，第 2 版。
871——〈浪漫女〉，《三六九小報》，1930 年 9 月 9 日，第 2 版。
872——「雜俎」〈芳圃閒話〉，《三六九小報》，1934 年 4 月 19 日，第 4 版。
873——〈寸劇・諷刺劇〉，《三六九小報》，1931 年 2 月 23 日，第 3 版。
874——〈演說的秘訣（一）〉，《三六九小報》，1930 年 9 月 9 日，第 2 版。
875——〈秋鳴館苦笑錄〉，《三六九小報》，1932 年 2 月 13 日，第 4 版。
876——〈事實笑話〉，《三六九小報》，1932 年 2 月 16 日，第 4 版。

俩來四處演說，終究無真才實學，最後被人模仿，不再占盡優勢，此文與同年《小報》刊登洪鐵濤〈雞規仙外傳〉，皆被認為是在譏諷黃欣，轟動一時。[883]而王開運一派與《小報》未曾退卻，繼續以笑鬧本色迎接挑戰，並質疑黃欣一派若欲辦報對抗，是否有經營能力。此論爭影響當時臺南市內南社、酉山、留青、桐侶、錦文等五個傳統詩社，本欲在 1930（昭和 5）年 10 月底以「臺灣文化三百年紀念會」為名義辦理全島詩人大會，卻因南社和《小報》成員重疊程度頗高，黃欣是南社重要成員，適與《小報》發生齟齬，遂釀成南社內訌，以致詩人大會流產。[884]

在日本統治臺灣之前，臺灣為商旅輻輳之地，在跟各國往來之時，造成清代貨幣多元化沒有固定，根據袁穎生統計，日治時期以前的錢幣，包括：銅錢、銀塊、銀元及各國小銀幣等均在市場上流通，種類高達一百多種[885]；直到日治時期，總督府以三個階段推動幣制改革[886]，貨幣制度才逐步統一。貨幣政策改革反映在「開心文苑」的專欄中，贅仙〈三言兩語〉藉由甲乙對話反應貨幣改革政策在社會上的效應，「銀票一張，得若干錢啊？」得到的答案是與過往四角制錢等值。改變的紙鈔的形式，換算結果理論上銅錢應該更值錢了？不過，在貨幣改革後，銅錢早已不能視為貨幣而邁入「無空」，透過制度讓錢以不同形式的方式出現，也是人民必須

877——〈豆棚瓜架‧賭婦〉，《三六九小報》，1932 年 2 月 29 日，第 4 版。

878——〈狂人夢富〉，《三六九小報》，1932 年 4 月 19 日，第 4 版。

879——〈狂人夢富〉，《三六九小報》，1932 年 4 月 19 日，第 4 版。

880——〈餘沫〉，《三六九小報》，1932 年 4 月 3 日，第 2 版。

881——〈新平鬼傳（三三）〉，《三六九小報》，1932 年 2 月 23 日，第 3 版。

882——〈一笑集‧寸劇〉，《三六九小報》，1932 年 5 月 3 日，第 2 版。

883——林建廷考察野狐禪室主〈雞規仙外傳〉，《三六九小報》，第 5 號，1930 年 9 月 23 日。〈赤崁流彈〉，《臺灣新民報》，1930 年 10 月 18 日，5 版。〈全嶋詩人大會破裂 徒使文人望眼欲穿〉，《臺南新報》，1930 年 10 月 29 日，6 版。〈臺南市內五詩社主催全島詩人大會不成 為南社員內訌文界不幸事也〉，《臺灣日日新報》1930 年 10 月 9 日，4 版。轉引自林建廷，〈臺南仕紳王開運社會活動與文學作品研究〉，國立成功大學臺灣文學系碩士論文，2012 年，頁 185。

884——同註 883。

885——葉淑貞，〈日治時期臺灣經濟的發展〉，《臺灣銀行季刊》，臺北：臺灣銀行臺灣經濟研究室，2009 年，頁 234。

886——北山富久二郎，〈日據時代臺灣之財政〉，《臺灣經濟史》，臺北：臺灣銀行經濟研究室，1959 年，頁 91。將日治時期的幣制改革分為「準備階段」1895-1897 年、「過渡階段」1898-1904 年、「完成階段」1905-1909 年。

重新定義財富觀念與交易模式，尤其以國家為單位的紙鈔的發行，人民持有的錢幣，並非等值的金銀，而是國家以信用本位的強制力，由國家法律賦予了紙鈔無限的法償能力，這些幣值也被國家銀行所壟斷著。[887]對人民來說紙鈔制度是一種以政府「負債」為發行基礎的貨幣制度，所以，贅仙才會用「鍾馗發出『劣貨打倒良貨』感嘆」，因為對人民來說，過去拿的是沉甸甸地白銀和黃金，是真的等值的金屬。

　　幣制的改革更帶動著金錢觀念、土地觀念與職業觀念的改變。1895年以前，日本銀圓早已多流入臺灣，其完整者為「光龍銀」，瑕疵者為「粗龍銀」，當時臺灣與中國交易悉用銀計算，且慣用金屬貨幣，各種單位成色的金屬貨幣在社會中雜然使用，彼此兌換比率相當複雜，臺灣社會雖以銀塊秤量制兌算各種金屬貨幣之間的兌換比率，但是所兌算的方式並非以貨幣之間實在的金屬量或是金屬價值來計算，且度量衡也不見得精準，市面上同時有流通著各式小硬幣可以小額交易，幣制流通很複雜。[888]日本統治時期為增加財政收入且為讓土地財富流通以致於滿足殖民政府的基礎建設，引進了現代化土地所有權概念，表面上讓臺灣人土地有了新的投資路徑，實際上也改變了地主的身分與生產模式，〈有土斯有財辨〉提到「土固是泥土塵土糞土，大人者之刮地皮，農人者之挖土肉，細民者之拾糞堆，或得地利之益，或逐蠅頭之利，土之以此而有財者，其在是乎。」[889]傳統社會是地主收稅金獲利，佃農施肥農作生產，最低下的賤民拾糞為生，圍繞著土地形成互利共生的生產循環，在殖民政府土地調查及重劃政策下，土地之「財」可以轉換為金錢之財，因此，以土地換取金錢，販賣祖產土地或墓地換錢，土地成了買賣的標

887——吳聰敏、高櫻芬，〈臺灣貨幣與物價長期關係之研究：1907 年至 1986 年〉，《經濟論文獻叢刊》，
　　　臺北：國立臺灣大學經濟學系，1991 年，頁 24-25。
888——吳聰敏、高櫻芬，〈臺灣貨幣與物價長期關係之研究：1907 年至 1986 年〉，《經濟論文獻叢刊》，
　　　臺北：國立臺灣大學經濟學系，1991 年，頁 24-25。
889——〈開心文苑 · 有土斯有財辨〉，《三六九小報》，1933 年 4 月 29 日，第 2 版。

的,「金錢」成為主軸的觀念,造成人與土的感情變淡變薄,因為錢比較重要。

四、市井詼諧人與事

　　戲謔市井人物與生活的寫作手法是臺南一九二〇與一九三〇年代很重要的特色,不僅出現在《三六九小報》,也出現在官方新聞紙《臺南新報》中。《臺南新報》的「諧藪」、「趣談」、「諧著」、「消夏錄」、「酒後談」、「打油詩」等欄位[890],藉由臺南人物典故、日常生活百態,與近代化新事物來進行戲謔或敘述。相較於《臺灣日日新報》,可以發現《臺灣日日新報》著重於臺灣各地軼聞與奇特事蹟,或中國內地情勢,從該報可以觀察整個國家局勢與潮流;《臺南新報》則著重於在地敘事,有些文章甚至有為戲謔而戲謔只為吸睛與博君一笑之感,看不出地方特色,或指涉人事。[891]

　　《臺南新報‧漢文欄》詼諧嘲諷的文章部分來自讀者投書,甚或部分由編輯記者所撰,相較其他臺灣地區的新聞紙,《臺南新報‧漢文欄》有專門以「諧」為旨趣的欄位,該欄位撰寫人物,包括:文人、醫生、寺僧、市民、鄉婦等……諸形象進行嘲諷,刊載時間主要集中於 1926 至 1927 年間,當時《漢文欄》編輯由楊天健與黃拱五輪流負責[892],可見這些欄位的刊載與報紙編輯有關。李郁芬觀察到 1926 年(昭和 1)9 月至 11 月間幾乎日日刊載,最多曾占整體版面的十二分之一,顯示了《臺南新報》編輯對此類文字的愛好與重視。1922 年(大正 11)以前《臺南新報》的諧趣文字仍非固定的欄位,1922 年(大正 11)4 月開始,才有諧趣文字以「諧藪」、「消夏談」、「酒後談」等名稱出現。在整體欄位變化的觀察中,

---

890——李郁芬,〈《臺南新報》漢文欄之研究〉,國立成功大學臺灣文學系碩士論文,2011 年,頁 60。
891——李郁芬,〈《臺南新報》漢文欄之研究〉,國立成功大學臺灣文學系碩士論文,2011 年,頁 77。
892——李郁芬,〈《臺南新報》漢文欄之研究〉,國立成功大學臺灣文學系碩士論文,2011 年,頁 69。

可發現這些諧趣、戲謔的文字於 1921 年（大正 10）至 1922 年（大正 11）出現頻繁後，1922 年中旬之後便漸少刊載，一直到 1926、1927 年（昭和 2）左右才又增多。[893]

當時漢文版主編為三屋清陰，各式欄位均出自三屋之手，期間詩話、傳奇及各式雜說文章漸增，也可見得三屋個人選錄標準的愛好。[894]三屋清陰離開後，《臺南新報》主筆則由楊宜綠、黃拱五輪日擔當，欄位也可看出主筆改變的變化。[895]

詼諧諷喻寫作手法的作品大至主題為：（一）宣揚漢文及嘲諷缺乏漢文素養者（二）女權地位嘲弄（三）戀愛或性自由諷喻等三大類，當時這類作品作者會刻意在前後文會加上評註，具有解釋與勸世意味，以下將《三六九小報》與《臺南新報》相關諧趣欄位合併討論分析：

（一）宣揚漢文及嘲諷缺乏漢文素養者

蔡培楚在《三六九小報》「噴飯錄」〈出口成章〉一文，記錄年輕學子前往南洋僑居不願回臺，不識字的父親寫信要求回來，

> 村老恐其子沾染毒習。欲作書戒之。奈不識字。乃赴村塾求塾師為之代筆。……塾師聞言，「……莫學同安姑丈。生瘡爛溶々。他日歸來。不好看相。」[896]

藉由老翁請塾師幫忙寫信，不識字老翁的話語在塾師的筆下竟略改數個字，暗諷文人看似有學問，在實際上與不識字的老翁言語無異。

---

893 — 李郁芬，〈《臺南新報》漢文欄之研究〉，國立成功大學臺灣文學系碩士論文，2011 年頁 36。

894 — 1922 年 8 月 22 日有「廣告一件」刊載：「漢文部論説、學術、通信、萬殊一本、詩壇各欄，渾皆主任三屋清陰當之，且負全記事責任。恭望關此等之書信，一切向同人發送，專此廣告。」對照《臺灣日日新報》1925 年 11 月 25 日有一則「南報漢文部近訊」177 的刊載：「多年在南報為漢文編輯長之三屋清陰，夙以年老，久抱退隱之念。然受同社慰留，延至而今始獲退社。三屋氏久從事教育，詩筆清新俊逸。其長郎現為嘉義中學校長，大想此後或往嘉義，婆娑風月，旁事著作，以樂餘年。又鹽水街人翁應麟氏，近入同報，為漢文記者。翁氏明治三十九年畢業國語學校師範學校，與本社魏潤菴君為同期生云。」的報導三屋清陰於 1925 年 11 月以後便不在《臺南新報》任職。任職消見《臺南新報》，1922 年 8 月 22 日，第 5 版；離職消息見《臺灣日日新報》，1925 年 11 月 25 日，第 4 版。

《三六九小報》1921 年（大正 10）6 月 3 日刊載於讀者回應欄之文字：
「……甲善謔。一日甲告乙曰：「作詩之人古有詩翁、詩伯之稱，今有詩象、
詩獅、詩虎、詩豹之號。」……（拔舌子）文中作者以筆名書寫市井小事，
亦刻意不呈現主角為誰，除了諧趣外，重點在挖苦地方上「欺母媚妻」的
詩人，故以詩翁等雅號嘲謔為「詩象、詩獅……等」。

而《三六九小報》讀者回應欄亦有明確指出當時社會瀰漫著揭露醜事
的風潮，「客臘中，黃赴某約，桑間樂方興未艾，忽聞啄剁聲厲，黃與某
駭，堅閉不敢息。張率夥，排闥入，一對野鴛鴦，遂被抓。彼此鬧愬保正
陳代魚，陳理之，罰黃辦酒席，餉捕手，及公人以作忘八會，別向張掛燈
彩息事，可謂一舉而眾善備矣！（好公親）」

《臺南新報》亦有投書者將私通事件詳述並於報刊揭露，透過敘述中
「兩老無猜」或「一舉而眾善備」嘲謔、諷刺當事人，讓讀者發笑的層面。

> 紳曰：「何無禮之有？不是我的軟子在汝嘴裡，怎麼汝的腳在我肩頭
> 上？」……蓋臺人俗語以己有權利在人者，謂之我的腳在爾肩頭，鄉媼
> 不擇人而用之，矢口而出，費一番唇舌也，呵呵。[897]

此篇為編輯楊宜綠所寫，以虛故事性的敘述博君一笑，文中將日常口語、
俚俗的用語帶入，除了展現幽默嘲諷的作用外，也顯示了編者與讀者共同
的日常用語。

除了諧趣戲謔的欄位，《臺南新報》亦有少數幾篇以「諧文」為題
的文章，雖其中有數篇因夾頁無法得知其詳細的內容，但文章內容亦不
脫以「諧趣」為旨。[898]其中如楊天健所書寫的〈遊廓記〉，內容說明了

895——「南報漢文部，自三屋去後，則由楊天健、黃拱五兩氏，輪日編輯。客秋翁應麟、呂嶽二氏，同時入社，
　　　翁氏旋以病辭職，乃聘王臥蕉氏補其缺。近呂氏又以遠違鄉井，諸多未便，遂辭厥職，爰再聘錢文
　　　欽氏襲其後任，以於本中旬入社，覬操觚者共有四氏云。」《臺灣日日新報》，1926 年 9 月 19 日，
　　　第 4 版。
896—— 植歷，噴飯錄〈出口成章〉，《三六九小報》，第 28 號，1930 年 12 月 9 日。
897——《臺南新報》，「消夏閒談」，1921 年 6 月 17 日，第 19 版。報紙上欄位文字為「消憂閒談」，
　　　當中「憂」字疑為「夏」之誤植。
898—— 李郁芬，〈《臺南新報》漢文欄之研究〉，國立成功大學臺灣文學系碩士論文，2011 年，頁 37。

遊廓的百般面貌，並把梅毒、淋病等性病揶揄一番。如此的文章，除了讓市民讀者莞爾一笑外，同時也代表著「遊廓」為市民生活的普遍圖景之一。[899]《臺南新報》在這些欄位中不談家國情事，而故事以日常生活為討論主題，實則頗具其時代性與區域性的意義。

> 眾賓客大嚼特嚼，一塊燒肉落地，卻便宜了狗子。瘟疫神惠臨陽世界，个个挺在床上，卻便宜了醫生。好百姓掩著兩個耳朵，裝作如癡似聾，卻便宜了官蠹。央帝神勾結人間緣，過處儘成焦土，卻便宜了木匠。師大笑曰，滿篇說便宜，無亦太廉乎，如此解題，可謂別開生面也已。[900]

文中以學生作文「說廉」，將「廉」解為「便宜」的有趣故事，透過學生之眼，以對「便宜」的誤讀，看出學生對當時社會的理解。文中敘述當時大財主愛好面子、父母官求天降甘霖、打赤膊買東西、宴客、瘟疫流行、百姓裝癡似聾過日子、火災意外等等真實的生活場景，文中說的「便宜」實際上是對日常生活的不滿與諷刺。

另外描繪了舊式讀書人「書痴」的形象，以笑謔的方式說明讀書人連如廁皆要引經據典，顯示讀書人墨守成規，不知變通的樣貌，就連穢物已入口，仍在感嘆「惡而知其味者，天下鮮矣。」嘲諷舊儒不合時宜的面貌。而另則〈油然作雲〉：

> 前清有童生某，作油然作雲沛然下雨文曰，油然而起，鍋底之雲沛然而下。……學師大怒，亦援筆而批之曰，嗤然而開，狗腸之廢，洞然而寫。牛尾之文，如屎臭也，如屁放也，如廁翻也。紅紙之上必嘮嘮嘯，白紙之上感嘮嘮楚。[901]

899——李郁芬，〈《臺南新報》漢文欄之研究〉，國立成功大學臺灣文學系碩士論文，2011 年，頁 37。
900——《臺南新報》，「諧藪」欄，1926 年 12 月 29 日，第 6 版。
901——《臺南新報》，「諧藪」欄，1926 年 1 月 15 日，第 6 版。

「油然作雲」之典出自於《孟子・梁惠王上》，比喻在危難中得到援助。而此文中的童生就字面上的意義發揮，將「油然」之「然」想成燃燒之意，講述油鍋燒熱的雲霧貌；而下句講述的更與上文沒有關係，只說明滂沱雨勢以及屋頂的聽覺摹寫。文中呈現的是「愚昧」與不識典故，另也諷刺教師批閱文字的俚俗感，講述童生所寫為牛屁之文，老師以「如屎臭也，如屁放也，如廁翻也」等穢物形容，來與教師崇高的身分產生落差對比。文中不論是針對學生或是老師，都呈現著諷刺的意味，藉由這個落差講述學生的不識典故以及教師的俚俗。〈油然作雲〉與〈飽嚐異味〉兩篇都呈現了對於舊式讀書人的嘲諷成分，藉由污穢低俗的文字對比讀書人在世人心理崇高的形象，實際呈現讀書人的痴傻與不求甚解的態度。

「僧人」也是時常受到嘲諷挖苦的身分，如〈賤物〉即以「小兒易養」直指和尚為賤物：

> 夏日天降暴雨，行人多往僧寺避雨。內有一俗士，見了四大金剛，便詩興勃發，頓時做成詠金剛詩一首，寫於壁下。詩云，走進山門見金剛，頂□貫甲亮煌煌。兩個卵子十六斤，一根雞巴像爆杖。寫畢，洋洋得意。[902]

文中引用男女生殖器官的名稱直接對佛門進行強烈的諷刺、誣衊，一方面為僧人看到此詩句時的反應，從好奇、好笑、價錢不貴到皺眉搖頭，顯示了僧人被謾罵而至最後一刻才自知的模樣；另一方面，文中兩位作詩之人，一為躲雨無聊與為貢麻團所做，藉由非刻意書寫動機的解釋，推卸對神職宗教的嘲弄，仍難掩當時對宗教人士的質疑與否定。

902——《臺南新報》，「諧藪」欄，1926 年 9 月 21 日，第 6 版。

〈號名〉則以臺語「取名字」為題，講述某甲娶妻生子、為孩子取名的故事：

> 乙固滑稽之流，思索良久言曰，取名驪字極佳，且又切你與尊夫人之姓。某甲問其故，某乙曰，汝不聞乎驢與馬交合，所生之子為驪乎，蓋盧與同驢音也。[903]

當中某乙雖然以「馬」、「盧」合為「驢」進行戲謔、玩笑，但從中「惟某甲之無不識，不敢為其子立名，乃請于某乙，煩其代擬一名。」不識字的某甲不敢親為孩子命名，也可見一般民眾對於「號名」的重視。除了「取名」外，報紙中亦展現一般民眾祈求富貴以及相士「江湖嘴，糊累累」的樣貌。

1926 年（昭和 1）12 月 29 日的刊載：

> 某學究年假歸，將所得之束脩，陳於几上，以驕其妻。妻問其所從來，學究曰此來從學而時習之，不亦悅乎來的。妻聞言，亦從櫃中出錢若干，陳於几上，與之相炫。學究見妻之所得，較己束脩多數倍，亦驚問所由來。妻曰此乃從有朋自遠方來不亦樂乎來的。[904]

藉由論語內容嘲諷金錢由來交代不清的學究與妻子，呈現當時文人打腫臉充胖子，且也表達對以辦學教育為職業的不滿與諷刺。

《臺南新報》中嘲諷當時教學情景者〈我就跑了〉：

> 某學官，巡鄉校，欲試村童知識。……他日學官，若再問汝，汝當對以我就跑了。村童默默受譴，謹記斯語。又一日，學官來，告諸村童曰：「今日欲演說，與汝等聽，汝等怎麼樣呢？」諸村童齊聲應曰：「我就跑了。」[905]

903——《臺南新報》，「諧藪」欄，1926 年 11 月 29 日，第 6 版。
904——《臺南新報》，「消夏錄」，1926 年 8 月 7 日，第 6 版。
905——《臺南新報》，「諧藪」欄，1922 年 5 月 11 日，第 6 版。

講述學官巡視鄉下學校的時候，探究村童學習成果，學童第一次應對反應不佳，教師為了自己體面，教導學童「他日學官，若再問汝，汝當對『我就跑了。』」而他日學官問學童「今日欲演說，與汝等聽，汝等怎麼樣呢？」學官已經問不同於第一次見面的問題，然而學童因聽不懂，皆答「我就跑了」而產生出諷刺的趣味感，除了凸顯學童當時學習效果不佳之外，更重要的是官方宣導或學官演說等，學童根本沒有認真吸收，也展現出日治時期新式教育，教師教授內容學童有學習理解落差外，更對宣導或演說不在意，這篇文章的諧趣除了展現教師教學不佳愛體面卻又弄巧成拙的樣貌，更重要的是，當時官方宣傳或政令演說，時人根本不在意的問題。

對於舊式讀書人樣貌行為的描寫是《臺南新報》與《三六九小報》一大主題，包括諷刺讀書人守舊、讀書人轉換跑道經商、性好風流、詐欺或與鄉人間衝突事件等，《臺南新報》〈飽嚐異味〉就是描寫舊式讀書人守舊的樣貌：

> 某生，好讀書，滿口掉文，人目為書痴。一日如廁，則牆壁頹圮，木板腐爛。即誦者句曰：「糞土之牆，不可圬也，朽木不可雕也。」既而一失足，竟入坑中。又誦曰「祿在其中矣。」無何，污已入口。乃大呼曰：「惡而知其味者，天下鮮矣。」[906]

上述除了描繪舊式讀書人「書痴」的形象，以笑謔的方式重釋經典外，也顯示讀書人生不知變通性，就連穢物已入口，仍在感嘆「惡而知其味者，天下鮮矣」。另外〈某學究〉則以舊式文人日常生活呈現：

906——《臺南新報》，「諧藪」欄，1922 年 5 月 14 日，第 6 版。

某學究過新年，與人交談，必說吉利話。某年元旦，偶與一學徒遇於廁所。學究顧之曰，今年謀生，必定大吉大利。學徒曰：「不祥哉，先生之言也，先生不怕自苦尊臀耶？」學究悟利痾□[907]音，自悔失言，深恐身嬰痾疾，急轉口曰，今年不吉不利。徒復大笑不可抑。[908]

學究守舊於過新年要說吉祥話討吉利一事，就連在廁所遇到學徒都要互說吉利話，呈現冥頑固執的態度；再者學徒所言「自苦尊臀」，將「利吉」與「痾疾」兩字同音聯想，展現幽默與吉祥話都取諧音的特色，反而令學究「深恐身嬰痾疾」而轉口「今年不吉不利」，害怕這個不祥的祝福成真，展現學究對過新年吉祥話的祝福迷信迂腐固著的形象。

除了舊式讀書人外，亦有接受新思潮後喜愛弄文墨者，也納入嘲諷描述對象，如〈弄文墨〉：

某甲好弄文墨，自命為文學大家。……某君亟曰：「吾語確也，吾每值心緒麻亂時，夜中不能入寐恆轉側達旦。但出大著讀之，則不及五分鐘，立入睡鄉，是誠不管一帖神效之催眠劑矣。」某甲無以應。[909]

藉由文人撰寫小說好入睡，實則無聊的說法，諷刺文人實無法好好運用文字，撰寫一部好作品而產生出諧感。另外，對於出洋留學學習新式教育者的諷刺：

支那政變而後，人人醉心出洋，研究科學，以為獵取功名計。遠則歐美，近則日本。有閩紳商，…欲肄業於慶應大學。……未幾，衣錦歸榮…。間有一美少，殊冷淡，不甚與之盤桓。某異之，問何出身，答以日本帝

907——此處缺字，應為「同」字。
908——《臺南新報》，「諧藪」欄，1923 年 3 月 23 日，第 6 版。
909——《臺南新報》，「諧藪」欄，1927 年 2 月 10 日，第 6 版。
910——《臺南新報》，「諧藪」欄，1926 年 1 月 16 日，第 6 版。
911——轉引自王開運、施懿琳、陳曉怡，《王開運全集》，臺南：國立臺灣文學館，2009 年 5 月，頁157-158。

國大學政學士。某憤然作色曰，僕雖屬私立大學，然今已升格，汝為正
學士，予豈假耶？拂袖徑□。一座為之粲然。[910]

談及當時文士喜好研究科學、醉心出洋留學的心態，展現當時文人面對跨
時代學習的特殊經驗外，文中安排在張甲處遇一畢業於日本帝國大學政學
士的少年，竟怒對：「僕雖屬私立大學，然今已升格，汝為正學士，予
豈假耶？」文中主角除了將「政」誤以為「正」，也展現了時人比較學歷
文人相輕，比較後惱羞成怒的樣貌。王開運在「幸盦隨筆」專欄中，曾多
次批評當時學校師生關係的淡漠以及教育界的沉痾，「古人一日受業，則
終身執弟子禮甚恭。改隸後，師弟風義日淪廢墜，徒之視師幾等傭奴。稍
拂其意，則同盟罷課」[911]直指已經失去尊師重道倫理的教育氛圍。即便臺
灣已經學校林立教育勃興，不僅學生不尊師，教師也汲汲於利祿。正如前
文所引嘲諷情形，實際上是想藉由笑鬧匡正風氣。

（二）常民生活紀錄

透過常民生活記錄的書寫，尤其是描寫市井小民或生活俗物所體現的
主體性與能動性，不只是為歷史中的小人物發聲，更是透過「物的記憶」
引導出該時代文人地方情感。[912]關於臺南在地物質記錄，首當推洪鐵濤。
洪鐵濤（1892～1947），[913]在《三六九小報》多藉物品入傳、寫臺南人
事物。

透過物品的特性，暗諷當時人事，如「夜壺」入文，鏡汀（許丙丁）
〈物之委屈者〉藉由扶不上臺面的物品說明其功能，包括夜壺，不以汙穢
物看待，而以其物品之功能看其作用。野狐禪室主（洪鐵鑄）〈夜壺傳〉

912——該言出處參照：http://culturezine.ccstw.nccu.edu.tw/culture/2944/，瀏覽日期：2023.2.22
913——名坤益，字鐵濤，又有黑潮、懺紅、洪荒等筆名。曾隨「南社」詩人胡殿鵬學習漢詩，並加入「南社」。
其在《三六九小報》發表當時代臺南在地物質歷史、市井小民生活外，在「雁紅仙館聯話」專欄為
洪鐵濤以「潮」為筆名，收集臺南地區重要文人如許南英、連橫、趙雅福、嘉義賴雨若等，贈與臺
南、嘉義地區藝妓與重要文人的楹聯或輓聯，展現其對風月歡場女性或文人友人的私人情誼的紀錄。
其連載時間從第 121 號，陸續不定期刊載至第 428 號，總共有 15 篇。

以擬人的手法來看夜壺的起源與其在房裡受寵的過程。野狐禪室主〈錢串傳〉以擬人手法描寫為人散漫的錢串，因唯利是圖與孔方兄錢孔串在一起打了死結，不知為他人造福，爾後有其他金可流通，故眾人不再以錢串為主，因而受到冷落，遺憾而終。

〈毛坑遊記〉文中說明毛坑遊歷對排泄的重要性，亦點出臺灣毛坑衛生不佳，蒼蠅萬頭鑽動，不能久處，雖為齷齪之地，人來人往絡繹不絕，且每個來訪者心情表情不一，尤以腹痛不舒服者，在毛坑久呆者呻吟未息，不甚樂。透過骯髒的毛坑顯示再髒的地方因其功能與需要，依然有人神往且絡繹不絕。[914]

〈毒瓦斯小話〉發表於 1934 年（昭和 9）從第 369 連載至 375 號，介紹種類繁多且致人於死的無色透明液體，這些有毒鎔劑發生在空襲警備之時，尤其敵機來襲，警報通達，市民需做好防備，甚至需要就近躲到避難所避難。當時正值日本邁向戰爭的時代，為預防一般民眾仍如常悠閒的生活，這篇文章介紹了瓦斯的種類、一戶人家在家應該準備一間防毒室，以緊閉門窗，全家人躲避之用；另外還提醒中毒須知等等的資訊。[915]

《臺南新報》編輯手錄也有以嘲諷戲謔的方式記錄時人日常生活的樣態，1921 年（大正 10）6 月 1 日的「消夏閒談」提到的是當時溫柔鄉的妓女欺瞞恩客，甚至跟恩客索金不菲。[916]文中說明陳生為了利用某生喜好女色，由文書往來騙取其財富，飽己私慾之事，諷刺未見真人確信文字的荒謬態度，也代表當時詐騙情感、金錢的事在社會上層出不窮。

洪鐵濤在「哭庵說笑」專欄總共 28 篇，非連載性質的作品，投稿者包括：「本報訊」另一主筆為洪鐵濤，以「陶醉」筆名發表，其篇章包

914——野狐禪室主，〈毛坑遊記〉，《三六九小報》第 8 期，1930 年 10 月 03 日。

915——陶醉，〈毒瓦斯小話〉刊於《三六九小報》第 369-375 號，1930 年 9 月 16 日。

916——《臺南新報》，「消夏閒談」欄，1921 年 6 月 1 日，第 5 版。

括〈唐詩新註釋〉、〈母配孟德〉諷刺時人得輓聯卻不知其意,隨意倒放;〈一指禪〉[917]解釋「馬前失蹄」新解、「錢起」寫出妓女對新客應酬與對熟客招待至半夜態度的差異;杜甫「聽猿實下三聲淚」藉由「猿」跟嫖客的「猴」同種之因,解釋杜甫聽猿啼實際上聽嫖客哭泣的新解。藉由西醫治療方法諷刺「哭庵說笑」專欄〈牙醫拔齒〉以牙醫拔人齒的治療方式說其為江湖賣藝,將一好辯者牙齒進去,連舌也折斷。

宗教民俗「哭庵說笑」專欄〈撈醋矸〉[918]敘述臺南重慶寺內有「醋矸」與速報司可祝夫妻和合或離異的傳說與作法。根據傳說「青天白日饑煞財帛星」解釋其源由。主要是財帛星懶惰成性,勢力鬼輩餵養表現上不求回報,實際上財帛星始終不為所動的回天上去了。另篇〈狀元學生〉[919]暗諷人懶居於龍眼樹下,等待龍眼果實掉落才食,其學生竟以腳夾龍眼給老師食用,該師認為該生優於他。〈和尚雞〉[920]比喻性好漁色的男子重新投胎變成寺廟內飼養的公雞,然住持將其關在鵝籠與鴨籠,至其無法交配其他雌雞而抱憾。〈古字新義〉藉由嘲諷當代事,而以古字去詮釋,如「嫖」是以鈔票提供女性,「煙」表示從西土用火,作者認為是指鴉片煙。〈理蕃政策〉敘述高雄與嘉義古地名的由來,描寫鄭氏據臺之時受生蕃困擾,遂養虎入山,希望可以解決生蕃問題,未料虎受生蕃驅逐,轉走下山,一隻必擊斃於高雄,另一隻被擊斃於民雄,遂有打狗跟打貓之稱。〈公子太老〉[921]敘述優生學理論真偽,到底狀元是因為優生學的原因,還是後天努力的原因。〈三十六〉有一間麵食店生意佳,老闆卻對員工苛刻,一個月員工薪水三百六十圓,每打壞物品不論大小,每次均扣三十六圓,有一日員工該月僅剩七十二圓薪資,因此在煮完飯與湯鍋之後,就立刻拿大石丟

917——陶醉,〈一指禪〉刊於《三六九小報》第 61 號,1931 年 4 月 3 日。
918——陶醉,〈撈醋矸〉刊於《三六九小報》第 64 號,1931 年 4 月 13 日。
919——陶醉,〈狀元學生〉刊於《三六九小報》第 67 號,1931 年 4 月 13 日。
920——陶醉,〈和尚雞〉刊於《三六九小報》第 68 號,1931 年 4 月 26 日。
921——陶醉,〈公子太老〉刊於《三六九小報》第 77 號,1931 年 5 月 26 日。

向飯鍋與湯鍋，其曰，「剩餘薪水當作這兩件的賠償。」暗諷老闆苛刻員工，逼人造反之事。〈冤仇〉嘲諷一老農日食地瓜簽等粗食，而嫁入豪門的女兒日日大魚大肉，某一日老農訪女想一嚐美食，未來其女想吃老農帶去的地瓜簽，老農悵惘。諷刺富人難同理農人之辛，窮人之苦。〈告陰狀〉描述一看似出世的大和尚，在知道廟裡數千貫的香油錢置於小典店，被店主侵占後，運用其法力向玉帝城隍告陰狀通緝。〈千頭牲〉藉由信眾陳某求子，報答千頭牲給土地公土地婆，得允後，陳某給的千頭牲如針大小，本土地公生氣，本不給筶，但土地婆擔心最後連如沙般的貢品都被撤走，只好給聖筶。透過貪圖回報的神明，嘲諷世人的貪念。〈陰魂不散〉諷刺時人喜走捷徑，不好正途，因此博奕之途或特種行業之女喜愛小廟。故事中如願者演劇酬謝小廟之神，詩人以「陰魂不散」四個字嘲諷信徒。〈罵〉有一祖為保存其土地，立一重戒「凡買吾業者，當死子絕孫。」雖保留祖產，但子孫過於窮困，只得賤價出售，反而被扣相當金額才賣成。天算不如人算。〈新座右銘〉藉由朱熹、漢帝、蘇軾等等文字，改寫成的嘲諷文。〈筋〉貪食筋者分不清楚是價格昂貴的馬筋或是廉價的牛筋，貪食者不挑，貢獻者為罪首，比喻人貪卸責。〈「夫」與「磁」〉比喻世人以為寡婦哭夫，未料該婦口中的哭聲僅是求販者聲。〈鹹酸甜〉[922]比喻蜜餞如情場滋味，思念卿卿我我時，內心甜蜜；戀情成空時酸澀；朝三暮四時，味鹹。〈醫者意也〉比喻人不清醒，如生殖器入環，必須靠外力醒醐灌頂協助其分離。〈半暝二更半〉[923]以「半暝二更半」出對句，太難以致出題師自縊，後人以「中秋八月中」對成，終至冤魂散去。比喻文人耽溺字句，久久不能忘懷。

922——陶醉，〈鹹酸甜〉刊於《三六九小報》第 159 號，1932 年 3 月 3 日。
923——陶醉，〈半暝二更半〉刊於《三六九小報》第 180 號，1932 年 5 月 13 日。

《臺南新報》對棄「八股文」到鷺江從商等，呈現當時政權轉移後讀書人轉從商的經驗，以及時人多在異地異國以原籍為同鄉互相依賴的狀況，進行爬梳。[924]文人舊習的嘲諷〈阿片喫好〉：

某生素嗜阿芙蓉，……一日催租吏至，急如星火，舉室惶惶然。生拮据，將不堪。妻取一款出，代納卻。生問適從何來？妻曰，平日君命購煙時，予約略粒積之，以備今日。……閱數月，遇急需，生向妻索金。妻不覺怒曰…。[925]

寫道當時文人有吸食阿片的陋習，表面上是前清時代所留下的遺跡，實際上是當時官方默許的景況，文中以「妻不覺怒曰，自爾斷煙後，一文不授受，胡有錢？生亦憤，曰果爾，算來仍是吃阿片好，遂重整槍火，依然虎嘯矣。」形成了真實的落差及文人陋習傳達出的趣味感，以及呈現吸食阿片以致家貧的景況。當中以「虎嘯」形容吸食阿片的後遺症，傳神精確的呈現不可接近此物的態度。

關於文人喜愛賭博的描寫，如〈麻雀先生傳〉則仿寫古文〈五柳先生傳〉之文體，藉以挖苦、諷刺「賭博」可與新聞訊息互相貼合，[926]文中詳細描繪迷戀賭博者的樣貌，由「先生之魔力亦云偉哉，先生猶擅分身之術，萬戶臚歡，匪不在座。」說明賭博行為無所不在，一為常人娛樂、排解無聊，另會帶來「傾家蕩產者有之，身敗名裂者有之，沛流離者有之，然終不敢一言半語怨先生也。」說明賭博可能招致的種種代價，諷刺時人雖然明知結果，卻仍迷戀賭博的癡傻樣貌。

924——李郁芬，〈《臺南新報》漢文欄之研究〉，國立成功大學臺灣文學系碩士論文，2011 年，頁 60。
925——《臺南新報》，「諧藪」欄，1926 年 5 月 9 日，第 6 版。
926——《臺南新報》，「諧文」欄，1927 年 4 月 14 日，第 6 版。

五、宗教迷信慣習

　　對常民日常生活諧趣戲謔描寫，以「市人」、「鄉婦」出現在文章中，〈富家宴客〉即書寫富人宴客炫富，喜宴之中的種種趣事，描繪參加宴會鄉婦憨傻、可愛的逗趣模樣，「少頃有一客取著夾一橄欖，被牙籤一滑跌在醬油碟內，乃由醬油碟內取出食之。鄉婦不識橄欖，以為此物，一定要如此食法，亦用著夾了一枚。」[927]藉由「宴客」菜餚食用細節呈現鄉婦不曾參加過宴會，只好模仿他人用餐，卻模仿錯誤，以致恥笑鄉婦者不小心讓麵線從鼻孔噴出，誇張諧趣畫面。透過文人之筆，以誇張的視覺描摹常人對於富貴的模仿，其中淺白口語的文字也讓讀者易懂，讀者在閱讀這些文字時也能依據自身過往的經驗進行拼湊。

　　時人迷信面相學〈看相〉一文展現出時人對迷信的看法與矛盾，「相士曰：『尊相雖不大富，亦不至貧。』鬍子曰：『先生何以見得，相士曰看君之鬚，比上不足，比下有。』餘寥寥兩語，閱者細嚼之亦當一笑。」[928]內容談述一位鬍子較稀疏的男子，煩惱自己因鬍鬚稀疏而不會致富，因此看相瞭解自己未來。相士以隱晦、玩笑的方式笑指還有「他處」濃密加以帶過，呈現時人迷信，且對自己人生見樹不見林的缺點，寧願相信江湖術士，也不願意瞭解自己的問題，嘲諷迷信的習慣。

　　連橫對於臺灣迷信媽祖也有紀錄，連橫以每年三月十四日北港朝天宮來南晉香，越三日而返的香客，無處可宿，這些人俗稱「香腳」，且當時露宿街頭者高達數萬人，即便隨香者財物外露，也不敢有人偷盜，恐遭神譴，清代劉家謀也曾有詩紀錄此習俗。[929]

927——《臺南新報》，「消夏錄」，1926 年 7 月 26 日，第 6 版。

928——《臺南新報》，「諧藪」欄，1926 年 11 月 29 日，第 6 版。

929——連雅堂《雅堂文集校注》，臺北：臺灣學生書局，2020 年，頁 288。

930——王開運、施懿琳、陳曉怡，〈就普渡而言〉，《王開運全集》，臺南：國立臺灣文學館，2009 年 5 月，頁 8。

931——王開運、施懿琳、陳曉怡，〈就普渡而言〉，《王開運全集》，臺南：國立臺灣文學館，2009 年 5 月，頁 8。

932——王開運、施懿琳、陳曉怡，〈喪禮宜改善〉，《王開運全集》，臺南：國立臺灣文學館，2009 年 5 月，頁 10-11。

反對普渡祭祀孤魂的慣習，認為救濟飢餓貧困之人原意好，後來鋪張甚至迷信則認為向是諂媚野鬼般，以《論語》「非其鬼而祭之，諂也」反駁。[930]〈就普渡而言〉[931]、〈喪禮宜改善〉[932]二文王開運檢討在祭祀、葬禮方面過於奢侈，其肯定其中普渡救飢解懸，和辦理喪禮是為了慎終追遠，而反對奢華肇因於財用不善及衛生不良等問題。擔任工商代表的王開運對於消費、經濟與對人民強行募捐造成人民壓力的事均有抒發。[933]王開運更是以自家原配董阿柳喪禮做起，其簡化流程，包括「廢止途中行列，其式場之嚴肅與排設，固實罕覯」，友人趙雅福乃稱「杏庵斯舉，於破除習俗之功，可謂大矣」。[934]

　　〈浴冷水〉記錄跨國界生活習慣理解的問題，「甲曰：『安敢誑汝，余今年在南洋各處，固無不一日不赤身入冷水浴也。』一時聞者為之捧腹。」[935]時人常去南洋，南洋比臺灣天氣熱，使用冷水洗浴是正常，但是甲無此觀念，反倒譏笑在臺灣12月怕洗冷水澡的乙，呈現出時人知識不足，即便出了國，也無法彌補知識缺乏的問題，在《三六九小報》亦有諷刺時人知識不足，實際上也呈現譏諷了當時教育政策普及率的問題。

　　另一篇描寫做賊的問題：「賊曰，吾非潛入，汝實開門導我耳。……官大怒，謂賊曰：『某縱導汝入，汝私自竊物，又何以故？』賊曰：『我非竊物，乃向兄處取物耳。汝亦知兄富弟貧，兄慳吝不吾與，而吾自取之，可以賊稱乎？』」[936]文中賊以當時流行「四海之內皆兄弟」概念以歪理為自己脫困，顯示當時知識根本沒有詮釋基準，官方說法反倒成為被他人濫用的工具。而〈蠢僕拍馬〉描寫僕人等底層小人物，「酒醉時，甲僕上

933——林建廷論文中提到王開運〈減稅問題と消費經濟の改善──營業稅は不合理！寄附は自由意志！〉文中主張比照內地，要將「營業稅」改為「收益稅」，依實際收益比例徵稅，並指出殖民者當局，對臺灣有強行募捐的陋規，使得商工業者與人民壓力很大的原文參見，王開運、施懿琳、陳曉怡，《王開運全集》，臺南，國立臺灣文學館，2009年5月（文，1930年），頁28-32。林建廷，〈臺南仕紳王開運社會活動與文學作品研究〉，國立成功大學臺灣文學系碩士論文，2012年，頁246。

934——〈王開運氏德配董孺人西歸〉，《臺南新報》夕刊，1935年2月25日，4版。趙雅福（頑）〈墨餘〉，《三六九小報》，1935年3月23日。

935——《臺南新報》，「諧藪」欄，1927年2月10日，第6版。

936——《臺南新報》，「諧藪」欄，1927年1月26日，第6版。

前問曰：『主人可要開飯否？』主人點頭答應。乙歸即以甲僕之言，命蠢僕學習，蠢僕遵命。一日乙欲剃頭，命僕喝理髮匠來。既至，僕乘機欲行拍馬，急趨向前稟主人曰：『理髮已至，主人可要開刀否？』主人大怒，即享巴掌一下。」[937]藉由描述底層僕婢小人物與上流階層來往應對誇張學舌，卻毫無知識底韻，造成胡亂模仿的情形，透過小人物愚昧，來諷刺教育知識不足的景況。《臺南新報》內容除了諧趣嘲弄的文字分成書寫上位者，炫富、自私的一面，如醫生、教師、僧人等；另一方面諷刺教育普及率不高，底層人民胡亂將聽到看到的知識，濫用的時代景況；這則對官方教育率有相當的嘲諷，這種善用百工職業呈現時事的態度，一九三〇年代臺南小報與官方報紙皆為其他地區未有之特色。主要原因之一在於兩報的編輯群皆是臺南在地文人，且重疊性高。

洪鐵濤〈春痕秋夢錄〉總共連載 16 篇[938]紀錄其兒時記憶與當時代人物生活樣態，其中提到對當時名人的看法，以及當時流行的事物。首先記錄洪鐵濤鄰舍林在鎔的篆刻作品，其篆刻的書法字似乎是陳鴻壽的書法字。文中也提到當時代人人愛看軟性小說，尤以哀情小說為最，洪鐵濤誇飾形容時人貪讀通俗小說的樣貌，包括以某生讀《玉梨魂》讀到咳血，不過看完後，又恢復正常生活，又一書生迷《西廂記》迷至懨懨一息，甚至有一迷軟文學女性為文學殉身之事。

另外記錄許多人迷戀「武技」的景況，其回憶幼時，見到一老人與其媳到西社宮投宿，並在街頭賣藝，後來婦人產子後，不出三日，立刻出門賺錢，因該翁有靈方。文中提到當時讀書人愛酒邊讀邊飲，以為樂事，但文中提到喝酒誤事、精神錯亂，也易生憾事。也可看到「麥管」為當時的

937——《臺南新報》，「諧藪」欄，1922 年 5 月 17 日，第 6 版。
938——洪鐵濤（筆名「潮」）〈春痕秋夢錄〉刊於《三六九小報》第 165 號，1932 年 3 月 23 日，連載至第 233 號，1932 年 11 月 9 日。

吸管，當時流行可吸酒與清涼飲料，為時代尖端之物。博奕之人不知自己正在被人設局，約定三戰的第一戰，對方先讓自己贏，以為棋局在手，便放膽遊戲，未料後兩局全輸，每日一金，贏家所獲不下千金。又以「十歲神童，長大庸人」如同小時了了，大未必佳的警世故事，以其幼年時受到吳生欺負，吳生卻一年後染疫早夭，比喻人不得過於自滿。

老農於致富後，大興土木蓋房子，房子未成，怪事連連，邀請一法師來屋內清理異事，法師將一隻貓關入屋內，以爆竹嚇貓，貓在屋內奔走抓鼠，使屋內安寧。原來該屋有一次在親友訪翁時帶蚶蜊來，鼠欲生唧，卻被蚶蜊夾住尾巴，鼠托著尾巴帶著死掉的蚶殼到處逃竄，因此該屋常有駭人之聲，法師藉此賺得兩百金。可見事必知原委，才不至被人欺騙。

記錄過去只想生男，溺死女嬰的習俗，在法令不嚴謹的時代，許多人為了生男，又因多生女會養不起，而選擇生女則溺死，生男則留下來的習慣，故事中的老婦人因早年生十來個女嬰都溺死，最後生了四個兒子，兒子卻沒奉養他，反倒是被鄰居救出的一個女兒，略施薄金，老婦晚年才得以安享。作者想傳達晚年有無子女照顧，跟生男生女無關，跟孝順的心意有關，是篇希望可以扭轉世人重男輕女觀念的批判文。記錄賭麻雀身敗名裂傾家蕩產之事。記錄富有人家不重視教育，只是賒豪度日，最後家道中落。藉由某甲與某乙爭奪，既為保有種族，又為生於憂患死於安樂之喻，有為時事抒發的意味。記錄其友人九曲堂鄭虔，鳳山人王坤泰、臺北王雲滄為金石之交，善畫人物花卉，曾為洪鐵濤繪製「黛玉葬花圖」，不過這些畫作，因病故後，子女為生活所賣，入他人之手，引起作者唏噓。諷刺女子穿著時髦，愛金傲嬌之事，對時下時髦女性多所批評。

連橫有篇記載「臨水夫人」廟，臺南有臨水夫人廟，在元宵、中秋許多婦女會前往進香，以助產子聞名。臨水夫人本名陳靖姑，福建省古田縣人，可以驅使鬼神，臨水夫人有許多傳說，曾言遇大旱，脫胎祈雨；又說產蛇救人難產等。因此婦女臨盆前，或求子多會前往臨水夫人廟祭祀。[939]

連橫記得自己 13 歲在觀音亭讀書時，見到鄰居有人飼養馬匹，一匹馬一次產卵數十胎，後來才知道馬卵是「馬寶」，有人拿來以治療瘋癲病症。[940]

六、對漢文存廢論

臺南文人除了對當時代老學究迂腐、假道學現象有所嘲諷，以顯示人心腐敗之外，對漢文的支持不遺餘力，尤以在《三六九小報》出版期間，有許多對漢文存廢的觀點，如王開運在〈幸盦隨筆〉，針對學校內漢學教育廢止或減少提出公學校廢止漢文，家中父兄可以自行教導提供漢學自學環境，這也是他與南社詩人合力編纂《三六九小報》，甚至在日本時仍不忘託有人攜帶前往。[941]雖迥異於反對學校廢止漢文教授的主張，一方面可以呈現王開運對日人教育的態度，一方面也肆應當時漢文廢止較積極不抵抗官方的作為。

王開運對於漢文學習更重識字扎實的基礎[942]，「蓋漢字音義，諸多假借，苟習而不察，自免貽譏大雅，見笑文人。」扎實的識字、寫字，再句讀文章，是打下漢學基礎很重要的學習方法，這也是王開運認為年輕學子

939—— 連雅堂〈臨水夫人〉，江寶釵等校注《雅堂文集校注》，臺北：學生書局，2020 年 6 月，頁 267。

940—— 連雅堂〈馬寶〉，江寶釵等校注《雅堂文集校注》，臺北：學生書局，2020 年 6 月，頁 281。

941—— 原文「敢主張廢止公學校漢文者，則輿論必囂囂然，群起而攻擊之。……苟能使其畢業後之子弟，深知漢學必要，從而督勵其研究，而為其父兄者，又能以身作則，相與切磋，則雖盡廢公校漢文，於漢學之前途，亦無所阻撓也。」小丑（即王開運）〈靜室小言〉，《三六九小報》，第 340 號，1934 年 5 月 13 日，資料引自王開運、施懿琳、陳曉怡，〈幸盦隨筆〉，《王開運全集》，臺南國立臺灣文學館，2009 年 5 月，頁 335-336。

942—— 王開運、施懿琳、陳曉怡，〈幸盦隨筆〉，《王開運全集》，臺南：國立臺灣文學館，2009 年 5 月，頁 336-337。

943—— 「下午二時，趨訪橫光氏，三時到神田文求堂觀閱漢書。此處為東京唯一之漢籍老舖，架上藝書，汗牛充棟，使鐵濤老友到此，必至流連忘返，較我輩之憐香惜玉為猶甚矣。」（王開運、施懿琳、陳曉怡，〈東游日記〉，《王開運全集》，臺南，國立臺灣文學館，2009 年 5 月，頁 383。

欲學好漢文應該先學會識字，以打下根基的論點。林建廷也發現其遊歷日本時前往販賣漢籍的老書店，看出王氏對漢學的偏好。[943]然而，王開運卻曾批評「舊派文人」，其言：「舊派之所以被人厭棄者，實以其志尚浮華，重虛牝，而不重實際。其為文，雖盈篇累牘，飛揚跋扈，其實不出舖張粉飾四字。」[944]王氏亦言「今之自稱詩翁者，每得一詩，非輒炫視於人，則冀登報上，以誇其能，而不自計其詩之工拙」、「予少不讀書，長又作嫁依人，筆墨益復空疏，故平生非不得已，絕不敢言及詩文，蓋藏拙也」[945]可見其鮮少參與詩會活動，甚至不加入詩社，應該是對當時參與詩社者態度與自己愛惜羽毛，不願輕易發表詩作有關有關。再者林建廷考察1935年（昭和10），王開運之友張江攀年屆70，先於寧南門外（今臺南市南門路上）置「南山生壙」，做為將來埋身處，並向王氏徵詩；王開運乃以「余韻學素拙，未敢應之，請其徵募」推辭，唯仍盡朋友道義，為張氏發布徵詩消息，負擔獎品。[946]

王開運〈幸盦隨筆〉學養可以從諸多「異姓同名」之例證，包括其引用《左傳》「一介行李。」[947]或仿寫《正續尚友錄》裡頭資料，甚至林建廷考察王氏「花叢小記」與《宮閨百詠》、《增像時下名妓尺牘》等關聯。[948]王開運重視臺灣歷史與漢文，在〈就安平港築港問題〉[949]文中呈現當時王開運與臺南市商人代表、官員，前往日本全國港灣大會以「安平築港運動」爭取築港支持，返臺所撰的文章，文中呼籲臺南市民，要正視安平

944—— 王開運、施懿琳、陳曉怡，〈亂彈〉，《王開運全集》，臺南：國立臺灣文學館，2009 年 5 月，頁 325。

945—— 王開運、施懿琳、陳曉怡，〈幸盦隨筆〉，《王開運全集》，臺南：國立臺灣文學館，2009 年 5 月，頁 82、144。

946—— 杏庵〈南山生壙徵詩〉，《三六九小報》，第 443 號，1935 年 5 月 6 日。轉引自林建廷，〈臺南仕紳王開運社會活動與文學作品研究〉，（臺南：成功大學臺灣文學系碩士論文，2012 年），頁 183。

947—— 王開運、施懿琳、陳曉怡，〈幸盦隨筆〉，《王開運全集》，（臺南：國立臺灣文學館，2009 年 5 月，頁 74。

948—— 林建廷，〈臺南仕紳王開運社會活動與文學作品研究〉，成功大學臺灣文學系碩士論文，2012 年，頁 181。

949—— 王開運、施懿琳、陳曉怡，〈就安平港築港問題〉，《王開運全集》，臺南：國立臺灣文學館，2009 年 5 月，頁 12。

港的歷史與重要性，築港是為了帶動臺南市繁榮。〈觀劇小評〉30，乃是針對來臺南開演的「永勝和班」演員的身段、唱功、敬業態度等進行短評。

王開運提出哪些振興漢學的方法呢？包括：「而為其父兄者，又能以身作則，相與切磋，則雖盡廢公校漢文，於漢學之前途亦無所阻撓也」[950]主張漢文教學應從家庭做起，不用等待公學校改變。

洪鐵濤〈空庵煙語〉[951]雖不直接討論漢文存廢，卻對當時有許多外來字由來，以「霜犭爰」為筆名連載其源由。文中提到各式翻譯語言或不同身分慣用語使用久了，多人懂了就變成土文學的紀錄。什麼是「土文學」？在這裡洪鐵濤表示為鄉土文學是在地的文學，換言之，指的是當時在臺灣的文學用語與日常用語。第一篇「梵語與土文學之研究」敘述音譯的問題，強調某些翻譯為保留該音讀，如「南無」翻成「喇麼」，若音譯呈現後者則不知道該意，但呈現前者，比較能通讀。「演劇與土文學」作者指出演劇上午導演下午開演的現象，是讓曲本難以美化，導致人人對當時戲班評價低的緣故，建議戲班劇本好好美化好好改編。「歌曲與土文學」作者寫出南曲之美，包括其詞藻優美、多演唱者感受的悲曲等。「技術語與土文學」工人慣用語，包括「龜里」指苦力，「迴轉」只開天，「校正」指姑西等，久而久之就變成日常用語，這裡點出特殊用語講久了，多人懂了就變成慣俗用語的意思。「創造語與土文學」有些粗俗用語是被創造出來的，如「不夠本」、「屎桶枋」等粗俗用語，變成日常慣用的隱喻用語的歷程。

除了記錄西洋語如何透過意譯與音譯產生出來外，洪鐵濤更提「戲譯」，像是「福客寓」和「樂耳王」、「浪幫」、「賽媚術」和「馬似」，這些的由來。

950——〈靜室小言〉，《三六九小報》，第 340 號，1934 年 5 月 13 日。

951——洪鐵濤（筆名「霜猨」）〈空庵煙語〉，《三六九小報》，從第 194 號，1932 年 6 月 29 第 200 號，總共連載 9 篇，至 1932 年 7 月 19 日。

七、地景空間權力

　　日治時期關於地理空間詮釋權大多來自殖民當局進行土地測量、舊慣調查與空間重劃等，[952]大部分官方文獻中詮釋的空間地景是殖民當局有意呈現給世人的空間；至於生活在當地的文人地景經驗書寫，則是以臺灣為座標，若有前往日本東遊與中國西遊的地景書寫，則呈現出對比臺灣或異國新奇感受的紀錄。在此呈現刊載於《三六九小報》黃清淵〈茅港尾紀略〉、王開運前往日本的〈東遊日記〉、連橫〈臺灣史跡志〉與〈臺南古蹟志〉等篇，從文中可以看出對臺灣地理史觀書寫的目的，以及前往異國用何種視角與自己所在地臺灣進行對話？

（一）溯古追源在地史觀

　　黃清淵在〈開闢紀〉提出其書寫茅港尾歷史目的，「若稗官野史，固足補正之未」，[953]而且其言「閱滄桑之變幻，感時世之推移，慨然有動於中；悲其湮沒不彰，後世忘其本末。」[954]因此書寫該文最大目的是為了補正史不足，當時正史係由日人所著，更何況「村史」難以被編纂，因此動手撰寫。該文分成「一、開闢紀」、「二、經營紀」、「三、農物志」、「四、商務志」、「五、頌德志」與「六、震齒志」，另有「附一梁提督功德碑記」、「附二天后宮重修之碑記」。全文從鄭氏領臺到同治年間遭遇地震發生在月津、茅港尾等的奇人異事，其中農物志真實記載茅港尾當時種植紅蔗、蕃仔豆、甘藷、青果等農產品；茅港尾在「鄭氏臺灣軍備圖」中又名「梅港尾」，即今日臺南下營區的茅港里、中營與開化等處。[955]從明鄭至清代因倒風內海水利之便，對外貿易活動頻繁，使得茅港尾形成商

952—— 參閱本套書「古典文學卷」施懿琳，〈第三章 日治時期臺南古典詩的書寫主題「第一節 地理景觀」〉。

953—— 黃清淵，〈紀震災〉刊載《三六九小報》「黃葉村山房哀話」，1933年2月26日，第3版265卷。

954—— 黃清淵，〈茅港尾紀略（續）〉，《南瀛文獻》，第一卷第三期、第四期，臺南，臺南縣文獻委員會，1953年12月30日，頁26；馮勝雄，〈茅港尾的開發與聚落發展〉，臺南大學臺灣文化研究所碩士論文，2011年，頁16。

955—— 馮勝雄，〈茅港尾的開發與聚落發展〉，南大學臺灣文化研究所碩士論文，2011年，頁39。

業社會，[956]又因地理位置重要，自 1685 年（康熙 24）開始有軍事、船隻查驗的塘汛、倉廠、渡口、橋樑及官道的設置等，[957]商業靠著蔗糖外銷發達歷史，更是清代茅港尾周邊地區的鄉野傳說。黃清淵除了發表這六篇紀略外，更有茅港尾人物介紹歷史小說〈許媽超〉[958]、〈新聊齋〉、〈明皇室御膳烏米之出世〉[959]與〈林小貓軼事〉[960]，許媽超是茅港尾保旗營人，自幼父母雙亡，作惡多端，當地相傳「有北港媽祖就無許媽超，有許媽超就無北港媽祖」，其與當地人結怨不知緣故而終。〈林小貓軼事〉描寫林小貓原阿緱人，劉永福本命其帶兩百人巡哨，未料招募未滿，卻謊報，最後東窗事發。〈明皇室御膳烏米之出世〉為黃清淵以其經營藥鋪對中藥專業來介紹寧靖王帶入臺灣的烏米，文中包括烹煮方法與其化學分析說明詳盡。黃清淵從明鄭時期編寫茅港尾歷史、人物與經濟作物，一方面展現他對家鄉在地認同，一方面展現出完全沒有日本殖民先前的歷史，這是臺灣原生土長的空間情感結構，不管是傳說還是碑記，不管是物產或是災難，在黃清淵筆下都完全屬於沒有外來者侵入前，不曾被日本帝國現代性所凝視過的世界。[961]

在《雅堂文集》中收錄連橫對臺灣各地奇風異俗或清代修築特色建築物的紀錄，在〈臺南古蹟志〉「跋」中連橫提到寫作這些臺南地景的目的在於為故里消失景點留下紀錄，所以進行史料考察，為與《臺灣通

956——茅港尾商業社會形態可由黃清淵〈茅港尾八景追記錄〉「暗街夜市」：「秦樓楚館，每至殘陽下墜，越女鄭姬，招搖市上，而茶室、酒家內歌舞喧嘩，通宵達旦，藉以忘卻旅情，盛況有如小揚州。」參見黃清淵〈茅港尾八景追記錄〉，《南瀛文獻》，創刊號，1953 年 3 月 15 日，頁 283。轉引自馮勝雄，〈茅港尾的開發與聚落發展〉，臺南大學臺灣文化研究所碩士論文，2011 年，頁 64。

957——馮勝雄，〈茅港尾的開發與聚落發展〉，臺南大學臺灣文化研究所碩士論文，2011 年，頁 27。

958——黃清淵，〈許媽超〉（一）-（六），頁《三六九小報》「說海」從 1933 年 1 月 19 日，第 3 版，第 254 卷，分別連載於 23 日、26 日、29 日、2 月 3 日、2 月 6 日。

959——黃清淵，〈明皇室御膳烏米之出世〉，《三六九小報》，330 卷，1933 年 4 月 9 日，第 3 版。

960——黃清淵，〈林小　軼事〉，《三六九小報》「專欄：黃葉村山房哀話」從 1933 年 2 月 23 日，第 264 卷，該文今未得見刊完稿。

961——轉載自馮勝雄，〈茅港尾的開發與聚落發展〉，臺南大學臺灣文化研究所碩士論文，2011 年，頁 121；圖 2 為臺灣總督府圖書館致黃清淵謝函原稿，照片轉載自馮勝雄，臺南大學臺灣文化研究所碩士論文，2011 年，頁 140；圖 3 臺灣總督府圖書館致黃清淵謝函原稿，轉引自馮勝雄，〈茅港尾的開發與聚落發展〉，臺南大學臺灣文化研究所碩士論文，2011 年，頁 141。

史》區隔，不寫廟宇、祠宇、書院或寺觀。這些紀錄也包含相傳的文物，如「荷蘭甕」相傳荷蘭人建立安平古堡時，曾在王城下埋數十個大約兩三升大裝火藥的甕，連橫表示自己也保存一個。[962]「螺溪硯」相傳1919年（大正8）竹滬人朱興明攜於臺南玄武廟前兜售，索價三百金，並言其為朱術桂所遺，並由室谷信太郎以二百三十金買下，轉贈後藤新平。[963]「竹如意」相傳是沈光文所擁有的竹如意一柄，長約二尺，上面篆文「斯庵」，原日本人西大龍得於新竹，後攜到臺南分享給連雅堂欣賞。[964]

（二）帝國地理與被殖民者視線

王開運〈東遊日記〉從1933年（昭和8）5月14日在《三六九小報》連載[965]，共29篇。根據林建廷考察，一九三○年代臺南南協每隔3-4年即前往前往日本、滿鮮等地考察。王開運前往日本在語言對話上，除了其原畢業於國語學校師範部對日語熟稔外，1917年（大正6）他至臺灣銀行臺南支店擔任書記時，接受過銀行要求學習外國語（英語）、支那官話（華語）、臺灣話（臺語）[966]，加上曾多次前往日本、中國，面對其前往他國遊歷語言能力不成問題。1933年（昭和8）5月在《三六九小報》連載的〈東游日記〉就詳細記載了他赴日考察京都大阪寺廟、東大寺、鹿苑寺、福岡等地，整體活動範圍在日本首善之區東京、神戶、大阪一帶，這些地區為

962—— 連雅堂〈荷蘭甕〉，江寶釵等校注《雅堂文集校注》，臺北：學生書局，2020年6月，頁241。

963—— 連雅堂〈螺溪硯〉，江寶釵等校注《雅堂文集校注》，臺北：學生書局，2020年6月，頁241。

964—— 連雅堂〈竹如意〉，江寶釵等校注《雅堂文集校注》，臺北：學生書局，2020年6月，頁242。

965——1933年05月14日288卷為首篇，寫下前往日本的原因，持續連載29篇至1934年2月28日319卷為止，均以「杏庵」筆名連載至「雜俎」。根據林建廷〈王開運〉成功大學臺灣文學系碩士論文，訪談「王駿嶽」先生，其表示《三六九小報》〈東游日記〉未刊完。今〈東游日記〉收於《王開運全集·雜文卷》，頁340-395。

966—— 考察林建廷，〈臺南仕紳王開運社會活動與文學作品研究〉，成功大學臺灣文學系碩士論文，2012年，頁39。

當時商工業的重心所在，也是臺南商協前往日本考察目的地。商務內容上，王氏等人的參訪重點有燐寸（即火柴）、材木、海產、釀酒、製菓（即糖果製造）等產業，這些考察地點均與時王開運等人在臺南事業，或是臺南商協的活動有關。[967]

文中第一篇言及其「不作東游，三載有餘矣。」意思是自從 1930 年港灣大會後，有 3 年未前往日本[968]，王開運在 1933 年（昭和 8）4 月 27 日啟程，先搭火車到臺北，會合了同行者如張江攀、蘇錦墩、賦鵬、翁金護、翁金水等人；至 4 月 29 日始乘船離臺。5 月 1 日，至九州門司港，一行人在該地停留半日再上船；5 月 2 日抵達本州神戶港，開始近 2 個月玩樂又考察的旅行。日記中也記錄了王開運東遊時頗為優渥的消費享受，如多次到高島屋午餐、三越百貨或松阪屋購物，並訂製洋服；與日本友人約在貸敷座見面，在日本食用雞湯、佐賀關食用鮑魚、御茶屋小酌；甚至在大阪心齋橋與當時名妓南川靜子邂逅，這些赴日活動不僅增廣讀者的視野，既可對日本商業區多瞭解，亦尤其見到的日本友人地位與活動區域，顯示了王開運在當時所具有的社會位階及經濟能力。

（三）從南到北途次紀聞

羅秀惠曾任職於「臺灣日日新報社」，需要南北往返，在《漢文臺灣日日新報》連載七次〈途次紀聞錄〉[969]內容敘述「現代化」、「戶口調查觀察」與臺南相關匯報。關於現代化紀錄，其從「時間」到「交通工具」特別有感。談到「時間」問題在於羅秀惠 9 月 29 日要從臺北前往臺南，原訂定二番車，倉促間因時間將至，故以電話重訂出發時間，描述的是一

967—— 前往商業考察地點與同行者商業活動相關，根據林建廷整理，包括：張江攀是「卸商」（即批發商），頁其「永茂商行」經營的項目有海陸物產、火柴、罐詰（即罐頭）雜貨等 125，自然需要與大同燐寸、八尾燐寸、朝日火柴、海產物商等接觸。再如蘇錦墩，為「永森記材木商行」的主事。《三六九小報》，第 284 號，1933 年 4 月 29 日，1 版。參見林建廷，〈臺南仕紳王開運社會活動與文學作品研究〉，成功大學臺灣文學系碩士論文，2012 年，頁 81。

968—— 為首篇，寫下前往日本的原因，參見杏庵，〈東遊日記（一）〉，《三六九小報》，第 288 卷，1933 年 5 月 14 日。

種需要往返異地亦要適應交通工具出發時間的景況。劉庭彰也發現羅秀惠在這連串發文時，具有使用天干地支又轉換為現代時間幾時幾分的表現方式，呈現出新舊制度在日治時期傳統文人上的交融。[970]

除了時間的描述外，羅秀惠對交通設施的描述也呈現現代化交通工具促進南北往來便利，在 1905 年（明治 38）日俄戰爭發生起，日本殖民政府對臺加強縱貫鐵路的修築，至 1908 年（明治 41）才完工，其中伯公坑到葫蘆墩間路段藉由原搬運工程材料的雙軌軌道拿來通車應急，直到正式鐵道完工才廢止，在此，羅秀惠有相關紀錄：「又云下站伯公坑停車場，高跨山腹，阪路迂曲，漸區而下，縈繞如羊腸然，土人名之曰旋螺。到此換乘輕便車，殊形危險，失事已數，慎者必舍車而行。」[971]根據前文這段輕軌運送材料的便車是不甚安全的道路，加上這段路蜿蜒上山因此乘車者需要有棄車步行的心理準備。

在 1905 年（明治 38）縱貫鐵路南北尚未全部通行時，羅秀惠紀錄抵達葫蘆墩後，需要轉乘火車（漢字：汽車）經過臺中、彰化到了濁水溪北岸，卻因為橋斷未修復而需下車步行一小時，所以到停車處需打尖休息，再南下，到臺南時已經傍晚六點。整體而言 29 日出發，30 日才抵達臺南，又在苗栗三叉河住一晚，劉庭彰曾對比清代從南到北需費時 11 日，相較起來有鐵道大幅縮短南北交通時間。[972]

在這段前往臺南旅途見聞，紀錄到臺南面對戶口調查的態度，羅秀惠本以為臺南人尤其無戶籍者會害怕戶口調查，又紀錄到調查員對民眾施暴之事，其中包括有一民眾本為雇庸，後無業，調查者問有無問題，該民眾表示不知解雇原因而起衝突；另一則因調查員不懂土語，造成衝

969——羅秀惠〈途次紀聞錄〉，《漢文臺灣日日新報》從 1905 年 10 月 4 日連載至 1905 年 10 月 25 日，分別刊載於 4 日、5 日、15 日、19 日、22 日、25 日。

970——劉庭彰，〈第四章 從「傳統文人」到「現代記者」、「小報經營人」：羅秀惠的報業歷程〉

971——《跨越時代的府城文人 - 羅秀惠研究》，臺北：博揚文化，2021 年 12 月，頁 152。

972——劉庭彰，〈第四章 從「傳統文人」到「現代記者」、「小報經營人」：羅秀惠的報業歷程〉，《跨越時代的府城文人 - 羅秀惠研究》，臺北：博揚文化，2021 年 12 月，頁 153。

突，由此看出戶口調查公部門對民眾態度仍相當高傲且不懂臺人語言誤會甚多。[973]

　　洪鐵濤有一篇〈與臺南友人出遊一日的旅行記〉描寫與植歷、倩影、軟樣與酥共 5 人，[974]搭乘 8 點 21 分夜間「火車」出發。當時火車票需要二千零八十文，買來回票可打八折，在車內可吸煙，約 9 點 34 分到達高雄。在高雄火車站附近電火通明，車影人影不絕，相當熱鬧。接著他們雇一臺摩托車載他們五人到苓雅路找陳賢，並為他們在酒樓開筵接風，夜飲至凌晨兩點，夜宿在陳賢家。第二天連同陳賢與林六哥一行 7 人出遊，在苓雅寮遇到迎媽祖的隊伍，看到沿街迎媽祖擺出宋江鎮、獅鎮、駛犁歌和太平歌等。轉車到第三會場，看到盆栽、書畫古董等，入門票共一角五占，會場上擠得水洩不通，又巧遇陳林兩君，湊足 8 人，一同到高雄樓聚會，後來又聚到西子灣相聚。當時西子灣需要穿過壽山鑿出的一條隧道通過，內有酒樓、旅館和賣店，很熱鬧，到子庵菜館用餐，下午三點去訪問楊振福[975]，晚餐又到高雄樓吃飯，搭 8 八點 36 分的火車回到臺南。文中呈現臺南文人到高雄訪友、參觀人山人海聚集的博覽會場，以及當時高雄州夜晚仍燈火通明消費能力的繁華，尤其高雄車站附近、苓雅寮與西子灣，甚至高雄樓[976]餐廳都是熱鬧的區域，尤其在築港工程後，高雄州已經已經成長為超過兩億日圓，人口超過六萬五千人的大都市。[977]

973──劉庭彰，〈第四章 從「傳統文人」到「現代記者」、「小報經營人」：羅秀惠的報業歷程〉，《跨越時代的府城文人 - 羅秀惠研究》，臺北：博揚文化，2021 年 12 月，頁 154。

974──劉庭彰，〈第四章 從「傳統文人」到「現代記者」、「小報經營人」：羅秀惠的報業歷程〉，《跨越時代的府城文人 - 羅秀惠研究》，臺北：博揚文化，2021 年 12 月，頁 156。

975──植歷是蔡培楚（1888 年 4 月 19 日一？）、倩影（友人考察是蔡培楚，根據洪鐵濤的說法，應該不是蔡培楚）、軟樣與酥（皆推測不出是哪一位文人）。

976──與王開運、洪鐵濤友好，後來移居到高雄旗後。

977──高雄樓，位於今高雄市鹽埕區五福四路與大勇路交叉口、鹽埕埔捷運站三號出口旁的華南銀行現址，日治時期稱為吉井百貨，戰後改名為高雄百貨，為五層樓建築物，內有歌妓酒樓，成立於 1931 年左右應是昭和六年原址成立的吉井百貨公司。參見楊晴惠，〈高雄五層樓仔滄桑史──由吉井百貨到高雄百貨公司〉《高雄文獻》第 6 卷第 1 期，2016 年。

八、政治議論

1924 年（大正 13）6 月辜顯榮等仕紳成立「有力者大會」，為殖民者辯護，阻擾臺灣議會設置請願運動因此同年 7 月臺灣議會設置請願運動特別成立「無力者大會」反對御用仕紳的行為，王開運在 1930 年（昭和 5）隨筆中特別針對仕紳、有錢有勢者、知識份子的不良表現，稱之為「職業化」「論有力者、有錢財之勢者，⋯⋯如是而亦欲誇耀於人，何異有目而炫其視，有耳而誇其聽，庸奴心事，大堪令人鄙棄。」[978]其言，「凡當社會之大任者，不論責之大小，任之輕重，統稱之曰「有力者」，蓋無力則不能任重致遠，以盡其職責。」[979]其反對這些有力有財的人趨炎附勢，不為臺灣人請命。王開運反對這些在社會上有錢有勢的人，並以筆名「變態偉人」詮釋自己的想法，「偉人而稱變態，則其為片面的之偉人也明矣，⋯⋯阿附權貴，則成變態紳士，而於民眾之言，不大恤矣。⋯⋯予素乏鬥性，又不喜爭，自顧一庸懦之夫耳，乃曾幾何時，而博得變態偉人之榮譽，豈老子之所謂「不自見故明，不自是故彰，不自伐故有功，不自矜故長者」耶？」[980]「變態」是指片面、不完整，不同於學者才，仕紳權貴，反而以庸懦形象讓朋友欣賞。雖不同於王開運活躍於工商界與文壇真實的生命歷程，但也代表他接近民眾的態度。

連橫在〈大陸游草〉對於亂世時重武則言「夫中國之學子柔弱久矣！古之為教者，禮樂射御，以定其程。是故春夏授經，秋冬講武；入則治國，出則典兵；將相之職，靡有畛域」因此，文武兼備、禮樂射御無所不能，最大目的在於以效命國家為職志，也反應當時應該以武力振興中國，以改

978——楊晴惠，〈高雄五層樓仔滄桑史——由吉井百貨到高雄百貨公司〉《高雄文獻》第 6 卷第 1 期，2016 年，頁 100。

979——王開運、施懿琳、陳曉怡，〈幸盦隨筆〉，《王開運全集》，臺南：國立臺灣文學館，2009 年 5 月，頁 154-155。

980——王開運、施懿琳、陳曉怡，〈幸盦隨筆〉，《王開運全集》，臺南：國立臺灣文學館，2009 年 5 月，頁 172。

變積弱不振之頹勢，從中也可看出連橫想為國效忠的想法，甚至以「岳王墳前，論君子、小人之辨」岳飛、廉頗等 忠國愛君古人為榜樣，呈現出人民為中國社稷立汗馬武功的立場，黃美玲以「『攘夷狄』與『救中國』是其散文中所著意注重的方向」 連橫這段中國行的紀錄認為中國改革問題最大在於，清皇室如爛魚，慈禧弄權以恣其淫樂、李鴻章樹私黨而謀權位等 ，又以宋、明亡國一事比喻武昌起義實則救亡圖存之舉比喻，實則非常厭惡滿清統治，其言「嗟呼！南渡衣冠，已不國矣，…中原板蕩，淪為夷狄，至今猶有餘痛。」、「明太祖以平民而為天子，手提長劍，驅逐胡元，而子孫復困於建虜；…余游及此，誠不勝興亡之感也。」「而德宗乃賚志以沒，國祚隨之，且有燭影斧聲之疑，雖曰天命，豈非人哉？」[981]「宴遊之侈，服御之華，德菱女士記之詳贍，宜其敗也。」連橫以漢族為中心思想建立反清夷夏二元對立價值觀，有違史家報人超然立場，因此其等到民國建立才回中國的反映。連橫面對滿清種種事蹟，包括見到「清高宗西湖南巡時刻詩立石的文字，批評其五言詩拙劣有餘，尤以遊西冷離宮時大嘆湖山之美因滿人入主中原而慘遭「踐踏」，甚至見到曾國荃紀功亭如城牆般巍然挺立，則引起連橫對曾國荃身為漢人而助滿人掃蕩太平軍的不滿，甚至有應當改建洪秀全之像以發揚民族之光。連橫厭惡滿清是漢夷的二元對立從「故自興位公以至我祖父，皆遺命以明服殮，故國之思，悠然遠矣。」看出其尊漢輕滿清，然而面對當時西方列強在黃浦江畔西人公園前所張貼「華人及犬不許入內」的告示，他卻以「華人缺乏公德心、好折花木的行徑」來責備華人的不足，以「凝視是透過權力系統與知識概念所構成的概念」 來觀察

981——王開運、施懿琳、陳曉怡，〈幸盦隨筆〉，《王開運全集》，臺南：國立臺灣文學館，2009 年 5 月，頁 82-83。

連橫如此矛盾的說法，不難發現其認同明朝皇朝之姿卻對當時積弱不振的華人是難以認同的。[982]

在政治上連橫在大陸行時對驅逐夷狄的革命軍相當認同，彷彿從乙未割臺等待至今，更重要的是其熱衷華僑事務，由於素為清末革命及民初南京政府成立之一大贊助者，連橫於上海之時擔任華僑聯合會任職報務，日以中國之事告諸海外，擔負起海內外聯絡媒介及周知新聞消息之重責大任。連橫願意為華僑聯合會效力不僅是其出錢出力，尤其印尼華僑在泗水地區頗負勢力，儘管仍受當地人士刁難。「第一個面對日本殖民統治與迎受殖民現代性的知識世代，其所面對的是地理上的割讓與同時又是文化身份的斷裂……」這樣複雜的情境看待這批傳統知識分子，尤其適合連橫，其對滿清的憤懣與非漢族正統鄙夷的態度，是面對被迫割讓日本，面對西方強權在中國肆虐，以未來想像發生革命過變成「民國」的中國反對過去腐敗清朝，甚至也隱含對身為被日本殖民的不滿。

982—— 連橫，《大陸游草》1992 年，頁 46。

第五章

日治時期臺南
古典小說書寫主題

◆薛建蓉

第一節　洪鐵濤與鬼怪敘事

　　在《三六九小報》中筆名「絜廬」在〈小說家之壽命〉[983]文提到有年輕人想要以小說家為職業，他勸誡小說家多半壽命不長，且喜歡無病而呻，世間很少像狄更司或施各德的人，要不是患血病就試作哀情小說傷人；或是寫厭世小說釀成讀者自殺，甚至像日本芥川龍之芥自己也自殺。文中提到的中國小說家吳趼人、西方小說家狄更司、施各德；日本小說家芥川龍之芥等，可看出當時小說流通已經相當便利。另篇菊屏〈徐念慈振揚小說林〉提到梁啟超提倡的新小說概念，小說可以傳遞新觀念也可以具有教育意義，包括盧騷的作品或中國《孽海花》之類的，也提醒小說已經跟過去地位不同。[984]通俗小說的地位連橫在《雅言》〈本土與世界〉中提到「以臺灣語而為小說，臺灣人諒亦能知，但恐行之不遠耳。余意短篇尺簡，可用方言，而灌輸學術、發表思潮，當用簡潔淺白之華文，以求盡人能知而後可收其效。」[985]所以連橫在撰寫《雅言》使用臺灣語言是有訴求給臺灣讀者閱讀便利，若是要傳遞思想，其仍會使用簡潔淺白之華文，為傳遞到更多華人地區。而且連雅堂也藉由「小說未興以前，先秦諸子多作寓言，莊列之書，尤工載筆。……奇文妙文，讀之不厭。」[986]點出小說寓言受讀者喜愛之因，也是他寫史寫文重新謄寫過去《臺灣府志》「叢談」的原因。

　　謝昕等也提醒：「通俗小說的情節密度比任何一種文學樣式的情節密度為大，換言之就是說通俗小說在很大程度上是靠豐富而又新奇的情節來取悅讀者的。」[987]臺南地區重量級雜誌《三六九小報》，以鬼怪為敘事主軸者當推洪鐵濤，其小說數量既多，且透過不同專欄與散篇的鬼怪小說，表達出洪鐵濤對該時代的觀點，並呈現他對《聊齋》與《西遊記》精神的

983—— 絜廬，〈小説家之壽命〉，《三六九小報》，第442卷，1935年5月3日。

984—— 菊屏〈徐念慈振揚小説林〉，《三六九小報》，第449卷，1935年5月26日。

985—— 連雅堂，〈雅言（一九）〉，《三六九小報》，第160卷，1932年3月6日。

986—— 連雅堂，〈雅言（二〇）〉，《三六九小報》，第161卷，1932年3月9日。

987—— 朱傳譽，〈宋代傳播媒介研究：朝報、邸報與小報〉，原載《報學》，第3卷第7期，1966年12月，收於李瞻編，《中國新聞史》，臺北：臺灣學生書局有限公司，1979年9月，初版，41。

繼承，以及小說中對日人引進的現代化政策「除魅」（disenchantment）的態度。

洪鐵濤刊載在《三六九小報》的作品可分成「續聊齋」專欄、「新山海經」專欄、「霜猿夜話」專欄、「睡魔室戲墨」專欄；中篇尚有〈姊〉、〈新西遊記補〉與轉譯日籍片山敏彥所譯〈南極探險司各脫壯史〉，該故事為記錄 1911 年（明治 44）南極探險家 Robert Falcon Scott 的故事[988]，以及其他短篇鬼語小說不等。在 14 號〈鬼妻〉描述以孝聞名主角秋姑死後仍貞魂不散，繼續暗助夫家，但鄉人「恐將來或為祟，為鄉里害」，改葬其墳，以息其怪。故事中展現出人對於親人視為鬼魅的矛盾心態。〈序〉中展現出開野狐禪室主撰寫目的，其言：「近世科學昌明，新思想輸入，對於鬼事，尤多以迷信嗤之，然西洋學者，近亦研究幽靈⋯。」[989]洪鐵濤寫鬼，實際上為鄉里紀錄，非為迷信。

「續聊齋」專欄共計 15 篇，其內容模仿清人蒲松齡於康熙年間成書的《聊齋志異》，另一篇也以此命名者為黃清淵的〈新聊齋〉。

「續聊齋」專欄第一篇〈與鬼廝打〉描寫嘉義西門鐵道站沒落，該地有鬼出沒；〈落拓鬼〉以鬼生前不積福，死後無人可拜的慘狀；〈鬼婦投環〉描述戚氏遇鬼無故生病的故事；〈陰陽求配〉描寫生前有婚約的陳屋與女阿桂，後陳屋逝世，仍想完成與阿桂之約；〈手巾〉指甲撿到一婦人手巾，一直被催討的怪事；〈謝八爺〉描寫某甲貧，於小西城樓獲一金，貪得無厭又去拿，終究連手上的都失去；〈甕怪〉描寫一家婢受其女主人虐待，死後魂留甕中，直至鄭茗祈福才作罷；〈少婦〉描寫鬼以色相示人，由變相嚇人；〈鬼婦〉描寫好事被鬼驚嚇；〈醉漢〉夜半喝醉被鬼捉弄之

988—— 蘇碩斌，〈「館長序」故事與說故事的人〉，《洪鐵濤小說集》，臺南：臺灣文學館，2018 年 12 月，頁 6。

989——（1930.10.23：4）

事；〈某甲〉夜半見少婦實為鬼婦；〈鬼驚人不死〉有一少年以嚇行人為樂，後嚇死一婢而不自知；〈裝鬼〉人裝鬼嚇人之事；〈討交替〉是以臺人之說「水鬼六年不討替者，陞任城隍爺」記錄水鬼抓人替身，而某婦往救投水自殺，反被水鬼謂其多事。[990]

「新山海經」專欄共計四則故事，以筆名「野狐禪室主」寫作，分別是〈紅柿山〉[991]、〈椪大海〉[992]、〈放屁國〉[993]與〈厚皮國〉[994]，文末並仿《山海經》郭注引）假託「郭老（郭璞之阿父）注」做一補充說明。

「霜猿夜話」〈西瓜鬼〉、〈八仙橋〉兩篇，以筆名「刀」寫作，〈西瓜鬼〉介紹臺南盛夏盛產之西瓜，有一田夫欲隨地而取，便遇西瓜突然懸上樹梢化做人頭，歸家後病了月餘，故事中道德寓意甚強，尤臺地多有勿拾他人之物之語[995]；〈八仙橋〉描寫八位士人欺負一牽牛過橋的平民女子，以致於後來慘死於水中，後過橋者均受鬼干擾之事。[996]

「睡魔室戲墨」連載 15 篇，以「霜猿」為筆名，〈謝將軍〉[997]描述有一犯科賴某躲於范謝將軍腹中逃避官兵，未料被捕，因躲在謝將軍腹內，故諧音「感謝」謝將軍之意；〈賭鬼〉[998]賭鬼半夜歸家，遇一燈籠受

990—— 詳細故事細節參見，王雅儀編，《洪鐵濤小說集》，臺南：臺灣文學館，2018 年 12 月，頁 41-57。

991—— 《三六九小報》，第 156 號，1932 年 2 月 23 日，第 4 版。參見王雅儀編，《洪鐵濤小說集》，臺南：臺灣文學館，2018 年 12 月，頁 58。

992—— 《三六九小報》，第 157 號，1932 年 2 月 26 日，第 2 版。王雅儀編，《洪鐵濤小說集》，臺南：臺灣文學館，2018 年 12 月，頁 58-59。

993—— 《三六九小報》，第 159 號，1932 年 3 月 3 日，第 2 版。王雅儀編，《洪鐵濤小說集》，臺南：臺灣文學館，2018 年 12 月，頁 59。

994—— 《三六九小報》，第 160 號，1932 年 3 月 6 日，第 4 版。王雅儀編，《洪鐵濤小說集》，臺南：臺灣文學館，2018 年 12 月，頁 60。

995—— 《三六九小報》，第 287 號，1933 年 5 月 9 日，第 4 版。王雅儀編，《洪鐵濤小說集》，臺南：臺灣文學館，2018 年 12 月，頁 61。

996—— 《三六九小報》，第 288 號，1933 年 5 月 14 日，第 2 版。王雅儀編，《洪鐵濤小說集》，臺南：臺灣文學館，2018 年 12 月，頁 62。

997—— 《三六九小報》，第 294 號，1933 年 6 月 3 日，第 4 版。王雅儀編，《洪鐵濤小說集》，臺南：臺灣文學館，2018 年 12 月，頁 63。

998—— 《三六九小報》，第 297 號，1933 年 6 月 13 日，第 4 版。王雅儀編，《洪鐵濤小說集》，臺南：臺灣文學館，2018 年 12 月，頁 64。

到驚嚇；〈白衣人〉[999]有一囚犯刑場，為查緝逃犯，在那值勤欲白衣皆恐懼；〈獃婿〉[1000]指一婿痴呆，見人不知進退應對，然其翁亦然；〈癡鬼〉[1001]有一白衣少婦在病榻照顧病人，人稱「病塌女神」，後被一癡鬼愛上，作者後云：「鬼亦認識不足矣。心為情牽，恩將仇報，一旦撒手，已示空空，何有心？何有情？何有恩？何有仇？」文字中透露出善惡不明的失落。〈相師〉[1002]描述某一面相師相當受達觀貴人歡迎，卻一日狹妓犯法，遭諷該相師算得到別人的問題，算不到自己的劫難；〈某醫〉[1003]控訴西醫醫病不醫心，醫藥費貴且毫無通融之情；〈扁擔公〉[1004]有一往來旗山的挑扁擔者，某一日誤入水中，因扁擔撐住而未溺水，因此將該扁擔至於祖先旁供奉感謝，藉由一扁擔受人供奉感謝的故事，比喻人不得忘本；〈剃匠〉[1005]無論什麼樣的工作，認真負責才不免淪落為匠；〈乩字〉[1006]實錄臺灣「問乩」的習俗，其扶鸞的主要步驟為「乩童發言，發神言也，而先生翻譯之」，然而，神諭難解，人云亦云，故事中棹頭先生與乩童理應合作，共解神語，此雜記中，某甲乙不合，互陷害之，文中將棹頭與乩童相互陷害矛盾可笑的情節反諷了「問乩」一事的真實性；〈醉蝦〉[1007]以古

999——《三六九小報》，第298號，1933年6月16日，第4版。王雅儀編，《洪鐵濤小說集》，臺南：臺灣文學館，2018年12月，頁65。

1000——《三六九小報》，第299號，1933年6月19日，第4版。王雅儀編，《洪鐵濤小說集》，臺南：臺灣文學館，2018年12月，頁66。

1001——《三六九小報》，第302號，1933年6月29日，第4版。王雅儀編，《洪鐵濤小說集》，臺南：臺灣文學館，2018年12月，頁67。

1002——《三六九小報》，第303號，1933年7月3日，第4版。王雅儀編，《洪鐵濤小說集》，臺南：臺灣文學館，2018年12月，頁68。

1003——《三六九小報》，第304號，1933年7月6日，第4版。王雅儀編，《洪鐵濤小說集》，臺南：臺灣文學館，2018年12月，頁69。

1004——《三六九小報》，第305號，1933年7月9日，第4版。王雅儀編，《洪鐵濤小說集》，臺南：臺灣文學館，2018年12月，頁70。

1005——《三六九小報》，第306號，1933年7月13日，第4版。王雅儀編，《洪鐵濤小說集》，臺南：臺灣文學館，2018年12月，頁71。

1006——《三六九小報》，第307號，1933年7月16日，第4版。王雅儀編，《洪鐵濤小說集》，臺南：臺灣文學館，2018年12月，頁72。

1007——《三六九小報》，第309號，1933年7月23日，第4版。王雅儀編，《洪鐵濤小說集》，臺南：臺灣文學館，2018年12月，頁73。

代帝王之妃子爭寵，將蝦中灌入淫藥以誘惑帝王，某富室誤食，暴斃而亡；〈某師爺〉[1008]形容長年占據師爺一直的冗員，腹內空空如也；〈豚兒〉[1009]描述兩人比膽識試著上縊，未料鬼捉弄，甲意外死，乙豬全逃跑；〈天財票〉[1010]比喻一般人著迷於彩票，最後血本無歸；〈唱片〉[1011]當時流行唱片，未料商人為賺錢連佛經也錄製之事。這幾則故事反應洪鐵濤對社會上不公不義且迷戀彩票，不尊崇先祖等事，藉鬼神之名抒發己見。

黃清淵以「新聊齋」為名，敘述某君在杭州經營樟腦，誤居康王故宮，某夜，忽見老者借錢，次日，懸錢若干，夜半老者復出，謂「陰鬼不能用陽世錢」[1012]，突顯出人鬼殊途陰陽兩隔，但鬼具人性、人具鬼性的掙扎。

在這類志怪小說大多以「人物」或「鬼」為描寫對象，在前序強調「科學昌明」「主義興起」，因此「陰陽相隔」的觀念，尚可被時人接受，但對於過於荒誕無稽、科學無法檢驗（超驗）的，如：冥界遊、仙鄉遊、妖境遊，則反對繼續迷信，因此此類志怪小說虛構鬼魅之處，往往為透過誇張的筆調，表達對該時代現代性事物或時事的看法。

另外，非專欄方式呈現的短篇小說，寫作手法類似寓言，散見不同期號者，如〈內功〉[1013]描寫有一人見友人練成內功後，呼氣可令楹柱腐爛，

1008——《三六九小報，》第310號，1933年7月26日，第4版。王雅儀編，《洪鐵濤小説集》，臺南：臺灣文學館，2018年12月，頁74。

1009——《三六九小報》，第311號，1933年7月29日，第4版。王雅儀編，《洪鐵濤小説集》，臺南：臺灣文學館，2018年12月，頁75。

1010——《三六九小報》，第313號，1933年8月6日，第4版。王雅儀編，《洪鐵濤小説集》，臺南：臺灣文學館，2018年12月，頁76。

1011——《三六九小報》，第315號，1933年8月13日，第4版。于雅儀編，《洪鐵濤小説集》，臺南：臺灣文學館，2018年12月，頁77。

1012——《三六九小報》，第19號，1930年11月9日，第2版。

1013——《三六九小報》，第15號，1930年10月26日，第15版。王雅儀編，《洪鐵濤小説集》，臺南：臺灣文學館，2018年12月，頁78。

1014——《三六九小報》，第26號，1930年12月3日，第3版。王雅儀編，《洪鐵濤小説集》，臺南：臺灣文學館，2018年12月，頁79。

1015——《三六九小報》，第22號，1930年11月19日與第23號，1930年11月23日，第4版。王雅儀編，《洪鐵濤小説集》，臺南：臺灣文學館，2018年12月，頁80-81。

便去拜師學藝，未料藝成，因內功過深，一走便陷入土裡，而致無法行走。故事內容頗有東施效顰譬喻意味；〈獅聲〉[1014]以諸個懼內的故事來譬喻丈夫無能，頗有嘲諷的意味；〈先生食潘〉[1015]以好占人便宜的學者，被騙誤食殺鼠餌，最後不敢再吃免費宴席的故事；〈柴頭的話〉[1016]比喻有一廢棄之屋，其中栗主爭位，具有陰陽兩世仍不見相讓的慨嘆；〈怕甚麼〉[1017]比喻豬可食用，價值高，卻又受人鄙夷；〈我的希望〉[1018]以新年祝福，希望大家平安的願望散文式書寫；〈指環游記〉[1019]富翁購置一鑽石指環贈妾，該鑽石指環成了人人爭相獲得，卻又無法停留在某一人身上的寶物，不過曾經擁有過指環的人都是當下被愛的人，被贈與過後，卻又無法留住鑽石，到底是鑽石恆久還是愛情堅貞不移，作者用戲謔又嘲諷的方式突顯出愛與金錢，在人性慾望的衡量背後，到底孰輕孰重？〈紅燈恨〉[1020]風塵女子阿敏歡愛落誰家的故事，藉由情色與情慾流動的描寫，突顯出阿敏周旋在眾男子間的愛恨情仇；〈天師爺〉[1021]比喻信徒的聲浪帶動一個天師爺的神格，到底是擔任神明代言人的天師爺靈驗，還是人的言語，該文用諷喻的手法呈現反迷信的觀點；〈堪輿異〉[1022]文中主角蔡某

1016——《三六九小報，》第29號，1930年12月13日，第4版與第30號，1930年12月16日，第4版。王雅儀編，《洪鐵濤小說集》，臺南：臺灣文學館，2018年12月，頁84-85。

1017——《三六九小報》，第411號，1935年1月16日，第3版。王雅儀編，《洪鐵濤小說集》，臺南：臺灣文學館，2018年12月，頁85-86。

1018——《三六九小報》第417號，1935年2月6日，第3版。王雅儀編，《洪鐵濤小說集》，臺南：臺灣文學館，2018年12月，頁87。

1019——《三六九小報》，第22、24-25號，1930年11月19、26、29日，第3版。王雅儀編，《洪鐵濤小說集》，臺南：臺灣文學館，2018年12月，頁89-92。

1020——《三六九小報》，第48-59號，1931年2月19日-3月26日，第3版；王雅儀編，《洪鐵濤小說集》，臺南：臺灣文學館，2018年12月，頁92-104。

1021——《三六九小報》，第203-211號，1932年7月29日-8月26日，第3版；。王雅儀編，《洪鐵濤小說集》，臺南：臺灣文學館，2018年12月，頁105-114。

1022——《三六九小報》，第216-220號，1932年9月13日-9月26日，第3版；。王雅儀編，《洪鐵濤小說集》，臺南：臺灣文學館，2018年12月，頁114-120。

想透過風水寶地發跡，無奈 12 年苦等無著落，諷刺迷信堪輿仍無成的故事；〈述異記〉[1023]預見災難火球，越三日市內三爺宮街著火，該文暗喻著無常，若對照〈天師爺〉、〈堪輿異〉等篇反迷信的文字，顯示作者擺盪在新舊觀念之間的矛盾；〈笨生〉[1024]描寫一位書生自以為受鄉里愛戴，實際上腹內無筆墨，然該鄉里亦爭權奪利不平靜，因其單純，反而有益鄉里。作者比喻事無定律，該篇於文末有「野狐禪室主曰：『嗚呼！笨生之笨，可謂極矣。愚而好自用，其惟笨生也歟。鄉有是人，汙鄉多矣。莫怪乎遍鄉中無與立談者，而笨生之笨益著。』」[1025]〈憨生〉[1026]比喻一人看似受鄉里集會歡迎，多所邀約，實際上卻是去出錢出力，而無言論地位者；〈偽生〉[1027]假善意虛偽的人寫照；〈獸生〉[1028]文中比喻錙銖必較的人到底獲得一切還是失去一切？〈騙子〉[1029]仗恃有錢有勢實則是騙取他人權力與金錢的騙子，狐假虎威的擁有權勢過日子，作者在此暗諷那些在社會上仗勢欺人者；〈獸子〉[1030]比喻愛好虛榮的人實際上並沒有本事處理任何事，作者在最後特贈一語：「及早下臺來，莫要假痴獸。」[1031]對時政的暗喻。與〈浪子〉[1032]地點設定前往呂宋發跡的浪子，至四處玩樂流浪，直到落魄後歸家，再帶母親與家中錢財前往呂宋經營事業。連載專欄或是短篇寓言作品，洪鐵濤均表現出炫奇、鬼怪的情節，影射暗喻其對時政的諷喻。

1023——《三六九小報》，第316-318號，1934年2月23日-2月28日，第3版；。王雅儀編，《洪鐵濤小說集》，臺南：臺灣文學館，2018年12月，頁120-126。

1024——《三六九小報》，第316-322號，1934年2月23日-3月13日，第3版；。王雅儀編，《洪鐵濤小說集》，臺南：臺灣文學館，2018年12月，頁127-130。

1025——《三六九小報》，第348號，1934年6月9日，第3版。王雅儀編，《洪鐵濤小説集》，臺南：臺灣文學館，2018年12月，頁140。

1026——《三六九小報》第339-348號，1934年5月9日-6月9日，第3版。王雅儀編，《洪鐵濤小説集》，臺南：臺灣文學館，2018年12月，頁130-140。

1027——《三六九小報》，第357-359號，1934年7月9日-7月16日，第3版。王雅儀編，《洪鐵濤小説集》，臺南：臺灣文學館，2018年12月，頁41-14。

1028——《三六九小報》，第360-370號，1934年7月19日-8月23日，第3版。王雅儀編，《洪鐵濤小説集》，臺南：臺灣文學館，2018年12月，頁141-155。

1029——《三六九小報》，第383-388號，1934年10月6日-10月23日，第3版。王雅儀編，《洪鐵濤小説集》，臺南：臺灣文學館，2018年12月，頁156-162。

洪鐵濤中篇小說〈姊〉[1033]以筆名「鉛淚」發表，不同於以往，這篇作品以「島都」臺北為地點，描寫來自雲林織造廠女工秋芙，因家道中落而至工廠工作，受廠主何其恭魔手傷害，又被其弟賤價賣至婆家，其弟荔生為父親庶出，不學無術，好女色，秋芙除了在經濟上支持其弟之外，苦痛了自己，該文描寫當時帶女性凡事委屈求全，卻在家庭與社會不受重視，堪為洪鐵濤少數從女性角度書寫，社會寫實之作。

「新西遊記補」以臺南為場景，以西遊記原有主角孫悟空、豬八戒與沙悟淨等人開展故事，一如往常洪鐵濤描寫鬼魅妖怪烈奇嘲諷暗喻的手法，內藏慣用臺語字如「查某間」[1034]、「搵起拳頭拇」[1035]、「汝昨夜約我今暝來，敢再應別個人客」[1036]等，並以諸位神明關聖、周倉、如來佛祖、鐵拐仙、十八羅漢、降龍尊者、觀音等皆入故事，寫作手法似許丙丁《小封神》，使用文字漢文與臺語口語夾雜，頗有重新建構臺南地方神祇地圖的意味。

洪鐵濤在漢文小說撰寫上，善用暗喻、隱喻手法藉由鬼怪諷喻時事，文字烈奇，情節安排雖不屬上乘，屬傳統中國志怪小說寓言形式的多元議論，乃寄託其勸懲思想與淑世精神的態度[1037]，另外，其翻譯司各特南極探險的作品，更是呈現臺灣一九三〇年代從傳統文言過渡到現代啟蒙的思想轉型之作。

1030——《三六九小報》，第388-391號，1934年10月23日-11月3日，第3版。王雅儀編，《洪鐵濤小說集》，臺南：臺灣文學館，2018年12月，頁162-165。

1031——《三六九小報》，第391號，1934年11月3日，第3版。王雅儀編，《洪鐵濤小說集》，臺南：臺灣文學館，2018年12月，165。

1032——《三六九小報》，第391號，1934年11月3日，第3版。

1033——《三六九小報》，第74號，1931年5月16日，第3版，連載至《三六九小報》第103號，1931年8月23日，第3版，共30期。

1034——「查某間」參見《三六九小報》第107號，1931年9月6日，第3版。

1035——「搵起拳頭拇」參見《三六九小報》第107號，1931年9月6日，第3版。

1036——「汝昨夜約我今暝來，敢再應別個人客」參見《三六九小報》第114號，1931年9月29日，第3版。

1037——高桂惠，〈「物趣」與「物論」：《聊齋誌異》物質書寫之美典摶化〉，《淡江中文學報》第25號，2011年12月，頁201-226。

洪鐵濤在「續聊齋」專欄中，歸納其空間設定多以臺南為主，尤以清代府城及其周邊一帶為主，如赤崁樓[1038]、安定里[1039]、安東坊[1040]、大北門[1041]等地，研究者柯喬文從空間刮除羊皮更新為新地景這件事觀察洪鐵濤在鬼怪小說的書寫，由文中提及臺南當時現存或在日治時期被迫都市更新而消失的空間，其認為洪鐵濤見府城滄海桑田的感慨，其引述138號中，記載府城的城埤一地變化，透過女鬼出現言道：「婢常出現是間，嗣年漼世變，使不聞見，今是地已闢為康莊大道，諒婢亦已輪轉他處矣」[1042]。藉由鬼的文字，實則表現作者對時空「世變」今昔的慨嘆而「意在言外的，則有日人抹去空間標誌，以消除歷史記憶的餘音在。」[1043]

第二節　趙鍾麒與歷史考究

　　生於1863年（同治2）自幼受科舉教育的趙鍾麒，具相當深厚的漢學基礎，其在《三六九小報》歷史考究，並非真實田野調查記錄，反而具有部分虛幻，部分文書調查的性質，因此本文將其固定發表於〈史遺〉欄和〈讀史管見〉欄的作品視為短製漢文小說。

　　〈史遺〉為趙鍾麒[1044]與趙雅雲父子共同撰寫的欄位，前面五十五則由父親趙鍾麒撰寫，第210號起的後38則改由兒子趙雅雲撰寫[1045]，〈史遺〉欄內容包含史事、軼聞、坊間故事、科舉瑣談等。[1046]「史遺」欄撰寫目的強調是補正史之遺，指的多為野史記錄之意。根據目前所見94次連續刊載內容[1047]，其刊載之事蹟多為在臺發生之事，如戴萬生之事、延平郡王之事、開元寺異僧，與臺南地方自明末到臺灣一九三〇年代間發生的人、事、物。值得注意的是，《三六九小報》「史遺」欄的紀錄不僅是

1038——〈手巾〉，《三六九小報》第88號，1931年7月3日，第4版。

1039——〈甕怪〉，《三六九小報》第94號，1931年7月23日，第4版。

1040——〈醉漢〉，《三六九小報》第136號，1931年12月13日，第4版。

1041——〈某甲〉，《三六九小報》第137號，1931年12月16日，第4版。

1042——《三六九小報》第138號，1931年12月19日，第4版。

1043——柯喬文，〈《三六九小報》古典小說研究〉，南華大學文學研究所碩士論文，2002年，頁119。

紀錄清代官方或清代臺南仕紳的事蹟，也有地方上的掌故、傳說，其書寫範圍幾乎跨越臺灣全境，主要仍以臺南地區為主。這樣的書寫目的亞雲曾在第345號中提出他的看法：「本報史遺，雖不免近於說古家，然事有關信史，恐有不盡不實之處，固有聞必再錄之。」[1048]文中強調「史遺」欄主要是以可信的歷史事蹟為書寫依據，目的是為了說古。為什麼要連續刊載這些說古事蹟呢？試著從「史遺」刊載的內容來推敲畸雲與亞雲的寫作目的。史遺欄是以短篇筆記的形式，記載明末到日治期間在臺灣所發生的人、事活動，主要內容可分成五類，如下：

一、清代在臺人士的歷史事跡

該欄位多為畸雲撰寫，如描寫戴萬生糗事的〈戴萬生笑〉、嘲諷清朝買官陋習的〈談蘇阿成〉、以失言為例，描述清官上樑不正之事的〈謙遜失言〉；〈鄉試笑談〉呈現文人道貌岸然之狀；〈請賊守城〉藉臺灣俗諺

1044—— 趙鍾麒（1863-1936），頁號雲石，別署畸雲，晚年號老雲，臺南人。1887年應歲試，補廩生嗣食（食氣），頁1896年被選任臺南法院通譯，1907年臺南廳長日人技德二倡修孔廟，組「以成社」，並被推為會長。1909年擔任南社第二任社長，1930年5月與連、橫趙雅福、洪坤益等合辦《三六九小報》。

1045—— 亞雲（1894～1962）本名為趙雅福，乳名德福，帥名福准，號劍泉，又號小雲、少雲或亞雲，因其喜愛古榕，故又另號榕庵、榕庵主人。整理「史遺」撰稿者發表數量是根據成文出版社復刻昭和5年到昭和10年的《三六九小報》，與黃哲永、吳福助編的《全臺文》三十七冊兩書比對的結果。「史遺」欄的作者署名有：畸雲、鍊仙、亞雲，前期以畸雲、後期以亞雲寫作居多。

1046—— 許建崑雖然不能完全從文章中區分出兩人的文字風格，但是從部分內容進行觀察，或以署名考察都是追尋二人文字線索的方向。如趙亞雲接續父親趙鍾麒的稿件，內容多以「轉載」的方式呈現。如在行文與「按語」中流露出趙鍾麒的口氣，或寫「待完成的舊稿」，許建崑這是趙鍾麒採集，趙雅福接續完成的。他又舉了幾個例子：得自石鼎美後人石陽睢家中的採訪冊，文末夾入「亞雲識」語，還有「祥異」下註明：「猶憶同治元年（1861），某臺郡大地震，予家北鄰牆壁倒塌，僅存其半，予童時猶及見之，光緒壬午年（1882）九月間，臺郡復起一回強震」；〈小琉球火〉中註：「愚年十七，當光緒六年（1880），頁愚字墊中窗前讀書。」〈書不誤人〉中論及蕭逢源：「壬午鄉試，在福建同寓館舍，見其作文稍嫌冗長之嫌。越三年（1885）歲考，覆試秀才，予與同廊」。上述這些趙亞雲文章中帶著趙鍾麒的口吻，許建崑這應是趙亞雲要呈現考證人與撰寫者不同，以及呈現該事件可信度的表現之一。參見許建崑，〈傳奇與敘史：《三六九小報‧史遺》之研究〉，東海大學中國文學系主辦，中華文化與文學學術研討系列第十五次會議：「臺灣古典散文學術研討會」，2009.12.19、20日，頁129。

1047—— 連續刊載時間從昭和5年9月9日，到昭和10年8月9日，共九十四回。

1048——《三六九小報》，1934年5月29日，第3版。

「開門揖盜」和「請賊守城」，「王廷幹看錢無看案」等說明林恭事件官逼民反的始末，並以因果報應論來斷定清官王廷幹失職一事。而〈鄉試果報〉藉因果報應來說明鄉試之神聖不可侵犯性；〈第一清官〉說明百姓有能左右皇帝抉擇，清官德行對百姓的重要性。

二、記錄清代科舉或臺灣參加科舉考生的經歷

〈文藝冠省〉以臺灣俗諺「臺灣蟳有無膏」來反清朝貶抑臺灣文藝的情形；此外，〈神童天才〉與以澎湖進士蔡廷蘭〈十齡進學〉二文更以臺灣出身之秀才幼年神童的例子，證明臺灣學養不輸清內地。還有〈童年高科〉一文影射中國朝政衰頹，科舉不再，讓人面對改隸以後，失去仕途之慨，一方面為廢科舉一事感到不值，另一方面也暗諷當時中國廢科舉後，仍式微不振的政治狀況。藉由科舉一事，重新審視漢文振興的重要性。這應與畸雲曾參與考試，入泮列邑庠生的經歷，以及面對當時代漢文式微所發出的感嘆有關。

三、記錄明鄭、清代來臺流寓人士或官員事跡

如〈延平遺聞〉描寫劉國軒殺僧以警無勇、無氣之人；〈棄文就武〉以顏鳴皋自覺文武重要性，棄文的歷程；〈黃檗寺僧〉描寫蔣元樞遇一反清的奇僧，該僧之傳說連雅堂於《漢文臺灣日日新報》也有發表。〈東都談贅〉一文更是更正所謂「海島遺民」對鄭成功、林爽文事件始末的傳言，透過更正鄭氏史實一事，呈現出為其寫史以正名的嘗試。另外，還在文章中稱頌清藍鼎元政績、臺澎兵備道兼提督學政劉璈提攜臺灣秀才一事等，主要是以在臺較有治功的官員為主。但是，文中不僅展現其功績，也藉日常瑣事再反思該官員之德行，如〈談丁口昌〉藉丁氏晚年失節之事，明褒實貶；還有〈食色異性〉藉食異物貶抑清來臺南治理官員凌定國。文中也藉如〈誤食蒲桃〉與〈旗人興衰〉諷刺清治理中原政綱不振之實。

四、記錄臺南人事蹟、傳說

如汪春源、許南英的事蹟紀錄，或者是作者聽聞來的的民間軼事，如〈節烈靈異〉[1049]，該文記錄臺南城內辜婦媽廟中除了辜婦媽外，還祭拜黃寶姑娘一事；另有敘述臺南林投姐顯靈的傳說始末[1050]、描寫臺灣原住民馴化漢人歷程的〈卑南王事略〉[1051]，此外，畸雲也相當稱讚臺南新樓醫院西醫之功效，並以〈名醫神技〉一文讚揚之。

五、臺灣民間傳說、諺語的采錄

如〈除夕趣聞〉、〈厚道載福〉等，透過記錄勸人行善，帶有教化意味。另外，是由鍊仙敘述，以男女姦淫之事暗諷臺灣宗教陋習的〈和尚春案〉、臺灣俗諺〈呂廟燒金〉等。

「史遺」從不同面向的書寫清代政治、來臺官吏，以及為地方事蹟採錄留下紀錄等，其撰寫目的透過亞雲〈書難真信〉寫下閱讀《西太后秘史》的讀後感來解讀，可深刻感受正史與野史兩者和史實的差異處[1052]，從中也可推斷他想寫「史遺」是為了讓歷史呈現不同於其他刊物的面貌，也是為了不讓世人忘記過去在臺灣發生的事。[1053]

畸雲在〈臺灣奇傑〉記錄「臺灣山嶽萬仞，洋海雙重，嶔崎險峻，矗立於洪濤巨浸間，雄偉中饒美麗，靈氣所鍾，應多奇傑。故延平拓荒墾土，開府東都，王氣至今未墜；其部下尤多名世之英，出群之彥。有清而後，亦多英俊挺生，徒因文獻殘闕，獲致滄海遺珠。」[1054]這裡更說明他身為臺灣人，且對鄭氏統治臺灣之事，且臺灣山河壯闊感到光榮的態度。所以，在「史遺」中難見關於日本統治臺灣的紀錄的原因。類似的言論在亞雲〈錄

1049—《三六九小報》第294-298號，1933年6月3-16日。

1050—〈冤魂顯報〉，《三六九小報》第82-87號，1931年6月13-29日。

1051— 畸雲，〈卑南王事略〉，《三六九小報》，1930年10月9日。

1052— 亞雲，〈書難盡信〉，《三六九小報》第215 -218號，1932年9月9日。

1053—《三六九小報》第294號，1933年6月3日，3。

1054— 參見畸雲，〈臺灣奇傑〉，《三六九小報》第113號，1931年9月26日。

採訪冊〉也有類似的表示，其為記錄關於臺灣的典故文字，更為了讓廣大的讀者瞭解臺灣典故而寫。[1055]「史遺」是為補足臺灣歷史文獻之不足，在採錄到臺灣紳士採訪冊的文字後，轉載的欣喜之情。該紀錄分成〈錄採訪冊〉與〈採訪上冊〉兩篇刊載，共連續刊載近六十回。

文中刊載了臺灣諸多分類械鬥、民變始末、以及蔡牽事件過後臺灣周邊海盜頻仍的狀況。採錄者包括：臺灣紳士黃本淵、黃化鯉、蔡國香等，文中記錄乾隆年間在臺海防部屬、商船進出狀況，以及如何平定林爽文事件的概況。難以單從這兩篇文章理解清代官方為何沒有收錄臺灣紳士採錄內容？根據考察清代臺灣方志採錄後卻沒有收錄者，目前得知有鄭用錫《淡水廳志稿》、林豪《淡水廳志》和吳子光的《淡水廳志》等作。[1056] 清代臺灣方志修撰常有採錄未收，或原被安排編修者，卻又臨時改人編修的情況，因此二文應是清代臺灣方志漏收的產物，這份紀錄出土更為臺灣歷史增添一筆。

畸雲的文字則是著重清代在臺治績，以及對清代政治腐敗多所批評；亞雲則多採錄臺灣地方掌故，以及著重清代臺灣方志與清代臺灣地理的紀錄，「史遺」可謂二人為臺灣撰史之作。

值得注意的是，在「史遺」中畸雲對漢文、科舉、清政腐敗這三件事情有深刻的看法，其也在文中言及漢文與東亞的關係：「漢文一道，妙用甚廣，為東亞特有文粹，凡生於東亞者，所當精研保存。」作者是站在東亞的概念下，提出漢文為東亞特殊文化，希望能重振漢文，提升它的重要性。文中亦抒發出身為清中國前朝遺民在改隸後，面對突然喪失仕途未來的感嘆。從這些言論可瞭解他在「史遺」中，不斷攻擊積弱不振的清政綱，

1055—— 亞雲〈錄採訪冊〉，《三六九小報》第219-241號，1932年9月23日-12月6日，停刊1933年1月3-26日。

1056—— 吳子光編修《淡水廳志》的情形為：1869年淡水同知陳培桂就任，對吳子光古文極為賞識，翌年邀其協助編修《淡水廳志》，後因故改聘楊浚總其事，吳子光以理念不合而求去，但仍自撰擬〈職官序〉、〈典禮序〉、〈名宦序〉、〈藝文序〉、〈孝友序〉、〈節烈序〉、〈學校序〉、〈鄉賢序〉、〈屯政序〉、〈物產序〉、〈仙釋〉、〈方技〉、〈兵燹〉、〈禦番〉、〈設隘〉、〈番族〉、〈社學〉、〈義民〉、〈海防〉、〈佛寺〉、〈道教〉、〈多男〉、〈人倫盛

以及為林爽文、戴潮春等民間傳說民變歷程做紀錄，肇因於他身為清遺民面對過去國家政治所寫下的策論以及遺憾。畸雲曾對種族異同提出觀點，「同種猶重人群，異姓亦視為同胞，況骨肉兄弟乎！」[1057]

　　文中寫下他雖重視可能出於同源的問題，但是面對祖上的認同，更勝於真正的血脈親疏。這觀點若對照「東亞論」的概念，會發現其同意同種族不分宗族，但至親仍已有血肉關係者為主。亞雲〈狗彘不若〉[1058]藉由兒被棄之，家犬護棄兒一事，指出妄亂認宗無道德人倫之事來看，亞雲面對「祖宗」這件事有相當血緣堅持。〈守身殉國〉一文描寫亡於異族元朝的宋遺民趙文孫、趙必曄、文天祥諸人之事蹟，該文間接傳達了亞雲的遺民意識。不過與畸雲不同的是，亞雲文字多強調「夫臺灣一島，不少特出人物」[1059]。其舉例之特出人物多以「太子太保」、「王得祿」、「林文察」，或「魏渭得」等有軍功、文功之人士，雖其不以批評清政，貶抑清官為主調，主寫臺島人事蹟。亞雲曾表示：「彼輩特醉心歐化，不知東亞道德之美。夫歐洲雖吳孝弟字典，而能行孝弟之道者，大有其人，彼第少見多怪耳……」[1060]文中藉東亞禮教，反歐化文明。

　　從上面「史遺」欄內文的分類舉隅，有一結論：歷史詮釋的內容為史家有意建構的，其寫作目的主要是為了「誰」能掌握發聲權有關。過去歷史書寫者多以記述權貴的事蹟為主，因為掌握發聲權的多半是以統治階層或貴族為主，這樣官方便能操控整個國家歷史知識的建構。所以，《臺灣日日新報》刊載日本漢學家與歷史人物，並將這些日本歷史當作讀者閱讀的主要內容，臺灣庶民的聲音就會逐漸被掩蓋。因此，長期在這樣氛圍下的畸雲與亞雲，在創刊《三六九小報》之後，以臺灣人、事，或清朝臺灣

　　事）、〈師巫〉、〈男女〉、〈犵狫客民〉、〈民籍〉、〈臺俗〉等28篇，後收入《一肚皮集》卷十八。並於〈淡水廳修志試筆序〉一文中道：「此後苟有長吏可語史學者，當抱此冊出為印證，任海內外具千手眼人辨之。」參見吳子光，《芸閣山人集》。

1057── 畸雲，〈宰官賢明〉，《三六九小報》，第175號至第182號，1932年4月26日-5月19日。
1058── 參見亞雲〈狗彘不若〉，《三六九小報》，1932年7月19日。
1059── 參見亞雲，〈海上人才〉，《三六九小報》，1932年7月9日。
1060── 參見亞雲，〈物亦猶人〉，《三六九小報》，1932年7月13日。

官、民等紀錄來耕耘「史遺」欄，其想要為臺灣留下歷史的態度，就有與其他刊物的歷史詮釋不同。

第三節　許丙丁與諸神英雄

　　許丙丁，臺南人，生於1900年（明治32），卒於1977年（民國66年）。字鏡汀，號綠珊盦主人，署為綠珊盦，另有綠珊莊主、錄善庵主、肉禪庵主人、默禪庵主等筆名。其具有多重的身分，是詩人、畫家、文學家、劇本作家，也是音樂家、作詞家、政治家。連橫（1878～1936）言道，「唯臺南三六九小報有小封神，為許丙丁所作，雖游戲筆墨，而能將臺南零碎故事，貫串其中，以寓諷刺，亦佳構也。」[1061] 對《小封神》這部小說記錄「臺南零碎故事」讚譽有加，亦封其「臺灣第一部正式發表兮漢字臺語小說」[1062]。王開運〈題許丙丁先生巨著小封神〉更以「靈機妙筆任縱橫，驅盡神仏腕底行。」來說明許丙丁的文筆，對神仙描寫活靈活現。研究者曾提出許丙丁在創作《小封神》的過程中，不僅改編中國神魔小說運用續衍的寫作手法，也對臺灣民間對神明的信仰進行挪用與轉化，以臺南為主要場景，藉由寺廟中神佛的形象描繪，進而達到作者想要消解當時代民眾迷信的啟蒙目的。[1063]

　　《小封神》設定在海外蓬萊古都有個名叫「小上帝」的小鎮，人物以小上帝爺為主，他原是一位屠戶，因為殺生眾多，受良心苛責而自殺，玉皇上帝念其知過能改，敕封他為玄天上帝，並派康、趙兩位元帥輔佐，前往府城就任，以訪查人間善惡。故事發展便是由以一起康、趙二元帥與千里眼順風耳的「金錢衝突」串聯起所有神魔人物的出場。

1061—— 連雅堂，〈雅言（十八）〉，《三六九小報》，159號，1932年3月3日，第4版。
1062—— 呂興昌，〈臺語文學香火兮先覺，《許丙丁作品集》編序〉，《許丙丁作品集》，臺南市立文化中心，1996年5月），頁5。許俊雅亦云：「《小封神》是臺灣第一部正式發表的漢字臺語長篇小說，亦是第一本以臺灣寺廟神佛為主角寫成的臺灣話文小說。」見氏著，〈回顧與前瞻—近二十年來臺灣古典文學研究述評〉，《漢學研究通訊》，第25卷第4期，2006年11月，頁42。

雖說小上帝升格為神，但信眾稀少、香火不足，加上颱風大雨吹倒寺廟，和人世百姓一樣深受貧困之苦。無奈只好將自己的通天冠交由手下兩位將軍，拿去換錢糴米，不料路上卻遇上千里眼與順風耳在媽祖廟邊擺賭攤，兩位將軍心存僥倖卻輸個精光，但又擔心無法交待，便扯謊掩蓋賭博行徑，說道是千里眼將通天冠給搶走。小上帝勃然大怒前往理論，卻誤將順路經過的魁星爺當作千里眼，還把文弱的魁星爺奇模怪樣地，吊在小上帝廟前公開示眾，另一支線便以營救魁星一連串神魔間大亂鬥開始。捲入衝突的神祇分成兩大陣營：其一以小上帝廟為中心，人物包含小上帝爺，康、趙二元帥、托塔天王李靖、雷震子、吳真人、藥王、五穀王、孫悟空；另一陣線以孔廟為中心，人物包含孔門儒士、武聖、龜靈聖母、鹿角大仙、金魚大仙、烏皮將軍、緣投魔王、臨水夫人、馬扁禪師。所幸，太上李老君奉玉皇大帝旨意，下凡起廟封神，釐清眾神魔的是非功過，最終迎來公平圓滿的大結局。

從《小封神》書名，加上人物設定以神明為主，而許丙丁有意仿照中國古代神魔小說《封神演義》創作出以臺南府城為場域的神魔小說。故名為《小封神》相對於《封神演義》來說，其書名有承襲，但又以「小」命之，其承衍與創變在其中展現出差異。

另外，小說中運用的法術、陣勢，如眾神魔的水遁、土遁之術、金魚大仙所使出隱身咒、馬扁禪師從安海街土地公手上騙走混元金斗的變身術，以及眾神魔都能屈指一算，預知事有變數，與最大的陣式，便是由鹿角大仙所設置的天羅地網陣，藉著張羅擺陣所需的法寶，由金魚大仙帶出借法寶之情節等，都是傳統中國神魔小說常見的設定。此外《小封神》

1063—— 施懿琳提到：「許丙丁的《小封神》……我們看到臺南文人如何承襲中國古典小說的傳統，更重要的是如何使之產生變貌，而賦予該作濃厚的在地色彩。」見氏著，〈臺南府城古典文學的發展、研究與展望〉，「臺灣文學史料編纂研討會」（中正大學文學院舉辦，2000.10.21，來源：http://140.116.14.95/ teacher' s-papers/t003.doc，引用日期：2008.06.16）。又如賴芳伶認為「《小封神》之作亦可從臺灣文人如何對中國小說傳統文化進行『在地轉譯』的觀點切入分析。」轉引自柯榮三，〈許丙丁《小封神》素材來源再探〉，《騷動島語－國立成功大學第二屆臺灣文學研究所研究生論文發表會，2003》頁 319。

「藉神明之口」道出當時民間祭拜情形與風俗涼薄，傳達出藉由本篇小說諷喻世態炎涼、排貧好富、地位論之目的。[1064]

故事中也融入當時代現代性產物，在〈自轉車驚走三太子〉[1065]與〈雷陣子力賽飛行機〉[1066]兩篇寫到三太子本應來討伐龜靈聖母的子孫，未料撥雲向下一看，看到人民在進行自轉車的比賽，眾多選手騎乘自行車奔走，反倒嚇到三太子趕緊逃跑，對三太子來說世上竟有如此多輛風火輪；〈雷陣子力賽飛行機〉寫到雷陣子見了軍中的飛行機，便想要比試一翻，殊不知越是追趕，嚇得駕駛員開的越快，雷陣子說什麼都追不上，只好使用縱地金光法來到飛機前，結果就這麼被推進機給打落地下。[1067]連神明都追不上現代性設備，反諷當時現代性文明已經超越時人想像力，也透過神明對現代性文明的反應，對照出一般人面對強大的機械，依然會恐懼與茫然。

第四節　譚瑞貞與社會言情

《三六九小報》有許多講古小說，其中譚瑞貞的〈蝶夢痕〉便是將敘事者化身成為「講古人」，故事開頭，講古人先吟了一闋〈賀新郎〉作為開場詩，以詩導引出「和本書立意略有相似之處」，類似說書人用以揭示故事旨趣、引入正話中，起了穿針引線的作用的「入話」。

〈蝶夢痕〉標題的「蝶夢」，蓋取《莊子》「人——夢——蝶」的概念，藉以開啟「人生若夢」的小說主旨，小說結尾以「常以風流自命，尤喜自比書中人物，甚至寢饋其中，栩栩然，不知為莊為蝶也」[1068]。

〈蝶夢痕〉故事分成三條支線，第一個故事以男主角倚紅生與風塵女嬌杏相戀，從其旅遊路上見聞開始敘述起，運用文白夾雜的文體描寫男主

1064——張玉玲，〈許丙丁《小封神》研究與應用〉，高雄師範大學國文學系碩士論文，2020年7月，頁56。

1065—— 綠珊盫主人〈自轉車驚走三太子〉《三六九小報》第63號1931年4月9日刊載至68號1931年4月26日，共6期。

1066—— 綠珊盫主人〈雷陣子力賽飛行機〉《三六九小報》第74號1931年5月16日刊載至75號1931年5月19日，共2期。

1067—— 參見邱安佑〈日治時期傳統文人對殖民現代性「非文明」抗爭-以《三六九小報》為例〉，（臺北：政治大學宗教研究所碩士論文，2010.07），頁64。

角陳羽白與風塵女嬌杏苦戀，卻因嬌杏養母阻擾，被迫嬌杏改嫁給朱老三當妾，才子佳人硬被拆散的情節；另一主軸為居中部某鎮，從乃父來南經營商業的張劍青與風塵女燕春金錢揮霍到需靠燕秋接濟的故事，本段男主角劍青亦試圖解決上一段男主角陳羽白的問題；第三段主角荊如出場，不過故事至羽白接到鷺江林覺民的長信，信中反覆提到社會主義、無產階級青年的思想，並說「現在誠心誠意作個安居樂業的良民，萬一為環境所迫，惟有再度臺灣，而復作我的苦力生涯罷了……」就暫且連載了。[1069]

三段故事主要情節都扣緊著男主角與風塵女相戀的故事，故事中呈現初戀、婚外情畸戀心中感性與理性的掙扎。這類以寫實的筆法描寫世態、人性與欲望所衍生出社會問題之作是該時代相當受歡迎的作品，「言情之作，尤覺充斥，青年士女，猶多喜讀之」[1070]，從最後一段故事呈現男主角陳羽白接到鷺江林覺民的信，信中呈現出社會主義無產階級青年的思想，筆者認為這類「慣撰賺人眼淚之文字」[1071]更是作者在虛實交錯言情之餘，想引出該時代社會問題之作。相關刊載期數與時間，如下表：[1072]

回 數	題目	回數開始時間	備考
第一回	牛溪晚渡奔雷走鈿車 鹿耳潮聲酸風拋綺夢	1：1930.9.9：3	
第二回	曲院規情纏綿揮慧舌 倡門送嫁惆悵對芳姿	8：1930.10.3：3	
第三回	醋海潮高片言警妒 江城梅放千里傳情	26：1930.12.3：3- 47： 1931.2.16：3	未完，「本篇因著者恤紅生，目下十分忙碌，未能執筆，暫且停載」，然始終未能恢復。

1068—《三六九小報》第147號，1932年4月23日，第4版。
1069—《三六九小報》第47號，1931年2月16日，第3版。
1070—「潮」（擬洪鐵濤），《三六九小報》第174號，1932年4月23日，第4版。
1071—「潮」（擬洪鐵濤）《三六九小報》第174號，1932年4月23日，第4版。
1072— 此表參閱柯喬文，〈《三六九小報》古典小說研究〉，南華大學文學研究所碩士論文，2002年。

第五節　《三六九小報》轉載小說

　　《三六九小報》漢文小說除了相關編輯或南社成員撰寫或轉譯外，另外還有部分轉載的作品，這些轉載的作品從臺南文學史編輯的角度來看，其對一九三〇年代閱讀者仍具有舉足輕重的意義，因此，本段跳脫以文人的角度，改以轉載篇章進行分析。

一、白玉簪與〈金魁星〉

　　《三六九小報》有許多連載型的「擬話本」小說，顧名思義，即是仿擬話本。擬話本小說起源於宋代，宋代由於商品經濟的高度發展，於是為了滿足市民需求，娛樂日益多樣化，其中，市井之間興起「說話」一門活動。魯迅以為「口說古今驚聽之事」，依據宋人吳自牧（生卒不詳）的《夢梁錄》卷二十「小說講經史」一條，記載其分為四科：講史、小說、說經諢經與合生，前兩科與後來所謂「小說」有密切關係，而以「說話」營生者，即為「說話人」，接著魯迅藉此批導出，擬話本的分類：講史、神魔、人情（包含諷刺）、公案、武俠，另外，光緒庚子以後，譴責小說特出，則併入後出的政治社會小說，故擬話本小說可析為六大類：亦即講史、神魔、人情、公案、武俠與政治社會小說，〈金魁星〉便屬於講史型話本小說的性質。

　　〈金魁星〉是嘉義人佩雁寫於一九一〇年代的小說。佩雁原名白玉簪[1073]，日本統治之時未任公職，以漢文在地方上立教，1909 年（明治 42）6

1073—— 佩雁原名白玉簪，字笏臣，又字靜屏，嘉義臺斗坑人。清末臺南府庠生，出於將門，為都督白瑛文之孫。其博學能詩，以小說見長。「佩雁」筆名多發表小說，白玉簪本名多發表詩作，本文以其小說為探討中心，所以在文中提起該人該事均以「佩雁」稱之。佩雁文學活動多集中於嘉義一帶。活躍於詩社的白玉簪在報紙上亦可見其與楊爾材、蘇孝德、林植卿、林翰堂等人唱和之作。在大正2年（1913年）的《臺灣日日新報》「文壇」可見他送別友人蘇孝德卸任嘉義區區長一職時寫的〈頌文〉，可見二人的交情。白玉簪，〈頌文〉，《臺灣日日新報》「文壇」大正2年6月1、2日（1913.6.1與1913.6.2兩日連載）第4666、4667號。

月曾與蘇孝德等人，為鼓吹文風與敦睦交誼，在嘉義縣組織「羅山吟社」[1074]。除羅山吟社外，亦常參與玉峰吟社等聚會，文學活動多集中嘉義一帶。作品今可見於《臺灣日日新報》、《詩報》等書報刊物，多用本名於《臺灣日日新報》發表詩作，用佩雁筆名發表小說。〈金魁星〉從1908年3月6日開始於《漢文臺灣日日新報》中刊登，連載時間長達一年多，最後至1910年（明治43）3月27日發表停刊聲明，該小說肇因於編輯表示讀者覺得太過冗長而戛然停刊。[1075]至一九三〇年代《三六九小報》中又再度重刊，連載時該雜誌編輯還強調：

> 本本書於二十年前，曾一披露報端，讀者咸驚其結構之雄大，隸事之賅博，行文之流麗，論斷之謹嚴，風行一時，家傳戶誦，嗣因不終篇而止，讀者皆引不能得窺全貌為憾。今回幸蒙某藏書家好意，出其許敝社刊行問世。數十年來，讀書界宣告絕望之金魁星說部一書，完本出現，非僅敝社之光榮，實亦吾臺文學界所同慶也。[1076]

依據此言，可見〈金魁星〉深受當時讀者所喜愛，重刊在《三六九小報》有一九三〇年代對臺南刊物上的意義，不僅可以知道當時代讀者的愛好，透過內容分析，更可瞭解《三六九小報》刊載取向。〈金魁星〉連載時強調該作為補「史書闕載，欲表而出之，以補史官所未備。」[1077]透過文字無法隱藏作者內在的政治意識。

　　〈金魁星〉是以官場糾葛，善惡有報為描述主軸的故事。在《漢文臺灣日日新報》初連載時期總共刊載了291回，從1908年（明治41）3月

1074—— 羅山吟社開唱日期於1909年6月12日。見《臺灣日日新報》第3333號，1909年6月10日。

1075—— 「昨連接兩信。據云小説金魁星何故停刊月餘。將記事輻輳歟。抑從此休刊。殊令人企望云云。然此小説當停刊前十數日。多有寄書云其過于沈冗者。故自作者停送。遂不復催促之。爾來函請續刊者。除此兩信外。尚無有也。苟請者益以多。敢不令作者再吐其珠玉乎。（一記者）」參一記者，〈鶯啼燕語〉，《漢文臺灣日日新報》「雜報」第3563號，1910年3月16日。

1076—— 參見不著撰者，「預告」，《三六九小報》第23號，1930年11月23日。

1077—— 佩雁，〈金魁星〉（一），頁《漢文臺灣日日新報》「小説」，第2952號，1908年3月6日。

6日連載至1910年（明治43）1月16日。[1078]每個主要情節都以雙主線交互構成的方式進行。〈金魁星〉時間設立在明代，寫作背景設立在中國內地。主要人物從父子兩代，演變到五位主角，到後來精將盡出挽救明代頹勢。

故事著重官場鬥爭的架構上，隱然可見佩雁的政治企圖。娶妻後，石霞翁生下少師徐鼎，徐鼎聰穎，八歲時與邑中喬瑚、黎學政等幼子共鑄一金魁星，建立在巍閣長廊祀奉，並成立奎光會社，數人一同月課。這段故事延續〈以婢易嫁〉范仲文與潘國珍在蘭若寺共讀，又組奎星會社的情節。爾後，如同〈以婢易嫁〉般徐鼎與喬瑚同年中舉，兩人頗受皇帝重用。徐鼎與喬瑚在皇帝面前結上生死不渝之盟，並為二人之子定親。喬瑚相當嫉妒徐鼎之才，故事支線帶到徐鼎如何見功立業，喬瑚聯合鄧后謀奪宰相一位，並設計陷害徐鼎。徐鼎對皇上諫言不諱，最後遭來殺身之禍，死時才38歲，其子徐楷才剛滿13。故事焦點轉移到子姪輩徐楷身上，此時故事分成兩個支線進行，一條是徐楷與喬瑚之女喬翔鸞婚約的瓦解，以及喬瑚將女改嫁給朱陽王高熾，喬翔鸞以死相抵，最後以婢女春桃假喬翔鸞之名出嫁。故事另一條支線發展徐楷逃亡，以及後來冒張介圭之名與原張介圭後改名叫張錫圭，威琨、炳麟、關崇伯五人共結異姓金蘭，並於回程巧遇一老翁贈金魁星一尊，五人遂取得功名後進入官場。爾後故事分別將焦點

1078—— 佩雁〈金魁星〉自明治41年（1908年）3月6日至明治43年（1910年）1月16日連載期間，報刊因事輾轉總共主動停刊六次，停刊期號如下：明治42年（1909年）5月4日第3300號「雜報」、明治42年（1909年）5月11號第3307號「雜報」、明治42年（1909年）5月21日第3316號「雜報」、明治42年（1909年）5月25日第3319號「雜報」、明治42年（1909年）6月1日第3325號「雜報」、明治42年（1909年）6月3日第3327號「雜報」。而113回（明治41年7月31日，1908.7.31）在該回小說刊完末了刊載刊登錯落的消息，詳文為「附記去二十八日第三千七拾貳號。應刊有十一回。因偶爾錯落。越刊為百十二回。茲經於去二十九日三千七十三號中補出。即刊為百十三回者。實百十一回之誤。嗣後所刊仍照順序。別無倒置云。」但是，明治41年（1908年）10月4日第144回以後佩雁就不再主動寄稿，在同年11月26號「編輯日錄」寫道「編輯時忽接一函。據稱外間思睹金魁星小說者甚眾。何不續刊如近刊之大羅天。則舊書書已有之。何必復爾云云。但金魁星所以停刊者。乃作者不復寄來。恐彼自有口故為礙也。如再寄來焉有留而不發乎。至云大羅天乃舊有。則西游記固人人讀過矣。然彼乃小說此為傳奇。體裁固不同也。如並此亦有之。敢懸百金以為購。」然而，《漢文臺灣日日新報》自明治41年（1908年）10月5日至明治41

分散至五人，故事從五人獲得其他高官賞識，並欲嫁其女與崇伯、錫圭，然此事喬瑚欲破壞不果，還差點讓自己降二級官階。是故，喬瑚決意陷害張錫圭。持續他與異族勾結的竊位計畫。在此，對於徐鼎一輩的描寫，到了徐楷死亡後即不再演繹。整個焦點轉到子孫輩。子輩人物徐楷、關崇伯、張錫圭、江炳和戚琨等五位，延續著徐鼎以賢良治國的志向，盡全力輔佐明皇。然而，反面角色喬瑚還是協同明皇之弟朱陽伺機謀位。至於，朱陽之所以會反叛明皇肇因於：「儲貳未建。聖躬沈湎。清懼倦勒。有荒朝政。社稷謂何。」[1079]在這裡佩雁呈現當時明皇皇權威信盡失，不顧社稷興亡，所以，反叛者當然有正當的理由可以去推翻他。佩雁一邊描寫朱陽的竊位計畫，另一邊將焦點關注到喬瑚之女喬翔鸞與徐楷間的戀情，其描寫宛如崔鶯鶯與張生相戀之纏綿。爾後，主線拉到西伯利亞國境韃靼，戍守邊疆的張錫圭被西伯利亞狼主之妹看中，狼主本自主讓二人結合，以促進兩國聯姻，然而，張錫圭以李陵不事異主拒絕狼主，經朝廷批准後，張錫圭娶韃靼狼主之妹。明皇整個呈現以安撫來粉飾太平的心態。之後，朝內外戰事不斷，異國皆來犯，暫以兩國聯婚議和。然而，紛亂未平，朱陽內亂，苗猺獠侗諸族外患，苗猺獠侗出現一班女將與明代將領對峙，最後仇敵聯婚，暫緩休兵，故事戛然而止。

　　無論從人物、戰爭的描寫，或是政治隱喻，佩雁所形塑的朝代是個集合歷代中國廣闊卻無法力挽內憂與外患狂瀾的時代。就是那樣的亂世才出得了那些英雄才子。但是，筆者好奇的是，佩雁為什麼要造就那樣的亂世，以及那樣的英雄呢？以及〈金魁星〉為何要重載在《三六九小報》之因？從楊逵提到該時代臺灣人喜愛閱讀的小說類型來看，其言：

年12月29日（1908.12.29）起就沒有刊載小說。明治41年12月30日（1908.12.30）至明治42年4月30日（1909.4.30）的《漢文臺灣日日新報》全部散佚，目前明治42年1月13（1909.1.13）日；明治42年1月15日（1909.1.15）至明治42年1月15日（1909.5.3）沒見到小說刊載，明治42年1月14號（1909.1.14）第3210號刊出〈金魁星〉停刊三個多月，明日將重載的消息。但是目前《漢文臺灣日日新報》共缺了145-197回的部分，再見〈金魁星〉時已是第198回（明治42年5月5日，1909.5.5）。

1079── 佩雁，〈金魁星〉（五二），頁《漢文臺灣日日新報》「小說欄」，1908年5月14日。

指導階級和文學工作者要記得，在本島的閱讀階層中，喜愛《水滸傳》和《三國志》經曾占有一定的比例。我們不妨說，若寫出新的小說，而且能抓住這類閱讀階層，那麼身為社會一份子，文學工作者的存在才會受人尊重。[1080]

從楊逵的言論得知，《水滸傳》和《三國志》這類俠義小說是很受當時讀者歡迎，這類型的小說是從歷史中增加虛構的情節組成，內容多會提到賢良奸臣善惡有報，甚至從歷史中建構幾個英雄形象，這或許是佩雁之所以會從情色愛戀的狎邪小說，轉向寫講史小說的原因。

站在讀者的角度，敢於揭露政治黑暗，為平民百姓抗章直諫的人，不單單是提供顛覆過往君權神授的形象，也展現出服從正義的英雄特質，更符合一九三○年代臺灣盛行武俠作品的原因。透過該文的塑造在讀者的體會下是體現了「英雄」、「俠義」的特性，但是，對君王坦承不諱，也體現了忠君報國的效忠思想。這樣抗章直諫的人並非一般百姓，而是個有官位，受君王重用的官員，此時英雄形象戴著為國為民的面具，實際上，仍是具統治教化讀者的作品。[1081]

二、電影小說連載

《三六九小報》「電影小說」[1082]，是日治時期伴隨臺灣電影播放崛起的新文類，本以電影發表的作品，另以小說形式發表於報刊中。一方面達到為電影宣傳的目的；另一方面也為《小報》吸引閱讀者。

在一九三○年代臺灣約已有 28 個專門放映電影的戲院，依據當時播放的電影，《小報》連載在「銀幕春秋」的專欄中，電影小說仍是以文白夾雜的筆法書寫。

1080—— 楊逵著、彭小妍編，《楊逵全集・第十卷詩文卷》，國家臺灣文學館，2001年12月，頁108-109。
1081—— 參見薛建蓉，〈烏托邦續衍－分析佩雁小說暨其作之〈金魁星〉內容、寫作策略與《三六九小報》重刊目的〉，靜宜大學主辦第五屆臺灣文學研究生學術論文研討會，2008年6月7、8日，頁5。

刊載的電影小說包括：〈飛行大盜本事〉[1083]、〈一個紅蛋〉[1084]、〈女鏢師〉[1085]等作。共計該專欄連載 14 次，共刊登 12 篇小說。除了〈一個紅蛋〉，署名「秀」所作外、並刊登「螢幕本事」，其餘均刊登於「銀幕春秋」，且不知作者，這是電影小說的特質，無論是先有小說，再改編為劇本、拍成電影，或是先有劇本、拍成電影，再改編為小說，披露報端的電影摘要，往往不著作者，其作用主要是宣導電影內容（說明本事），使讀者興起看電影的想法，在連載號數上，也往往較短。[1086]

臺灣電影事業總體而言，初期受到新技術的影響，大多採用進口影片，其運送的花費，電影票價格較為高昂；中期則是受到日方檢查制度，以及日軍謀華戰事，大陸電影輸入受到管制，1930 年以後臺灣的日片進口數量，占總片數的 80%，大陸與美國片僅占 10%。而且 1930 年只有中國影片被禁，被「切除影片」達 2752 公尺，學者指出「其中有一半屬公安理由」[1087]。1931 年（昭和 6）九一八事件發生，中國影片更受到箝制，柯喬文指出《小報》中的電影小說，全為中國上海影片公司製作的電影，均刊登在「銀幕春秋」專欄，共十四次，除最後一篇〈一個紅蛋〉刊於 1934 年（昭和 9），其餘皆在 1931 年 1 月前刊登完畢。與前述 1931 年以後中國影片受到箝制脫不了關係。電影小說大致上可分為三大類：人情：〈愛人的血〉[1088]、〈家庭寶鑑〉[1089]；武俠：〈荒江女俠〉[1090]、〈大俠

1082——（日）中村貫之，〈臺灣的教育電影〉，《臺灣時報》，1933年5月號，頁39，轉引自李道明、張昌彥主持，《臺灣紀錄片研究書目與文獻選集（上）》，張昌彥譯，臺北：財團法人國家電影資料館，2000年6月，初版， 88。

1083——《三六九小報》第8-9號，1930年10月3-6日，第3版。

1084——《三六九小報》第282-283號，1933年4月23-26日，第3版。

1085——〈女鏢師〉共分三次刊登：29-31號（1930.12.13-19：3）、37-38號（1931.1.13-16：3）、42-43號（1931.1.29：3）。

1086——柯喬文，〈《三六九小報》古典小說研究〉，南華大學文學研究所碩士論文，2002年，頁121。

1087—— 陳國富，〈臺北早期的電影活動〉，《片面之言》，臺北：中華民國電影事業發展基金會，1985年9月，初版，頁86-87。

1088——《三六九小報》第22-25號，19301年11月19日-11月29日，第2版。

1089——《三六九小報》第28號，1930年12月9日，第3版。

1090——《三六九小報》第10號，1930年10月9日，第3版。

復仇記〉[1091]、〈小英雄劉進〉[1092]、〈女鏢師〉[1093]、〈紅俠〉[1094]、〈怕死英雄〉[1095];社會:〈飛行大盜本事〉、〈富人的生活〉、〈可憐的秋香〉、〈一個紅蛋〉。

原《荒江女俠》(以下簡稱《荒》)一書,最初是中國顧明道寫的武俠小說[1096],〈荒江女俠〉(以下簡稱〈荒〉)的故事內容,以少女方玉琴為主角,敘述其為報父仇,習武於崑崙,功成下山,以「荒江女俠」之名,仗義行事、硬闖賊巢,然寡不敵眾,幸得少年岳劍秋所救,結為師兄妹……然此僅為「初集本事」,下集則未見其後續刊。

三、南極探險翻譯之作

洪鐵濤在〈司各脫壯史〉以筆名「刀水」發表此篇翻譯之作。該作原文以「南極探險 - 司各脫壯史」為題,從《三六九小報》第 164 號連載至第 188 號,共連載 25 期。

該作以描寫英國籍探險家司各脫蘭羅的家世與其在 1901 年(明治34)與 1910 年(明治 43)兩次前往南極探險歷程紀錄為主。文中司各脫以日記形式記錄在南極探險的每一日歷程,包含南極地形、馬匹動物在南極凍死,必須徒步,夥伴凍傷、如何攀上高原、天候變化狀況與同行夥伴受病凍死,最後自己死在南極的過程,是當時代相當珍貴的科學紀錄。

當時史考特(Robert Falcon Scott)與 32 名探險家(大部分是英國科學家、海軍軍官或船員)在 1911 年(明治 44)6 月時歷經南極冬季,而史考特船隊已到達南極最南端羅斯島(Ross Island),該地區冬天的氣溫可以暴跌到 -45℃,暴風雪說來就來。這群探險家沒有無線通訊,也與外界完全失聯,不過他們正等待白晝較長、氣溫較暖的春天來臨,因為同年 10 月一到,便會有搜救隊前往

1091——《三六九小報》第19-21號,1930年11月9-16日,第3版。
1092——《三六九小報》第26-27號,1930年12月3-6日,第3版。
1093——《三六九小報》,第29-31號,1930年12月13日,第3版;《三六九小報》,第37-38號,1931年1月13-16日,第3版;《三六九小報》,第42-43號,1931年1月29-2月3日,第3版。
1094——《三六九小報》,第32-34號,1930年12月23-29日,第3版。
1095——《三六九小報》,第35-36號,1931年1月3日,第3版。

救援這群探險家。史考特團隊之所以堅持走完南極原定行程的原因，是為了尋找古老植物「舌羊齒」化石及科學證據，該化石在南極找到不僅支持了澳洲與南極曾經為同一板塊外，更是支持達爾文演化論的重要證據。[1097]

日治時期古典散文書寫主題相當豐富，從地理景觀、歷史詮釋到飲食物產與人物紀錄等，均呈現臺南文人對日常生活的紀錄，以及當時代流行現代性知識的點滴，相對而言，漢文小說呈現臺南在地特色的內容較少，反而是作者對日常生活或現代性知識的轉譯較多，所以小說也是多樣化發展，有鬼怪、歷史改寫、歷史回溯、科幻等，若以文體來看，各自文體產生出文人紀錄時代的痕跡，若從古典詩、古典散文加上漢文小說合併來看，就可以看出作者閱讀的紀錄，以及當時代臺南文人關注的焦點與生活的樣貌。

1096—— 顧明道（1897-1944），頁名景程，江蘇蘇州人，別署正誼齋主、石破天驚室主，又號虎頭書生，畢業於振聲中學，畢業後留校任教，早年曾以「梅倩女史」，寫社會言情小說而成名，1922年，范煙橋移居蘇州，顧氏與其等九人組「星社」，以文會友，1923年起，則轉從事武俠小說的創作，一生共撰武俠說部二十餘種，與南向（向愷然，1889-1957）、北趙（趙煥亭，1877-1951）並稱一時；武俠小說的創作，以《荒》最受歡迎，最初是於1928年，在上海《新聞報》附刊「快活林」連載，1930年即由上海三星圖書局購買版權、出版單行本，架構本為中篇小說，文理駁雜，時古時今、亦入時髦語，然而隨著故事頗受好評，遂枝節漫衍為長篇，最後到了1940年終稿時，竟成為六集八十七回、一百二十萬言著作。〈荒江女俠〉從1928年在《新聞報》的附刊連載，當時此報是上海最大的商業型報紙，受到讀者廣大的迴響，隨後，由上海的友聯影業公司轉拍成同名電影，頗受好評，連續拍成十三集電影。程季華、李少白、邢祖文編著，《中國電影發展史（上）‧有聲電影在中國》，香港，文化資料供應社，1978年8月，重版，164。轉引自柯喬文對顧明道簡介，參見柯喬文，〈《三六九小報》古典小說研究〉，南華大學文學研究所碩士論文，2002年，頁132-134。

1097—— 英國史考特前往南極的說明，參見https://sa.ylib.com/MagArticle.aspx?Unit=featurearticles&id=1817，瀏覽日期：2021年2月10日，另可參閱〈科學人知識庫〉，第935期12月號，2019年。

第一章

戰後臺南
古典詩壇與詩社

◆ 施懿琳

臺灣曾經歷數次政權更迭，新來的統治者為了安撫臺灣本地的仕紳文人，往往利用漢字文化圈共有的詩歌結社與酬唱，與社會領導階層建立友好關係，以達到安定社會的功能。清治初期，諸羅縣令季麒光邀請明代遺臣沈光文共組「東吟社」，首開官紳唱和的互動模式。日治初期，多位熟悉漢詩的日儒來臺以後，也透過參與詩社的方式，與當地文人建立密切的互動。比如1897年重振的新竹「竹梅吟社」，同年創立的鹿港與苑裡詩人共組的「鹿苑吟社」，乃至臺南的「浪吟詩社」，都在臺灣社會稍趨安定後組織創設。據統計，日治時期臺灣詩社數量多達三百個以上，「詩社林立」成了討論日治時期臺灣文學不可忽略的文學現象。戰後初期，臺灣漢詩界同樣面臨類似的問題。1945年8月，尤其是1949年12月國民政府退守臺灣以後，多達兩百萬的中國移民先後來臺，此時同樣有一批擅長古典詩歌的文人群，與臺灣舊有的詩壇成員有了互動與連結。他們有的是黨國元老、政治人物，也有軍公教人員，透過舉辦詩刊、進行詩人聯吟的方式，與日治以來臺灣舊有的詩人社群互相交流，共同將看似逐漸衰微的古典詩重新提振起精神，在一九五〇、一九六〇年代展現蓬勃的生機。

第一節　戰後臺南古典詩壇概況

　　戰後初期臺灣詩壇的活動，主要可分為兩大群體，一是以中國來臺的黨政軍人士為主，少數臺灣人參與的「菁英分子詩人群」；另一則是以臺灣社會各階層參與為主的「民間詩人群」。前者屬於中國文人雅士的詩歌傳統，以于右任、賈景德、陳含光、張昭芹、梁寒操等政界大老為代表，包括出身軍方的曾今可、擔任教職的李漁叔、彭醇士、成惕軒等。與他們互動頻繁的臺籍人士有：林熊祥、陳逢源、魏清德、謝尊五、黃景南、鄭品聰、莊幼岳等。他們以臺北的《臺灣詩壇》（1951）、《中華詩苑》

（1955）以及高雄的《鯤南詩苑》（1956）為中心，將中國古典詩的傳統帶到臺灣來，在「大中國」的架構下，臺灣詩人的作品被邊陲化為「海東友聲彙刊」（《中華詩苑》）、「海東擊缽錄」（《詩文之友》），在當時的臺灣漢詩壇只能發出微弱的聲音。至於創立於 1953 年，努力保有臺灣本土色彩的中臺灣詩刊《詩文之友》，1954～1955 年間曾經面對被收編的挑戰，幸而經由林荊南、王友芬的努力，終於逐漸持守住以臺灣本土為主軸的路線，維持了臺灣詩人一定的文學版圖。[1098]

值得關注的是在臺灣古典詩歌隊伍重整的時代，作為文化古都的臺南，並沒有像前述詩刊般，在當地創立一個以古典詩為主的刊物；即使是由中國來臺人士所主導者，也一直要到 1956 年才創立了《臺灣詩壇》臺南辦事處。甚至《詩文之友》創立之初，臺灣北、中、南各地的贊助者，除了遷徙到臺北的陳逢源外，也看不到其他的臺南人士的參與。令人好奇的是，戰後初期臺南詩人群究竟如何面對時代的變局？

目前所見臺南詩人戰後的作品，大多發表於一九五〇年代開始創立的詩刊。在筆者掌握的資料裡，戰後一九四〇年代可見的漢詩作品並不多。來源之一是當時的報紙，比如日治晚期臺南詩壇主要領導者黃欣，他在擔任南社幹事，乃至接掌南社社長期間，將臺南詩社帶往活動力強、想像力豐沛的高峰期。隨著太平洋戰爭爆發，黃欣走避中國，南社活動幾近停擺。戰後，他因種種考量，遲遲未返鄉，甚至髮妻郭命治不幸過世，也只能在天津遙祭，時有〈客津門接先室命治病逝之訊作此哭之〉[1099]（1945）：

靈風習習滿津門，噩耗傳來月色昏。淒絕先驚昨夜夢，殷勤猶憶別時言。

卅年負汝嗟何及，萬里難歸淚自吞。獨對迷濛半輪月，一思影事一銷魂。

1098—— 參考筆者〈五〇年代臺灣古典詩隊伍的重組與詩刊內容的變異〉，《戰後初期臺灣文學與思潮》，臺北：文津出版社，2005年1月。

1099—— 黃溪泉剪報，日期及刊物不詳。

既來人世怎無情，撒手先歸舍衛城。佛說他生非故我，吾胡不死獨捐卿。

有醫可恃何須慮，無地能容且暫行。重憶臨岐嗚咽語，風塵深悔別離輕。

次年（1946）中秋，他仍滯留中國未歸，有詩弔念妻子〈丙戌中秋有悼〉：[1100]

天際憑欄淚一雙，中秋月滿夜淒涼。泉臺終古無通信。猶欲題箋寄孟光。

往事重重記不勝，漫漫長夜月如冰。昂頭一抹鄉山遠。更隔鄉山幾萬層。

月光水水滿江流，鰥緒填膺感未休。四十二年成一夢。西風吹淚灑中秋。

一直到這一年的 12 月，黃欣始落魄返臺，〈歸家〉詩云：

入門未語淚先揮。黯黯西風捲素幃。顧影反傷吾尚在。滿庭涼月一人歸。
（三五、十二、二稿）

這些詩來自黃欣之弟黃溪泉剪報，由黃溪泉孫黃隆正先生提供，可惜刊載
的時間、所刊的報紙皆不可考[1101]。此外，吳紉秋的〈丁亥（1947）元旦
試筆〉[1102]刊載於 1947 年 1 月 4 日《國聲報》、〈元宵後一日席上呈金勵
丹溪柳汀諸友〉刊載於 1947 年 2 月 21 日《國聲報》，〈祝嘉南聯吟大會〉
刊載於 1949 年 3 月 12 日《臺灣民聲日報》，都是戰後初期難得一見的舊
報紙，相當珍貴。

來源之二是詩人後來出版的個人詩集，比如吳萱草於 1946 年有〈民
國三十五年元旦偶成〉、1947 年因二二八事件受監禁寫的〈鐵窗風景二百
題〉、1948 年 10 月的〈祝臺灣省博覽會〉都收錄在其詩集《忘憂洞天詩集》
（1958）。寫作之初，未必適合發表，有機會出版後，始得看見戰後初期之作。

1100—— 黃溪泉剪報，日期及刊物不詳。
1101—— 戰後報紙，《中華日報》創刊於1946年3月15日。若然，黃欣1945年的漢詩刊於何處？待考。
1102—— 此詩刊於《國聲報》，1947年1月4日，第4版。

來源之三，來自詩人留存的手稿，雖未出版，經筆者訪談其子嗣而得以見之。比如吳紉秋1946年寫的〈垃圾齋雜詠〉30首、〈訓練雜詠〉30首皆屬之。

來源之四，參考自前人的著作。比如許丙丁在〈五十年來南社的社員與詩〉曾提及：「民國三十七年三月二十八日、三月二十九日，（南社）和酉山、錦文、留青、鷄林、珊社、嵌南諸詩社，主辦全省詩人大會於臺南市參議會會議廳，其時教育部長朱家驊，臺南市市長卓高煊臨席致詞，詩題〈國魂〉、〈何處春色早〉。其他主辦中嘉南詩會數次，其年月日，都忘記了。」[1103]許丙丁所述及的活動，目前筆者尚未在其他地方看到相關文獻，這個敘述補充了戰後一九四〇年代臺南詩社仍有舉辦全臺性詩會的能量，值得矚目。

這階段有一份由高懷清等人創刊的《鯤聲報》，尚待進一步追索。1945年11月1日高懷清與魏肇潤、董春暉、李漢生、王朝清、卓肚、蔡再添等人共同集資20萬元，議定成立《鯤聲報》，並簽訂合同書。1946年3月，臺南市政府在由高懷清擔任發行人，魏肇潤、林條均、董丙丁、李漢生、卓肚、吳子宏、沈毓祥擔任編輯人的「新聞紙雜誌登記申請書」，填上「該報言論頗為公正」的考查意見後，往上呈送，最後獲得臺灣長官公署同意，而得以順利發行。

《鯤聲報》為五日刊報紙，每次出刊兩大張。總社位於臺南市中正路2號，印刷所位於臺南市忠明街33號「善良印刷廠」。1946年3月南社社員高懷清申請創刊《鯤聲報》，擔任發行人兼主筆，持續8年（1946～1953）始休刊。《鯤聲報》除了報導當時的國家社會大事之外，亦刊登徵

1103──《臺南文化》第3卷第1期，1953年6月30日，頁11。

詩課題與古典詩，對於詩社活動頗為矚目，茲以 1952 年所見的資料為例說明之：

- 5 月 10 日「詩壇」刊登王榮達、樊平章、黃大烈、林草香、張家旺、李茂信、陳玉榮、吳榮彬、邱崎山、黃天爵、張華珍等人〈追懷七十二烈士〉詩。

- 5 月 13 日「臺灣文獻委員會紀念詩人節，臺南參加者十四名」。

- 6 月 1 日「全國慶祝詩人節，賈景德氏親臨主持，詩星朗朗燦爛稻津」。

- 6 月 16 日「臺南市延平詩社，定閏端午節良辰，舉行詩界先哲祭典」。

- 7 月 28 日「盛成教授蒞南，延平詩社開會歡迎」。

- 9 月 25 日「臺南縣南瀛詩社，開秋季聯吟大會」、「臺南市延平詩社開週年紀念會」。

- 10 月 13 日「臺南市延平詩社開祝國慶吟會」。

　　1952 年 7 月，為慶祝該刊發行七周年，該報編輯委員會又出版了《鯤濤之聲》。發行人高懷清撰寫〈發刊贅言〉，延平詩社社員王榮達、沈毓祥撰寫祝詩〈鯤濤之聲發刊詩以奉祝〉，看似充滿勃勃的生機。可惜在這一年的 10 月 7 日，報刊標題「總統華誕」誤植為「總統葬誕」，10 月 13 日予以訂正補刊，10 月 15 起自行停刊。10 月 16 日高懷清去函說明：

> 呈為奉令呈報青年反共救國團總統華誕成立新聞標題校對錯誤
> 本年十月七日總統華誕成立新聞標題確係華字因承印本報鯤聲報之善良
> 印刷所工人誤排為葬字，而民兼任校對一時失於檢點，至鑄大錯，對於
> 偉大總統實有失敬，罪該萬死。

　　1952 年 12 月 26 日獲准重新發刊，但是半年以後，也就是在 1953 年 7 月，《鯤聲報》改為日刊，並將報名改為「《全民日報》、《民族日報》、

《經濟日報》聯合版南版」，發行人改為林頂立[1104]，發行所遷至嘉義，實質上等同於停刊。《鯤聲報》的停刊，使得原本得以略見一九四〇年代晚期至一九五〇年代初期臺南詩人活動概況的機會消失，而現存於國立臺灣圖書館的 1951 年 11 月至 1953 年 1 月《鯤聲報》因保存狀況不佳，能閱讀者有限，令人不無遺憾。

第二節　戰後臺南古典詩社

戰後初期，臺南地區由於時局變動、老成凋零，有的詩社停止運作，有的詩社在重新整頓之後，再度出發，也有部分詩社在戰後始創立。概述如下：

一、大型詩社

（一）延平詩社　1951

1951 年辛卯詩人節，臺南市詩人到臺北參加全國詩人大會歸來[1105]，張振樑為之設宴洗塵，是時受邀與會的市府教育科長謝新周，認為臺南市詩社過多，應整合為一。臺南吟友於是在 8 月 27 日，聯合南社、酉山、桐侶、留青、錦文、嵌南詩學研究會等社，磋商社規，命名「延平詩社」，在這一年的教師節向市府聲請結社備案，通過後創立。成員有 88 人，創設人吳家顯（子宏），地點在臺南市赤嵌街二號。[1106]

從一則 1972 年元旦《詩文之友》刊登賀歲的資料（《詩文之友》35：3），可以看出延平詩社創立 20 年後，漸趨嚴密的組織架構。這時的社長是白劍瀾，副社長陳玉榮，總幹事陳進雄，幹事楊乃胡、陳韻香、鄒滌暄、黃天補、曹井泉、周金德理事，顧問朱玖瑩、李步雲、黃少卿，可謂陣容龐大、組織嚴謹。延平詩社歷任社長有吳子宏（1951 ～ 1957）、張蓮亭

1104—— 林頂立（1908～1980），雲林縣莿桐鄉人。滿洲事變後，赴中國參加抗日運動，二戰結束，任密局臺灣站站長。二二八事變發生時，組織「特別行動隊」，協助國民政府清鄉、逮捕政治犯。與黃朝琴、連震東、黃國書、劉啟光等人都是「半山」派的政治人物，屬軍統系。資料來源：https://reurl.cc/E11XEk，檢索日期：2022.12.20。

1105—— 陳龍吟、吳家顯、王榮達曾參加辛卯詩人節詩人大會，參考《臺灣詩壇》1：2，1951年7月10日。

1106—— 參考《臺南市志・學藝志・文學篇》，臺南市政府，1985年6月，頁，282。

（1957～1960）、白劍瀾（1960～1961、1972～1975）、李秉璜（1962～1965）、黃少卿（1968～1971）、陳玉榮（1975～1978）、洪旺熙（1979～1980）、陳進雄（1980～至今）。核心成員有：王鵬程、謝汝川、林海樓、洪子衡、楊乃胡、高懷清、廖望渠、薛桂友、黃天爵、吳應民，詩壇前輩李步雲曾任副社長及顧問。從當時的詩刊觀察延平詩社，自一九五〇年代創社起，至一九八〇年代初，應為該社的蓬勃運作期。其中比較重要的活動有：

- 1953 年 9 月 28 日，延平詩社創社二周年紀念會。在社長吳子宏領導下，包括沈毓祥、王鵬程、謝汝川、林草香、顏興、許丙丁在內共五十餘人，在蓬壺書院前攝影留念，留下珍貴的歷史鏡頭。

- 1955 年 2 月，臺北詩人黃景南走訪延平詩社諸君，由社長吳子宏導覽各名勝，並於孔廟禮門前合影。同攝影者吳子宏、王鵬程、葉占梅、沈毓祥、白劍瀾、黃起濤、李秉璜、潘春源、林海樓、謝汝川、王柳園、沈榮等，並皆有〈春日謁孔廟〉詩，刊於《臺灣詩壇》8 卷 2 期。

- 1955 年 3 月，臺南延平詩社、佳里瑯環吟社、麻豆綠社、六甲龍湖吟社，假六甲赤山龍湖巖舉行春季聯吟大會。題目：〈龍湖聽經〉，七絕，左詞宗白劍瀾、右詞宗呂左淇。左右元楊乃胡。左眼潘春源、右眼白劍瀾。

- 1955 年 5 月，〈乙未詩人節臺南舉行全國詩人大會〉，七律陽韻[1107]，北部詩人賈景德、張昭芹、施禹勤與黃景南都南下共襄盛舉，有詩刊於《中華詩苑》6 號：

> 鐘繼斐亭韻事揚，遙將九子薦三湘。懷沙有賦人千古，博浪無椎淚兩行。
> 日照海門雄鹿耳，濤翻筆底壯鯤洋。斯文畢竟天猶養，桂子山留一髮蒼。
> （葉占梅）

1107—— 此詩收於《中華詩苑》第6號，乙未詩人節專輯，1955年7月。

歲歲詩盟孰肯忘，騷壇孤島建南方。大成殿外飄吟幟，赤崁樓邊鬥綺章。
長願斯文隨五綵，遙懸角黍弔三湘。延平祠畔逢佳節，更上遺忠一瓣香。
（吳燕生）

- 1956 年 7 月，臺南延平詩社主辦「鯤南七縣市詩人聯吟大會」，詩題
〈鄭成功焚儒服〉，選刊作品刊於《中華詩苑》第 19 號：

轟轟烈烈信無倫，一炬真堪泣鬼神。石井雄風留聖火，朱明餘澤此孤臣。
文山以外憑誰匹，武穆當前是替人。夫子有知應哂爾，男兒如此始稱仁。
（吳子宏）

漫笑書生勢莫伸，焚衣聖廟見精神。忠肝為國驅胡虜，義氣傾家不帝秦。
覆滿心堅延漢祚，扶明志決擲儒巾。雄風石井千秋在，青史流芳第一人。
（林玉輝）

其後，延平詩社與臺南縣的詩社多次輪流主辦「鯤南七縣市詩人聯吟
大會」、「雲嘉南四縣詩詩人聯吟大會」，此處不再細說。

- 1957 年 6 月，延平詩社為延平郡王銅像建立典禮舉行擊缽聯吟。左右
詞宗為吳子宏、吳萱草。與會者有：葉占梅、潘春源、趙劍泉、白劍瀾、
洪子衡、陳木池、林孟堂、林玉輝、陳雲汀、楊乃胡、黃英石、蘇子傑、
林草香等。[1108]臺南延平郡王銅像的設置頗多波折：1950 年 8 月，臺
南縣參員吳萱草在縣參議會提議，呈請省主席吳國楨基於歷史、文
化之觀點，考量歷史人物生前事業之背景，以及形成影響者來訂定
銅像設置地點。比如劉銘傳事蹟之於基隆，吳鳳事蹟之於嘉義，緣
此，鄭成功事蹟理當歸於臺南。同年 8 月，臺南市參議會也以「本

1108── 《詩文之友》7卷6期，1957年6月。

市為民族英雄鄭成功登陸聖地，建立鄭成功銅像於本市，確屬名副其實」為由，電覆省參議會。鄭成功銅像的塑造及設置地點，經南北之爭後，1955 年 4 月 18 日，內政部核定鄭像以省立博物館所藏畫像為標準，該銅像在臺北已經製作 19 個月，同年 7 月臺南市開始招募各界募捐，募捐款項由《中華日報》社進行代收。1957 年 5 月 25 日鄭成功銅像終於完成，此像由林叔桓捐資、蒲添生塑造，鄭像以站立、配劍凝視之姿，安置於臺南火車站前，銅像下方臺座有蔣中正署名，匾額提名為「民族英雄鄭成功銅像」[1109]。時葉占梅有〈延平郡王銅像揭幕紀念〉[1110]詩云：

> 綵剪桐城藻色鮮，轟然巨像立當前。軒昂骨格千人仰，颯爽鬚眉百鍊堅。
> 漢賊不亡猶按劍，孤臣竭力可回天。衣焚魯殿心無畏，忠孝誰能學兩全。

- 1957 年，臺灣詩壇臺南辦事處成立滿一週年，賈景德、張相、譚元微等詩壇大老，以及中生代臺北詩人黃景南皆南下共襄盛舉，延平詩社藉此舉行聯吟詩會。首唱有王鵬程〈臺灣詩壇臺南辦事處成立喜作〉：「詩壇推筆陣，詩祖起江西。南國珠璣盛，東寧錦繡齊。懷才矜禹錫，操行仰昌黎。挹雅揚風後，中興動鼓鼙。」[1111]次唱吳子宏〈秋日登赤崁樓〉：「弔古人登樓赤崁，迴瀾力挽憶孤臣。秋風秋水神州接，不復山河志不伸。」[1112]

- 1958 年 8 月，因臺南女詩人石中英返鄉。延平詩社舉行「歡迎石儷玉女詩人歸南集鉢吟會」，題為〈崁城歸燕〉[1113]，由石儷玉與李步雲擔任左右詞宗。與會的有林玉輝、黃少卿、陳木池、洪子衡、林芳生、王聰賓、白劍瀾、薛桂友、楊乃胡。延平女詩人陳韻香〈崁城歸燕〉云：

1109—— 蔡明賢，〈鄭成功意象與臺灣的再中國化（1945-1963）〉，國立臺南大學《人文研究學報》51卷1期，2017年，頁96-97。
1110—— 此詩收於《中華詩苑》第32號，臺南延平詩社，1957年8月，又載《詩文之友》7卷6期，臺南延平詩社，「民國四十六年五月廿五日（丁酉梅月廿六日）為延平郡王銅像建立典禮紀念擊鉢聯吟會」，1957年9月1日。
1111—— 此詩收於《臺灣詩壇》第11卷第4期，1956年10月。

辭巢振羽迷雲水，渡海穿山返崁城。

邂逅卻成鶯燕友，情深意雅結鷗盟。

- 1960 年 1 月起，「延平詩社」社長白劍瀾為響應臺南市文獻委員會選定之十二勝景，在《詩文之友》發表徵詩啟事，每一勝景並附簡介。每首詩約選錄前 50 名，並將作品刊登在詩刊上。及至徵詩評選結束後，白劍瀾就每首詩各題一律留念。基本上這仍延續清代以府城為中心的臺灣八景模式，只是將視點收納在當時的臺南市。臺江內海的鯤鯓、安平、鹿耳門景點與清代一樣並未改變。陸地的澄臺、斐亭不見了，改為臺南市四個具代表性的寺廟：竹溪、法華、開元三寺以及五妃廟，還有承載著厚實歷史記憶的赤崁樓、孔廟、鄭王祠以及億載金城，最後則是早已開發為現代化設施的臺南公園，依然以舊名「燕潭」稱之，使具典雅色彩。加總起來六百多首詩的詮釋，成為一九六〇年代臺南市極具特色的文學導覽。

- 1961 年 4 月 29 日為鄭成功復臺三百週年紀念日，是日上午 9 點在臺南市延平郡王祠舉辦隆重紀念典禮，由臺灣省主席周至柔負責主祭，省議會政府議長、全體省議員、省府委員與各廳處局長，全省縣市正副議長與臺南市黨、政、軍與學校、社團等首長陪祭，由省府交際科長黃漢恭讀祭文，現場與祭人員向延平郡王行三鞠躬禮。[1114]同日舉行「鄭成功復臺三百周年紀念　全國詩人大會」，臺南市政府主辦、延平詩社協辦。首唱詩題〈鄭王三百年祭紀盛〉左右詞宗分別為許黎堂、張達修，共有七十多位詩人同題詩，刊於《詩文之友》14：4。[1115]茲錄其中二首如下：

1112——此詩收於《臺灣詩壇》第13卷第3期，臺灣詩壇臺南辦事處成立週年紀念聯吟大會次唱，1957年9月。

1113——該擊缽詩收錄於《中華詩苑》第44號，1958年8月。

1114——蔡明賢，〈鄭成功意象與臺灣的再中國化（1945-1963）〉，國立臺南大學《人文研究學報》51卷1期，2017年，頁93。

1115——參考《詩文之友》14卷第4期，1961年5月1日。

花甲周翻五，人心拜益崇。功開鯤島史，威振鹿門風。

朝野衣冠盛，烝嘗俎豆隆。海疆存正氣，民族仰英風。（白劍瀾）

正朔延明祚，王祠祀海東。冠裳參大典，蘋藻薦孤忠。

復漢心逾鐵，崇勳像鑄銅。河山垂十世，眾志策興中。（李步雲）

　　從一九六〇年代初到一九七〇年代中期，延平詩社都維持著穩定的課題、擊缽、徵詩活動，也定期輪值全國性、地區性的詩人聯吟大會。遇到比較特殊的狀況，比如孔廟創建三百年、億載金城一百周年紀念、延平詩社創立十周年（1961）、創立二十周年（1971）都會有規模較大的詩會活動，一直到 1975 年 3 月白劍瀾過逝以後，活動力頓減。觀察《詩文之友》卷 42（1975.6 ～ 1975.12），延平詩社尚能保持白劍瀾在時的能量，舉行了四期徵詩和慶祝延平詩社二十四週年的擊缽。但是到了 43 卷（1975.12 ～ 1976.5 以後），卻只舉行過一次擊缽（1976.2〈春妝〉）。44 卷（1976.6 ～ 1976.12），完全沒有刊登該社活動的訊息。一直到卷 45（1976.12 ～ 1977.5）也只有一次以〈蓬壺春興〉為題的擊缽例會，整個延平詩社的活動力邊降。白劍瀾逝世後，延平詩社先後由陳玉榮、洪旺熙、陳進雄接掌社務。陳進雄於 1980 年擔任延平詩社社長後，曾經試圖重振，不只較積極地推動詩社擊缽聯吟，又在 1981 年與鹿耳門聖母廟共同舉行聖母廟徵聯，以及鄭成功登陸 320 年全國詩人聯吟大會，並於會後出版徵聯入選芳名錄及全國詩人聯吟選集。但是，缽聲還是逐漸停歇，直到現在「延平詩社」幾乎已完全停擺。

（二）鯤瀛詩社　1962

　　成立已達百年之久的臺南縣鯤瀛詩社，曾經六次改組：1912年中秋由王大俊（北門庄）、王炳南（北門庄）、吳萱草（將軍庄）、吳溪（北門）等人發起「嶼江吟社」，成員約十餘人。1914年因多位會員遷居將軍庄，社址亦遷至將軍庄，故改稱「蘆溪吟社」（蘆溪即將軍溪），社員十餘人。1921年地方行政區劃變更，北門嶼和蕭壠二支廳合併為北門郡，郡役所設於佳里街，社員亦多遷居佳里，因此改組為全郡性質的詩社，名「白鷗吟社」，推吳萱草為社長，社址設於佳里醫院，社員超過三十人。1937年起，因進入戰爭時期詩社幾近停止活動。一直到戰後，各地詩社始重新活動，加上陳昌言、陳竣聲先後自海外歸來，益添生力軍。1947年糾合同志，改組更名為「琅環詩社」，仍推吳萱草為社長、王炳南為顧問。社址設於佳里金唐殿。社員有陳哮、徐青山、鄭國滇等，共百餘人。1960年5月，改組為「佳里詩社」，推徐青山為社長，黃生宜為副社長。1962年，改組為縣級詩社「鯤瀛詩社」，再改設社則第一條，清楚地說到：「本詩社稱為鯤瀛詩社，以繼承白鷗、琅環、佳里詩社之傳統精神」，並將之定位為「南瀛詩社」的姊妹社（吳新榮語）。首任社長為鹽分地帶醫生詩人吳萱草之子吳新榮，副社長陳昌言、黃生宜、魏順安、陳天賜、黃玉崑、蔡順治。顧問：徐青山、鄭國滇、陳清汗、黃圖、陳槐卿、黃秋錦。監事：莊金珍、侯振堯。由林天圖擔任會計，陳新川負責庶務。社員有郭鏗、翁文天、陳國治、陳槐卿、黃秋錦、施獻忠、黃汝馨、徐清吉、陳先致、許安石、吳仙化、林自利、翁湖、林泰助、陳飛清、吳素娥、邱福南。以吳新榮的珸琅山房為會址。

1967 年吳新榮逝世後，黃生宜繼任社長，陳進雄為副社長。1972 年元旦，重整社員名單，以魏順安為名譽社長，吳登神為總幹事，吳仙化、吳應民為幹事。1985 年 4 月，黃生宜過世，由吳登神接任社長，吳應民、陳明合為副社長，洪高舌任總幹事。1989 年 12 月，立案登記為臺南縣鯤瀛詩會，推選吳登神為理事長。1991 年 2 月，正名為鯤瀛詩社，仍由吳登神擔任社長。1997 年 11 月，改選陳敏璜為社長，聘吳登神為名譽社長，設址在北門。社員約有百餘人。[1116]

　　鯤瀛詩社經常舉辦雲嘉南四縣市、鯤南七縣市、全國詩人聯吟大會，並為其他社團徵詩、聯、文，活動範圍由全縣及於全國。近年南鯤鯓全國詩人聯吟大會，均由鯤瀛詩社、臺南縣國學會（1983 年立案，2010 年臺南縣市合併後改稱臺南市國學會）、臺灣語文教育學會（2005 年立案）聯合舉辦，一直到 2021 年始終止。

（三）南瀛詩社 [1117]　　1951

　　1951 年臺南縣政府為振興詩學，並連絡縣內人士情感，訂定「舉辦詩人大會辦法」，由縣長高文瑞邀集新豐、新化、曾文、北門、新營五區的詩人，共同組織全縣性的古典詩社「南瀛詩社」。是年 11 月 14 日上午在新營家事職業學校成立，並舉行首屆臺南縣詩人聯吟大會。發起人高文瑞、李步雲、呂左淇。由縣長高文瑞主持，首唱〈革命精神〉七律，黃文楷、吳萱草擔任左右詞宗。次唱〈耕田〉七絕，蔡和泉、蘇建琳擔任左右詞宗。社員有李步雲、吳萱草、蔡和泉、蘇建琳等共百餘人。以縣長為當然社長，另推選吳萱草為副社長，歷任社長有：高文瑞、劉博文、李步雲、陳進雄。會下分為五區：新營區、曾文區、新化區、北門區、新豐區，每

—— 參考吳登神，〈臺南縣詩文社沿革志〉，《鯤瀛文獻》第4期，2004年11月，頁47-49。

—— 參考吳登神，〈臺南縣詩文社沿革志〉，《鯤瀛文獻》第4期，2004年11月。黃文慧，〈百年鯤瀛詩社之研究〉，嘉義大學中文所碩士論文，2013年，頁77、88-89。臺南縣文獻委員會《臺南縣志稿》卷七〈文化志〉，頁96。

年春秋二季由各區輪流主辦聯吟大會。1952 年，首先由月津吟社負責主辦，南瀛詩社於此開始正式運作。

該社主要活動如下：

區域	鄉鎮	詩社	負責人
新營區	鹽水鎮 白河鎮	月津吟社 玉山吟社	蔡伸金 林春水
曾文區	麻豆鎮 善化鎮	綠社 文開吟社	黃文楷 蘇東岳
新化區	新化鎮	虎溪吟社	王則修
北門區	佳里鎮 學甲鎮	琅環吟社 學甲吟社	吳萱草 謝源
新豐區	關廟鄉	敦源吟社	不詳

表 02：南瀛詩社舉辦臺南縣聯吟大各區輪值表 [1118]

- 1958 年 5 月，鯤南七縣市春季聯吟大會，由臺南縣南瀛詩社主辦，詩題〈關嶺溫泉〉[1119]。
- 1964 年南瀛詩社舉行癸卯秋季聯吟會，詩題〈九日南鯤鯓廟雅集〉，黃傳心、白劍瀾擔任左右詞宗。參與者有：李步雲、李秉璜、黃森峰、陳紉香、洪席舟等。[1120] 1973 年掛名社長的縣長劉博文因案繫獄，遂於是年 2 月 18 日，假佳里金唐殿開會員大會，推選李步雲為社長，魏順安、林竹圍為副社長，聘陳進雄為總幹事，社址遷至佳里。1976 年 2 月 15 日，與鯤瀛詩社合辦鯤南七縣市詩人聯吟大會。南瀛詩社

[1118]—— 參考黃文慧，〈百年鯤瀛詩社之研究〉，嘉義大學中文所碩士論文，2013年，頁88。作者製表時漏掉了新豐區的輪值詩社與負責人。

[1119]——《中華詩苑》第36號，1957年12月。

[1120]——《中華藝苑》第110號，1964年2月。

除了舉辦聯吟大會外，亦有社課，該社第一期課題〈夢中美人〉，曾笑雲、白劍瀾擔任左右詞宗。[1121] 參與者有李步雲、陳紉香、呂左淇、鄭國湞、陳昌言、林金樹等。曾經出版《臺南縣首屆詩人聯吟集》、《南瀛詩社社課》（1964、1966年油印本），今已無活動。

（四）臺南縣國學會　1983

　　為弘揚漢學，提升臺南縣文風，傳承文化，月津吟社蔡清海、鯤瀛吟社吳登神於1983年10月2日上午，在北門鄉南鯤鯓代天府禮堂召開「臺南縣國學會」成立大會，會員八十餘名。主要成員有蔡清海、吳登神、陳敏璜、洪高舌、陳文賢。歷任會長有蔡清海、吳登神、陳敏璜、方平治，最後一任又輪到吳登神（2022年逝世於任中）。該會以舉辦詩人聯吟大會，以及課題、燈謎、徵文、研習國學、參加詩會、研究臺灣漢語、出版圖書刊物為主。共出版《鯤瀛詩文集》、《全國詩人大會詩集》（1983～2003）、《鯤瀛文獻》（2001年起）、黃生宜《生宜吟草》、洪新解《吉三詩文集》。據吳登神的說法：「之所以成立臺南縣國學會，主要是因為鯤瀛詩社要立案，政府不准。說是不能用詩社的『社』這個字當團體名稱。後來才勉強用『國學會』，比較晚以後才改為『詩會』。」[1122] 因此，臺南縣國學會基本上還是以鯤瀛詩社為主體的藝文社團。

二、小型詩社

（一）戰後復社者

　1. 關廟　敦源吟社

　　1921年春，由歸仁庄長楊秋澄與林佳馨、陳瑞東等倡立「敦源吟社」。

1121——《中華藝苑》第109號，1964年1月。

1122——據筆者於2022年3月2日，訪問吳登神先生的談話。

創立未及三年，遭解散，一直到戰後始重新運作。[1123] 平日不舉行社課，但有大型詩會時會分擔合辦。比如 1956 年 8 月，臺南縣鯤南吟社丙申秋季聯吟大會，關廟敦源吟社主辦，首唱詩題〈虎陂鳳梨〉。江保明詩云：

曲傳南亞到三臺，新種波羅遍地栽。
號召虎陂無上菓，譽馳關廟有餘財。
東方特產炙人口，西德銷售拓市開。
地兆中興情勃勃，稻蕉安得比鳳萊。

1962 年敦源吟社主辦，南瀛詩社壬寅秋季聯吟暨敦源吟社四十週年紀念詩人大會，詩題〈秋日歸仁覽勝〉[1124]，詩人往往從「歸仁」、「敦源」等詞發想，強調民德歸厚之特色，又從地理環境、名園景觀凸顯當地之勝景與滄桑變遷：

平疇南接二層溪，紅瓦家家一望齊。
地號歸仁民德厚，涼銷溽暑夕陽低。
龍崎竹茂山搖綠，吳館園荒鳥自啼。
露冷風高憑極目，霓虹閃爍古都西。（陳玉榮）

十七村莊印馬蹄，一鞭得得日斜西。
重遊聖廟嗟紅劫，三復詩心頌白圭。
善化文風欣鼓吹，歸仁勝蹟好留題。
唧毫並寫歐陽賦，卅載敦源品德齊。（李長春）

1123—— 參考《歸仁勝蹟》，臺南：敦源吟社，1962年10月。
1124——《中華藝苑》第96號，1962年12月。

吳紉秋有詩〈敦源吟社主辦南縣秋季詩人聯吟人會賦祝〉[1125]，對詩人的吟詠唱和，給予正面肯定：

堂堂關廟鉢聲侵，虎鬥龍爭立士林。

一自福臺開竅後，豈真無病愛呻吟。（1956）

1976 年端午節前嘉南四縣市舉辦聯吟大會，亦由敦吟吟社主辦。首唱詩題為〈端午前謁岩石〉、次唱詩題〈墨雨〉。末代社長江保明，著有《江保明詩集》，該社今已不運作。[1126]

2. 麻豆　綠社

麻豆「綠社」創立於 1928 年重陽節，由高山輝擔任社長，黃文楷為總幹事，邱水為執行幹事。1936 年，與白鷗吟社、學甲吟社、登雲吟社、將軍吟社、竹橋吟社組「曾北六社聯吟會」。每月輪開擊鉢吟一次，一直到戰爭期，活動漸歇。戰後，1958 年至 1960 年間與佳里「琅環詩社、學甲學甲詩社、六甲龍湖吟社共同創立「四社聯吟會」，每月輪值作東，以切磋詩藝。一直到 1994 年該社重要社員陳明三（紉香）過世，綠社始停止運作。[1127]

3. 善化　光文吟社

昭和 5 年（1930），善化詩人王滄海、蘇建琳二氏，倡設「浣溪吟社」，次年又有蘇東岳、林清春、陳壽南、蘇聰曉等，另創設「淡如詩社」，參加全島聯吟。戰爭期，詩社活動停止。戰後 1948 年春，「浣溪」、「淡如」兩詩社主持人蘇東岳、蘇建琳等洽商，將二社合併為「光文吟社」，以發揚沈光文的潛德幽光，於是選擇在當年的重陽節成立該社。[1128]

1125—— 作者註：「七月廿七日。」此詩收於吳紉秋手稿，《丙申徵詩鈔》，又載《中華詩苑》第21號，1956年9月、《中華詩苑》第24號，1956年12月。

1126—— 參考《中華詩苑》第21號，1956年9月。參考吳登神，〈臺南縣詩文社沿革志〉，《鯤瀛文獻》第4期，2004年11月，頁53。

1127—— 參考吳登神，〈臺南縣詩文社沿革志〉，《鯤瀛文獻》第4期，2004年11月，頁54-55。

4. 新營、柳營　新柳吟社

1922 年成立的「新柳吟社」，戰後一度重振。1977 年社長陳帶、副社長周欽、總幹事謝清淇，以詩會課題為主，較少參加詩社聯吟。陳帶、謝清淇過世後，該社已停止活動。

5. 鹽水　月津吟社

「月津吟社」創立於 1922 年重陽節，首任社長蔡哲人。其後由蔡和泉繼任，蔡和泉逝後，社務一度停頓。直到戰後始復社，1979 年 10 月 25 日，改名為「臺南縣月津吟社」，由蔡清海擔任社長，鄭英夫為副社長，聘黃生宜、洪傳興擔任顧問，吳登神為總幹事。沈至成、何安吉為副總幹事。社員有林石崇、劉西川、吳杰滿、李春波等。1987 年推林闊嘴為社長，曾得義為副社長，沈志成任總幹事。[1129] 2011 年，該社創社詩人張水波女兒張吟香整理父親詩作手稿後，開始為臺灣古典詩尋根，翌年輾轉找到月津文史協會林明堃協助，並委請嘉義縣六腳鄉詩人黃哲永編校，於 2014 年出版《月津吟社詩集》。[1130]

（二）戰後創立者

1. 白河　角力吟社　1947

1947 年由吳武歷、楊文鐘、吳修璘等人成立於白河，楊文鐘擔任社長。以擊缽徵詩為主，每逢鯤南七縣市或雲嘉南四縣市詩人聯吟大會，皆派員參加。1955 年 2 月《中華詩苑》第 1 號，刊登「角力吟社」課題〈錦花箋〉。11 月《中華詩苑》第 10 號，刊登該社課題〈七夕〉。1956 年 1 月，《中華詩苑》12 號刊登課題〈賞離菊〉。1962 年 4 月，《詩文之友》16 號，刊登課題〈鴛鴦箋〉、擊缽詩〈白津垂釣〉。1972 年 11 月，《詩文之友》

1128—— 參考賴子清，〈古今臺灣詩文社（一）〉，《臺灣文獻》10 卷 1 期，1959 年 9 月版，頁 105。吳登神在介紹淡如吟社時提及：「據陳壽南（龍吟）於民國六十六年向筆者言：兩社並未合併，且語氣甚為堅定、憤慨，其實情究為如何？筆者不能忘為揣測。」，參考氏著，〈臺南縣詩文社沿革志〉，《鯤瀛文獻》第 4 期，2004 年 11 月，頁 57。

1129—— 參考吳登神，〈臺南縣詩文社沿革志〉，《鯤瀛文獻》第 4 期，2004 年 11 月，頁 51。

1130——《自由時報》2014 年 5 月 18 日，https://art.ltn.com.tw/article/paper/782818，檢索日期：2022/09/17。

37 號刊登課題〈關山覓句〉……其中最值得注意的是 1957 年 5 月《臺灣詩壇》第 12 卷 5 期，吳武歷的〈白河角力吟社十周年紀念〉[1131]：

十載聯吟快舉杯，年光燦爛啟雄恢。

同心何幸揚風雅，回首曾經闢草萊。

驪下探珠增韻事，座中得句逞英才。

留存國粹開新運，詩教昌明眾妙該。

楊文鐘的〈角力吟社得吳顧問武歷倡導之力成績斐然詩以讚之〉[1132]

角力十年時望深，扢風揚雅許同心。

延陵端合稱前輩，一字推敲戞玉音。

一方面可以看出吳、楊兩人在角力吟社的重要性，同時也可以修正過去對角力吟社創社時間說法的誤差。[1133]該社約運作至 1976 年左右。

2. 白河　玉山吟社　1953

1950 年秋，白河人林春水開設修篁館以教育里中子弟，後有意成立詩社，這個構想得到當地玉山書院副主委楊文鐘支持，於是在 1953 年 1 月 25 日，於白河鎮玉峰書院舉行成立「玉山吟社」。是年 2 月，召開首屆會員大會，推舉林春水為社長，林濟恆為副社長，社員有龔啟山、楊文鐘、張顯承等 17 人。1953 年端午詩人節，曾以臺南縣各詩社名義，承辦癸巳詩人節自由詩人大會於白河鎮仙草埔大仙岩，參加者多達數百人，會後遊覽關子嶺等名勝，為當地未曾有之盛況。其後因林春水積勞成疾，以

1131——此詩收於《臺灣詩壇》12卷5期，1957年5月。

1132——此詩收於《臺灣詩壇》12卷5期，1957年5月。

1133—— 吳登神、黃文慧皆謂角力吟社成立於1955年，龔顯宗，《臺南縣文學史》認為創設於1957年。然而，從刊登在《臺灣詩壇》12卷5期，1957年5月〈白河角力吟社十周年紀念〉來看，當是成立於1947年。

1134—— 參考吳登神，〈臺南縣詩文社沿革志〉，《鯤瀛文獻》第4期，2004年11月，頁67。黃文慧，〈百年鯤瀛詩社之研究〉，嘉義大學中文所碩士論文，2013年，頁88。

1135—— 一說1951年創設。

46 歲英年驟逝，「玉山吟社」因此偃旗息鼓。沉寂半世紀後，中斷 50 年的「玉山吟社」於 2004 年 10 月 10 日復社，由林春水門生邱瑞寅擔任社長，2007 年在白河商工舉行「白河玉山吟社復社三周年全國詩人聯吟大會」，白河文風於焉再現。[1134]

3. 六甲 龍湖詩社 1955

1955 年創立[1135]於臺南縣六甲鄉二甲村，首任社長江春夏，副社長張烈。是年 3 月 20 日上午，「龍湖詩社」與臺南延平詩社、佳里琅環吟社、麻豆綠社，假六甲赤山龍湖巖舉行春季聯吟大會，題目：〈龍湖聽經〉，七絕，左詞宗白劍瀾、右詞宗呂左淇、左右元楊乃胡、左眼潘春源、右眼白劍瀾。[1136]該社與麻豆綠社、佳里瑯環吟社、學甲吟社等聯結，每月舉行一次擊缽，一次課題，若遇全國詩會或縣市聯吟則踴躍參與。第二任社長張烈，副社長周欽。1958 年有詩會小集，詩題〈中元〉。其他則有〈王春曉日〉、〈雨中秋〉、〈龍湖覽勝〉、〈孔誕〉等數十題。其後老成凋零，後繼無人，約於 1980 年間停止活動。[1137]

4. 灣裡 省躬吟社 1957

1957 年 4 月 30 日[1138]由杜正雄創設，社址在臺南市安平路。社長杜正雄，主要成員有杜正雄、李炳煌、白劍瀾。創立之日，開擊缽吟，題為〈灣裡探春〉七絕陽韻。參與者有蘇清和、高堆金、吳呈輝、周永瑞、葉錦綢、黃石賢、葉九屎、杜月娥等。其後，經常有擊缽課題，〈暮秋書懷〉[1139]、〈觀濤〉[1140]〈壽酒〉[1141]、〈鳩杖〉[1142]。

1136——《商工日報》，1955年3月23日第3版，「六甲聯吟大會」。

1137——參考吳登神，〈臺南縣詩文社沿革志〉，《鯤瀛文獻》第4期，2004年11月，頁65。

1138——吳登神、陳文慧皆謂成立於3月30日，然根據《中華詩苑》第32卷，1957年8月所載：「灣裡省躬吟社，本社四月卅日成立擊缽聯吟會〈灣裡探春〉」。

1139——《中華詩苑》第37號，1958年1月。

1140——省躬詩社成立一周年紀念會，1958年，參與的社員有杜正雄、李炳煌、白劍瀾等十餘名。

1141——《中華詩苑》第49號，1959年1月，祝總統七二華誕紀念，白劍瀾、李炳煌為左右詞宗。

1142——《中華詩苑》第51號，1959年3月，慶祝正德吟長六秩華誕擊缽吟會，高懷青、黃少卿為左右詞宗。

5. 西港 慶安詩社 1986

1986 年 12 月，西港國小教師吳應民，在西港慶安宮黃慶芳主委，以及該宮執事方隆盛贊助下，於慶安宮二樓會議室舉行「慶安詩社」成立大會，推吳應民為社長，吳仙化為副社長，吳石龍為總幹事，莊健二、呂春福為副總幹事。李步雲、李登源、吳登神、林衍周、陳紉香、陳進雄為顧問，社員 10 餘人。是日並舉行雲嘉南五縣市詩人聯吟大會，以資慶祝，共有兩百多人參加。首唱為〈西港慶安詩社成立誌盛〉，次唱為〈謁鯉魚亭〉，會中並決定於次年（1987）舉行全國詩人大會。此外，1994 年在臺南市鹿耳門天后宮舉辦的詩人聯吟大會，亦由該會承辦，行動力頗強。目前該社社長為徐松准。

第三節　戰後臺南地區古典詩社尋求生存之道

一九五〇年代的臺灣文學，不可避免地大多必須呼應國家政策，比如懷念國父、歌頌蔣公，堅持反共……這是戒嚴時代，文人作家自我保護的方式，這現象新舊文學皆有之；不只臺南如此，全臺皆然，而且這類詩作的比例頗高，在此略去不談。這裡想探討的是，在思想禁制的時代，戰後臺南地區的古典詩書寫，面對新思潮的衝擊以及現代文學的挑戰，如何在不可逆的環境裡，奮力泅泳，尋求古典詩的生存之道？據筆者初步觀察，有以下幾個面向：

一、多次改組以帶動詩社生命力

戰後臺南縣市兩大詩社「延平詩社」與「鯤瀛詩社」，其實分別從 1906 年創立的「南社」，與 1912 年創立的「嶼江吟社」改組重整、加入新血之後而轉型而來。尤其是鯤瀛詩社歷經多次重組，從 1912 年的嶼江

吟社（社長吳萱草）→ 1914 年蘆溪吟社（社長吳萱草）→ 1921 年白鷗吟社（社長吳萱草、王炳南）→ 1947 年琅環吟社（社長吳萱草）→ 1960 年佳里吟社（社長徐青山）→ 1962 年鯤瀛詩社（社長吳新榮、黃生宜、吳登神）→ 1989 年臺南縣鯤瀛詩會（吳登神）→ 1991 年臺南縣鯤瀛詩社[1143]（吳登神、陳敏璜）。每次改組，往往有新成員加入，特別是在戰後，面對現代文學的衝擊，如何穩住腳跟，把古典詩的優勢與特色展現出來，與當代潮流結合，才是生存之道。1962 年接任「鯤瀛詩社」首任社長的吳新榮曾懷抱革新古典詩社的理想，可惜英年早逝，轉型的願望終究成空。1985 年承接「鯤瀛詩社」社務，長年為推展詩社活動而努力的吳登神，也嘗試透過各種方法（詳後），嘗試記錄詩社運作的軌跡，推展國學講授、臺語教學，以及與宗教團體結盟，為詩社帶來人力與財力，這是鯤瀛詩社之所以能持續運作之故。誠如黃生宜在〈詩社改組成立感作〉所說的：「**騷壇重整氣凌空**，旗鼓堂皇慶大同。翰墨因緣沿一脈，文章聲價貫長虹。宣揚國粹匡危局，灑脫襟懷寫正風。但願吾儒齊奮發，共扶社運永無窮」。重新整頓詩社，確實可以汰舊換新，提振詩社成員的精神，讓「百年老店」得以在風雨中勉力前進。

二、舉行聯合詩會或全國徵詩以聯絡聲氣

　　詩人大會藉著創作吟詠詩歌以聯絡同好，聲氣相應，使傳統文化得以延續不墜，可謂用心良苦。據統計，戰後臺灣全國性詩人大會，參加人數約 300 人以上。地區性者，如鯤南七縣市聯吟詩會約 200 人參加，地方性者（如雲嘉南四縣市）人數約在 150 人以上，縣市性質者約 50 人以上，至於各詩社之例會至少有 20 人以上。[1144] 延平、鯤瀛兩詩社從戰後一九五

1143——2012年因臺南縣市合併，又改為「臺南市鯤瀛詩社」。
1144——吳登神，〈論詩人大會〉，《鯤瀛詩社課題》，1979年5月21日。

○年代起，除了自己詩社穩定地舉辦課題、擊缽之外，也積極地與臺灣其他地區的詩社輪流舉辦不同型態的詩會活動，藉以凝聚社群的向心力。如前文提及，延平詩社舉辦的「乙未詩人節全國詩人大會」（1955）、「南市十二名勝全國徵詩」（1960）、「鄭成功復臺三百週年紀念全國詩人大會」（1961）、「鄭成功登陸三百二十年全國詩人聯吟大會」（1981），以及固定輪流的「鯤南七縣市聯吟大會」（每年春、秋兩季舉辦）、「雲嘉南四縣市詩人聯吟大會」（夏季舉辦）都讓詩社得以與同好切磋詩藝，互相提攜，以增強詩人社群在詩壇的活動力。

　　至於臺南縣的鯤瀛詩社，在吳登神 1975 年擔任總幹事，1985 年接掌社務之後，更使該社成為臺南地區最重要的古典詩壇主力。1980 年起，鯤瀛詩社把全國詩人聯吟大會定型化，每年秋季選一周日，固定在北門區的南鯤鯓代天府舉行，並且定期出版得獎作品《全國詩人大會詩文集》（1981～2020）。其中較具代表性的有：1981 年 12 月 25 日，鯤瀛詩社於南鯤鯓代天宮舉行「辛酉年慶祝建國暨臺南縣鯤瀛詩社七十周年全國詩人大會」，由社長黃生宜主持，致詞者有名譽會長魏順安、月津吟社社長蔡清海、臺南縣政府教育局王德蔭，列席者有北門鄉民代表洪鑾聲。首唱〈中華建國鯤瀛創社七旬雙慶〉，次唱〈南鯤鯓攬勝〉，晚宴由南鯤鯓代天府捐獻。1986 年 11 月 12 日舉行全國聯吟大會，首唱〈文化復興南鯤鯓雅集〉，左右詞宗陳木川、曾人口；次唱〈促進中正大學南縣建校〉，左右詞宗李春榮、李茂鐘。1993 年全國聯吟大會，首唱〈全民總動員推動進入聯合國〉，左右詞宗張國裕、黃火盛；次唱〈代天府聽鐘〉，左右詞宗張達旦、胡順隆。1994 年以後，鯤瀛詩社中止擊缽吟與課題活動，將重心放在一年一度的全國詩人大會，且詩題不一定與出資協辦的南鯤鯓廟有關，努力與當代接軌。比如 1994 年的詩人大會，首唱〈本土文化〉，

次唱〈民選市長〉。1995 年詩人大會，首唱〈全民自主維護主權與國格〉，次唱〈臺南科學園區展望〉……從題目的設計，在在可以看出主辦單位試圖將古典詩與當代時事結合在一起的用心。可惜隨著時代變遷，老輩凋零，參與詩會的人數由原先的 500 多人，逐漸遞減，到 2020 年參與者只剩 250 餘人。不過，一個詩社能持續近 40 年舉辦大型的全國詩人大會，並出版作品集，其熱情和毅力著實動人。

三、與宗教組織結合

臺灣古典詩社，常與宗教團體有密切的關係。比如延平詩社經常活動的地點在臺南祀典武廟西社，佳里詩社的社址就設在金唐殿，詩人們經常會替寺廟撰寫對聯，比如臺南開元寺有洪鐵濤的題聯，清水寺有趙雲石撰寫的藏頭詩。戰後，麻豆代天府、慶安宮、北港朝天宮都可以看到李步雲題的對聯。佳里女詩人吳素娥也曾為金唐殿題聯。

更重要的是，古典詩活動到了 1980 年以後，不易獲得政府的補助，轉而尋求根扎臺灣土地，與臺灣庶民百姓合節共拍的民間寺廟支持。1980 年 4 月 29 日臺南市土城鹿耳門聖母廟舉辦全國詩人聯吟大會，由延平詩社社長陳進雄主持，參加人員有 300 多人，規模相當宏大。[1145]

此外，關廟鄉敦源詩社，也與當地祭拜關公的山西宮關係密切。鯤瀛詩社社長吳登神更積極地與南鯤鯓代天府、西港慶安宮、學甲慈濟宮聯繫，尋求協助。緣此，寺廟往往成為詩社徵詩的主題，比如 1980 年《鯤瀛詩社》第 43 期課題〈重謁南鯤鯓代天府〉，有宜蘭、苗栗、羅東、潮州、大內、二林、埔里，還有本地佳里、西港、臺南、北門、七股、鹽水各地詩人投稿。徵稿之時，詩社往往會有詳盡的詩題內容介紹，比如先有吳登神撰寫的〈南

1145——《鯤瀛詩社課題》「社務動態」，1981年5月25日。

鯤鯓代天府沿革〉，讓有意投稿者對該寺廟有更清楚的認識，趁機為南鯤鯓代天宮做宣傳。2006 年白河鎮玉山吟社在臺南大仙寺舉行詩會；鯤瀛詩社舉行全國詩會借南鯤鯓代天府為活動場所；慶安詩社則假西港慶安宮舉辦全國聯吟等。透過這樣的活動，標示當地的特色，並凝聚與會者的地方感與文化認同。這樣的模式，運作多年。一直到 2020 年南鯤鯓場地不再提供場地給鯤瀛詩社使用，也無法提供經費，只好改到學甲大灣清濟宮舉行詩人大會。《臺灣時報》2020 年 11 月 8 日以「鯤瀛全國詩人聯吟大會騷人墨客齊聚學甲清濟宮創作」為題，詳盡地報導主辦單位、與會貴賓、得獎名單及部分作品。並強調鯤瀛全國詩人聯吟大會首度移師學甲大灣清濟宮舉辦，清濟宮全體委員視為一大盛事，全日在該宮服務與會者，使與會者有賓至如歸之感。此外，現場有鯤瀛詩社洪高舌、蔡秀雲與彰化詩班吟唱詩詞，以及書畫展覽與現場揮毫，也有國小學童少林寺拳術表演等餘興節目，融詩、書、畫、樂於一堂，場面相當熱鬧。[1146] 但是，社長吳登神還是在這樣的榮景中，看到詩社活動力不再，不僅參與者比過去少，經費也頗吃緊，於是決定從 2021 年起停辦。2022 年 8 月，吳登神不幸過世，鯤瀛詩社的活動是否仍會繼續推展下去？有待後續觀察。

四、刊登於報紙或詩刊

戰後臺灣古典詩人作品及相關訊息，除了發表在《中華詩苑》、《詩文之友》、《鯤南詩苑》外，亦經常爭取發表在《中華日報》、《臺灣時報》、《新生報》、《自立晚報》，讓社會大眾有閱讀古典詩歌的機會。比如 1978 年《鯤瀛詩社課題集》的「社務動態」即說明：本社第 32 期課題〈春日謁麻豆代天府〉入選名單刊登《中華日報》67 年 5 月 12 日第

1146——學甲大灣清濟宮https://reurl.cc/eddXDR，檢索時間：2022／9／13。

9版。《臺灣時報》67年5月14日第7版，亦刊登本社的33期徵詩啟事。1989年2月《鯤瀛詩社課題集》「社務動態」也說明：是年1月與南瀛詩社合辦全國詩人聯吟大會，以及第34期課題〈憑弔噍吧哖起義抗日烈士忠魂〉、第35期課題〈沈光文紀念碑落成誌盛〉入選名單都分別刊登於《臺灣時報》1978年1月23日、《中華日報》10月13日……藉由大眾閱讀的書報，傳遞古典詩相關訊息，是一種很值得推動的方式。到了一九八〇年代，報刊雜誌絕少刊載傳統詩文，只偶作點綴，古典詩在臺灣社會似將消逝。為此，鯤瀛詩社社長吳登神努力編輯各期《鯤瀛詩社課題》，在課題內附錄有關傳統詩文的文章，並詳細記錄當年度有關鯤瀛詩社的動態，對於了解鯤瀛詩社的歷史軌跡有極大助益。

五、與教學活動結合（國學、臺語）

　　戰後古典詩社承擔部分社會教育的責任，因此往往會開設具有教育功能的課程。比如「延平詩社」社長陳進雄曾經擔任「臺南市圖書館國學講座」（1982～1989）、「臺南鳳凰城文史協會」漢詩教師（2004年起）、「秀峰社區基金會」詩學講師（2002年起至今），期間引領了不少對詩有興趣的社會人士共同研習、寫作古典詩，目前以崑山中學教師吳錫鴻最能傳承其衣缽。[1147] 至於「鯤瀛詩社」社長吳登神對於透過詩社與國學會，講授課程似乎更為積極。1981年開始每年舉辦全國詩人大會，又力推詩社例行課題與臺語課程，編輯《臺語字典》、《臺語辭典》，錄製臺語CD，以供有興趣者反覆研習。他認為傳統詩之所以日漸衰微的原因之一，是由於學生在校都使用國語，但是國語並不符合傳統詩的音調與平仄。而

1147—— 參考筆者主編《詩人的日常：臺灣古典詩人相關口述史》（下），臺南：國立臺灣文學館，2021年12月，頁381。

閩南語保存最多古音，合於傳統聲韻平仄，應該努力推行土生土長的語言。[1148] 1986 年以後，吳登神在學甲慈濟宮和法源禪寺開設傳統詩詞研習班，20 年來培育了許多臺語人才和寫漢詩的人才，比如：洪高舌、劉銀樹、陳文賢、劉啟亮、蔡秀雲、姜金自、李錦雀、陳金敏、陳霖松、洪阿寶、賴長宗、李毓真、釋開哲等。[1149] 2005 年在臺南南鯤鯓代天府成立「臺灣語文教育學會」，致力於臺語的教學語推廣。臺語教學與古典詩文兩相結合，再加上詩歌吟唱，在重視本土文化的當前，確實有助於母語的學習和文化深度的培育。

古典詩的教學與創作，除了民間詩人舉辦國學研究會，以延續古典詩的教學與創作外，大學院校舉辦文學獎徵選比賽，列有古典詩詞的項目對學生亦具鼓勵作用。在臺南有全臺灣大學院校歷史最悠久的成功大學鳳凰樹文學獎，1973 年由一群充滿熱忱的師生創辦，為大專院校文學獎開啟了先聲。當時成大中文系主任尉素秋教授力主學術自由，鼓勵創作風氣，遂請張良澤老師與學生代表蘇永利、林金貞等進行磋商並向中文系師生與校友發動募款，於是年 5 月舉辦第一屆鳳凰樹文學獎，從此成為成功大學一年一度盛事。該文學獎至今已 50 年，經過幾次調整之後，目前分為古典散文、古典詩、古典詞曲、現代散文、現代詩、現代小說與舞臺劇本八項文類。[1150] 配合「詩選及習作」課程，學生課堂上創作的古典詩可以參與文學獎的競賽，對青年學子具有一定的鼓勵作用。

1148——吳中，〈復興傳統詩之道〉，《鯤瀛詩社課題》，1979年5月21日。

1149——參考臺南縣鯤瀛詩社，《鯤瀛文獻》第4期，2004年，頁1。

1150——參考成大中文系「鳳凰樹文學獎網站」，http://flametreeliteraryprize.com/about/，檢索日期 2022/09/11。

戰後，一批擅長古典詩歌的文人群，隨著國民政府退守臺灣，他們之中有黨國元老、政治人物、軍公教人員，透過舉辦詩刊、進行詩人聯吟的方式，與日治以來臺灣舊有的詩人社群互相交流，在一九五〇、一九六〇年代展現古典詩蓬勃的生機。然而，作為文化古都的臺南，並沒有像北臺灣或中臺灣那樣，創立以古典詩為主的刊物；甚至以臺灣人為主體的《詩文之友》創立時，贊助者除了遷徙到臺北的陳逢源外，也看不到其他的臺南人士參與。本章首先透過有限的文獻史料，探討戰後初期臺南詩人群面對時代變局，如何延續古典詩的命脈。他們或將詩作發表於報刊、或自行出版詩集、或獨立創辦小型報紙（如《鯤聲報》），甚至有的將詩稿存藏於家，隱而未發。透過筆者與工作團隊四、五年來進行詩人後代訪談，終於慢慢將這塊古典詩發展史上的空白填補起來。詩社活動方面，戰後初期的臺南，由於時局變動、老成凋零，有的詩社停止運作，有的重新整頓，再度出發，也有部分詩社創立於戰後。其中規模最大的是 1951 年合併南社、酉山、桐侶、留青、錦文、嵌南詩學研究會後創立的「延平詩社」，為舊臺南市的詩界領導核心。至於舊臺南縣，則以百年間經過六次改組，於 1962 年重整成立的「鯤瀛詩社」為代表。其餘還有一些延續日治時期已然創立，戰後復社的小型詩社，如麻豆綠社，鹽水月津吟社、關廟敦源吟社；亦有一些戰後新創的詩社，比如白河的角力吟社、西港的慶安詩社，同樣以微小的力量，默默為延續傳統文化而努力。以「延平詩社」、「鯤瀛詩社」為雙主軸的大臺南地區古典詩社，透過：多次改組以帶動詩社生命力、舉行聯合詩會或全國徵詩以聯絡聲氣、與宗教組織結合、刊登於報紙或詩刊、與教學活動結合等方式，努力延續古典詩社的運作，在現代文學蓬勃發展的年代，這樣的苦心經營，頗為不易。

第二章

戰後臺南古典詩人
與寫作主題

戰後 1945～1950 年間，由於時局動盪、老成凋零，加上文獻仍有待追索，臺南地區古典詩壇運作的實況，目前尚無法全面清楚地掌握。一九五〇年代起始，由於世代傳承之故，才開始出現生機。前文曾述及日治時期府城漢詩人「衍生世代」（1885～1910 年出生者），除了英年早逝的林秋梧（1903～1934）、戰後邊逝的黃欣（1885～1947）、洪鐵濤（1892～1947）以及 1949 年過世的黃拱五之外，舊臺南市比較活躍的詩社成員有：原屬南社的吳子宏、高懷清、白劍瀾、葉占梅、王鵬程、謝汝川、林海樓、洪子衡、楊乃胡、廖望渠、陳玉榮。戰後積極加入「延平詩社」的張蓮亭、李秉璜、黃少卿、黃天輔、潘春源、薛桂友、黃天爵、吳應民等，維持延平詩社一定的創作力。舊臺南縣方面，幾位重量級的詩人先後辭世：王大俊卒於 1942 年、林泮卒於 1946 年、王炳南卒於 1952 年，從日治到戰後，創作力依然豐沛的有：李步雲、吳萱草、鄭國禎、陳嘯、黃生宜、施獻忠、陳昌言、陳明三，尤其是吳萱草、李步雲、黃生宜三位前輩詩人，更帶動了臺南縣新生力軍的創作能量，使得年輕一代的接棒者如吳新榮、陳進雄、吳素娥、吳登神等，在古典詩壇展現優異的成果。這階段由於中華民國退守臺灣，也有少數外省籍的詩人落腳在臺南縣市，以下也將略作介紹：

第一節　戰後臺南地區古典詩人

一、舊臺南市詩人

（一）林海樓

　　林海樓（1896～1961）[1151]，號小珊、維喬，臺南人，為「南社」社員、「桐侶吟社」幹事。1935 年與洪鐵濤、陳圖南二人，在寶美樓舉辦

[1151]——生卒年據王榮達〈林海樓社兄逝世賦此追悼〉：「騷壇沉痛渺音容，六六年華壽竟終」推估，見《中華藝苑》第83號，1961年11月。

臺南州詩社懇親會。同年曾有小說〈發財人家的日記簿〉連載於《三六九小報》。[1152]與社友吳子宏、洪鐵濤、趙雅福、王鵬程等人相友善，詩作多見於《臺南新報》、《臺灣日日新報》、《三六九小報》等報刊。戰後加入「延平詩社」，經常參與該社的擊缽課題，詩作常見於《詩文之友》、《臺灣詩壇》、《中華詩苑》等。1956年參加慶祝延平詩社五周年紀念大會，有〈延平詩社五周年〉詩，1957年參加臺南延平詩社「祝臺南社會教育館開幕擊缽吟會」，有〈臺南社教館開幕誌盛〉詩、1958年「歡迎瀟湘漁父、陳子波先生擊缽吟錄」，有〈赤崁樓高望太平〉詩。1960年12月延平社長吳子宏過世時有〈輓吳子宏先生〉：「頻揮它淚哭宏哥，師友追隨半紀多。道義堪尊詩社範，才名一世感如何。」備見兩人間深厚情誼。

（二）李炳煌

李炳煌（1897～？）[1153]，字珍甫，臺南人，歷任和美線公學校下見口分校雇員、臺中廳和美線公學校雇員（1911～1917）等職。1918年離職回鄉，轉而從事實業，一九三〇年代任臺南市三分子[1154]開元寺紀念糖廍理事。[1155]為「南社」社員、「酉山吟社」幹事。戰後加入「延平詩社」，1956年慶祝臺南延平詩社五周年紀念有詩〈延平詩社五周年〉云：「跳擲雙丸歲五翻，豪吟賓客聚來繁。詞源倒瀉傾三峽，墨浪高騰撼七鯤。鷗鷺聯歡唐日月，篇章繪藻漢乾坤。南皮雅會看何盛，一幟延平萬古尊。」對延平詩社有高度的期待。詩作多發表於《臺南新報》、《詩報》，以及戰後的《詩文之友》、《臺灣詩壇》、《中華詩苑》等報刊。

1152—— 參考《臺灣日日新報》，「臺南州詩社十七日懇親會」，1935年3月15日，夕刊第4版、《三六九小報》第425號，1935年3月6日，第3版。
1153——生年據氏撰〈自壽賦呈酉山吟社諸君子笑正〉：「三十年華轉眼更」推估，見《臺南新報》，詩壇，1926年5月1日，第6版。
1154——戰後開元寺至臺南市區的「三分子道路」被命名為「開元路」。
1155——參考《臺灣日日新報》，臺南，請許製糖，1932年10月30日，第8版、中央研究院臺灣史研究所「臺灣總督府職員錄系統」。

（三）葉占梅[1156]

葉占梅（1900～？），號癯香、恨史、恨生，臺南人。1914 年臺南第一公學校畢業，歷任臺南第一中學校教師（1919～1933）、高雄稅關監視部（1937～1940）雇員。[1157]為「南社」、「桐侶吟社」社員，亦時常參與「酉山吟社」、曾北聯吟、高雄州聯吟等詩會活動。與社友王榮達、王鵬程相善，多往來唱和，1942 年與林江水往遊神戶，拜訪在神戶經商的王鵬程。戰後加入「延平詩社」，吟詠不輟。與「高雄市吟會」之高文淵、張蒲園時相往來。1959 年以來臺外省人為主的「玉岑吟社」臺南分社成立，葉占梅與高懷清、顏興、楊乃胡等均受何揚烈之邀請參加。詩作未結集，多見於《臺南新報》、《臺灣日日新報》、《詩報》以及戰後的《中華詩苑》、《詩文之友》、《臺灣詩壇》等報刊。

（四）陳玉榮[1158]

陳玉榮（1901～？），號潤琅，臺南人，居於臺南市永樂町三丁目 21 番地。日治時期經營義乾泰藥品商，1934 年因涉入萬金油偽造，義乾泰商行被取消萬金油的進口許可證明。[1159]為「南社」、「桐侶吟社」社員，戰後加入「延平詩社」，曾經擔任該社社長。詩作多見於《臺南新報》、《詩報》以及戰後的《詩文之友》、《臺灣詩壇》、《中華詩苑》等報刊。

（五）王榮達[1160]

王榮達（1902～？），號哭濤。父親王錦堂，日治時期任臺南地方法院通譯。王榮達任職於臺南廳庶務課（1920）、臺南第一高等女學校記

1156—— 生年1900年，據〈病後感作〉：「二十年來身世感」、〈感懷〉：「容易流光二十年」二詩推估，見《臺南新報》，詩壇，1923年2月17日，第5版、《臺南新報》，詩壇，1923年8月9日，第5版。卒年未詳，僅知1976年春曾參加鯤南七縣市詩人丙辰春季聯吟大會，見《詩文之友》第43卷第3期，1976年2月1日。

1157—— 參考中央研究院臺灣史研究所「臺灣總督府職員錄系統」。

1158—— 生年1901年，據「臺南市同町陳玉榮年三十四」推估，見《臺灣日日新報》，萬金油偽造團，1934年1月31日，第8版。卒年未詳，僅知在1966年曾參加延平詩社擊缽吟會，見《中華藝苑》第131號，1966年5月。

室（1921～1928）。1926年遊歷江南江北及京津等地。[1161]為「南社」、「桐侶吟社」、「延平詩社」社員，與社友許丙丁、葉占梅、莊孟侯相友善。詩作多見於《臺南新報》、《臺灣文藝叢誌》、《詩報》，以及戰後的《中華詩苑》、《詩文之友》、《臺灣詩壇》等報刊。

（六）廖印束[1162]

廖印束（？～？），名望渠，又名建策，字印束，臺南人。與翁俊明同為「臺灣革命同盟會」的監察委員。為「南社」、「桐侶吟社」社員，亦為以吳萱草為首的「忘憂洞天」十二猴猻之「青猿」，與高懷清、吳子宏等相友善。廖氏居處命名為「無愛洞天」，曾在此開過燈謎會，戰後加入「延平詩社」。詩作多見於《臺南新報》、《三六九小報》、《詩報》、《中華詩苑》、《臺灣詩壇》等報刊。其妻邵祖敏為臺南地院推事，曾當選臺南市議員。1955年延平詩社社員曾以「吟友黃仲甫、許丙丁、顏興、邵祖敏等當選二屆市議員」為由，共張祝筵賦詩紀盛。[1163]

（七）蘇子傑

蘇子傑（1913～1976），號笑鴻亭主人，臺南人。精通各家書法，好金石、水墨，詩文，以詩、書、畫三絕響譽府城，為「國風畫會」創辦人之一，亦為「延平詩社」社員。開設「三省堂禮品行」於臺南市忠義路。獲第25屆臺灣省美展書法部入選第三名、第27屆臺灣省美展書法部入選第二名。臺南市文化局曾為其舉辦紀念展，並收集其作品，編為《蘇子傑先生紀念展專輯》（2001）。

1159—— 參考《臺灣實業名鑑》，見「臺灣人物誌資料庫」、《臺灣日日新報》，萬金油偽造團被告事件已圓滿解決，1934年5月10日，夕刊第4版。

1160—— 生年1902年，據氏撰〈廿三初度賦示占梅小封二君〉推估，見《臺南新報》，詩壇，1924年8月28日，第5版。卒年未詳，僅知在1968年曾參加延平詩社恭祝侯圖壽先生七秩晉四華誕擊缽吟會，見《詩文之友》第28卷第2期，1968年6月。

1161—— 參考《臺灣日日新報》，派回故鄉，1899年7月4日，第4版、《臺灣日日新報》，筵祝剪辮，1912年3月6日，第5版、《臺灣日日新報》，漫遊大陸，1926年6月25日，第4版。

1162——生卒年未詳，僅知1969年仍參加延平詩社擊缽會，見《詩文之友》第30卷第6期，1969年10月。

1163—— 參考《中華詩苑》第1號，1955年2月。

（八）吳榮富（1951 ～ 2018）

　　字修文，臺南海尾寮人。幼年因家貧國小輟學，父親擔心他識字不足，遂送往安南區海尾朝天宮私塾就讀。曾隨邱登榜學習傳統詩文，紮下深厚的漢學基礎，在詩壇有「末代塾生」之稱。以半工半讀方式完成國中、高中以及大學學業。其後，並接連取得中文所碩、博士學位。吳榮富博士論文以李義山為研究對象，他不只研究詩，更擅於寫詩。大學時期在成大鳳凰樹文學獎古典詩組競賽中，囊括前四名，自後該系增設新規定，限制每人至多投兩首詩參賽，被戲稱為「吳榮富條款」。不只在學院表現優異，大二時參加「延平詩社」課題，以〈倦鳥〉一詩奪得左元，其詩云：

　　密雨斜風翅懶飛，舊巢未補力衰微。
　　烏衣巷盛泥空落、金谷園殘景已非。
　　野渚愀啼霜露冷，荒山怠舞羽毛稀。
　　臨江顧影形骸瘦，萬里飄零嘆未歸。

其後，在大學擔任教職，從助教、助理教授到華語中心主任，教學研究之餘，亦勤於寫詩，是一位跨學院與民間詩社的詩人。詩人學者張夢機曾感嘆道：「三年就有一個碩士，三十年未必有一個吳榮富」，對其期許頗深。著有《青衿詩集》（1981）、《心墨集》（2009）、《飄鴻集》（2014）、《袖海集》（2017）等。2009 年出版的《心墨集》，精選了少年時期至 2008年共 300 餘首詩，所收詩作多為生活感發，亦有許多抒寫時事之作，頗獲詩壇與學界的好評。吳榮富寫詩，也精通書法、國畫，曾數度參加臺南美展、國風畫展、學而書展。擔任成大「華語中心」主任後，開始了展翅高飛，廣宣華語的忙碌生涯，他詩書畫的才華，也在這階段充分獲得發揮。五年間東西旅跡、覽異觀奇、跨國聯吟、師友酬酢……活動極多，遂有《飄

鴻集》的出版。不僅國內外文化交流必須借重他的長才，成大校內的文學地標的篩選與題詩亦然。吳榮富仿古八景詩拈出「成大八景」：榕園攬翠、虹橋觀魚、西門望月、故館幽湖、瑯嬛花海、茄苳臺樹、戎醫文彩，並分別有詩歌詠之，在以理工掛帥的成大校園，別具況味。曾三次獲得教育部古典詩創作獎，中國首屆聶紺弩詩詞獎，屢膺南瀛文學獎、玉山文學獎、臺北市文學獎古典詩評審委員，常年擔任臺灣文學館《全臺詩》審查委員。2018 年病逝後，家人將他養病期間所寫的 30 餘首詩詞編為《詠懷集》。

二、舊臺南縣詩人

（一）黃圖

　　黃圖（1900～1980），字鯤南，臺南縣西港鄉南海村人。為地方望族，人以「圖伯」稱之。少從宿儒吳溪讀書，漢學造詣頗深。1962 年當選西港鄉長，卸任後，創立南寶樹脂公司，任董事長，並創辦港明中學。擔任西港慶安宮主委時，曾於 1974 年舉辦全國詩人大會。1975 年受聘為「鯤瀛詩社」顧問。黃氏熱心公益，每年皆捐贈經費支持鯤瀛詩社，本身亦積極參加詩社活動。1980 年 9 月 6 日病逝，享壽 81。[1164]

（二）周全德

　　周全德（1905～1978），字雅道，又字子修，號佳詮，又號明園主人，麻豆人。日治時期就讀公學校時，曾從林泮、王炳南學漢文，精通四書、五經與史記。1935 年畢業於商專，日間就職於商務機構，夜間則自設書房講授漢文。曾於佳里鎮佳里興、西港鄉大竹林等地設帳授學。1938 年就職於高雄市新和鐵工廠，擔任會計兼總務主任。戰後，轉往北門農校任

1164——《鯤瀛詩社課題》，1980年9月9日。

教，兼北門女職簿記。1955 年曾應新營家職之聘，擔任國文、簿記、經濟學教師。1970 年退休後，任教於天仁工商職校講授經濟學。1973 年因體弱，辭卻一切教職，專心著述。著有《明園詩草》、《佳詮文集》、《儒家教育學說》等。[1165]

（三）吳新榮

吳新榮（1907 ～ 1967），號震瀛，又號史民、又號夢鶴、兆行、延陵生、世外居士、琄琅山人等，北門郡將軍鄉漚汪堡人（今臺南市將軍區），為日治到戰後臺灣重要的醫生詩人兼文獻學家與政治人物。1928 年，到日本就讀東京醫專，留日之時除參加社會運動，亦積極投入文學創作。1932 年 9 月畢業返臺，接替其叔父吳丙丁，執業於佳里醫院，並組織「佳里青風會」及「臺灣文藝聯盟佳里支部」，為「鹽分地帶」文學代表人物。1961 ～ 1964 年間，吳新榮與四位同僚在佳里中山路尾設立「新生聯合醫院」，後遷入新生路酒家「樂春樓」原址，並於 1994 年改名為「新生醫院」，由子嗣經營至今。

吳新榮擅長書寫隨筆與新詩，受到父親吳萱草影響，也涉獵了古典詩。日治晚期至戰後，致力於臺南縣文獻史料的蒐集，1952 ～ 1960 年與洪波浪、石暘睢、陳正祥共同纂修《臺南縣志稿》。1960 ～ 1966 年，主編《南瀛文獻》共 16 期，在其中發表多篇田野調查、訪問者老後撰寫的論文。著有《震瀛自傳》（1948）、《此時此地》（1952）、《震瀛回憶錄》（1963 年開始寫，未完）、《琄琅山房隨筆》（1965）、《震瀛隨想錄》（1966），並有日記留存。

[1165]── 參考黃生宜撰，〈周全德傳〉，《鯤瀛詩社課題集》，1978年12月16日。

日治時期吳新榮的父親吳萱草為了保存漢文化的種苗,曾在佳里組織傳統詩社「白鷗吟社」,戰後改為「琅環吟社」。吳萱草逝世後,改稱「佳里詩社」,由徐青山擔任社長。1962年地方人士有意重振當地詩風,於是往訪吳新榮談論相關事宜,吳氏認為父親過去對佳里地區舊詩壇貢獻頗大,作為漢詩人之子,確有責任繼承其事業,因此允諾擔任詩社發起人。希望繼承過去白鷗、琅環詩社的精神,以敦睦地方風雅人士,發揚地方文化為目的。該組織由吳新榮、陳昌言、黃生宜、魏順安、莊金珍、黃玉崑擔任發起人;鄭國津、徐青山擔任顧問。1962年的11月12日,佳里詩社召開詩人大會,決議將該社擴大為全縣性的組織,社名改為「鯤瀛詩社」,推舉吳新榮擔任社長,與另一個全縣性的詩社「南瀛詩社」同為姊妹社。[1166]吳新榮這位新文學的創作者,抱持著改革舊詩的態度投入組織詩社的行列,在〈談詩〉一文中寫道:

> 我想這個舊革袋要來盛新酒,要來加添時代精神,使能趕上太空時代,而貢獻於國家社會。至於詩的形式,我們不必拘束,形式是歷史造成的。英國有英國的形式,希臘有希臘的形式,古代有古代的形式,現代當然要有現代的形式。其形式越美化、越整齊、越純粹、越簡潔,就是好詩,因為詩是文學的精英。又詩的精神我們一定要提倡:高潔的風度、豪傲的意志、素樸的氣品,這都可為詩的基本精神,又是我們起碼的需求。[1167]

對於古典詩過於講究平仄、用典,吳新榮頗不認同,他在〈新詩與我〉一文寫道[1168]:

1166—— 參考《吳新榮日記(戰後)》,1962年10月9日、14日、11月12日之日記,臺北:遠景出版社,1981年10月。

1167—— 此文收在張良澤編,《琅琊山房隨筆》,臺北:遠景出版社,1981年10月,頁99。

1168—— 此文收在張良澤編,《琅琊山房隨筆》,臺北:遠景出版社,1981年10月,頁171。

我們受過日本教育的人，我們不經過五四運動的人，對於舊詩的甚麼「平仄」，甚麼「典韻」，覺得太生疏太麻煩了。但是對於詩韻，我是贊成雲萍兄的主張，有詩就有韻，不過我們對韻學的不了解和不研究，一時連詩韻也反對在內。

作為詩人之子、兼古典詩社社長，吳新榮有時還是必須寫那些看起來合格律的詩，比如〈鯤瀛詩社成立紀盛〉（鯤瀛詩社擊缽）[1169]：

裙屐聯翩勝會張，鯤瀛旗鼓看堂皇。
栽培後學人文粹，繼起前賢道義彰。
雅韻悠揚傳海國，風騷管領有山房。
缽聲響徹詩聲壯，喚醒吟魂振八方。

〈春日謁南鯤鯓廟〉（鯤瀛詩社第 23 期課題）：

驅車喜趁暖風輕，頂禮王前表至誠。
靈蹟重瞻山臥犬，雄圖忽憶海騎鯨。
臨流水湧璇宮麗，歷劫泉浮石井清。
地闢五王堤一角，代天開府護蒼生。

但是，他最感自在的還是出於真性情，依其內在韻律而寫的，平淺、自然而且令人感到親近的詩：

沛然驟雨至，雞犬亂徘徊。一笠籬邊去，百年新樹栽。雨過竹床臥，綠蔭清風來。靜拂全身汗，遠聽半天雷。呼兒取報看，滿篇傳戰災。朝雲

1169——《中華藝苑》第96號，1962年12月。

萬里目空蒼世事誓不問，奈何心未灰。妻告晚餐備，酸筍又鹹菜。本欲與父飲，此酒且慢開。（1949，〈夏夕〉）

小雅花園裡，琄琅山房居。四籬果樹茂，滿庭風景舒。我治血高症，絕食肉與魚。去日忙碌多，而今閒有餘。興來牧雞犬，倦即讀詩書。午時休綠蔭，夜靜望太虛。已決處世外，何愁友日疏。古今誰無病，生死本一如。

（1951，〈養病吟〉）

一朝五件事，吃睡讀牧工。鐘錶時分秒，輪環無始終。早午晚三餐，白飯與青蔥。工作過半天，收支恰相同。時有雞犬事，要我主持公。原來爭一食，根本理不通。大地夜半靜，人盡入夢鄉。我竊讀新書，又喜古作風。

（1951，〈一日事〉）

臺灣古瀛洲，山河盡綿綢。或稱華麗島，橫鎮太平濤。延平創基業，唐劉立遠謀。萬國有保障，四海無敵仇。政治順民主，人民愛自由。願我諸兄弟，繁榮永悠悠。

（1954，〈我愛臺灣〉）

可惜還來不及進行漢詩界改革，吳新榮於 1967 年 3 月 27 日北上參加友人黃寄珍的晚宴後，不幸因心臟病，猝然去世，享壽 70。實為臺灣文史界與詩壇的一大損失，令人扼腕。

（四）陳啟迪

陳啟迪（1917～？），嘉義人，原為「麗澤吟社」社員。戰後擔任菁寮、水上、後壁國小教師。後棄教從商，經商失敗後遷至臺南六甲鄉，與新營陳帶、謝清祺，柳營劉樺鑌重振「新柳詩社」，除寫詩外亦通風水、醫術，著有《陳啟迪詩集》。[1170]

（五）吳應民

吳應民（1922～2014），號林泉居士。福建惠安人，擅長書法、詩詞。1946年來臺，於西港國小任教逾40年，1989年退休。1986年冬，邀集同好，成立西港「慶安詩社」，並擔任社長。詩題多能扣住時代問題，如〈選戰〉、〈掃黑〉、〈飆車〉、〈西港刈香〉等。長年為當地詩詞愛好者舉辦講習班、輔導教師，並多次開展大型的吟詠活動。著有《守墨軒詩文集》。[1171]

（六）莊秋情

莊秋情（1938～），臺南市學甲區人，臺南師院畢業。早年師事賴闓、賴玉山父子，研讀經書；其後從傅震龍學詩。曾任東陽國小校長、國學研究社社長、臺南縣文獻委員會委員、學甲謎社社長（1995），現為臺南市學甲藝文推進會理事長。莊秋情為「鯤瀛詩社」社員，其詩極重視現實問題，對世局尤感憂心，〈時世愁〉云：「時潮詭變世蒙塵，滾滾狂濤感慨頻。政客爭權堪誤國，匪徒玩法屢殘民。淳風歛跡邪風起，正氣消聲霸氣伸。改造心靈醫絕島，宏開大覺醒迷津。」以直接而強烈的手法，批判邪惡扭曲的時代風氣，希望透過心靈改革，使社會臻於美善。[1172]著有《丹楓詩聯

1170—— 參考龔顯宗，《臺南縣文學史》，臺南：臺南縣政府文化局，2006年12月，頁324。

1171—— 參考彭瑞金，《臺南文學小百科》，臺南：臺南市文化局，2014，頁94-95。西港玉敕慶安宮，資料來源，http://www.koestudio.tw/QingAn/taiwan/002-temple/masterpiece/link/poetry.html，2022/09/06檢索。

1172—— 參考彭瑞金，《臺南文學小百科》，臺南：臺南市文化局，2014，頁157-158。

集》（2001）、《丹楓詩聯集》《丹楓耕文集》（2011）、《丹楓詩集續編》（2011），編有《臺灣鄉土俗語》、《學甲古今采風詩萃》（2022）。

（七）陳進雄

陳進雄（1939～），臺南市佳里區人。南英商業職業學校畢，曾服務於臺南高等法院，擔任書記官，又轉任監察院協查秘書數十年。自少從黃生宜學習漢詩文，後又從王鵬程、李步雲等詩壇前輩學詩，詩藝日進。20多歲加入「延平詩社」，平日喜讀杜甫詩，受其對仗句法影響；並學李商隱，習其創意與布局。公職退休後，致力於漢詩文之推展，擔任「中國傳統詩學會」常務監事、「臺南鳳凰城文史協會」、「臺南市圖書館國學講座」、「秀峰社區基金會」詩學講師。先後擔任「鯤瀛詩社」總幹事（1963）、副社長，「延平詩社」總幹事、社長（1980年至今）、「南瀛詩社」副社長（1976），並積極參與全臺詩會。與多位臺灣漢詩人：花蓮陳竹峰、臺東王養源、臺北蕭獻三、新竹張奎五、桃園鄭指薪、臺中施少峰、高雄陳皆興都有交誼。著有《儷朋吟草暨楹聯集》（2019）、《儷朋／聆月詩集》（合撰者吳素娥，2021）。

（八）吳素娥

吳素娥（1939～），臺南市將軍區人。曾從「大目道人」施獻忠學詩，又受到臺南詩壇前輩葉占梅指導，漢詩作品以白描手法記錄風俗民情、盛會雅集。詩詞平易、老少能解，屬於寫實派詩人。為延續漢詩命脈，曾奉師命，替鄉親開班授課。參加全國詩人聯吟比賽，多次掄元，經常應邀擔任詩歌聯吟詞宗。與其夫婿陳進雄合撰《儷朋／聆月詩集》（2021）。

（九）吳登神

　　吳登神（1946～2022），臺南市北門區人。筆名吳中。六歲起即從伯公吳溪學習詩文，奠定深厚的漢學基礎。幼年家貧，父親吳昌裕早逝，為負擔家計，初中畢業即在家幫忙農務，後北上求職，因謀職困難，遂提前入伍。服役期間，參加國軍隨營補習考試，取得高中同等學歷；其後，就讀政治大學附設空中行政專科補習學校，取得專科學歷。1969年普考及格，任職於北門鄉公所，擔任村幹事。1971年分發至臺南縣稅捐處佳里分處服務，是年，因參加詩會，獲黃生宜先生賞識並指點，遂加入「鯤瀛詩社」，終生尊黃生宜為其詩學老師。1975年受聘為「鯤瀛詩社」總幹事，1981年起以總幹事身分，協助社長舉辦大規模的全國詩人聯吟大會，參加者多達500餘人。1983年與「月津詩社」社長蔡清海共同申請成立「中國國學會臺南分會」（1991年改為「臺南縣國學會」）。1985年接任「鯤瀛吟社」社長，積極主辦課題、徵詩、徵文，及各項文化活動。55歲提前退休後，致力於傳統詩詞的推展。曾任學甲慈濟宮、佳里昭清宮國學講師，中華民國傳統詩學會及中國詩人文化會副理事長、臺南縣國學會總幹事及會長、臺南縣政府文獻諮詢委員及文獻委員會顧問、「鯤瀛吟社」名譽社長，學甲法源寺國學研究社講師。曾獲內政部「詩教獎」、教育部「閩南語著作獎」、「國學貢獻獎」，在全國詩會亦曾多次獲獎，比如1978年11月臺北企銀董事長兼詩人陳逢源舉辦全國徵詩〈北臺風光圖〉，吳登神在1608首投稿的作品中，獲選第三名，可見其創作功力，其詩云：「首埠繁華景物饒，中興有兆筆干霄。天光十里圓山月，海浪千重淡水潮。點綴丹青晴歷歷，增添聲勢氣超超。北臺名勝全描繪，一紙攤開見盛朝。」著有〈溪底寮志〉（1979）、〈千金譜考釋〉（1984）、《詩律探微》、《臺灣漢語

語法概論》、《吳中詩稿》（2014）。編有《鯤瀛詩文集》（1994）、《鯤瀛文獻》（2001年起）、黃生宜《生宜吟草》（2001）、吳溪《百川詩文集》（2011）、洪子衡《子衡吟草》（2020）等。

（十）洪鑾聲

洪鑾聲（1946～），臺南北門區人，曾與文壇耆宿謝裴元、洪春風學詩文、書法，又與其父研習道學，為天師府大法師、道教文化雜誌社社長，並創設「守玄壇」。生平雅好詩文、工書法，諳文獻、通民俗。急公好義，為人排難解紛，為「鯤瀛詩社」顧問，經常該社詩會活動。[1173]

（十一）洪高舌

洪高舌（1953～），臺南北門蚵寮人。曾任鯤瀛詩社、臺南縣國學會、臺灣語文教育學會總幹事、中華傳統詩學會監事、小學鄉土教育支援教師。洪氏苦學有成，師承洪吉川、吳登神，能詩文。曾獲得鯤瀛國學著作獎、南瀛、臺南市文學獎、傑出資深傳統詩人獎、登瀛詩學獎、王獎卿文學獎、臺灣省政府績優詩社個人表揚。其詩多能關注歷史的縱深，〈踏查佳里〉：「佳里文風盛古今，鏗鏘鉢韻響儒林。地名蕭壟源流古，社立鯤瀛歲月深。輻輳車輿晨至夜，繁華街路昔輸今。北頭洋過尋耆宿，平埔人蹤尚可尋」。〈鯤瀛詩社、臺南縣國學會正名誌盛〉：「詩文國學並包融，臘月正名筆陣雄。結社鯤瀛聲氣壯，會揚南縣續勳隆。傳薪八秩培新秀，立案九年繼古風。盛日慈宮人濟濟，歡欣老少興無窮」。著有《洪高舌聯集》、《洪高舌奮勉五十年》、《南鯤鯓代天府見聞記》（2017）。[1174]

1173── 《鯤瀛詩社課題》，1980年10月。
1174── 參考彭瑞金，《臺南文學小百科》，臺南：臺南市文化局，2014年，頁117-118。

三、在臺南的外省詩人

（一）程蘅

　　程蘅（1878～1966），字芝仙，安徽休寧人。國共內戰時，因次女邵祖敏調職任臺南地院推事，故前來臺南依親。時有〈暮冬敏兒接余到臺南消寒樓船中口占〉：「顛簸驚殘夢，舟行破浪艱。雲低天接水，風急海生還。碎器聲相應，敲窗膽愈屭。不堪迴首處，老父話臺灣。」[1175] 抵臺南後住在開山路的次女家，其後加入「延平詩社」，經常參與該社擊缽課題，亦曾參加臺南全省詩人大會。曾與舊桐侶吟社詩友往訪佳里詩人吳萱草，時有〈無憂洞[1176] 圖成開擊缽吟會桐侶詩社社友各以自名為一猿余應以仙字入詩〉：「不作頑仙即散仙，攀懸躍戲眾山巔。歸來嘯傲無憂洞，飽食蟠桃享大年。」將自己列為「忘憂洞天」十二猴猻之「仙猿」，與詩友同樂。1955 年延平詩社曾以〈長春花〉為題，舉行擊缽詩，賀程芝仙 78 歲榮壽。同年程氏再度參加全國詩會，有〈乙未全國詩會取余榜次　高友以難得稱之愧書一絕答之〉：「全國詩人鬥韻來，依稀龍虎榜重開。司壇都是耆年客，玉尺量寬少棄才。」可見其詩才頗佳，1957 年 3 月出版個人詩集《芝仙吟草》。

（二）陸宗炎

　　陸宗炎（1915～？），廣西人，早歲服務軍旅，日本戰敗時，曾入越南參加受降，後任職警察局，退休後中風，遂以左書。1975 年加入「鯤瀛詩社」，經常有詩詞作品發表於《鯤瀛詩社課題》與《詩文之友》，多懷鄉之作，亦有在地書寫。[1177] 比如〈忘憂洞萱草行誼〉，即對佳里詩人吳萱草及其在金唐殿所組的「佳里詩社」之吟詠：

1175—— 作者註：「甲午（1894）先嚴在臺。」
1176—— 按：應為「忘憂洞」。
1177——《鯤瀛詩社課題》，1978年5月7日。

儒居洞裡可忘憂，殿號金唐亦伴留。

況聽常吟如繞耳，追懷故主牧童叟。（其一）

此地曾為蕭壠幽，賡詩創社始邀儔。

嶼江乍改蘆溪後，問難詞人日不休。（其二）

七二長齡似急流，風光印影浪隨浮。

洞天詩集多遺跡，懷古嗟噓冷九秋。（其九）

　　與友人遊秋茂園有〈遊臺南秋茂園與張朝暉遊歸後作〉[1178]，為八〇年代臺南風景勝地留下文字記憶：

朝雲萬里目空蒼，風送輕車向早陽。

笑樂忘年心共賞，名園秋茂日方長。

清和景色不勝看，林裡遊人各有歡。

牛背牧童書在手，後生當悟振儒冠。

暉上雕檐六象金，聯肩亭外坐藍陰。

眼前拋俗怡幽境，草木蔥蘢一片枕。

小地流連興意酣，欲辭回首此情甘。

何尋鴻爪留相憶，賦得歸吟夢亦馣。

（三）王兆元

　　王兆元（1916～？），中央陸軍官校政治科畢業，抗戰勝利後，曾在無錫國學專修館肄業。後就業於國軍退輔會，偶有詩詞表發於《鯤瀛

1178——《中國詩文之友》304期，1980年5月。

詩社課題》，比如〈桂枝香〉（雙十與重九在同日誌感）。〈賀吳中先生三十書懷韻〉：「踏破關山易感秋，歷經變亂更多愁。壯懷逝去徒憐老，事業拋荒此念休。夢裡故鄉俱是幻，課中潦倒恨無儔。餘年結得詩文友，最喜吟鞭逐白頭」，對於在臺灣能找到詩文同好，稍感欣慰。又有〈窮途五友頌〉，謂自己生不逢辰，窮途之時，唯有茶煙牌詩酒，是他五個好朋友：「無事茶乙壺，有酒詩千首。飄渺揚輕煙，一支欣在手。周末聚蕭齋，盧雉呼座右」，頗能展現生活趣味。

（四）段錦雲

段錦雲（1903～？），號韻昌，湖南衡陽人。1953 年來臺，1954 年 2 月任高雄湖內鄉公所人事管理員，1970 年退休。1981 年加入「鯤瀛詩社」，曾自述坎坷身世，並在《鯤瀛詩社課題》徵詩，引發社友熱烈迴響。著有《錦廬小詩》及《古今聯集粹》。

（五）朱遐昌

朱遐昌（1923～），浙江省磐安縣人，現居臺南北門。自幼喜愛書法，尤其對古詩詞最感興趣。1949 年隨國民政府渡海來臺，1959 年退役。1964 年進入臺南師專當工友，1969 年通過中學教師檢定考試，任教之餘、以吟詩、習字、拉胡琴為樂，並拜書法大師朱玖瑩門下，為其十大弟子之一。1978 年畢業於高雄師範學院，曾經擔任臺南師專詩詞班指導老師。歷任臺南市後甲國民中學國文教師、臺南市文藝作家協會副總幹事兼詩歌組長、臺南市教師國樂團南胡主奏、臺灣省書法學會會員、臺灣省古典詩

黃文慧，〈百年鯤瀛詩社之研究〉，嘉義大學中文所碩士論文，2013年，頁149。華人百科，https://www.itsfun.com.tw/%E6%9C%B1%E9%81%90%E6%98%8C/wiki-9135591-8709481，檢索日期：2022/09/13。

社社員、臺南市浙江同鄉會總幹事。2011 年加入「鯤瀛詩社」，著有《四樂軒吟草選集》、《四樂軒行吟三部曲》等書，作品曾多次獲獎。[1179]

（六）何夢萍

何夢萍（1926 ～　），湖南人，隨軍至臺灣。退役後入花蓮師範就讀，畢業後分發到臺南縣將軍鄉長平國小任教。退休後，學習詩詞，加入「鯤瀛詩社」，創作頗積極。著有《夢萍詩草》、《水沽山人文集》。[1180]

第二節　戰後臺南古典詩社群的寫作主題

戰後臺南古典詩多以擊缽、課題、徵詩為主，閒詠詩數量偏少。以下從詩社的集體創作，略述戰後至今臺南地區古典詩社群所關懷的議題。

一、時序遷流下的王城記憶

鄭氏領臺 23 年（1661 ～ 1683），其後歷經清朝統治 213 年（1683 ～ 1895）、日本統治 50 年（1895 ～ 1945），從臺南市詩人群的創作主題可發現，經過時間的推移，府城人士似乎仍有遺老遺少的情懷。從該社的詩會命題來看，懷舊的色彩非常濃厚，許多題目都鑲嵌了「懷古」二字：〈赤嵌懷古〉（1951）、〈奎樓懷古〉（1956）、〈六街懷古〉（1957），有一部分背負著傳統漢文化包袱的府城人，總是頻頻回顧，很難向前邁開腳步。「延平郡王」與「王城」的意象似乎根深蒂固地在詩人的意識底層（因此詩社名為「延平」）。〈鄭成功焚儒服〉（1956.7）、〈延平郡王銅像揭幕〉（1956.8）、〈鄭成功復臺三百年〉（1961）……都是延

1180── 參考龔顯宗，《臺南縣文學史》，臺南：臺南縣政府文化局，2006年12月，頁273-274。

平世家符碼的再現。即使到了 1966 年，一個看似輕鬆的擊缽題目〈崁城春曉〉[1181]，奪得左元的王榮達，詩裡還是有很深的鄭氏王朝影痕：

> 雨過天晴好，古都淑氣融。
> 燕飛南郭路，鶯囀北園風。
> 鯤海波翻碧，王城日向紅。
> 豈唯春景麗，祠祀鄭成功。

北園，是鄭經母親居住的庭園，名稱幾經變更，到戰後已是開元寺的時代，但是，詩人腦中深烙的還是以臺南為首都的古城，還是帝王之母的庭園。斜陽西下，映照的是紅豔豔的「王城」，而這個王，就是府城人不能忘懷的延平郡王鄭成功。為何短短二十餘年的鄭氏政權，這麼值得懷念呢？其中當然有在地臺南人的在地情感，不能否認的也有執政者以中華民國的遷臺比擬當年鄭成功退守臺灣的用意。因此，南明史在戰後，異乎尋常地受到矚目。鄭成功志在復明的精神，與國民政府心心念念要反攻臺南復國，有相當大的可類比性。試看蘇子傑和黃起濤的同題詩，都很清楚地把兩者間的關係銜接起來：

> 東都傳淑氣，細草醉和風。花咲呼晴鵲，泥融認曉鴻。
> 春光盈綠野，歲次壯青驄。<u>效法延平志，相期命世雄</u>。（蘇子傑）
> 曉光升島嶼，瑞氣滿晴空。海闊濤流碧，樓高瓦映紅。
> 敲詩參武廟，擊缽振文風。<u>立馬南寧路，何時策反攻</u>。（黃起濤）

春去秋來，時序流轉，鄭氏父子所興建的東寧王朝[1182]、鄭經時期所興建培育人才的孔廟[1183]、明代遺老李茂春隱居的夢蝶園 [1184]、殉國的五妃埋

1181——《中華藝苑》第129號，1966年3月。
1182——〈夏日王城晚眺〉（1988）。
1183——〈春日謁孔廟〉（1955）、〈杏壇夏蔭〉（1957）。
1184——〈夏日過夢蝶園〉（1969）

身的桂子山與祠廟[1185]，不斷透過詩歌命題，交疊映現在延平詩社文人群筆下。這種透過群體活動反覆吟詠的主題，幾乎已成了一種揮之不去的魅影，甚至形成府城文人的潛集體意識。1960年延平社長白劍瀾所提的南市十二名勝（1960），其中至少有四個景點以上與鄭氏有關，便是明證。[1186]

二、鄉鎮聚落的農漁景觀

至於以農漁為主的舊臺南縣，比較沒有上述舊臺南市詩人那麼沉重的歷史包袱。詩人在擊缽徵詩命題時，往往會扣住當地的景觀或物產來書寫，比如黃生宜在「佳里詩社」時期有〈麻豆攬勝〉（1960）[1187]：

秋日驅車景物宜，曾文到處探新奇。
薄雲遠罩龍喉穴，微雨輕飄菱角池。
文旦滿園占曉露，檳榔幾樹映朝曦。
風光入眼吟懷暢，一路歸來好詠詩。

以輕快之筆寫秋高氣爽的時節，驅車前往麻豆所見，沾染著微雨與曉霧的菱角與文旦，及至次日清晨，朝曦映照著具有在地特色的檳榔樹，使人詩意勃發，因得以一路以愉快的心情歌詠而歸。麻豆是臺灣最重要的文旦產地，又有傳說中好風水「龍喉穴」，湧出的甘泉不僅可以滋潤萬物，亦可以培育人才。詩人在字裡行間總會以這個特點，以及豐饒的物產，作為在地的指標。比如1962年佳里詩社課題〈蕭壠秋煙〉，黃生宜寫到「千點淡濃柑桔柚，萬條深鎖稻糧禾」，徐青山則云：「淡抹桑麻柑桔角，輕籠蘆蔘菜溪阿。」皆屬之。

1185——〈登桂子山〉（1956）、〈暮春登桂子山〉（1972）。
1186——南市十二景直接與鄭氏時期有關的有：〈鄭祠探梅〉、〈法華夢蝶〉、〈妃廟飄桂〉、〈北園冬霽〉。可以牽連上關係的有〈鹿耳沉沙〉、〈赤崁夕照〉（以白劍瀾詩為例）。
1187—— 吳登神編，《生宜吟草》，臺南：鯤瀛詩社，頁17。

與麻豆相鄰近的佳里，同樣也是農產品的盛產地。林泰助在〈佳里春色〉[1188]（1960）如此描述：

輕煙淡盪罩街墟，柳暗花明任展舒。

十里煙青甘蔗葉，一籬露白苦瓜蔬。

蔗糖昔時是臺灣重要的經濟產物，臺南一帶乃種植甘蔗、製作蔗糖的重鎮。佳里糖廠舊名蕭壠製糖所，興建於 1905 年，是明治製糖株式會社在臺灣所設立的第一個新式糖廠，廠區約 13 公頃。戰後改為臺糖蕭壠糖廠，1958 年與總爺糖廠合併為麻佳總廠。[1189]林泰助在一九六〇年代所書寫的「十里煙青甘蔗葉」，呈現的就是當時甘蔗蒼翠茂密的景觀。林天圖同題詩，也把這個素材納入，展現麻豆、佳里重要的農經產業：

雲淡風輕二月初，野紅妖翠炫街墟。

<u>麻佳糖廠朝暾映，八卦磚窯夕照餘。</u>

黃標（秋錦）在〈蕭壠秋煙〉[1190]裡，也同樣寫出佳里的甘蔗、苦瓜與磚窯：「中山堂外隨車起，八卦窯前逐馬過。十里濛籠甘蔗滿，一籬濃繞苦瓜多。」

另外，舊臺南縣關廟鄉產鳳梨，全臺著名，尤以關廟陸軍山所產，質量最佳。陸軍山鳳梨約 1,000 公頃，包括關廟、新化、歸仁、左鎮四區，所產鳳梨都送到關廟集散，一公頃鳳梨田一年可生產 60 噸，執全國鳳梨產業的牛耳。1956 年 8 月，關廟敦源詩社主辦臺南縣秋季詩人聯吟會，詩題〈虎陂鳳梨〉[1191]，目的在凸顯關廟鳳梨的特色，試看下列幾首詩，

1188—「佳里詩社」課題。

1189— 維基百科「佳里糖廠」，https://reurl.cc/q00k7D，檢索日期：2022/09/14。

1190—「佳里詩社」課題。

1191— 此組詩收於《臺灣詩壇》第11卷第2期，臺南縣鯤南吟社丙申秋季聯吟大會首唱，關廟敦源吟社主辦，1956年8月。

指出鳳梨的產地在關廟（香洋）[1192]陸軍山，外型如龍麟鳳尾，汁液甘甜，可解渴清心，鳳梨皮還可以釀成酒。因為品質好、產量多，名聞世界。銷售海外，為國家賺來不少外匯：

增產猶宜闢草萊，陸軍山下幾栽培。
露凝果似驪珠抱，風動葉疑鳳尾開。
誰復尋涼沉苦李，人同止渴望酸梅。
塵心煩熱詩腸燥，合藉波羅沁潤來。（陳昌言）
種遍山隈又水隈，香洋名產冠蓬萊。
滌煩冷齒含瓊液，消渴清心勝玉醅。
身燦鱗紋龍嶺去，風搖鳳尾虎陂來。
波羅聲譽傳中外，國際商場獨占魁。（林玉輝）
新豐故郡著蓬萊，翠葉葳蕤處處栽。
種異波羅來梵域，名齊文旦出臺南。
絳紋黃質能消渴，餘汁殘皮能釀醅。
馳譽寰球爭外匯，裕民富國阜吾財。（陳子波）

值得注意的是，日治時期南瀛古典詩所具有的濃厚海洋特色、鹽鄉意象，到了戰後變得相當淡薄，詩人們似乎「陸地化」了。不只佳里的詩人群如此，濱海的北門、七股、西港地區的詩人亦然。在舊臺南縣詩社的各類命題裡，當年王大俊、王炳南等人所寫的港溪風物。捕魚破蚵、歸棹漁唱，幾乎從日常生活中消失了。主要的原因在於臺灣西海岸屬於礫質、砂質或泥質海岸，大河都由此注入海洋，泥沙堆積旺盛，海岸線因此逐年向西推

[1192]—— 香洋是臺南關廟的舊地名，「香」指的是稻香，「洋」有「大」的含意，所以香洋就是一大片美麗稻田，也就是關廟在鄭成功時期的豐饒畫面。仁德歸仁關廟，https://reurl.cc/dmm7Nq，檢索日期：2022/09/14。

展。曾文溪以南的臺南潟湖，已逐漸陸化與本島相連，而有海埔新生地的產生。戰後，臺南縣政府首先開發曾文溪口北岸的七股共 500 公頃，沿海居民接著在北門鄉開發雙春、保安，又取得 400 公頃作為魚塭。「臺灣省海埔新生地開發辦法」（1956）公布後，臺南縣政府與土資會七股、製鹽廠、水利局等單位，大規模開發海埔新生地，至 1980 年共開發 5,884 公頃。七股所開發者，盡為新鹽灘。[1193]

1964 年 3 月南瀛詩社癸卯秋季聯吟會，詩題〈曬鹽〉，可以放在這個脈絡來觀察：

渾疑雪積與冰凝，煮海驕陽玉屑蒸。
不待當年膠鬲販，爭將外匯歲收增。（李步雲）
幾訝藍田玉屑凝，日光煮海有明徵。
叮嚀鼎鼐調羹手，珍重如珠總也應。（薛咸中）
別格分區海水澄，辛勤粒粒日蒸蒸。
誰知汗更醎於滷，六月天時望結凝。（蔡元亨）
煮海熬田費幾層，滿畦如玉日光凝。
記從仲父匡齊後，黎庶於今效法仍。（陳昌言）
曝成粒粒趁秋澂，萬頃如田曉日蒸。
郎去引潮儂掃雪，裕民富國助中興。（陳先致）

詩人寫煮海熬田後，鹽山如雪積冰凝，與天光映照，不只可以用來調和鼎鼐，更可以做為經濟產物，裕民富國，原來井然有序的鹽場，是政府經營策略中的一環，已經成為經濟產物。早年詩人筆下的鹽鄉海市，似乎逐漸

1193—— 參考石再添，〈臺灣西海岸線的演變及其海埔地的開發〉，臺灣師範大學地理學研究報告第6
期，1980年，頁14-19。

與居民生活越行越遠。1963年鯤瀛詩社課題〈海埔新生地〉,可以看到滄海桑田的地理變遷,也看到詩人對開發新生地的殷殷期待。或盼望可以有經濟效益,厚植國本,或盼望該地成為可農耕的良田,甚至物產豐饒之後,可以再度振興文化,使之成為海濱鄒魯:

> 萬里荒蕪接海陬,墾耕開拓待良籌。
> 若能磽地成膏壤,國本豐隆振九州。(黃秋錦)
> 徒勞精衛恨千秋,海乍填平陸乍浮。
> 儂自插秧郎叱犢,他年擊壤聽歌謳。(陳進雄)
> 灘頭不少綠汀洲,淤積泥堆歲月悠。
> 地政劃頒民力墾,廢荒地可變良疇。(施獻忠)

除了大片鹽灘的開闢,地方政府也試圖重振漁港的功能。1980年〈擴建北門漁港喜賦〉(鯤瀛詩社),可以看到逐漸淤積的西海岸港口,在戰後嘗試做的努力:

> 漁港衰微未忍聞,近傳擴建眾歡欣。
> 神工鬼斧工成日,北嶼繁華獨出群。(黃生宜)
> 擴建蘆更喜訊聞,疏通浚渫惠人群。
> 漁船雲集北門港,滿載魚蝦喜萬分。(沈志成)
> 港竹蘆溝舉國聞,民歌德政樂紛紛。
> 可增國土兼漁產,沿海繁華指日聞。(吳登神)

北門漁港,原名蘆竹溝漁港,位於今臺南市北門區三光里。在將軍溪出口的北側,是北門潟湖唯一的港灣,也是臺南數一數二的機動膠筏港,早年當地溝渠相當多,以蘆竹搭建便橋提供通行,故名。目前漁港功能大不如

前，由於此航道亦為將軍及青山漁港之出口航道，為謀航道之安全便利及臺南縣漁業之整體發展，自 1991 年起在航道南側 2.5 公里處另闢新港[1194]，往日的景觀已不復可見。

三、人際關係的連結

詩不只是詩人用以描景寫物的憑藉，更可用來溝通情感、聯結同好。凡婚喪喜慶或是祝壽、喬遷、開業、考試高中、職業榮升、新居落成……等等，往往以「詩」來連結人際網絡。

祝壽的詩，不用多談，尤其是對當時政壇領袖的歌頌。但是，有時可藉著為詩友祝壽，推算其出生年，比如 1955 年延平詩社曾以〈長春花〉為題，舉行擊缽詩，賀程芝仙詞友 78 歲榮壽。[1195] 由此可推算，「忘憂洞天」十二猴猻，唯一的外省籍，也是唯一的女性「仙猿」程芝仙出生於 1877 年。此外，〈民國六十二年十二月份例會擊缽吟兼祝社友黃天爵先生六秩華誕〉（1974），便可推算延平詩社健將黃天爵出生於 1915 年。

追思弔唁的詩，一方面可以看出詩人的卒年，一方面可以看出詩友對這位辭世者生平的總評。比如 1967 年「鯤瀛詩社」首任社長吳新榮遽逝，社員在哀痛震驚之餘，將所有的弔唁詩編為《佳里鯤瀛詩社故吳社長新榮先生弔詞弔詩彙集》以紀念之。首錄吳新榮最敬重的兩位前輩詩人的輓詩，副社長黃生宜的輓詩亦值得一讀：

〈弔吳新榮先生千古〉　顧問　徐青山
突然駕鶴上西天，悼惜壽終六一年。
吟侶悲揮心血淚，騷壇痛失鷺鷗緣。

1194——雲嘉南濱海國家風景區管理處，https://swcoast-nsa.travel/zh-tw/attraction/details/49，檢索日期：2022/09/14。

1195——《中華詩苑》，1955年4月，頁54-55。

蒐羅古蹟崇文獻，廣活人生妙術傳。

子肖箕裘應克紹，向平未願遽堪憐。

〈哭吳史民社長〉　顧問　鄭靜夫

一夜淒風起，儒林損故枝。

才高神不佑，人善鬼偏欺。

喜曲成悲曲，吟旗換弔旗。

了然塵世界，涕淚數難移。

〈弔吳社長新榮先生千古〉　副社長　黃生宜

天喪斯文世共悲，鯤瀛今日賴誰持。

詩星已墜山房靜，醫道猶存眾口碑。

太惜音容從此隔，傷心典範只空遺。

九原莫起西風裡，哭到無聲輓以詩。

一九五〇至一九六〇年代，吳新榮從戰前社會主義的陣營退了下來，在臺灣社會裡扮演了：「醫生、文獻學者、文學作家」三種角色。除了繼續為病患診療之外，同時積極參加臺南縣文獻會的文獻史料採集，並從事《臺南縣志》的編纂。此外，又加入了古典詩社，原本是日治時期鹽分地帶新詩掌旗人的吳新榮，在晚年有這樣的體悟：

> 在此時期我們甚至讚美古董趣味或復古思想，而回頭研究李白、杜甫，而接近舊詩，因而發生了科學與非科學，新與舊的矛盾衝突。在此苦悶中，我們時常想以科學打進舊詩的陣營，企圖以新方法來改革舊詩的非科學性，所以我現在也願當一舊詩社長。

一方面為繼承父親吳萱草領導臺南縣古典詩社的衣缽，一方面則期待能為舊詩社注入科學精神。可惜，子紹箕裘的願望未能完全實現，便在接掌鯤瀛詩社的第二年，因心臟病遽逝於親友相聚的晚宴後。徐青山和黃生宜的輓詩扣住吳新榮醫師、詩人、文獻家的角色來追悼。鄭靜夫則純以「儒林損故枝」，為故人之子吳新榮的驟逝感到不捨、不平、不甘，「神不佑」、「鬼偏欺」的怨怨；「喜曲成悲曲，吟旗換弔旗」的巨大反差，使得字裡行間充滿濃厚的憂傷之情。

　　至於賀新婚，因為詩社成員的年齡層都比較高，大多是賀其子女的婚嫁而舉行擊缽詩會。比如：慶祝曹幹事井泉先生令郎墨堂君新婚，詩題〈鸞鳳友〉（1970）；祝社員楊乃胡令五媛惠喬小姐在美國與臺中鄭順旺先生令四郎德和君結婚擊缽，詩題〈千里姻緣〉（1971）；為本社詩友黃金郎先生令媛于歸誌喜，詩題〈擇婿〉（1987）……其中最具特色的是1960年慶祝佳里詩社兩社友陳進雄與吳素娥結婚紀念的〈翰墨姻緣〉。施獻忠賀詩云：

> 每於報上讀徵詩，互仰賢名見面遲。
> 女愛陳郎才俊逸，男推吳媛句清新。
> 緣深文字堪成匹，情重乾坤賦結縭。
> 自是香閨增韻事，攤箋唱和到期頤。

黃生宜則題云：

> 翰墨交遊憶昔時，騷壇唱和繫情絲。
> 芳心盡趁詩心動，戀意何當詞意羈。
> 堪羨郎才同小杜，喜看女貌類西施。
> 斯文眷屬成佳偶，大雅扶輪儘可期。

陳進雄、吳素娥夫婦兩人皆擅詩，彼此個性亦投合。吳為施獻忠學生，陳為黃生宜弟子，兩人結婚象徵臺南年輕一代接棒詩歌創作，即將進入嶄新的階段，別具意義。

其他還有：嚴錫昌留美歸國重新懸壺（1957）、慶祝嚴錫昌社友令郎瑞仁君考試日本千葉醫大獲得榜首，詩題〈躍龍門〉（1966）、歡送社員陳基侯先生投資遠洋漁業非洲出國，詩題〈萬里揚帆〉（1967）、慶祝蘇子傑畫展擊缽吟書展紀勝（1968）、慶祝添福社兄大廈落成聯吟擊缽會（1970）……藉由詩，以典雅簡約的形式，與親朋好友同情共感，建立更深厚的關係。

四、宗教與民俗

以屈原為主神的宮廟，在臺灣極為少見，目前僅知有兩處：一是位於臺北市北投區洲美里的屈原宮，二是由屈氏後代在彰化市寶廍里新建的水僊屈原宮。[1196]其實在一九五〇年代，延平詩社成員廖印束（望渠）就曾呼籲建置奉祀屈原的祠廟，該祠果然在 1960 年的秋季完工，並於雙十節舉行開幕式。當時延平詩社以「南社」之名，舉行詩會，題為〈屈子祠落成誌盛〉[1197]。這次的聚會，有幾位難得見到的前輩詩人參與，比如黃欣之弟黃溪泉（谿荃）、趙雲石之子趙劍泉，還有廖印束的岳母女詩人程芝仙，以及比較常出現的前輩詩人王鵬程、葉占梅：

> 時非端午值秋風，追弔詩魂俎豆豐。
>
> 祠立嵌城崇大義，身投湘水紀精忠。
>
> 楚王難悟離騷意，賈誼同懷愛國衷。
>
> 多少黃鐘遭毀棄，三閭祭罷感無窮。（王鵬程）

1196——《自由時報》2021年06月14日 ，https://art.ltn.com.tw/article/paper/1454549，檢索日期：2022/09/15。

1197——《中華藝苑》第73號，1961年1月。

昌明科學利交通，世故人情習俗同。

伐鼓撞鐘恭祭典，迎神入閣禮豐隆。

花含笑臉開朝露，鳥吐歡聲舞曉風。

啟幕欣逢雙十節，普天同慶樂無窮。（程芝仙）

基業功成殿宇新，蘋繁齊奠楚忠臣。

書投賈誼應同恨，祠與延平結比鄰。

蘭茞香飄天以外，詩歌魂起海之濱。

兀然半壁東南壯，好並開山抗暴秦。（黃溪泉）

薦藻殷勤大雅招，地鄰仁德合安橋。

文光永耀鯤身島，忠氣長留虎尾寮。

志潔行芳名久震，騷人墨客拜如潮。

崇高詩教中興日，吾道已南美益饒。（趙劍泉）

嵌山秀氣水流東，俎豆馨香祀屈公。

一卷離騷留憤激，萬年聖教紀孤忠。

魂招湘水懷才恨，猿嘯鯤濤革命功。

安座良辰雙十節，尊崇愛國古今同。（廖望渠）

迎春門外拓新園，大道靈鍾我道存。

山鬼有知應下拜，霸才無主久含冤。

懷沙賦寫三閭恨，扢雅風飄一幟翻。

此日衣冠人濟濟，香吟蘭芷醒詩魂。（葉占梅）

詩推李杜祖三閭，倡建祠堂廖望渠。

沅芷澧蘭攄寄託，獨醒眾醉任訕譽。

千秋香火靈長在，一卷離騷恨有餘。

仁德村西公路北，從今詞客此停車。（陳玉榮）

　　從詩人的作品，可以看出這座屈子祠位於臺南東區（迎春門外），靠近仁德以西的虎尾寮一帶，附近有合安橋，可搭公車前去。倡建者是曾經前往中國參加翁俊明等人組織的「臺灣革命同盟會」會員廖望渠（印東），具有濃厚中國意識的他，或許認為雙十國慶對當時的臺灣意義深遠。因此，儘管王鵬程有點意見的說「時非端午值秋風，追弔詩魂俎豆豐」，但是，詩人群基本上還是讚揚在雙十節迎神，可以將屈原與革命烈士的忠義精神縮結在一起，強調「尊崇愛國古今同」。筆者檢索資料，目前似已看不到虎尾寮的這座屈子祠，希望將來有機會做地毯式的尋訪，為臺灣添加第三座主祀屈原的祠廟。

　　臺南縣的宗教活動，比臺南市更蓬勃。其中有「臺灣第一香」之稱的「西港刈香」為臺灣庄頭陣頭最多的大型廟會。1961 年佳里詩社第 11 期課題，曾以〈西港迎王〉為題，邀請延平詩社王鵬程與王席珍擔任左右詞宗。黃生宜一口氣寫了七首詩，茲錄其中兩首：

「年經三百憶前因，漂泊靈船鹿耳濱。

國聖開臺匡社稷，瘟王登陸庇黎民。

香科[1198]每到神威赫，俎豆常新泰運臻。

七二村民行聖典，家家共慶太平村。」

1198── 香科的「香」，指的是「刈香」，也就是向神明乞取香火的意思，是臺灣西南沿海一帶對神明遶境活動的特有稱謂。香科的「科」，指的則是道教中的法事科儀，所謂三年一科、四年一科、十二年一科，就是三年一次、五年一次、十二年一次的意思，或是以天干地支來稱呼，比如1961年是辛丑，就叫作「辛丑年香科」。

「辛丑余王坐正身，張侯兩聖伴行巡。

代天宣化驅邪寇，繞境稽查護善民。

藝閣歌棚文物古，頭旗涼傘陣容新。

神威赫赫香煙盛，頂禮人來俎豆陳。」

　　黃生宜詩裡提到西港迎王已有近三百年的歷史，傳說乾隆年間有驅除瘟疫為主的王船卡在西港姑媽宮附近的曾文溪河道，後來由姑媽宮聯合附近13個村莊迎請王船上王爺之神尊進行繞境，由此開啟了「西港刈香」的歷史發展。該活動每三年舉辦一次，是南臺灣最為盛大與最負盛名的廟會活動，其涵蓋的地理範圍大致上包括今臺南市西港、七股、佳里、安定、以及臺南市安南區等區域。活動過程首先迎請代天巡狩千歲爺駐駕與繞境，最後以送王為結束。這個活動主辦的廟宇是西港鄉的慶安宮，而三年一次的刈香活動，則由曾文溪流域的庄頭所共同參與。近三百年，參與的庄頭從原先的13庄逐漸擴大為24庄、36庄、72庄、78庄，直到現今九十餘庄之多，可知該宮香科之盛況以及香火之鼎盛。[1199] 1961年詩人所看到的是72庄參與的盛況。迎王隊伍裡，由余文千歲坐正身，伴隨的有張全、侯彪兩千歲[1200]。千歲爺為玉皇大帝授命下凡，巡視人間，賞善罰惡，弭平瘟疫，驅除妖魅，因此稱為「代天巡狩」，所有的村民莫不恭敬膜拜，祈求王爺護佑。在迎王活動裡，除了頭旗涼傘隊伍，浩浩蕩蕩之外，另一個受人矚目的是熱鬧喧騰的陣頭。其他詩人的作品裡，可以看到更熱鬧的景況。比如吳素娥同題詩，寫了「獅陣宋江旗鼓壯，牛犁藝閣舞歌新」，陳先致亦云：「獅陣藝精遵古法，牛犁歌妙見天真」，林天圖則提到「歷代傳來獅子陣，

1199—— 丁仁傑，〈大型地方性網絡：臺南西港刈香村際網絡再思考〉，《漢人民眾宗教研究：田野與理論的結合》第四屆國際漢學會議論文集，臺北：中央研究院，2013年，頁173-174。

1200—— 慶安宮十二值年千歲分別為：申年趙玉千歲、酉年譚起千歲、戌年盧德千歲、亥年羅士友千歲、辰年吳友千歲、己年何仲千歲、午年薛溫千歲、未年封立千歲、子年張全千歲、丑年余文千歲、寅年侯彪千歲、卯年耿通千歲。

於今信仰鶴童神。科期一到王船創，設醮祈安護萬民」，林泰助云：「鐘鼓聲喧鯤海外，登箕高聳碧雲垠。瘟王押後為司令，媽祖當先拓俗塵」……透過不同詩人的作品，可以從不同的面向，補充西港迎王的盛況。

臺南縣的宗交民俗活動，還有鹽水蜂炮、鯤鯓王出巡等入到詩人筆下，都同樣展現了臺灣民間活潑的生命力。

五、文化傳承

1665 年鄭經接受諮議參軍陳永華的建議，興建孔廟，隔年（1666）廟成，旁置明倫堂，從此引入漢人傳統教育制度，正式開啟了臺灣的文教與廟學制度。1966 年適逢建廟 300 年，延平詩社以〈孔廟創建三百年祀典誌盛〉為題徵詩（中華藝苑第 127 號），潘春源的詩一開始即點出 300 年的孔廟，起自鄭經時期：

鄭經手創大成基，三百滄桑耀絳帷。
道貫古今賢聖業，功侔天地帝王師。
文章華國光魁斗，桃李春風出泮池。
首學衣冠嚴祀典，威儀萬世仰宣尼。

高懷清的詩則進一步強調，作為「全臺首學」的孔廟歷經 300 年後，教化啟迪了許多在地人才，使得臺南府城成為海濱鄒魯，可以和孔夫子的故鄉相比擬：

全臺首學紀開基，甲子五更值此時。
木鐸聲喧聾瞶醒，金鐘響徹管絃隨。
輝煌燈燭衣冠麗，馥郁馨香俎豆宜。
大好文章能吐氣，泮池呈瑞已堪期。

臺南的文風之所以蓬勃，與孔廟的創建關係密切。因此，延平詩社的詩人經常以孔廟為題材，反覆歌詠。1966 年，孔廟創建三百年，同時也是延平詩社創社第十五周年，該社徵詩詩題為〈題延平詩集〉[1201]：

鄒魯瀛壖道未窮，興觀群怨策興中。
能揚我武戈揮北，不墜斯文社繼東。
一卷幸逃秦劫火，三臺重寫漢詩風。
延平正氣留天地，發出心聲啟隤聾。（黃少卿）

鐵網珊瑚集海東，延平浩氣真長虹。
名題雁塔文無價，句壯鯤瀛筆有功。
萬彙編成珠錯落，一篇鑄就玉玲瓏。
紅羊劫後斯庵老，芳草桐花尚古風。（林金樹）

嘯詠桐城氣吐虹，珠璣萬斛萃篇中。
七鯤雲彩涵詩幟，兩汕濤聲振筆風。
吟頌騎鯨青史纂，句傳吐鳳碧紗籠。
珊瑚網結歸梨棗，卷署延平意更雄。（周金德）

黃少卿和林金樹不約而同地將延平詩社往上與沈光文開創的臺灣第一個詩社「東吟社」相連結。「不墜斯文社繼東」說的就是，延平詩社能夠上繼東吟社延續傳統漢文化的精神；「紅羊劫後斯庵老，芳草桐花尚古風」說的是經過戰爭，遲暮之年的沈光文（斯庵）因撰述〈草木雜記〉、〈臺灣賦〉而得以名留青史，而今編輯《延平集》亦有此用意，當然以「延平」命名，更能與鄭成功的精神同在。

1201── 從詩人所題的詩來看，當時應該曾編一本延平詩社社員作品集，稱為《延平詩集》，但是筆者不曾見過這本詩集，有待進一步追索。

1970 年 6 月，延平詩社在武廟西社舉行擊缽聯吟月會，並在此立匾。詩題〈延平詩社豎匾紀念〉，奪元的鄒滌暄詩云：

高張旗幟赤崁西，鼓吹中興孰與齊。

長並王祠垂正氣，更為武廟樹新題。

揮毫但見行天馬，擊缽如聞起草雞。

從此招邀多士集，千秋文物史堪稽。

詩中點出赤崁、王祠、武廟三個地點，是實際的地景，也是歷史記憶。說到延平王，是要與他的浩然氣節同存；說到祀典武廟，則要強調延平詩社豎匾的所在是在武廟的西社文昌祠。張旗立匾的目的要做甚麼？「鼓吹中興」乃其念茲在茲的目標。藉由擊缽揮毫，喚起草雞（即鄭成功）虹霓般的英雄魂，也因此號召多位有志之士，共同為稽考文物、蘸墨為詩而努力。另一位熟悉書法裱褙的社員楊乃胡，則在詩中特別說明匾額上的魏碑字體，乃書法名家同時也是延平詩社社員蘇子傑所題。不只書風如魏晉，詩風也上效宋代的韓愈，對延平詩社的吟詩擊缽有許多的肯定與期許：

傳薪有後火搖藜，廿載延平氣吐霓。

筆擅魏碑推子傑，詩吟宋體繼昌黎。

孤臣闢土園懷北，一匾塗金社豎西。

擊缽于茲欣得所，憑誰妙手作探驪。（楊乃胡）

相較於府城的文風根基於孔廟與延平郡王，臺南縣的詩人自有其文化薪傳的系譜。1973 年南瀛詩社擊缽，詩題〈佳里文風〉，擔任左詞宗的葉占

梅在擬作詩[1202]裡，明白地指出吳萱草出身的將軍庄、以及其後與子嗣吳新榮致力推動古典詩活動的佳里，乃南瀛文化的兩大重鎮。此詩用了漚汪、蕭壠壘兩個典雅的古地名，強調了該地區的歷史深度：

橋過曾文路幾重，青山四面展歡容。
<u>漚汪逸韻流芹藻，蕭壠吟聲協鼓鐘。</u>
細印晴沙騷客屐，暗催花信美人蹤。
<u>欲尋一洞天何處？詩幟高飄世所宗。</u>

吳萱草將與友人吟詩聚會的庭園稱為「一洞天雅園」（至吳新榮時期則改稱小雅園），自號「忘憂洞天主人」，這景點成了南瀛古典詩人最具代表性的文化地標。百年來當地的文風，就是從吳萱草及王大俊、王炳南等人所創辦的「嶼江吟會」開始，凡經 6 次重整後，成為最具影響力的「鯤瀛詩社」。1978 年鯤瀛詩社課題〈忘憂洞懷古〉[1203]，參與者相當踴躍，對於吳萱草、吳新榮父子在文化或醫療（新生病院）方面，具「醫人化俗」之功，對地方貢獻相當大。尤其是文風的鼓吹、人才的提攜，功不可沒，也因此成為南瀛文化傳承的表徵：

忘憂洞外月朦朧，懷古賡詩感不窮。
且喜儒林成桔井，醫人化俗兩奇功。（黃生宜）
一代詩人憶牧童[1204]，延陵子弟盡豪雄。
忘憂洞築新生院，桔井儒林兩盛隆。（黃生宜）
忘憂洞裡盛騷風，牛耳長持起牘聲。
佳里青年憑誘掖，人文彪炳震瀛東。（魏順安）

1202—— 通常擔任左右詞宗的詩人，都會先就當天的詩題擬作一首詩。
1203—— 吳登神編，《生宜吟草》，臺南：鯤瀛詩社，頁141。
1204—— 吳萱草（1889-1960）字牧童，號穆堂。

詩會年年憶牧童，忘憂洞創盛文風。

嶼江直繼鯤瀛社，鼓吹中興唱大同。（謝榮華）

洞署忘憂紀牧童，敲金憂玉響西東。

新榮繼主鯤瀛社，蕭壠蒸蒸振學風。（吳雲鶴）

南瀛文化之盛，也表現在對文物典籍的重視。1975 年 10 月 25 日學甲慈濟宮成立「臺南縣歷史文物館」，首先設置於保生賓館中，1983 年慈濟文化大樓完成後，將文物館遷設在文化大樓的 3 樓。[1205] 創立之時，鯤瀛詩社以〈臺南縣歷史文物館成立誌盛〉作為第 25 期課題，由李步雲、林仲箎擔任左右詞宗。

南瀛文物盛，北嶼碧波澄。史館開新運，詩壇續舊朋。

神祇憑赫濯，墨客獻才能。藻繪江山麗，人來感不勝。（黃生宜）

濟宮餘一角，史館設三層。促進新文化，遵循舊準繩。

功勳追壯肅，史蹟記延陵。南縣添光彩，人來感不勝。（黃生宜）

欣逢光復節，薄海慶歡騰。南縣搜文獻，中州訪雅朋。

書多藏四庫，樓聳壯三層。繼聖衣冠萃，齊揮勁筆凌。（陳希孟）

一角書城麗，衣冠拾級登。南瀛文獻著，學甲墨香凝。

覽勝人懷沈，耕經士仰曾。葉王陶器在，古蹟永堪矜。（吳素娥）

詩人指出位於學甲慈濟宮一角的臺南縣歷史文物館，創設於光復節，共有三層樓高。登樓可遠眺北門嶼的澄澈碧波，館內有臺南縣廣蒐的歷史文物典籍、佳里吳新榮（延陵）為編撰《臺南縣志稿》、《南瀛文獻》而蒐集的史蹟資料[1206]、葉王的交趾陶以及眾多書畫家的詩畫翰墨，琳瑯滿目，

1205—— 臺南縣學甲慈濟宮文物館，https://park.org/Taiwan/Culture/museum/twnmsu/sec082.htm，檢索日期 2022/09/16。

1206—— 1952～1960年吳新榮與洪波浪、石暘睢、陳正祥共同纂修《臺南縣志稿》。1960-1966年，吳新榮曾主編16期《南瀛文獻》，為了進行田野調查，他與志同道合的友人足跡遍佈臺南諸縣市，採訪調查存在於鄉野的歷史文物，並訪問熟諳地方掌故的耆老，而後以相當生動的文筆寫成一篇篇的採集論文。參考施懿琳撰《吳新榮傳》，南投：臺灣省文獻會，19年6月，頁177-192。

美不勝收。1980 年，鯤瀛社長黃生宜在〈鯤瀛詩社七十年〉[1207]詩，即展現了南瀛文化在幾經淬鍊與傳承後，鹽分地帶詩人群所煥發的熠耀光彩，令在地人倍感榮耀：

社創鯤瀛七秩間，六翻改組克難關。

承先啟後欽賢哲，繼往開來起劣頑。

氣節猶追文信國，胸懷不減白香山。

<u>鹽分地帶騷人粹，黼黻詞章振海灣。</u>

府城漢詩人，除了英年早逝的林秋梧、戰後邃逝的黃欣、洪鐵濤以及 1949 年過世的黃拱五之外，舊臺南市比較活躍的詩社成員有：早期「南社」的吳子宏、高懷清、白劍瀾、葉占梅、王鵬程、謝汝川、林海樓、洪子衡、楊乃胡，以及戰後積極加入「延平詩社」的李秉璜、黃少卿、黃天爵、吳榮富等，維持一定的創作力。舊臺南縣方面，幾位重量級的詩人王大俊、林泮、王炳南先後辭世，創作力依然豐沛的有：李步雲、吳萱草、鄭國禎、陳嘯、黃生宜、施獻忠、陳昌言、陳明三等，尤其是吳萱草、李步雲、黃生宜三位前輩詩人，更帶動了臺南縣新生力軍的創作能量，使得年輕一代的接棒者如吳新榮、陳進雄、吳素娥、吳登神，在古典詩壇展現優異的成果。這階段由於中華民國退守臺灣，少數外省籍詩人，如程蘅、陸宗炎、朱遐昌等落腳在臺南縣市，亦納入本章討論。

1207—— 吳登神編，《生宜吟草》，臺南：鯤瀛詩社，頁188。

戰後臺南古典詩多以擊缽、課題、徵詩為主，閒詠詩數量偏少。本章從詩社的集體創作，略述戰後至今臺南地區古典詩社群所關懷的議題，包括：時序遷流下的王城記憶、鄉鎮聚落的農漁景觀、人際關係的密切連結、宗教與民俗、文化傳承……，為戰後大臺南地區的古典詩書寫，添增了豐富的內涵，灌注了蓬勃的活力。

　　臺南古典詩的創作不只在詩社推行，大學院校的詩選習作、校內文學獎的古典文學類也在學院教師的指導下，培育出許多優秀的青年俊才，成功大學鳳凰樹文學獎即為典型的代表。此外，過去比較忽略古典詩創作的臺南市文化局，近年來也逐漸注意到這個板塊的存在，因此在年度文學獎裡加入古典詩項目。2015 年開始舉辦古典詩主題「山海新象」徵詩，其後皆以主題徵詩形式舉行，2019 年起納入文化局承辦的「臺南文學獎」，並限定以七律 3 首或 3 首聯章的方式參賽，投件者相當踴躍。從得獎作品來看：〈南鐵東移拆遷即事三首並序〉（何英傑）、〈臺南古跡書懷三首〉（陳亭佑）、〈臺江三詠〉（陳文峯）、〈府城鹹酸甜〉（林綉真）、〈臺南飲食日常三詠〉（李玉璽）、林恆範〈己亥年與日本筆友遊臺南〉、鄭世欽〈安平詠懷三首〉……都可以看到以組詩形式書寫的古典詩，相當能凸顯臺南的在地特色，也能與臺南的時事結合。2016 年 11 月 5 日，由文化部指導，奉茶源有限公司、成功大學蘭花研發中心、蘭花生技及文創產學聯聯盟主辦，成功大學中文系、臺南大學中文系等單位協辦的「王者之香古典詩臺語朗誦比賽」，乃為配合蘭展所舉辦的文學活動，參加者不乏民間詩社詩人及大學院校學生，這類活動讓古典詩與臺南市民的生活有了更具體的結合，也由此看到古典文學在二十一世紀臺南地區的延續與傳承。

漢語現代文學

◆ 許倍榕

前言

　　相對於「古典文學」，從本卷開始，將談論日本殖民統治時期臺南的
「現代文學」。我們將以創作語言區分，梳理「漢語現代文學」與「日語
現代文學」的發展情形。至於密切相關，但具有獨特發展脈絡，且語言可
能同時涉及漢語、日語，或表記方式更為多元的項目，包含「現代戲劇」、
「臺語文學」及「兒童文學」，則另以專卷介紹。

　　「現代文學」在臺灣的出現，與諸多亞洲國家的情形相似，約莫在
十九世紀末至二十世紀初之間，被迫步入以西方現代國家為範本的轉型歷
程，並在壓縮時間內重組新舊文化與學術。隨之而來的現代意涵「文學」，
既相承也撼動著傳統知識體系。它與人的解放、民族獨立、國家獨立、現
代國家體制等課題相連，同時包含自由、平等、公平社會等理念，亦牽涉
國家意識形態統合，及文化之間的競爭。十九世紀末的臺灣，在日本殖民
統治下，可說以「不太充分」的方式，朝向了所謂現代國家體制的進程。
然而，若不要過度理念化歐洲與日本的現代模式，正是這樣的「不太充
分」，形成往後臺灣特有的文化個性：新舊的堆疊與調和、被動或主動保
留相對殖民文化的「異質」、未過早被職業化及商業化淹沒反官方思想。
有其難解的課題，但也富含獨特的活力。

　　在日本殖民統治五十年間，臺南的漢語、日語現代文學發展，以組織
性的活動為明顯特徵，且不少作家同時涉及多種文類的創作。因此以下章
節，將依時序演進，分別敘述漢語現代文學、日語現代文學的發展，並以
集團活動為主，介紹其文藝思想、表現，同時探討文化環境與文學課題的
變遷。

漢語現代文學

　　本單元將說明臺灣的現代文學發展，除了過去較為熟知的認識，即漢人民族運動開啟「新文學運動」之外，其實與殖民者的統治方針和教育政策密切關連。我們將由此切入，敘述「現代文學」的出現。並進一步探討，在殖民地的語言政治下，「漢語現代文學」所面臨的時代處境，而出身臺南的知識分子，如何回應這樣的政治，開展出哪些文化行動和寫作。如果要提供一個初步構圖，來概述日治時期臺南的漢語現代文學，我們可以從幾個關鍵詞把握其特色，並勾勒發展脈絡：臺灣總督府醫學校、臺灣總督府國語學校、臺灣文化協會、演講會、文協電影巡映隊、文化劇、興文齋書局、臺灣民眾黨、赤崁勞働青年會、工運、臺語流行歌、民間文學、民俗研究、文獻整理。

　　首章將分析日本的殖民統治，如何透過「同文」籠絡臺灣仕紳階層，同時弱化傳統學術，逐步建立新的知識體系。日治初期至一九一〇年代末，「文學」從傳統的「學問＋文章」概念，慢慢轉變為「語言藝術」，一九二〇年代初，臺灣漢人社會也在邁向現代國家的想望中，加速推進從文言到白話的語言改革。此章我們將談及臺灣留學生於東京成立「新民會」、發刊《臺灣青年》，並透過參與其中的臺南人黃朝琴等人，概述此時期臺灣知識階層的思想特色，特別是他們對於「寫作」的總檢討，除了發展言文一致體，也呼籲「寫作」的社會責任，期待建立新的政治關係──在文化之間、民族之間、國家之間，及人我之間。

　　隨著新文學運動的初動，我們會看到張梗的登場。他畢業於臺灣總督府醫學校，在校期間與學長蔣渭水開始往來，曾參與學運抗議日臺差別而

險遭退學。往後與蔣渭水等人共同籌組「臺灣文化協會」（以下簡稱「文協」），除了醫學校的學生，也聯合了不少臺灣總督府國語學校的學生，包含臺南出身的盧丙丁、林秋梧。他們後來都成為文協「電影巡映隊」的辯士。而他們的學長蔡培火，也是後來文協的要角，在臺南任教期間，影響了林占鰲等人。同樣幾位臺灣總督府醫學校的學長黃金火、韓石泉、王受祿，畢業後也返回臺南從醫，並積極參與文協，推動臺南的政治與文化運動。此後黃金火成立「臺南文化劇團」，除了韓、王兩人之外，參與者還有林占鰲、林宣鰲、陳華、郭琴堂、盧丙丁、梁加升、莊松林等人。這些人在 1927 年臺灣文化協會分裂後，大多加入「臺灣民眾黨」，並成立外圍組織「赤崁勞働青年會」，透過文化演講及演劇從事政治運動，也到各地聲援勞工運動。同時，他們以林占鰲兄弟經營的「興文齋」書局為據點，發行《反普特刊》雜誌，後來更創刊了左翼雜誌《赤道》。這些行動時常串連起當時臺灣三個漢語現代文學的社群：臺南、彰化、臺北艋舺，也為戰爭時期乃至戰後漢語寫作者的相互提攜與合作奠定基礎。

一九三〇年代初期，臺灣政治運動遭當局打壓，重心逐漸轉移到文化運動，各地紛紛出現文學結社和文藝雜誌。當時知識階層圍繞「創作語言」，及文藝的「大眾性」、「文學性」、「民間文學改寫與整理」等議題，產生諸多爭論。這些論爭，除了檯面上的文學議題，其實與知識階層的價值取向和行動方法，以及他們如何回應殖民地的文化政治等，有著深刻關連。而其中「創作語言」，除了文學史經常提及的「鄉土文學／臺灣話文論爭」之外[1]，1935 年前後，也因日語寫作的日趨成熟，產生漢語寫作遭受排擠的問題。漢語寫作面臨的時代處境，與許多漢語寫作者後來參

與臺語流行歌產業，及文藝團體之間的矛盾、往後全島性組織的「臺灣文藝聯盟」走向分裂，其實都直接相關。我們會在此脈絡下，介紹臺北的「臺灣文藝協會」裡的蔡德音，及創辦《臺灣新文學》雜誌且支持漢語寫作的日語作家楊逵。

往下，將介紹由《赤道》成員延伸出的臺南在地文藝團體「臺南藝術俱樂部」，及安平青年林勇等人的文化活動。其中莊松林、林勇等人，後來也步向文獻整理工作，繼續活躍於戰後。最後，以宋斐如、劉吶鷗為主，補述日治時期在島外以漢語從事文化活動的臺南人。除了上述幾個關鍵連結之外，其實宗教，特別是佛教、基督教，在這段歷史中具有不可忽視的影響力，但本文無法深入探討，僅在個別作家生平裡簡略提及。

1——陳淑容依據一九三〇年代鄉土文學論爭中不可斷然分割的兩個主要議題，為此論爭重新命名為「鄉土文學／臺灣話文論爭」，並考察論爭的發展有兩階段：第一次論爭（1930～1932）、第二次論爭（1933～1934）。陳淑容，《一九三〇年代鄉土文學／臺灣話文論爭及其餘波》，臺南：臺南市立圖書館，2004年12月。

第一章
「現代文學」的出現

本文「漢語現代文學」，是由「古典文學」銜接到「現代文學」的章節，文中的「現代文學」，乃指以現代語言表現的語言藝術創作。臺灣的「文學」現代化過程，有兩個面向必須同時考慮，一是「文學」概念由傳統的「學問和文章」朝向「語言藝術」；二是表現形式由文言朝向白話。兩線的發展並非完全一致，我們將由「現代文學」出現，藉由大範圍的歷史演變，向特定的臺南文化團體、人物聚焦，讓臺南漢語現代文學的發展樣貌與歷史細節能層次清晰地呈現。

第一節　從文章到語言藝術

一、「語言藝術」觀念的發展

　　在臺灣社會，一九二〇年代不僅是臺灣漢人「新文學運動」（當時主要相對所謂「古文學」、「舊文學」而言，創作語言包含漢語、日語）出現的年代，也是當時殖民者在臺日本人的現代文學逐漸蓬勃，及官方文學教育浮現的時期。這些時間點的重疊耐人尋味，顯見這種言論環境與文化發展，除了過往我們較為熟悉的詮釋方式，認為漢人新文學運動來自由下而上的變革之外，其實也與當時日本在臺的統治策略變化相關。

　　現代文學出現於臺灣社會之前，臺灣歷來的漢文文獻中的「文學」，大抵指「學問＋文章」。[2]這類寬泛用法到了日本殖民統治初期仍舊延續。不同的是，受西歐現代藝術觀念影響，日本在一八八〇年代中期後，原先與「學問」（漢學）緊密相連的「文學」，逐漸轉換為「藝術」的一種領域。然而新的概念經歷長時間才穩定下來，明治二〇年代（1887～1896）的「日本文學史」所談的「文學」，仍是融合漢學知

2—— 臺灣歷來的漢文文獻，如方志、詩文集或各類著述中的「文學」，大抵不出漢字文化圈「文學」一詞所涉範圍，即學術、經籍文獻、教育、官名、有學問之人，或與寫作相關的文章、文才等。意涵伸縮性大，且基本上需放在以儒學為主的學術體系中理解。而我們今日歸類為「文學」的詩文，則常以「藝文」、「文藝」、「文苑」，有時也以「文學」等統稱之，作為士大夫階層的教養，統合於維繫君權制度與階層秩序的經學體系中。關於英語、漢語、日語中的「文學」概念的演變歷史，請見筆者〈日治時期臺灣的「文學」概念演變〉，成功大學臺灣文學系博士論文，2015年。

識傳統與西方人文學觀念的廣義文學，包含美文，及歷史、哲學、政治等寫作。而談及「文學界」、「文壇」時，基本上仍指言論界，同樣涉及廣泛的寫作，包含哲學、歷史、思想、政治、宗教等。相對於此，則出現指稱狹義文學的「美文學」、「純文學」、「軟文學」等用語，主要為語言藝術的作品。其後因日本面臨「國民文化」的時代課題，詩歌、戲曲的改良運動陸續出現，且有意識與西歐文明競爭，翻譯模仿的詩、小說也在知識階層中流行起來，西歐現代藝術觀念與特定文類受到關注，許多同人組織相繼結成並蔚為勢力。到了明治三〇年代（1897～1906），「文學界」、「文壇」等詞彙，大多已指向詩或小說團體。而甲午戰爭到日俄戰爭前後，日本的民族主義急速發展，此後日本本位的強化，推進了狹義文學的發展。特別是甲午戰爭後，由於傳統漢學的權威日漸滑落，從德川時期（1603～1867）便逐漸強化的「漢／和」特徵，即儒學之「理」相對於日本之「情」，更頻繁地出現於媒體。這種對描寫技法、情感、虛構想像等的重新評價與重視，與狹義文學容易趨近。[3]就在日本的「文學」逐漸由廣義朝狹義轉化的時期，臺灣成為日本的殖民地。

　　儘管1895年後日本的漢學傳統權威性明顯降低，但統治初期官方仍積極透過「同文」之便，以漢詩文為交流手段與臺灣仕紳階層建立友善關係，這類雅會交際在1897年已見盛況。[4]當時在臺灣流通的各式日、漢文的著述或刊物上，常見指涉廣泛的「文學」。日治初期的出版品中，不時看到廣狹義文學並陳的景象，「文學」常有文教、學術、博學之人、文章、言論界、能文者等意涵。

3——本文關於日本的「文學」概念分析，主要參考自：鈴木貞美，《日本の「文學」概念》，東京：作品社，1998年。中文版：鈴木貞美著，王成譯，《文學的概念》，北京：中央編譯出版社，2011年。鈴木貞美，《日本の文化ナショナリズム》，東京：平凡社，2005年12月。鈴木貞美，《「日本文学」の成立》，東京：作品社，2009年10月。

4——楊永彬，〈日本領臺初期日臺官紳詩文唱和〉，收於若林正丈、吳密察主編，《臺灣重層近代化論文集》，臺北：播種者，2000年，頁39-42。

此外，雖然日治初期已出現標榜「文藝雜誌」的刊物，但無論「文學」、「文藝」、「文壇」等用語，仍經常意指廣範圍的「寫作」，在報刊雜誌上也常出現探討文士道德與職責的文章。所謂「文士」，乃撰文為業之人，其寫作範圍，往往涵蓋政論時評、生活感想、藝術創作、娛樂消遣等，相當廣泛。在「文學」、「文藝」朝向語言藝術的專門領域過渡的時期，既能看見「文學」帶有傳統讀書人的議政性格，也帶有文人消遣的特性，同時又漸漸具有審美獨立價值的認知。

由在臺日人發行且直接標舉「文藝」的雜誌[5]，目前可知最早有 1899 年創刊的《文藝新誌》，它是以漢文為主的刊物，參與撰稿者有籾山衣洲、羅秀惠、李逸濤、張麟書等人。[6]該誌標榜融合新學，且「多屬新奇之文字」，有意為讀者廣搜博載「新穎之文藝」。這裡的「文藝」，接近傳統的「文章」，亦涉及廣範圍的撰述寫作。不過約莫此時期，「文學＝語言藝術」的用例已開始散見於臺灣的報章雜誌。

可以推測臺灣漢人知識階層透過有限的媒體，逐漸接觸不同意義的「文學」，也提高對特定文類的關注，但新的知識體系，對其影響仍有限。一來因文字語言隔閡；二來因殖民者的懷柔政策，保留了以儒學調節社會秩序的運作模式（即透過知識階層維繫傳統儒學社會中的忠孝倫理，並期待逐步轉化為天皇制國家的「臣民之道」）[7]，因此傳統學術的主導地位、與知識階層的依存關係都仍穩固，新的概念容易被吸納進既有知識體系。這種穩定關係出現鬆動，且臺灣人有感須重新辨別「文學」，則有待往後幾年，殖民者在臺推行的教育政策與文化統合，更明顯地衝擊既有學術體系，於是過去意指學術總體的「文學」，開始產生了內質的變化。

5──根據裏川大無的〈臺灣雜誌興亡史〉所載，臺灣最早的「文藝雜誌」，是1899年由新竹縣知事櫻井勉所創辦的《竹塹新誌》。此時日本「文藝雜誌」亦未發達。櫻井勉愛好創作，不僅刊行雜誌，甚至從日本找來「文客」。（《臺灣時報》183，1935年2月。）但這些寫作活動大多僅出於「生活調劑」，可說是一九二〇年代以前在臺日人語言藝術類寫作的主要特徵。

6──〈雜事‧文藝可觀〉，《臺灣日日新報》，1900年2月14日。

7──相關分析請見游勝冠，《殖民主義與文化抗爭：日據時期臺灣解殖文學》，臺北：群學，2012 年。

二、漢文的再定位與文學領域的形成

殖民統治初期，當局透過漢詩文與臺灣仕紳階層建立友好關係，到了 1898 年兒玉源太郎就任臺灣總督後，民政長官後藤新平整備的統治體制，儘管仍基於「保存舊慣」立場而保留漢文，但漢文的定位與意義卻受到了極大的重塑。

1900 年 3 月 15 日總督府於臺北淡水館召開揚文會，會中後藤新平為了說服臺灣仕紳配合當局推展公學校教育而進行了一場演說，此次談話中，已見統治者開始緩和地否定漢文的當代價值。演說內容未否定漢學的博大精深與歷史價值，無損臺人的文化尊嚴，然而實際上卻是以相當安全卻具破壞力的措辭，在表現敬重的同時，開始溫和地瓦解漢文的權威性。

事實上這種對漢文定位的重整，特別是將其價值「古典化」，並非源自臺灣殖民體制的設計，在甲午戰爭之前，日本的自我形塑過程已不斷反覆地再定位中華帝國文明。於是漢文在當代學術中逐漸退化為一種「古典權威」，在政治方面，是維繫君臣倫理的思想依據；在文化方面，特別是一國文明史中，相對和文的「美」傳統，漢文是「知」傳統的主要根據，同時也是風雅傳統的正宗。

後藤的演說，以「古典權威」承認漢詩文的優位，卻又同時合理化其「非現代」、「非實用」的特性。在此論述下漢詩文的社會地位與生存空間基本上被確保下來，然而相對於文化界的這種「殊榮」，總督府教育政策的實際走向，卻是讓漢文教育逐步解體，課程設計以「簡易、實用」為名而初階化，並逐漸確立日文的優先性。後藤的演說已呈示這種政策輪廓，也架構出殖民地臺灣的漢文定位。

除此之外，教育界也出現了漢文科廢止論爭。[8]無論何種立場都可以看到，在統治者的「同化」政策中，「漢文」已逐漸失去與「日文」平行而進的地位。[9]其知識價值同樣被古典化，被定位為歷史經典而非當代之學。漢文科廢止論爭論爭結束不久後，1904 年 3 月，總督府公布公學校規則改正，漢文科獨立，授課時間由每周 12 小時縮短為 5 小時。此舉顯示當局不再依賴漢文在同化教育上的工具性意義。[10]

從揚文會後藤的演說，到漢文科廢止論爭、公學校規則改正，可以看到官方立場的言論，一方面將漢文擱置在古典及審美價值上，保留漢詩文活動空間，藉由古典權威保全仕紳階層的社會威望，以維持其社會角色，強化忠孝倫理；另一方面則透過宣傳日本特殊的國體、歷史及文化特徵，配合新興建設與現代學術的展示，強化「中華帝國：擁有古文明卻積弱不振」、「日本帝國：與時俱進而成今日強國」的對照。在此文化關係中，合理化漢文教育的改革，以簡易實用等名義弱化其教學內容，讓漢文傳統逐漸從當代學術中退場，也深刻影響往後漢語寫作的發展。

這種朝兩極端的漢文發展，確保了「漢詩文教養」的社會地位，但在政策上卻讓漢文素養的培育漸失國家制度的支持。於是經過殖民統治最初的那幾年，傳統學術及教育體系即使未被摧毀，也已不再穩固，吸納「新學」成為趨勢，而新的「文學」概念也隨之而來。

此時期除了從漢文定位與教育制度著手之外，殖民者的言論控制也日益嚴緊。1900 年 1 月，在後藤新平主導下頒行「臺灣新聞紙條例」，

8——這場論爭約從 1900～1903 年，核心人物是橋本武及平井又八，兩人圍繞著漢文能否承擔同化教育任務而展開議論。橋本基於「國家教育的立場」，否定漢文及儒學之於修身教育的功能，認為語言教育與精神感化是一體的，因此主張廢止漢文科，強化「國語」教育；相對於此，平井則肯定儒家經書的價值，認為應透過漢文與漢學經典實現臺灣人精神的「日本化」。

9——陳培豐，《「同化」の同床異夢：日治時期臺灣的語言政策、近代化與認同》，臺北：麥田，2006 年，頁100。

10——室屋麻梨子，〈《臺灣教育會雜誌》漢文報（1903-1927）之研究〉，成功大學歷史系碩士論文，2007 年 6 月，頁 55。

並於同年 2 月公布「臺灣出版規則」。當時雖存在一些時事評論報刊，但言論空間逐漸緊縮。此時標榜「文藝」、「文學」的雜誌，則有 1902 年 4 月，《臺灣民報》[11]記者村上玉吉（村上神洲）創辦的《臺灣文藝》雜誌。在創刊祝詞裡可以看見，這本雜誌被定位為「文學雜誌」。[12]或許基於經營考量，在當時臺灣有限的日語閱讀市場裡有意滿足所有讀者，雜誌內容囊括了詩歌、俳句、散文、小說，還有標榜「本社獨特」的「廣告小說」[13]，及有關武術、戲劇、花柳界的訊息等。

就在此時，臺南也曾出現一本綜合雜誌《南溟文學》，從《臺灣日日新報》的「新刊紹介」可以看到，這本雜誌至 1903 年 12 月（第 1 卷第 12 號）為止都有出刊消息。其他在 1910 年以前發行、以語言藝術為主的雜誌，則多為俳句及短歌的同人雜誌。[14]一九〇〇年代初期，在臺灣發行的「文藝雜誌」、「文學雜誌」，儘管內容仍涉及廣泛寫作，且其中語言藝術類的寫作大多基於消遣娛樂的需求，但「文藝」、「文學」作為一種與其他學問分離的範疇，這樣的觀念與文化活動已在形成。

三、文學的社會地位提升與非政治化

「文學」概念趨於審美化，也與當時日本的狹義文學發展已出現顯著變化有關。在日本，狹義文學約莫於 1906～1910 年間逐漸超越廣義文學，成為「文學」的主要意涵。[15]在臺灣的報章中我們也能觀察到這種趨勢，雖然這類文章大多出自日人之手，但可想見在這種言論環境中，當臺灣知識人接受新學時，更容易與漢文的抒情傳統、美文觀念產

11——此《臺灣民報》為日人創辦的刊物，1898 年發行，1904 年停刊。

12——大久保門外，〈臺灣文藝の發刊を祝す〉，《臺灣文藝》第 1 號，臺北：臺灣文藝社，1902 年 4 月 15 日，頁 4-5。

13——「廣告小說」是當時日本大眾文藝雜誌上流行的形式，通常由商店或廠商委託撰寫與商品相關的宣傳小說。

14——包括俳句雜誌《相思樹》、《綠珊瑚》，以及宇野秋皋創辦的短歌雜誌《新泉》、僅發行 3 號的《にひ星》等。

15——鈴木貞美，《日本の「文学」概念》，東京：作品社，1998 年。

生連結。於是「文學」一詞中的「學問」成分持續萎縮，到了此時期則更明顯朝向「寫作」，且「審美性質的寫作」地位大為提升。[16]

語言藝術成為「文學」的主要意涵，且社會地位提升，與此時當局的積極介入有關。日俄戰爭結束後，日本社會呈現不穩氛圍，當時出現一種普遍的精神傾向，渴望尋求「人」的自由解放。在此潮流下，興起了日本自然主義革命，強調如實描寫生活細節，解析人的心理及行動，且不迴避黑暗醜惡。此後雖出現不少深具社會性的作品，但發展愈趨極端。對統治者而言，此風似有動搖社會秩序之虞，於是往後有部分雜誌以「風俗壞亂」之由遭禁止發售，當局也開始思考如何積極培養「健全的文藝思想」。此時期的新聞記事裡可以看到，「文藝」、「文學」更明確指向小說、戲劇、詩歌等語言藝術。同時也看到「文學」擔負培養「高尚情操」的任務，作為一種道德教育開始被提起。

1915 年 2 月，臺北出現一個藝術同好組織所發行的綜合文藝雜誌《蛇木》，該雜誌由蜂谷彬（當時任職於通信局）擔任編輯，成員裡有多位總督府職員，此刊的「文學」更穩定地指向語言藝術，由於部分成員出身政治世家[17]，可以推測這個團體除了同好會性質之外，亦作為社會教育組織而受當局支持。《蛇木》創刊後不久，臺北艋舺也出現另一個團體「臺灣文藝同志會」，發行《紅塵》雜誌。這個組織同樣與總督府關係密切[18]，強調只要是「無關施政」的文章都會刊登。[19]

無論是《蛇木》或《紅塵》，可說都與前述一九一〇年代後當局言論控制、思考文藝管理、將藝術導入德育等動向息息相關。從這些團體與官方的關係來看，其雜誌發行與各類活動的舉行，或許可視為官方道德教育

16——如魏清德在〈祝臺灣文社發刊之詞〉中對「實用之文」與「美文」的評述。《臺灣文藝叢誌》第1 號，1919 年 1 月 1 日。

17——如關口泰（時任總督府工事部事務官），其曾祖父關口隆船，是日本江戶幕府的幕臣，祖父關口隆吉繼其後，是幕末到明治時代的政治家。父親關口隆正，1896 年左右來臺，曾任臺中辦務署長。另一位成員高木義幸，則是當時學務課長隈本繁吉的外甥。

18——會長是當時擔任總督府土木局長的角源泉（1871～1942）。

推廣的一部分，正因與統治階層德育關係緊密，此時期的「語言藝術」，更進一步脫離娛樂消遣的性質，而這也促使臺灣社會的「文學」地位提升，且有逐漸發展為專業領域的趨向。

但在「文學」專業化、審美化的動向中，開始產生了一種與「政治議論」保持距離的寫作傾向，如《紅塵》特意聲明的「無關施政」。該雜誌第二號更清楚地自我界定為「與實際生活稍有距離」的「純文藝」雜誌 [20]，而臺人的雜誌也可見相同傾向。1918 年底以櫟社成員為核心發起的「臺灣文社」，在隔年發刊的《臺灣文藝叢誌》所揭示的組織規則中便明文規定：「此叢誌所揭登之文字概不越文學之範圍，凡有涉及政治時事者一切不錄」。從該誌的內容來看，其「文學」意涵也是廣狹義調和，且知識階層已開始習慣將廣泛的寫作（包含小說戲曲）統稱為「文學」或「文藝」，並規範其「不涉政治」的性質。

我們可以從這些日人或臺人的文藝雜誌裡看到，在當時的臺灣社會，一個審美化的「文學」概念逐漸形成，而過去較為寬泛的寫作傳統中，士大夫或文士所具備的議政性言論正在萎縮甚至隱沒。當然這種寫作傾向，或因言論控制，為避免政治干預而致，但並非所有知識人都能認同，在文社內部也曾引發爭議。[21]這種衝突一方面因傳統士大夫的議政傳統仍受重視，一方面也與這時期的世界局勢有關。由於國際上出現許多革命運動的範本，加上日本 1918 年首度產生政黨內閣，隨即 1919 年也調整對臺統治方針，改派文官總督，施行「內地延長主義」，使一九一〇年代以來臺灣本土資產階級醞釀的改革，出現了付諸實踐的契機與條件。

19—〈臺灣文藝同志會設立の趣意〉，《紅塵》第 1 號，1915 年 6 月 1 日，無頁碼。

20—白潮，〈編輯室の窓より〉，《紅塵》第 2 號，1915 年 7 月 24 日，頁 51。

21—可參考張麗俊，《水竹居主人日記》（1920 年 9 月 26 日）的紀錄。臺北：中央研究院近代史研究所、臺中：臺中縣文化局，2002 年 11 月，頁 309。

第二節　從文言到白話

一、知識人對寫作的總檢討與黃朝琴

　　這是中國新文化運動影響進入臺灣前，臺灣人所處的社會環境，與經歷的「文學」變化。可以看到，臺灣人展開組織性的政治運動與文化運動之前，「文學」一詞其實並存多義，在這種沒有衝突的並陳與調和裡，可以看到狹義文學觀念帶來了一些異於傳統學術與寫作的標準，但仍未真正撼動傳統儒學中鞏固倫常分際與社會階序的思想，甚至在審美化的傾向裡，逐漸喪失傳統士大夫的社會批判意識。

　　進入一九二〇年代，隨著日本獨占資本擴張，臺灣本土資產階級因為在經濟上無法獲得優質條件，在政治上也無特殊權利，儘管積極參與體制，卻仍無法獲得平等待遇，在此背景中，民族意識逐漸抬頭，並凝聚成向殖民者舉起叛旗的力量。而較有系統接受新式教育的世代也已成年，他們的知識立場、閱讀習慣、感覺、審美傾向、語言風格、世界觀，與其父祖輩已有不少差異。

　　1920 年初，在蔡惠如、林獻堂等人的支持下，東京的臺灣留學生成立了「新民會」，同年 7 月創刊《臺灣青年》雜誌，在首號中有陳炘〈文學與職務〉一文。這篇文章裡所談的「文學」，是延續《臺灣文藝叢誌》裡涉及廣泛寫作範圍的「文學」概念，但相較於過去面向個人或特定階層的寫作態度，陳炘所談的「文學」，已含有現代國家藉以凝聚內部文化認同的「民族文學」觀念。因此在談論寫作者的真摯情感及思想之外，他強調必須面向眾人。他提議參考「民國新學」中的「白話文」，採用言文一致體作為傳播文明思想的工具，除了表現對民眾啟蒙的關注，也對知識階層的社會責任重新做了省思與呼籲。[22]

22—— 陳炘，〈文學與職務〉，《臺灣青年》1：1，1920年7月16日。
23—— 甘文芳，〈實社會と文學〉，《臺灣青年》3：3，1921年9月15日。

這種對知識階層的反省，也在不久後甘文芳的〈實社會と文學〉（現實社會與文學）[23]中看到。該文對傳統社會的「士」階層提出批評，認為他們被賦予社會政教上的優位，卻對社會問題的探討與改變缺乏熱誠。文中所談的「文學」也是廣義概念，包含史傳哲理等較廣範圍的寫作，但同時並列西方語言藝術觀的狹義文學，且關注其「反社會」的性質。相較於《臺灣文藝叢誌》裡同樣廣狹義並存，但試圖與政治保持距離的「文學」概念，甘文芳站在截然不同的立場，呼籲寫作的政治批判力量。可以說一九二〇年代初這批籲求社會改革的撰文者，是對「寫作」一事，及對擁有能力及資源從事寫作的知識階層，進行了澈底的檢視與反省。

1921 年 12 月，陳端明在《臺灣青年》上發表〈日用文鼓吹論〉，該文的「文學」較接近傳統的「文章」概念，並將其分為「常文：日用文」與「文藝文：詩辭歌賦」。他認為前者雖便利，但在臺灣不受重視，因此呼籲文體解放，使撰文者能充分表達思想感情，加速知識文化普及以促進「國民團結」。此文的焦點同樣是知識人社會責任的提醒，及朝向民眾的文化啟蒙運動。

更明確站出相對於日本統治者的民族立場而主張「國民」改造的，是 1923 年 1 月黃呈聰〈論普及白話文的新使命〉。雖然這篇文章未特別談及「文學」，但對「寫作」問題的思考，也同樣關注於知識階層與社會改革的關係，期待改變文化資源壟斷的現狀。

在這波討論當中，值得注意的臺南文化人是黃朝琴（1897～1972，臺南鹽水人），他在 1923 年 1、2 月的《臺灣》雜誌上發表〈漢文改革論〉，此文更細膩地考慮到臺灣語言文字的改造問題。文中出現的「文學」，有語言藝術、文字之學、文字表現等意涵，談論的焦點是文體改革與普及的問題。這篇文章同樣有知識階層的自省，對於白話文「太平易、太淺近、

無權威,實在沒有藝術的價值」的說法表示反對。他認為文字必須屬於一般民眾,反對讀書人獨占知識,並批判這是過去統治階級鞏固政治權力的手段。[24]該文進一步探討,臺灣現行言文不一致,雖導因政府教育政策的問題,但對此現狀有感的漢學家,卻苦無容許批判聲音的言論機關。而具有記者身分的人,因為沒有獨立的地位,往往不能如意下筆,因此這些人即便對政府教育問題有意見,也難以公開議論。至於「自號新學的老讀書人」,在面對文明潮流時,則發展出一種「和漢折衷的新式文體」。黃朝琴認為與其如此,應該更澈底地朝向言文一致體,因此他建議「起筆直寫」就好。他也鼓勵臺灣人學習中國白話文,因為口音雖有別,但語言組織接近,亦可利用既有教材,且未來有助於進出中國的實業發展。事實上黃朝琴很早便開始實踐「起筆直寫」,1921年在《臺灣青年》雜誌發表的〈隨便談談〉[25]即以白話文撰寫,此後陸續在《臺灣》發表的多篇文章亦是。

而〈漢文改革論〉一文的特殊意義在於,較之黃呈聰將臺灣前途繫於中國的未來,黃朝琴僅從現有資源取得及經濟因素,希望與中國取得連結。因此他建議對學習中國白話文感到負擔的年長者,可以試著學習使用「臺灣在來白話文」,此論可說較為完整地考慮到臺灣人的語言習慣。他認為「不論甚麼民族都有固有的族性,個人尚且有個性,況且漢民族曾創造世界的文化,我們臺灣的同胞,亦是漢民族的子孫,我們有我們的民族性,漢文若廢,我們的個性我們的習慣我們的語言從此消滅了!」相較於訴諸泛亞洲主義或日本化的漢文論述,黃朝琴的漢文主張有明確與日本劃分的民族立場。他同時呼籲日本政府將學校的漢文教育改用白話體,讓臺灣的兒童能「得其實際的學力」,因為「臺灣是臺灣人的臺灣,萬不可以

24—— 本段引文皆出於黃朝琴,〈漢文改革論(上)〉,《臺灣》4:1,1923年1月1日。
25—— 黃朝琴,〈隨便談談〉,《臺灣青年》2:4,1921年5月15日。

少數內地兒童做標準，來犧牲大多數的臺灣兒童」[26]，這種主張顯然有比較清晰的臺灣本位立場。

在上述這波社會改革言論裡，我們可以看到「文學」一詞其實仍是廣義概念，用於臺灣的脈絡時，通常涉及廣泛的寫作。不過從撰文者援引的思想資源來看，西方現代狹義文學的生成過程與觸及的課題，特別是現代國家的建立、國民養成、「人」的獨立性等，有非常關鍵的影響，於是他們展開對知識人社會角色、寫作及語言文字的總檢討。這些改革言論的積極性，在於「人」的自覺與「民族」的自覺，並且要求新的政治關係，無論在人與人之間、人與國家之間、民族與民族之間；且過去那些被禁制的環節，如：人的表現自由、公論管道、人我聯絡媒介等，也在呼籲知識普及、語言文字普及、創設臺人言論機關，及透過集會演說等文化活動中，逐一被突破。

二、新文學運動的展開與張梗等人

可以看到，在「新文學」未明確、新舊文學論爭尚未爆發之前，其實圍繞著「寫作」這件事，此波改革論已經站出鮮明的反日民族立場，且在理念上試圖打破傳統社會秩序，重新界定人我關係。至於張我軍等人的新文學論述，一方面是對上述政治主張的再確認與呼應，另一方面，則是有意識地朝向世界逐漸通行的「文學」概念，讓以語言藝術為主的「文學」用法確立，同時讓以「白話文」為主體的「新文學運動」迅速展開，成為新的文化勢力。

1923 年 7 月，許乃昌在《臺灣民報》上介紹中國新文學運動。[27]是年12月，同報刊載潤徽生的〈論文學〉，該文將「文學」定義為「文字之學」，

26—— 本段引文皆出於黃朝琴，〈續漢文改革論〉，《臺灣》4：2，1923年2月1日。
27—— 秀潮，〈中國新文學運動的過去現在和將來〉，《臺灣民報》1：4，1923年7月15日，第3版。

同樣呼籲文體朝向白話文的改造。[28]約莫在這前後，言論界開始出現「新文學」與「舊文學」的說法。

1924 年 4 月張我軍在〈致臺灣青年的一封信〉中，批判臺灣向來的詩文寫作，沒有「真正有文學價值的」[29]，這篇文章被視為新舊文學論爭的引燃點，不過還無法看出他所用的「文學」是何種概念。最早明確將「文學」限定為語言藝術，並討論此範疇的寫作問題的，其實是張梗，這也是臺南文化人的一次關鍵參與。

張梗（生卒年不詳，推測為 1900～1935 年前後），臺南鹽水人，臺灣總督府臺北醫學專門學校第 21 期畢業生（1922 年 4 月畢業）。就讀醫專時期，與同校的臺籍學生石錫勳、吳海水（臺南人）、丁瑞魚、甘文芳、林麗明等人，常為臺日學生差別待遇而抱不平，曾在一次杯葛校方的行動中，遭學校予以退學處分，引發臺籍學生群起陳情並罷課抗議，後由臺籍教授杜聰明協調下改以禁足處分。1920 年臺灣的東京留學生組織「新民會」並發行《臺灣青年》雜誌等行動，深刻影響臺灣的知識青年。當時已開業行醫的蔣渭水，積極聯絡醫專的學弟們，及師範學校的謝春木、盧丙丁（臺南人）等人，與他們一同探討海內外的政治情勢與文化問題，進而共擬籌組團體，有組織地推展文化啟蒙運動，期能改革臺灣社會。在蔣渭水與包含張梗在內的醫專、師範學生們共同催生下，「臺灣文化協會」於1921 年 10 月 17 日成立。1922 年 2 月，日本思想家賀川豐彥來臺巡迴演講，文協重要成員張梗、丁瑞魚、甘文芳、吳海水、石錫勳等人一同前往基督教青年會拜訪。他們談及臺灣的獨立與文化問題時，賀川提醒，獨立的國家必須有獨立的文化，如：文藝、美術、音樂、演劇、歌謠等，如未能養

28—— 潤徽生，〈論文學〉，《臺灣民報》1：14，1923年12月21日，第3版。

29—— 張我軍，〈致臺灣青年的一封信〉，《臺灣民報》2：7，1924年4月21日，第10版。

成自己的文化，縱使表面具獨立形式，文化上也仍是他人的殖民地。這席話深深影響這些青年，並影響其往後的文化行動。1922年4月，張梗畢業後返回鹽水行醫，但深感此業非其所好，於是前往日本早稻田大學政治經濟部留學，並加入東京新民會。1924年張梗陸續發表幾篇重要文章於《臺灣民報》，分別是：評論〈討論舊小說的改革問題〉（共七回）、獨幕劇的劇作〈屈原〉。[30] 1927年文協分裂，是年冬天，楊肇嘉著手重整東京新民會，張梗、葉榮鐘等人同為此時期的重要會員。該會出版《新民會文存》三輯，1929年出版第二輯收有張梗的評論〈關於臺灣報紙之創設〉，主張臺灣需要有別於官方御用報紙的「真正的輿論」，惜此冊文存遭臺灣總督府禁止。1930年後《臺灣民報》改題《臺灣新民報》，在周刊時期的資料中，可見張梗列為客員（同列客員者有：陳逢源、黃朝琴、賴和、陳滿盈、林佛樹），以及東京支局主任。張梗與喜愛文學的日本女子張尚枝相戀，兩人在家人反對下結婚，育有一子，但不久後張梗以35歲之齡早逝。[31]

上述1924年張梗的〈討論舊小說的改革問題〉，共分為七回，從9月開始連載於《臺灣民報》的文藝欄，其針對取材狹隘與手法的制式粗糙，主張小說創作應重視個性、獨創、科學態度，細膩承載人生社會等課題，排除過去傳統小說著重「筋脛」、僅以「說明」表達，及強調微言大義或勸善懲惡，導致含意顯露，流於偏狹主觀見解、講道說教的寫作模式。他認為應該讓表現細緻化，以科學態度進行觀察、描寫，「讓讀者親自看看赤裸人生社會，引起一般輿論改造社會」[32]。此文同樣延續先前那波社會改革論中對「人」個體性的關注，及寫作

30——張梗，〈屈原〉，《臺灣民報》2：14，1924年8月1日。張梗，〈討論舊小說的改革問題〉，《臺灣民報》2：17至2：23，1924年9月11日至11月11日。

31——其妻守寡撫育獨子張東亮，張東亮後與葉榮鐘的大女兒葉蓁蓁結婚。葉榮鐘在回憶這位好友時曾遺憾地表示，如果當時臺灣也有文史方面的大學，且張梗能依照自身意志選擇的話，想必能成為優秀學者。參考自林莊生，《懷樹又懷人：我的父親莊垂勝、他的朋友及那個時代》，臺北：玉山社，2017年6月，頁321。

32——張梗，〈討論舊小說的改革問題〉（一至七），《臺灣民報》，1924年9月11日-11月11日。

的社會參與、民眾的公論公治等理念。不同的是，這裡所談的「小說」、「文學」，是一種被放在具有獨立地位的「藝術」領域的概念，且肯定其社會性及審美性價值。此文率先提倡改革舊小說，廖漢臣譽其為「新文學運動的先聲」。[33]

在臺灣人的言論界裡，小說地位的提升固然非始於這波新文學運動，早期如李逸濤認識到西方小說的社會地位，並重新肯定小說的閱讀樂趣與學習效果[34]，或如魏清德認識到小說的教育意義。然而這些論述或許讓小說脫離「消閒」文類的地位，但其作品的表現方法、內含的知識、意識型態、審美價值，基本上仍是依循傳統士階層的世界觀，從舊式道德出發，合理化尊卑等級的倫理秩序。更甚者如連雅堂及其 1924 年創辦的《臺灣詩薈》，當中仍有部分文章表現出對小說的輕視，這種思想立場一方面含有「東洋／西洋」文明的競爭意識，一方面則是對於傳統「雅／俗」階序的堅持。

同年 11 月，張我軍又發表〈糟糕的臺灣文學界〉，清楚站在狹義文學立場，界定「文學」是指「詩、戲曲、小說」等範圍，並以正朝向與世界規格齊步的中國新文學，反觀臺灣的不知革新。其所指已非「廣泛寫作」意涵的「文學」，而是一個與世界「漸趨於一致」的「文學」。[35]在此文中，作為一個獨立領域，以語言文字為媒介，透過藝術手法表現人的思想、感情的「文學」概念，在臺灣漢人的言論界裡正式確立下來。從《臺灣青年》、《臺灣》的醞釀，到積極倡議以「平易的漢文」、「通俗的白話」撰文的《臺灣民報》，其作為實踐園地，讓新文學運動加速發展，除了語言改革的討論愈發活絡，各種創作的嘗試亦逐步展開。

33——吳新榮等，〈北部新文學·新劇運動座談會〉，《臺北文物》3：2，臺北：臺北市文獻委員會，1954 年 8 月。

34——李逸濤，〈小說芻言〉，《漢文臺灣日日新報》，1907 年 1 月 1 日。李逸濤，〈小說閑評〉，《漢文臺灣日日新報》，1911 年 1 月 3 日。

35——張我軍，〈糟糕的臺灣文學界〉，《臺灣民報》2：24，1924年11月21日。

在此過渡時期，有幾位值得注意的臺南文人。首先是陳逢源（1893～
1982）[36]，他在 1922 年發表的日文隨筆〈臺南公園の池畔に立ちて〉（站
在臺南公園的池畔）[37]，被視為臺南最早的臺籍作家現代文學作品[38]，其
現代漢語作品則有 1923 年的〈對臺灣青年之希望〉。[39] 1924 年與黃朝琴
等人創辦《臺灣民報》。往後曾參與新舊文學論爭、中國改造論爭、臺灣
民眾黨指導理論之論戰。亦是 1932 年漢語文藝雜誌《南音》雜誌的創辦
人之一，在此連載〈對於臺灣舊詩壇投下一巨大的炸彈〉長文，批判日漸
沉淪的臺灣古典詩界，認為真正的詩人應表現「真實的情感」，而新時代
的詩，則應平易率真、反映時代與社會、鼓舞民氣。[40]

此外，還有謝國文（1887～1938），字星樓，筆名柳裳君、鷺江
TS，臺南市人，[41]古典詩社「南社」成員，1925 年畢業於早稻田大學經濟
學部。1920 年加入東京臺灣留學生成立的「新民會」，並擔任機關報《臺
灣青年》的編輯。其後參與臺灣議會設置請願運動，〈臺灣議會設置請願
歌〉即出自其手。1923 年於《臺灣》雜誌上發表的漢文章回體小說〈犬
羊禍〉，此文寫成乃受林獻堂退出請願運動的傳言所影響，是一篇剖析臺
灣御用仕紳的諷刺小說。1924 年於《臺灣民報》發表的漢語現代小說〈家
庭怨〉，敘述一對參與社會運動的年輕戀人及女方兄長，三人面對傳統家
庭的問題與沉痾，決心相偕出走，共同尋找新的生活和希望。[42]

其他相關的新文化活動，則有《臺灣民報》系統發展而出的「臺灣白
話文研究會」，於 1923 年 4 月設立於臺南。1926 年另有臺灣文化協會臺

36——陳逢源生平，請見「古典文學卷」。
37——陳逢源，〈臺南公園の池畔に立ちて〉，《臺灣》3：8，1922 年 12 月。
38——莊永清，〈臺南市日治時代新文學社團與新文學作家初探〉，《文史彙刊》復刊第八輯，臺南：
　　　臺南市文史協會，2006 年 12 月。
39——陳逢源，〈對臺灣青年之希望〉，《臺灣民報》創刊號，1923 年 4 月 15 日。
40——陳逢源，〈對於臺灣舊詩壇投下一巨大炸彈〉上、下，《南音》1：2、1：3，1932 年 1 月 15 日、
　　　2 月 1 日。
41——謝國文生平，請見「古典文學卷」。
42——柳裳君（謝國文），〈犬羊禍〉，《臺灣》4：7，1923 年 7 月。鷺江 TS（謝國文），〈家庭怨〉，
　　　《臺灣民報》2：15，1924 年 8 月 11 日。

南支部的韓石泉、黃金火、王受祿等人成立「臺南文化劇團」，當中諸多劇本出自黃金火之手。此外還有文協積極發展的電影巡映隊[43]，重要的參與者有蔡培火、林秋梧、盧丙丁等人。雖然這些活動涉及的文學創作很有限，但以下將探討的臺南漢語現代文學，幾乎都是圍繞這些文化行動及人物發展而來。

在此時代氛圍下，臺南在地文人黃欣（1885～1947）[44]，也曾組織文化劇團，1927年擴展為「臺南共勵會」，由其擔任會長，設有講演、體育、教育、演藝四部，並以演藝的收入作為教育經費，往後更擴充為「共勵義塾」，提供民眾免費課程。另外還組織共勵會演劇部並巡迴公演，演出劇目中的〈誰之錯〉、〈破滅的危機〉皆為黃氏作品。當時不少戲劇團體多少與臺灣文化協會有關連，一般稱之為「文化劇」，演出內容常有挑戰當局意味。因此為了避免過多的政治色彩，臺南共勵會自稱為「文士戲」，有意別之。[45]

43—文協電影巡映隊有「文協活動寫真隊」、「文協影戲團」、「文協活動寫真隊」、「文協動寫真」等多種名稱，以往容易與「美臺團」混淆。相關考證請參考李政亮，〈文協百年：重探巡映隊美臺團的電影實踐〉，《鳴人堂》網頁，2021 年 12 月 15 日，https://opinion.udn.com/opinion/story/11655/5962682。瀏覽日期 2022 年 3 月 8 日。

44—黃欣生平，請見「古典文學卷」。

45—進一步資訊請見本套書「現代戲劇卷」。另，黃欣的劇作資訊，亦可參考張炳楠監修，李汝和主修，廖漢臣整修，《臺灣省通志‧卷六‧學藝志藝術篇》（第一冊），臺北：臺灣省文獻委員會，1971 年 6 月。

第二章
社會運動脈絡下的
文化活動與文學

臺南的漢語現代文學，主要延續自上述政治運動與文化運動。概觀往後的發展，以發表園地來看，除了《臺灣民報》、《臺灣新民報》（周刊、日刊），亦可在社會運動脈絡中陸續出現的幾本綜合性刊物，及一九三〇年代以後日益活絡的文藝雜誌裡，持續看到臺南文化人士的漢語現代文學作品。以下介紹臺南在地的漢語現代文學出現的脈絡。其主力延續自文協電影巡映隊、臺南文化劇團，這些人在文協分裂後大多加入「臺灣民眾黨」。他們發展出外圍組織「赤崁勞働青年會」，以林占鰲的「興文齋」書店為據點，發行《反普特刊》、《赤道》等刊物。

第一節　　「臺南文化劇團」與「赤崁勞働青年會」

　　1926 年 8 月，臺南的文協要角黃金火，希望以演劇促進文化啟蒙運動，因此成立了「臺南文化劇團」。參與者有 32 人：黃金火、韓石泉、王受祿、林占鰲、林宣鰲、王德發、王再添、黃江福、蘇謀明、陳華、郭炳輝、陳明來、郭成家、郭琴堂、蔡嘉培、柯炎山、陳麗水、陳耀奎、盧丙丁、陳天順、陳桂松、侯北海、李興山、盧英士、吳顧財、梁加升、曾銘池、陳少莊、張亨寅、薛應得、陳本禮、莊松林。[46]該劇團由黃金火擔任編劇及導演，曾在 1927 年於臺南「南座」進行兩次公演，分別是 3 月演出〈愛之勝利〉、〈非自由之自由〉、〈憨老大〉；10 月演出〈淚海孤舟〉、〈春夢〉、〈封神臺〉、〈月下鐘聲〉。[47]

　　黃金火（1895～1987），臺南市人。父母親原居嘉義，乙未割臺後遷居臺南，以賣冥紙為生。12 歲入臺南第二公學校，畢業後報考臺灣總督府醫學專門學校，因優異成績獲公費獎助。1917 年畢業後返回「臺灣

46——鄭喜夫，〈莊松林先生年譜〉，《臺灣風物》25：2「悼念民俗學家莊松林先生特輯」，臺北：臺灣風物雜誌社，1975 年 6 月 30 日，頁 8。

47——張炳楠監修，李汝和主修，廖漢臣整修，《臺灣省通志·卷六·學藝志藝術篇》（第一冊），臺北：臺灣省文獻委員會，1971 年 6 月。

總督府臺南醫院」（今衛生福利部臺南醫院）的內科任職。1922 年與韓石泉於臺南市合開「共和醫院」。「臺南文化劇團」的劇本大多為黃金火的作品，除了戲劇編導之外，也是流行歌曲的作詞者，留下〈春怨〉等作品。[48] 韓石泉（1897～1963），號南陽。臺南市人。父親韓子星為前清秀才，開設「尚志齋書房」授徒。韓石泉自幼勤學，公學校教育與私塾漢文並行而習。1918 年自醫學校畢業後，先後任職於日本赤十字社臺灣支部醫院、臺灣總督府臺南醫院，其後與黃金火一起開設共和醫院，1928年獨立開設「韓內科醫院」。是文協、臺灣民眾黨的重要幹部，積極從事文化啟蒙、勞工運動。曾於日刊《臺灣新民報》上連載漢語現代散文〈十三年來我的醫生生活〉[49]，敘述臺北求學與執醫期間的貧困生活、社會見聞、臨床經驗、醫界學閥問題、日臺差別待遇、護士的處境等。黃、韓兩人與臺灣總督府醫學校校友、臺灣首位留德的醫學博士王受祿（1893～1977，臺南市人），皆積極參與臺灣文化協會的運動，是臺南的文協主力。

「臺南文化劇團」的成員，在文協分裂後大多參與 1927 年 7 月成立的「臺灣民眾黨」，及 1928 年 2 月成立的外圍組織「赤崁勞働青年會」。赤崁勞働青年會曾於同年 5 月支援高雄淺野水泥公司罷工，在三塊厝工廠演出〈憨老大〉、〈月下鐘聲〉、〈封神臺〉等劇。[50] 1930 年，他們將工作重心之一放在「反迷信」的行動上，北部展開「反對迎城隍」的運動，南部的赤崁勞働青年會則發起「反普度」運動。他們更於同年 9 月發行《反普特刊》，訴求「絕對地反對普度，打倒一切的迷信」。由林宣鰲擔任編輯兼發行人，收錄林宣鰲、林占鰲、林秋梧、莊松林等人的文章。該刊多為評論文字，其中有兩篇小說：文苗（朱點人）的〈城隍爺要惱了〉、毓

48──1934 年 12 月泰平唱片公司發行，由施澤民作曲，林氏好演唱。

49──韓石泉，〈十三年來我的醫生生活〉，1932 年 4 月 21 日起連載於《臺灣新民報》。目前可見文獻為 1932 年 4 月 21 日至同年 5 月 26 日，共十回。陳曉怡主編，《臺灣新民報》，臺南：臺灣歷史博物館、臺灣文學館；臺北：六然居資料室，2015 年。

50──張炳楠監修，李汝和主修，廖漢臣整修，《臺灣省通志‧卷六‧學藝志藝術篇》（第一冊），臺北：臺灣省文獻委員會，1971 年 6 月。

文（廖漢臣）的〈一種的搾取〉，及莊松林以筆名 KK 發表的獨幕劇〈誰之過〉。朱點人、廖漢臣皆為臺北艋舺人，當時臺灣主要有三個漢語寫作中心：彰化、臺南、臺北艋舺，皆為自然形成的聚合，各中心之間常有聯絡[51]，而這個網絡，後續也發展出臺灣民間文學的整理改寫行動。

第二節 《赤道》旬刊

一、《赤道》的發行

1930 年 10 月，赤崁勞働青年會的成員繼而創辦中日文並刊、左翼色彩濃厚的《赤道》旬刊，由林秋梧擔任編輯與發行人，並以「興文齋」書局（位於今中西區民權路二段 275 號，已拆除改建）二樓，作為赤道報社位址。興文齋由林占鰲、林宣鰲兄弟經營，專售漢文書籍，是當時民眾黨臺南支部、赤崁勞働青年會的主要據點。《赤道》的核心參與者有：林秋梧、林占鰲、林宣鰲、盧丙丁、莊松林、梁加升、趙啟明、陳天順、鄭明、郭琴堂、胡金碖、陳華等人。共發行六期，內容包含社會評論、轉載或譯介的文藝作品，也有同仁的創作。值得注意的是，此刊的漢語轉載之作，似與「創造社」關係密切。[52]就目前所見資料，其中的漢語現代文學有：

第 1 號

峰君（莊松林），〈女同志〉，小說

坎人（郭沫若），〈馬克斯進文廟〉（一），小說

曇華譯〈新俄詩選‧泥水匠〉，新詩譯介

51——王詩琅，〈從文學到民俗〉，《臺灣風物》25：2，1975 年 6 月 30 日，頁 54。

52——許俊雅，〈「日治時期臺灣文學期刊編纂」總論〉，請見「臺灣文學線上資料平臺」：https://db.nmtl.gov.tw/site4/s3/periodinfo?id=0001，臺南：國立臺灣文學館。

第 2 號

坎人（郭沫若），〈馬克斯進文廟〉（二），小說（預告次號完結）

曇華譯〈新俄詩選・工廠的氣笛〉，新詩譯介

嚴純昆（莊松林）〈到酒樓去〉，小說

馮乃超〈快走〉，新詩

第 4 號

王其南，〈窮迫〉，小說

新人〈社會運動家的錢先生〉（續），小說

乃立〈這不是我們的世界〉，新詩

麥克（郭沫若），〈我們在赤光之中相見〉，新詩

第 5 號

〈何處有我們值得歡喜的新年〉（暫譯），新詩

《赤道》第 5 號目前尚未出土，無法得知全刊目錄，僅在《臺灣出版警察報》第 19 號（1931 年 2 月）留下遭查禁的資訊，並說明〈何處有我們值得歡喜的新年〉一詩有「示唆革命」之虞。文件以日文記錄下此詩片段，並註記「原漢文」。或許因為屢遭查禁，同仁決定暫時停刊。根據莊松林的回憶，他們幾經檢討，打算改題為《廢兵》後重新發行。然而就在重組期間，主要的負責人林秋梧病故，加上是年 2 月當局取締左傾的臺灣民眾黨，幾個月後又大舉搜捕臺共及新文協成員，臺灣人的政治運動遭到嚴重彈壓。時局不穩致使同仁生離死別，遂而中止再刊的計畫。[53]

53——朱鋒（莊松林），〈不堪回首話當年〉，《臺北文物》3：3，臺北：臺北市文獻委員會，1954年 12 月，頁 66。

二、《赤道》主要成員

（一）林秋梧

　　林秋梧（1903～1934），法號證峰，筆名守俄、林洲鰲，臺南市花園町（今臺南市公園路）人。父親林成武為販賣水果的行商，家境清貧。林秋梧9至15歲期間，曾於七娘媽裡的私塾學習，奠定漢文基礎。臺南第一公學校畢業後，1918年進入臺灣總督府臺北師範學校，求學期間，與蔣渭水等文協人士時有往來。1922年畢業前夕，因涉入臺北師範學生與日警衝突所引發的學潮而遭退學。1924年赴中國廈門大學就讀哲學系，並於集美學校任教，隔年因母喪返臺。此後投入臺灣文化協會的社會運動，擔任電影巡演隊的辯士。1927年拜開元寺德圓和尚為師，法號證峰，後以開元寺派遣留學生身分，赴日本東京駒澤大學留學，投入禪學大師忽滑谷快天的門下鑽研禪學。此時期開始積極寫作，陸續在《南瀛佛教》、《中道》、《臺灣民報》等發表社會與宗教相關的評論。此外，林秋梧曾從楊宜綠學詩，為「桐侶吟社」成員，漢詩作品多見於《臺南新報》、《臺灣教育》。林秋梧是一位入世僧人，1930年畢業返臺後，持續參與社會運動，與同志發起反對普度運動，印製《反普特刊》。林秋梧在《反普特刊》中發表〈我們為甚麼參加勞青的反普運動〉，此文可窺見林秋梧的階級意識，不同於當時知識分子在反迷信議題上，往往傾向強調民眾的非智，林秋梧的批判對象總是明確指向支配階級，以及與之唱和的宗教人士，並且正面看待和期盼底層階級的力量。同年創辦《赤道》旬刊，擔任編輯與發行人，該刊設有「無產階級與兩性問題」的專欄，林秋梧以筆名「守俄」編述〈柯倫泰女士的戀愛觀：三代之戀〉、〈普羅列塔利亞的性道德　十二誡〉、〈列寧的關於

性的主張〉等文。[54] 1933 年，著作《真心直說白話註解》問世，以科學觀點及平易的白話文，為民眾重新詮釋知訥禪師的《真心直說》。1934年完成《佛說堅固女經講話》，旨在提升婦女的地位，惜成為遺作，是年因肺結核病逝。其短暫生涯有著豐富的政治行動與思想著述，是從左翼立場推動解放佛學的代表性人物。[55]

（二）林占鰲

林占鰲（1901～1979），臺南市人。父親林仙機為前清秀才，自福建晉江移居臺南後，曾開設私塾，後與弟共同以雕刻神主牌、匾額、印章維生。林占鰲幼時父母先後離世，因此就讀臺南第二公學校五年級時被迫輟學，隨叔父從事雕刻。其後遊歷中國廈門，考慮在當地出家，但對寺廟內亦存在階級之分感到失望，因而返臺。他深受公學校時期老師蔡培火，以及臺南文協要角王受祿、韓石泉等人的影響，積極參與臺灣文化協會的政治運動、文化啟蒙活動。甚至曾經一度考慮遁入佛門的他，也受到這幾位師長的影響，後來受洗成為基督徒。林占鰲在臺南開設專售漢文書籍的「興文齋」書局，除了售書之外，也是文協成員經常聚集討論的場所。[56]林占鰲參與黃金火主持的「臺南文化劇團」，後來也加入臺灣民眾黨的外圍組織「赤崁勞働青年會」。後者於1930年發起反對普度的運動，刊行《反普特刊》，林占鰲以「劣民」為筆名發表〈迷信的由來〉，文中析論造成迷信的原因，主要來自患病而擾亂精神、觀察力不足、出於私欲，因而沉淪於非科學的想法，呼籲民眾覺醒。1930 年 12 月，進一步支持左翼刊物《赤道》的出版。他曾提出「五不主義」：一、不穿日本和服；二、不講

54──守俄（林秋梧）編述，〈柯倫泰女士的戀愛觀──三代之戀〉、〈普羅列塔利亞的性道德 十二誡〉，分別刊於《赤道》第 2 號、第 4 號，臺南：赤道報社，1930 年 11 月 15 日、12 月 19 日。其中〈列寧的關於性的主張〉篇目取自第 4 號內的預告。

55──參考自：李筱峰，《臺灣革命僧林秋梧》，臺北：自立晚報社文化出版部，1991 年。嚴瑋泓，〈從「階級鬥爭」到「現世淨土」一論林秋梧批判早期臺灣佛教的方法與目的〉，收錄於黃子偉主編，《存在交涉：日治時期的臺灣哲學》，臺北：中央研究院、聯經，2016 年 1 月。

56──參考自夏文學，〈從臺灣甘地到現代武訓：林占鰲長老〉，《新使者雜誌》第 21 期，臺北：新使者雜誌社，1993 年 4 月。

日本話；三、不讀日本書；四、不改用日式名字；五、不經售日文書刊。戰後傾力辦學，參與創辦崑山中學（1961）、「崑山工業專業學校」（1965），並協助蔡培火創辦「淡水工商管理專科學校」（1965）。

（三）林宣鰲

　　林宣鰲（生卒年不詳），臺南市人，林占鰲之弟。與兄長共同經營專售漢文書籍的「興文齋」書局並積極參與社會運動。參與黃金火主持的「臺南文化劇團」，曾於 1927 年兩次公演中參與演出。1928 年發生「大南門廢棄墓園事件」，臺南州為紀念天皇登基，擬遷移大南門外的公墓，改建為運動場，引發臺南民眾一連串的陳請反對，新文協與臺灣民眾黨各自發起聲援行動。6 月臺灣民眾黨與墳塚關係者召開「有緣者大會」，準備向當局提出陳請，但會議期間頻受警察阻撓，此次行動林宣鰲亦參與其中，擔任會議司儀。[57] 身為赤崁勞働青年會的核心成員，曾與同志一同支援 1928 年高雄淺野水泥公司罷工，並在聲援的戲劇活動中出演。在赤崁勞働青年會主辦的大型演講中，也經常看到林宣鰲列名辯士（即演講者）。例如他曾在「國際青年日紀念大講演」裡[58]，主講「國際青年デー的意義」（國際青年日的意義）。1930 年赤崁勞働青年會發起反對普度的運動，期間曾於武廟佛祖廳舉辦「反對普度講演會」，林宣鰲主講「我們的意見箱」。此後協助刊行《反普特刊》，擔任編輯兼發行人。在 1931 年由赤道報社、臺灣工友總聯盟臺南區共同主辦的「一九三一年五一節紀念大講演會」裡，登台主講「五一節是國際勞働者以友愛及信義而宣示互相提攜前進 ×× 的日子」（「××」為宣傳單上的暗示性文字）。

57——編輯部，〈反對強制遷塚 開有緣者大會〉，《臺灣民報》，1928 年 6 月 10 日，第 2 版。

58——參考自傳單文獻資料，年分待考，舉辦於某年 9 月 1 日。

59——梁加升是否進入《臺灣新民報》及前後經緯仍待考。根據莊勝全的研究，《臺灣新民報》發行日刊前後，原定的取締役兼營業局長的蔡培火，積極延攬相關人才入社，並計畫讓王開運擔任臺南支局長、楊振福入外務係或販賣部、梁加升及吳拜入營業局。但這個人事安排卻遭專務羅萬俥的反對。一方面蔡對人事的積極安排，可能挑戰羅的權威，加上梁加升為前民眾黨員並具左翼色彩，不宜入社，另外，四人皆出身臺南，被認為蔡培火有意營造勢力。蔡、羅的衝突，導致蔡最後辭退營業局長。請參考莊

（四）梁加升

梁加升（1900～1969），法名心覺，字拓荒、少滄，筆名霜梧，臺南市人。公學校畢業後，曾赴中國廈門同文書院就讀，其後進入日本早稻田大學經濟科。學成後返鄉投身社會運動，加入臺灣文化協會，曾協助募集「臺灣議會設置請願運動」的請願書、參與黃金火組織的「臺南文化劇團」。文協分裂後，成為臺灣民眾黨的發起人之一，其後擔任臺灣民眾黨臺南支部書記、臺灣工友總聯盟臺南區主席，積極投入勞工運動。1928年高雄淺野水泥公司因勞資糾紛引發罷工，參與指揮的梁加升遭當局拘捕，羈押長達約七個月之久。獲釋後仍積極參與民眾黨的黨務，主辦過多場演講，並協助《赤道》旬刊的編務。1931年臺灣民眾黨被迫解散，梁加升同蔣渭水、盧丙丁等人被捕，翌日釋放。1932年進入《臺灣新民報》。[59] 1937年前往中國行商，1939年旅居香港，戰後積極協助臺籍軍伕及護士返臺。梁加升回臺後加入中國國民黨，1955年其子因白色恐怖事件遭逮捕槍決，此後決定出家為僧。戰後曾以筆名霜梧發表〈我往臺中受戒一年的回憶〉等文於宗教刊物《法音》，並留有書信及遺稿：〈出家留言稿〉、〈致同修（妻）書〉、〈致韓會長石泉書〉、〈日據時期臺灣民族革命運動興起與沿革略述〉。[60]

（五）陳天順

陳天順（1904～1955），字泰龍，臺南安平人。1918年自安平公學校畢業，與林八豹為同學。青年時期參與臺灣文化協會，1926年與陳明來組織「安平讀報社」，同年加入「臺南文化劇團」。文協分裂後任臺灣民眾黨中央農工委員會委員，投入勞工運動，1928年組「安平勞工會」，

勝全，〈《臺灣民報》的生命史：日治時期臺灣媒體的報導、出版與流通〉，國立政治大學臺灣史研究所博士論文，2017年。

60——參考自：楊宮妹（釋如微），〈臺灣佛教僧團的現代轉型：臺南地區開元寺與妙心寺之比較研究〉，南華大學宗教研究所碩士論文，2005年6月。伍麗滿，〈釋心覺生平事蹟析論〉，《妙心雜誌》101期，臺南：妙心雜誌社，2007年9月1日。

不久後臺灣工友總聯盟成立，擔任書記兼臺南區主席。是年 4 月安平臺灣製鹽會社因不當裁員引發勞資糾紛，陳天順組織抗議團體，遭當局拘捕判刑五個月，臺灣民眾黨臺南支部的王受祿、韓石泉還因此找上臺南州廳警務部長協調，談話內容刊載於《臺灣民報》。[61]陳天順於 1929 年經常活動於臺灣民眾黨宜蘭支部，6 月曾於當地的民眾演講會上主講「民眾需要團結」、「農立國與工立國」等題。[62] 1930 年前後任臺灣民眾黨宜蘭支部書記，邀請莊松林擔任農民協會書記。同年農協大會前夕，陳天順、莊松林遭宜蘭警察課檢束，並以違反出版法搜查家宅，謄寫版、通知書均被沒收，導致農協大會準備工作受阻；後雖舉行，但終究遭干涉而解散。[63] 1931 年 2 月 18 日臺灣民眾黨第四次全體黨員大會進行中途，臺北警察署長現身會場並出示「結社禁止命令」，聲明臺灣民眾黨已被取締並予以解散，當日逮捕蔣渭水、盧丙丁、梁加升、陳天順等幹部 16 人，翌日釋放。此後陳天順曾回宜蘭活動，1932 年與林本泉、陳銀生、許素梅等人合組「醒民劇團」，但為期甚短。二戰期間似乎曾逃亡，協助他偷渡的黃金火因而遭日警拘禁刑拷，自此不再過問政治。陳天順戰後加入中國國民黨，曾任臺灣總省工會理事長。1951 年創辦《工人報》，旨在「闡揚工運理論、報導國內外勞工消息、傳播工業新知與工作技術、反映各職業勞工意見」。1955 年赴日就醫，病逝於當地。[64]

（六）盧丙丁

　　盧丙丁（1901～？），筆名守民，臺南市人。1921 年自臺灣總督府臺北師範學校畢業後，任教於臺南州大內公學校、六甲公學校。就讀師範學校期間，與蔣渭水往來密切，參與籌設臺灣文化協會，其後亦積極從事

61——〈安平製鹽會社に臨時警察官駐在所何に怯ぬていゐるのか（臨時警察官駐在所對安平製鹽社有何畏懼？）〉，《臺灣民報》208 號，1928 年 5 月 13 日。

62——〈宜蘭農民協會大會並開紀念講演會〉、〈礁溪民眾講演〉，《臺灣民報》第 266 號，1929 年 6 月 23 日。

63——〈宜蘭蘭陽農協大會終於自己解散〉，《臺灣新民報》第 312 號，1930 年 5 月 30 日。

64——參考自：李筱峰，《臺灣革命僧林秋梧》，臺北：自立晚報社文化出版部，1991 年。王詩琅，《臺灣人物誌》，高雄：德馨出版社，1979 年。謝啟文，〈安平海頭陳氏家族〉，網頁：https://blog.xuite.

文化啟蒙運動，與臺南同鄉林秋梧一同成為文協電影巡映隊的主要辯士，在無聲影片的時期為觀眾「說」電影。除此之外，曾參與黃金火等人組織的臺南文化劇團的公演。1927年初文協分裂，臺灣民眾黨於同年7月成立，8月臺南支部成立，盧丙丁與王受祿等人被推為臺南支部的中央委員，並擔任社會部、宣傳部主任。此前盧丙丁已是「臺南機械工友會」的代表者，後來更整合各工會聯合成「臺南總工會」，於1928年2月，和蔣渭水合力促成民眾黨外圍組織「臺灣工友總聯盟」成立，積極發展勞工運動。盧丙丁在1931年臺灣民眾黨被迫解散後遭捕，被釋放後又幾經反覆曲折的拘補和逃亡，其後失去音訊。留下的歌詞作品有〈悲嘆小夜曲〉、〈離別詩〉、〈織女〉、〈月下搖船〉、〈紗窗內〉、〈落花流水〉等。其中泰平唱片公司曾將〈月下搖船〉、〈紗窗內〉灌製成臺語流行唱片，由林氏好演唱。林氏好為盧丙丁的伴侶，亦從事教職，兩人經同事介紹相識，於1923年結婚，此後共同投入社會運動。據說盧丙丁的〈落花流水〉、〈離別詩〉等作品，皆因從事政治運動經常遭捕，有感而發而作，後來逃亡時更因思念妻子而寫下〈悲嘆小夜曲〉（以義大利名曲填詞），輾轉送回林氏好手中。[65]

net/caven1019/twblog/160758770。莊永明，《臺灣百人傳》，臺北：時報文化，2000年。簡秀珍，〈環境、表演與審美：日治時期境外劇團在宜蘭地區的演出〉，《文資學報》第一期，臺北：國立臺北藝術大學文化資源學院，2005年。莊永清，〈臺南市日治時代新文學社團與新文學作家初探〉，《文史彙刊》復刊第八輯，臺南：臺南市文史協會，2006年12月。臺灣總督府警務局，《臺灣總督府警察沿革誌第二編：領台以後の治安狀況（中卷）臺灣社會運動史》，東京：綠蔭書房，1986年復刻版，頁451-456。

65── 林氏好（1907～1991），臺南市人，曾任教於臺南第二幼稚園、臺南第三公學校。1928年與婦女運動健將龔溫卿等人組織臺南婦女青年會。因丈夫盧丙丁從事反對運動屢受牽連，遭學校退聘。1932年至1937年間，先後在古倫美亞公司和泰平公司展開專業歌手生涯，演唱的名曲有〈紅鶯之鳴〉、〈月夜愁〉、〈一個紅蛋〉。蔡培火創作的〈咱臺灣〉、黃金火填詞的〈春怨〉亦由她演唱。除了流行歌手之外，林氏好也以女高音聲樂家身分多次巡迴全臺各地演唱。其後更赴日深造，直至戰後持續其音樂活動。林氏好的事蹟請參考林佩蓉，〈變動時局下的音樂人〉，《臺灣教會公報》第3506期，臺南：臺灣教會公報社，2019年。另外，「臺南婦女青年會」與龔溫卿的事蹟，請參考楊翠，《日據時期臺灣婦女解放運動──以《臺灣民報》為分析場域（1920-1932）》，臺北：時報文化，1993年。洪郁如，《近代台灣女性史：日治時期新女性的誕生》，臺北：國立臺灣大學出版中心，2017年。

（七）趙啟明

趙啟明（1912～1938），筆名趙櫪馬、櫪馬、馬木歷、李爺里、黎巴都、蘭谷等，臺南市人。除為《赤道》同人之外，也是《三六九小報》的客員。《三六九小報》是臺南南社與春鶯吟社成員於 1930 年 9 月創辦的漢文通俗文藝小報，文言與白話並刊。趙啟明曾以筆名「蘭谷」在此發表白話小說〈一個年少的寡婦〉、〈文廟的一幕〉、〈黑暗的人生〉。其中〈黑暗的人生〉取材自他當時居住的臺南西區金安里一帶的私宰者，描寫貧困生活圈裡人們的互助、在制度下的掙扎，以及與日警的衝突。這篇小說共連載 21 回，在描述私宰者遭補後的情節後，便停止連載，尚未完結。此外還有劇作〈戀愛的背景〉；臺語歌詞〈女車掌的悲曲〉、〈寡婦哀歌〉、〈舊都小夜曲〉等。1933 年亦曾於日刊《臺灣新民報》上發表過〈過去的教訓呈給臺灣文藝作家〉、〈幾句補足〉等文藝評論。[66]而上述臺語流行歌曲的作詞，可說是當時漢語寫作者一個特殊而重要的發揮領域，有趣的是，趙啟明在「鄉土文學／臺灣話文論爭」時是中國白話文的支持者，但後來投身唱片業，留下許多臺語流行歌的歌詞作品。曾於勝利唱片公司填詞〈黎明〉、〈月下哀怨〉，1934 年成為泰平唱片公司的文藝部負責人。泰平公司（泰平株式會社）由日本的「株式會社太平蓄音器」成立於 1930 年 11 月，總公司直營，另聘請臺灣人管理文藝部。1934 年起由陳運旺、趙啟明主持文藝部後，邀集許多臺灣文壇的人士參與歌詞創作，如：楊守愚、黃得時、黃石輝、廖漢臣等人。而參與的臺南文化人及其作品，有：黃耀麟的流行歌〈墓前嘆〉與童謠〈趕緊起來〉、〈天黑黑〉；蔡德音的〈阿里山姑娘〉、〈夢愛兒〉、〈水鄉之夜〉；守民（盧丙丁）

66——櫪馬，〈過去的教訓呈給台灣文藝作家〉，《臺灣新民報》，1933 年 9 月 23 日。櫪馬，〈幾句補足〉，《臺灣新民報》，1933 年 9 月 26 -27 日。

的〈月下搖船〉、〈紗窗內〉；黃金火的〈春怨〉等。趙啟明也在此留下許多填詞作品：〈月下愁〉、〈希望的出航〉、〈四季閨愁〉、〈送君〉、〈南國的春宵〉、〈水鄉之夜〉、〈青春行進曲〉、〈大家來吃酒〉、〈愛的勝利〉、〈懷鄉〉、〈待情人〉、〈鴛鴦夢〉、〈為情一路〉等。這個時期他還在「臺灣文藝協會」發行的《先發部隊》上發表小說〈私奔〉，並先後擔任臺灣文藝聯盟北部委員、臺灣新文學社營業部員。1936年與莊松林等人共同推動「臺灣新文學臺南支社」，並於同年10月組織「臺南藝術俱樂部」。在《臺灣新文學》雜誌上發表過評論〈談談最近的文藝批評〉、小說〈西北雨〉等作品。1936年郁達夫訪臺時，曾與莊松林、林占鰲等人前往臺南的鐵路飯店拜訪他。1938年客故於香港東華醫院，葬於該院墓地，得年26歲。[67]

（八）莊松林

莊松林（1910～1974），筆名朱鋒、朱烽、峰君、嚴純昆、KK、CH、彬彬、尚未央、康道樂、赤崁樓客、牛八庄、豬八戒、己酉生、圓通子、嚴光森、清道夫。臺南市人，生於牛磨後街（今正興街）。畢業自臺南第二公學校、臺南商業補習學校、廈門集美中學。因嗜讀上海出版的新書，經常出入臺南興文齋書局，結識林占鰲、林宣鰲兄弟。1926年參與黃金火主持的「臺南文化劇團」。1929年自廈門畢業返鄉後，積極投入社會運動。1930年應新任臺灣民眾黨宜蘭支部書記陳天順之邀，擔任宜蘭農民協會書記，年滿20的莊松林在宜蘭正式加入臺灣民眾黨，幾個月後農協活動遭挫，返回臺南。是年於臺南赤崁勞働青年會發行的《反普特刊》中，以筆名KK發表獨幕劇〈誰之過〉，從無神論立場，諷刺一切

67──參考自：朱鋒（莊松林），〈不堪回首話當年〉，《臺北文物》3：3，臺北：臺北市文獻委員會，1954年12月。莊永清，〈以文學介入社會──「臺南藝術俱樂部」作家群初探〉，《文史薈刊》復刊第10輯，臺南：臺南市文史協會，2009年12月31日。林太崴〈泰平株式會社〉、許容展〈趙櫪馬〉，皆收錄於柳書琴主編，《日治時期臺灣現代文學辭典》，新北市：聯經，2019年6月。

宗教迷信。此後繼續在《赤道》中發表小說〈女同志〉、〈到酒樓去〉[68]：前者暗諷民眾黨內的右派地主階級[69]；後者描述曾參與勞工運動的有為青年，出獄後背棄理想而耽溺溫柔鄉，與昔日同志漸行漸遠。約莫此時期，莊松林參加臺南世界語學會，其後曾發表世界語相關文章。[70]莊松林自述從事社會運動以來，被捕二十餘次，且兩度因違反出版規則遭罰鍰，還曾被當局以「臺灣浮浪者取締規則」戒告，除禁止出國之外，亦被迫就業於鐵工廠。赤崁勞働青年會及《赤道》雜誌，隨著編輯林秋梧病逝、臺灣民眾黨被迫解散，活動逐漸沈寂。此後莊松林投入寫作、翻譯及民俗研究。曾在《臺灣新民報》以筆名彬彬翻譯西加羅米原著〈五樓的戀愛〉[71]、評論〈大家來慶祝柴門霍夫誕辰〉[72]，並受李獻璋邀稿，撰寫十幾篇臺南的民間故事，其中收錄至1936年刊行的《臺灣民間故事集》者有〈鴨母王〉、〈林投姊〉、〈賣鹽順仔〉、〈郭公侯抗租〉、〈鼓吹娘仔〉、〈和尚春仔〉。1936年與趙啟明、鄭明等人共組「臺南藝術俱樂部」，設置文藝、演劇兩部，並附設臺灣文獻整理委員會，從事蒐集舊文獻。此前楊逵成立臺灣新文學社，發行《臺灣新文學》雜誌，該刊有意修正臺灣文藝聯盟較重日語文學的偏向，創刊之初便積極邀請漢語文學的稿件，因此受到臺南藝術俱樂部同人的支持。莊松林也陸續在《臺灣新文學》發表民間故事〈鴨母王〉、〈林道乾〉；童話〈鹿角還狗舅〉、〈恁虎〉；小說〈老雞母〉、〈失業〉。除此，1936年郁達夫訪臺時，曾與趙啟明、林占鰲一同前往臺南的鐵路飯店拜訪，後發表隨筆〈會郁達夫記〉。莊松林與陳華（亦為

68——朱鋒，〈女同志〉，《赤道》創刊號，1930年10月。嚴純昆，〈到酒樓去〉，《赤道》第2號，1930年11月15日。

69——〈女同志〉原文未見，內容是依據《赤道》第2號上的「垃圾箱」專欄上一篇署名「刣頭犯」所寫的短文〈請來替我們洒一掬之黃淚吧！〉推測。見《赤道》第2號，1930年11月15日。

70——請見「臺語文學卷」。

71——彬彬，〈五樓的戀愛〉，《臺灣新民報》，1933年11月26至12月2日。

72——莊松林，〈大家來慶祝柴門霍夫誕辰〉，《臺灣新民報》，1934年12月16日。

臺南文化劇團、赤崁勞働青年會成員）是兒時玩伴，1939 年左右兩人曾籌組演劇社團，但應者無幾，未能組成。同年在臺南市西門町（今真善美戲院對面）開始經營「永安玩具部」，這裡後來成為臺南藝術俱樂部文獻整理委員會的固定集會所。莊松林青年時期與石暘睢結識於興文齋書局，從此結為好友，往後共同投入民俗研究，他們與後來遷居臺南的廖漢臣，便經常聚於永安玩具部暢談。一九四○年代後，常以日文撰寫文章發表於《民俗臺灣》。戰後持續民俗研究與文獻工作，並恢復中文寫作，留下大量著述，是臺灣民俗研究的重要開拓者。[73]

（九）鄭明

鄭明（生卒年不詳），筆名廢人、明，可能亦曾使用一明、赤子。[74]生平經歷尚待考察，1928 年參與「赤崁勞働青年會」及《赤道》雜誌，其後與成員莊松林、趙啟明，在 1936 年 10 月共組「臺南藝術俱樂部」。該組織成立前後，成員大多將作品投稿至楊逵創辦的《臺灣新文學》。鄭明曾於該刊發表漢語短篇小說〈牛話〉、〈三更半暝〉。〈牛話〉以三頭牛的對話，暗喻殖民者與被殖民者的關係，及不同世代被殖民者在觀念與行動上的差異。〈三更半暝〉則描述自動車運轉手（汽車司機）枝才，在挨餓工作的某日，半夜前往酒樓載客，忍受資本家匏仔舍種種無理的行徑和要求，致回程時不支昏倒。此篇手法成熟，運用了許多生動的臺語對話，且深刻觸及一九三○年代中期臺南地區交通運輸轉型的歷史背景，細微描

73——參考自：鄭喜夫，〈莊松林先生年譜〉、雪村（陳華），〈憶故友、思往事〉，皆收錄於《臺灣風物》25：2「悼念民俗學家莊松林先生特輯」，臺北：臺灣風物雜誌社，1975 年 6 月 30 日。莊松林，〈不堪回首話當年〉，《臺北文物》3：3，臺北：臺北市文獻委員會，1954 年 12 月。王詩琅，〈臺灣民俗學家群像〉，《王詩琅全集》，高雄：德馨室，1979 年 10 月。其中〈莊松林先生年譜〉，有若干事件的紀錄，疑有一年的時間落差，故與陳華擬組戲劇團體一事，可能是 1938 年，尚待考證。

74——「一明」是否為鄭明尚待考，此說參考自鍾肇政、葉石濤主編《光復前臺灣文學全集6：送報伕》，臺北：遠景，1979 年 7 月。「赤子」則出自《臺灣新文學》1：9 的「次號豫告」所列〈三更半暝〉的作者為「赤子」。

述了獨占事業者的橫行、紙醉金迷中的醜惡世態，與失去土地的勞動者們的掙扎。另有一篇〈呂祖廟燒金〉的民間故事，改寫自臺南在地的奇案。除此，還有漢語劇本〈鎖在雲圍的月亮〉，乃改編自中國作家張資平小說《愛力圈外》，作者想透過改寫介紹給臺灣的戲劇界，共連載五回。此作品經由梅筠、菊筠姊妹的遭遇和主張，揭露上流社會與封建家庭的陳腐，對女性身心造成的摧殘。最後透過菊筠的積極出走、底層同伴的追隨，呈示向封建社會反擊的可能與期待。事實上鄭明參與戲劇的經驗頗多，就目前所見資料，可知他曾於 1928 ～ 1933 年間，參加黃欣組織的「臺南共勵會」演藝部，在多次公演中擔任導演。執導過臺南「南座」公演的〈復活的玫瑰〉、〈一串珍珠〉；「臺南大舞臺」公演的〈誰之錯〉（黃欣作品）、〈少年維特之煩惱〉（曹雪沂編譯），並於〈少年維特之煩惱〉中，與王雨卿分別擔任男女主角[75]；「宮古座」公演的〈父歸〉、〈潑婦〉；臺北「新舞台」公演的〈暗夜明燈〉、〈復活的玫瑰〉、〈人格問題〉、〈破滅的危機〉等。[76]

（十）陳華

陳華（約莫 1911 前後出生，卒年不詳），筆名雪村，臺南市人。根據其戰後追憶莊松林的文章〈憶故友思往事〉，可知是莊氏的幼時玩伴、臺南第二公學校（今立人國小）同年級校友。公學校畢業後前往廈門，就讀雙十中學，其後轉鼓浪嶼新華中學，期間參與當地留學生的反殖民運動。1926 年前後積極投入臺灣文化協會的社會運動。曾與莊松林一同參與白話文讀書會、臺南文化劇團、赤崁勞動青年會，兩人經常一同被捕，

75——王雨卿（1907 ～ 1938），臺南市人，是臺灣首位博物學家，1933 年創刊世界語雜誌《La Verda Insulo》（綠島）並擔任編輯。莊松林的世界語童話〈慧虎〉即登載於此。王雨卿的生平經歷已有小說專書，請參考鄧慧恩，《亮光的起點》，臺北：印刻，2018 年。其部分事蹟可參考「臺語文學卷」。

76——參考自：張炳楠監修，李汝和主修，廖漢臣整修，《臺灣省通志・卷六・學藝志藝術篇》（第一冊），臺北：臺灣省文獻委員會，1971 年 6 月。莊永清〈以文學介入社會——「臺南藝術俱樂部」作家群初探〉，《文史薈刊》復刊第 10 輯，臺南：臺南市文史協會，2009 年 12 月 31 日）。鍾肇政、葉石濤主編，《光復前臺灣文學全集 6：送報伕》，臺北：遠景，1979 年 7 月。

戲稱警察拘留所為第二家庭。戰爭時期兩人擬「演劇同好者集合趣意書」（同時有漢語、日語版），試圖籌組演劇社團，惜未組成。日語評論作品可見於《臺灣新文學》雜誌。[77]

（十一）胡金碖

胡金碖（生卒年不詳），曾任臺灣民眾黨臺南支部書記。1929 年與臺灣女性解放運動健將張麗雲結婚時，邀請函上寫出聲明：「一、不用聘金；二、不用賀禮；三、不注重一切的形式。」被認為是「新時代男女結婚的參考」。胡金碖是臺南的文化運動上活躍的辯士，曾於 1930 年 8 月 23 日「撲滅地方自治聯盟大講演會」上，主講「我們無產階級應該快團結起來撲滅地方自治聯盟吧！衝鋒！衝鋒！」。翌日在赤崁勞働青年會主辦的「反對普度演講會」上，主講「反普運動的現勢」。1931 年，在赤道報社、臺灣工友總聯盟臺南區、赤崁勞働青年會主辦的「五一節紀念大演講會」上，主講「今天是全世界無產階級 ××× 的日子」。[78]

（十二）郭琴堂

郭琴堂（生卒年不詳），由《赤道》第 2 號的編後語可知為成員，參與編務。早年參與黃金火的「臺南文化劇團」，1928 年與赤崁勞働青年會的同志一起前往支援高雄淺野水泥公司罷工，於三塊厝工廠登臺演出〈憨老大〉、〈月下鐘聲〉、〈封神臺〉等劇。[79]

77——雪村（陳華），〈憶故友思往事〉，《臺灣風物》25：2，臺北縣：臺灣風物雜誌社，1975 年 6 月 30 日。陳雪村，〈批判よりも指導せよ〉，《臺灣新文學》1：5，1936 年 6 月。

78——參考自〈地方通信 臺南 胡張結婚發出附帶聲明〉，《臺灣民報》第 246 號，1929 年 2 月 3 日。另外，關於張麗雲的事蹟，請參考陳翠蓮，《自治之夢：日治時期到二二八的臺灣民主運動》，臺北：春山，2020 年。

79——參考自：《赤道》第 2 號，臺南：赤道報社，1930 年 11 月 15 日。張炳楠監修，李汝和主修，廖漢臣整修，《臺灣省通志·卷六·學藝志藝術篇》（第一冊），臺北：臺灣省文獻委員會，1971 年 6 月。

第三章

文學本格化時期
的漢語現代文學

接下來，想談談臺南的現代漢語文學作家群，從「赤道勞働青年會」發展到「臺南藝術俱樂部」的經過與背景，特別是漢語現代文學所面臨的時代處境。

第一節　　「文藝大眾化」與「文學本格化」────────

臺灣人所倡議的「新文學」（含漢語、日語），最初是以對抗傳統社會秩序與殖民體制之姿躍起，可視為反官方政治運動的一環。它既是有待運動爭取體制保障的領域，也是一種自由言論的直接宣示及行動，在此意義上，「文學」本身就是實現自由個體與公平社會的「運動」，同時涉及「作者」（個體表現）與「讀者」（面向眾人、文化啟蒙）的課題。在政治運動興盛的時期，面向民眾的文化啟蒙，一直被視為最迫切也最核心的任務。

1930 年前後，「文藝大眾化」已成為一個常見的主張。隨著這個口號日漸流行，自新舊文學論爭以來，「新文學」到底取得什麼樣程度的普及化成果，也開始受到檢驗。雖然總督府在教育及傳播資源上的限制是主因，但支持文化運動的知識階層逐漸意識到「新文學」的危機。亦即，它其實無法如倡議者所聲稱，真正深入臺灣民眾，成為他們易讀、易寫、感動的藝術。

理念與實際成效的落差，首先在「語言」問題上出現檢討的聲音，引發了「鄉土文學／臺灣話文論爭」，議論焦點是語言形式應該採用「臺灣話文」還是「中國話文」。但無論是思考怎麼做最能親近臺灣民眾，協助其識字、掌握表現工具及吸收新知；或考慮到什麼語言形式較能克服現實阻力、獲取資源，且更廣泛地聯絡（包含對岸的）民眾。對於這些環節，儘管有各種方案提出，但多數的論爭，特別是具有社會運動背景的人，其

實共享很類似的政治理想，並且理所當然身兼「作者」與「運動者」，期待通過文學，實現平等自由的社會，這也是他們在論爭後持續能夠合作的原因。

除了圍繞「語言形式」的爭議之外，當時報刊裡也可看到知識階層反覆思索「文學創作是什麼？」、「藝術是什麼？」、「文學與大眾的關係是什麼？」等問題，並從作品內容與表現手法方面檢討文藝大眾化的成效。與上述《赤道》同樣出現於 1930 年的左翼刊物，還有《伍人報》、《臺灣戰線》、《洪水報》、《明日》、《現代生活》等。雖皆為因應社會運動而生的雜誌，但已見參與者對「文學」與「政治運動」關係，正試著提出各式各樣的檢視與調整。

1930 年張維賢在左翼刊物《明日》裡發表〈藝術小論〉，即便是無政府主義者的他，也對普羅藝術的專制性，及部分流於公式化的原則感到不以為然，他認為當時文藝現狀有幾個問題：1、脫離實際生活、抽象化；2、受特定政治運動專制；3、商品化。並且正思索如何取得藝術創作與政治運動的自然結合。這樣的想法也見於王詩琅的〈新文學小論〉，此文思考「文學家」與運動的關係，文中並未將文學獨立性與政治運動對立，而是試圖修正流於宣傳與概念化的創作，希望革命思想能自然地化成藝術。[80]文化人的這種廓清與自我約束，隨著大環境的變化逐漸形成趨勢。

1931 年 2 月臺灣總督府取締左傾的臺灣民眾黨，6 月搜捕臺共及新文協成員，此後臺灣人的政治運動急速崩解，涉及政治敏感的言論亦受到壓制，整體的寫作環境有明顯趨向修正政治主義色彩。就前後的動態來看，有兩股力量促成往後的「去政治」走向。其一，官方的政治打壓與言論控

80──張維賢，〈藝術小論〉，《明日》1：3，1930 年 9 月 7 日，頁 2-11。王詩琅，〈新文學小論〉，《明日》1：2，臺北：明日雜誌社，1930 年 8 月 18 日，頁 8。

制趨緊，帶來退守或「轉向」的潮流；其二，因作家對於「文學」獨立性的認知，而產生自我約束，試圖在創作與政治運動之間取得平衡，更甚者則不涉政治。

1931 年 6 月由臺灣人與日本人共組的「臺灣文藝作家協會」，其發行的機關誌《臺灣文學》，基本上還維繫著無產階級文學運動的理念。不過同年 12 月創刊的《曉鐘》，在「促進新文藝的發展和其大眾化」的主張下，雖仍帶有文化啟蒙運動的性質，已不見議政色彩。[81] 1932 年 1 月，在這種「八面碰壁、百不可為的現狀」的環境裡創刊的「純文藝雜誌」《南音》，較之 1930 年大量出現的那批雜誌，也明顯朝向一種較為溫和的文化事業。誠如《南音》發刊詞所說的，願「做個思想知識的交換機關，盡一點微力於文藝的啟蒙運動」、「添一點文藝的潤澤，給一點生活上的慰安」[82]，透露這個時代的退守氛圍。

此外，還有一個讓文化界漸感不安的變化，是民報的動向。1932 年 4 月 15 日，《臺灣新民報》改為日刊，由於該報經營者的政治立場遭到部分知識階層的抵制，以及轉為日刊後的經營需求而走向商業化，導致其「文藝欄」在提供創作空間、培育新文學上，被認為已不如週刊時期。

前述這些社會變化與內部自省，讓作家之間開始醞釀新一波的集體行動。1933 年 1 月，第一階段的「鄉土文學／臺灣話文論爭」告一段落，廖漢臣在《新高新報》上發表〈萎微不振的文學運動與彌漫於作物的頹廢思想〉[83]，趙啟明也在《臺灣新民報》上發表〈過去的教訓呈給臺灣文藝作家〉[84]，皆感慨各種文藝雜誌的相繼出刊與停刊，文學發展陷入停滯，期盼能再度開啟新的文化行動。這一年初秋，廖漢臣前往大稻埕拜訪江山

81——雜誌中穿插科學、通俗醫學相關文字，且徵稿範圍是論說、隨筆、科學、小說、戲曲、詩、童謠、童話、奇聞、笑談等，是帶有文化啟蒙、鼓勵新文學創作，但較無議政色彩的文藝雜誌。《曉鐘》創刊號，虎尾：曉鐘社，1931 年 12 月。

82——奇（葉榮鐘），〈發刊詞〉，《南音》創刊號，臺北：南音社，1932 年 1 月 1 日。

83——毓文（廖漢臣），〈萎微不振的文學運動與彌漫於作物的頹廢思想〉，《新高新報》385 號，1933 年 1 月 27 日。

84——櫪馬（趙啟明），〈過去的教訓呈給臺灣文藝作家〉，《臺灣新民報》932 號，1933 年 9 月 23 日。

樓經理郭秋生，兩人在論戰時雖立場相異，卻在論爭後成為朋友。此次訪問裡，兩人聊起《南音》於 1932 年 9 月底停刊後，文學界沉寂已久，認為新文學運動一直缺乏健全組織，以糾合全島同志，採取集體行動。於是商議先結合臺北的文藝同志，未來進一步號召全島同志。

此後由郭秋生遊說黃得時；廖漢臣遊說林克夫、朱點人、蔡德音、陳君玉、林月珠，及漢文書房的同窗徐瓊二、吳松谷，公學校時期同學黃啟瑞等人。成員幾乎都是當時活動於大稻埕、艋舺地區的青年，或因學生時期同窗、或因參與政治運動結識、或因職業（印刷場檢字工、唱片公司）而形成的交遊圈，亦是當時北部主要的漢語現代文學寫作群。他們在 1933 年 10 月成立「臺灣文藝協會」，1934 年 7 月發行全漢語的文藝雜誌《先發部隊》（第二號改題《第一線》）。在這個團體裡活動的臺南人，有當時北上投身唱片業的趙啟明，及蔡德音。

期間由賴明弘、張深切等人籌備的第一次全島文藝大會在臺中召開（1934 年 5 月 6 日），全島性的文藝組織「臺灣文藝聯盟」（以下簡稱「文聯」）成立。臺灣文藝協會的成員也參與了文聯的組織。

1934 年 7 月臺灣文藝協會的機關雜誌《先發部隊》創刊號發行，其刊載的專題「臺灣新文學出路的探究」，是一次對臺灣新文學發展現況的深刻反省。他們提到當時現狀：就大環境而言，因學校教育以日語為主，而臺灣學童的家庭用語是臺灣話，即便接受公學校教育，也不容易自由驅使日語；加上漢文教育漸廢，不利漢語文藝的發展，不健全的條件導致新文學創作只限於一部分文藝愛好者，且對大眾而言吸引力薄弱。除此之外，這個專題，可說對當時的反封建意識形態、普羅文學的機械化，及個人主義創作傾向等問題展開全面批判，希望從觀念式語言、侷限的視野跳脫，進展到思想、內容、藝術表現手法上的變革及成熟化。郭秋

生將此歸結為：建設的本格的行動（「本格」為日語，意為正式）。其所謂「文學的本格化」，是指語言藝術領域的組織化，但不是關注個人藝術趣味，而是面向大眾，兼顧「作家表現」與「文化啟蒙」，且必須克服新文學運動發展以來文學附屬於運動所造成的思想問題與形式問題，進一步琢磨「創作的技術」，提升語言藝術的表現能力。當時也有其他作家以「本格」來界定此時期的新文學發展階段，如張深切、楊逵也有類似談法。

不過協會成員，與張深切等文聯核心人物的互動，始終存在一些不協調。1934 年 5 月，雖然全臺規模的文聯成立了，但臺灣文藝協會仍持續維持組織。兩個團體的緊張關係，除了作家們對文聯運作的不信任感、既有團體與新設團體之間的競爭之外，還有一個不能忽略的因素，即「創作語言」的問題。此時新文學運動的日語時代已經來臨，漢語寫作面臨新的困境和挑戰。

廖漢臣曾回憶，在文聯成立前後，「臺灣中日文寫作者各自成立小集團」，甚而相互排擠。日文作家劉捷還曾戲稱漢語寫作者是「漢文先仔」，認為「研究白話文的人，個個都帶有漢民族的劣根性」。此舉甚至還引發「艋舺班」的漢語作者群與劉捷之間的肢體衝突事件。此時期劉捷所謂的「漢文先仔」，不只是古典文人，也包含以漢語書寫為主的白話文（中國白話文、臺灣話文）作家。

文聯成立前後，已經有「臺灣中日文寫作者各自成立小集團」的現象，似乎也可以說明郭秋生與廖漢臣等人共組的「臺灣文藝協會」裡，並存中國白話文派與臺灣話文派作家，除了因為作家的交誼網絡、職業、臺灣話文論爭前後的立場變化等原因之外，也和日語勢力出現後，臺灣文學界裡競爭版圖的變遷有關。事實上，文聯主事者之一的張深切雖為中國白話文

作家，但《臺灣文藝》除了最初兩號之外，往後日文稿件比例逐漸偏高。張深切在戰後的回憶錄裡曾無奈表示，這實是「勢所使然」，因漢語作家少，質量不如日語，於是在因應讀者要求與時潮影響下「終於愛莫能助，只有任它讓讀者淘汰」。[85]可以想見，面對報紙文藝版面已然不足的現狀，文聯偏重日語的編輯走向，不免引起漢語作家的不滿與危機感，埋下往後分裂的種子。

1935 年 12 月，楊逵另創臺灣新文學社，發行《臺灣新文學》雜誌。除了積極繼承與深化普羅文學的發展，此刊另一重要特色，便是積極鼓勵漢語創作，1936 年底更推出「漢文創作特輯」。直到 1937 年當局廢止全島報刊的「漢文欄」，同時下令《臺灣新文學》禁止刊登漢語作品，該刊仍鼓勵作者繼續創作，並提議透過翻譯，協助漢語作品繼續發表。雖終究難抵經營困難而廢刊，但對於漢語現代文學的延續，付出了相當大的努力。

以上幾個文藝團體及刊物，雖非發生在臺南，但這當中有兩位值得留意的臺南出身者：蔡德音、楊逵。蔡德音的漢語作品，包含隨筆、小說、戲劇、現代詩，在臺語流行歌的領域上，身兼作詞、作曲、歌劇編寫、演唱等，甚是多才且多產。而楊逵在日治時期的漢語作品雖有限，主要創作語言為日語，但他在一九三〇年代漢語現代文學的發展上扮演相當重要的角色。以下分節介紹兩位作家的生平與作品。

第二節　臺灣文藝協會的蔡德音

蔡德音（1912 ～ 1994），本名蔡天來，字建華，號德音，筆名德音、音。臺南市人。出生後不久即過繼給親戚，養父是漢文書房教師，自幼便

85——張深切，《里程碑——又名：黑色的太陽》，臺中：聖工出版社，1961 年 12 月。收於《張深切全集》（二），頁 622-623。

奠定漢文基礎。臺南第二公學校肆業後，於漢藥店工作兩年，1926年隨雇主前往廈門。

在廈門工作期間，蔡德音透過基督教青年會等夜校進修，並且開始嘗試創作，曾寫下〈一個好學生〉等作品。後來還在這裡結識一位來自北京的大學生，往來間學會北京話口音，這個語言能力深刻影響他後來的經歷。返臺之後，他加入臺灣文化協會，其後亦曾擔任民眾黨講座的中國語講師。他與臺灣共產黨員王萬得是摯交，參與其1930年6月創辦的左翼刊物《伍人報》週刊，並於同年10月代表該刊出席「臺灣言論出版自由獲得懇談會」。

1933年前後進入唱片業，先後為古倫美亞、博友樂、泰平等唱片公司作詞，重要作品有：〈紅鶯之鳴〉、〈算命先生〉、〈如思夢〉、〈阿里山姑娘〉、〈夢愛兒〉、〈水鄉之夜〉、〈咖啡！咖啡！〉、〈送出帆〉等。此時期不少作家有意識地想透過「作詞」，結合文化啟蒙運動，並增進流行歌的文藝性。蔡德音相當重視歌詞能否反映真實的「臺灣的情緒」，主張研究臺灣獨特語言，並強化「詩的精神」。廖漢臣曾以陳君玉〈跳舞時代〉與蔡德音〈咖啡！咖啡！〉為例，評價他們的作品成功地「描寫陶醉於物質文明的近代人的心理」。

蔡德音在臺語流行歌領域是相當多方位的角色，另還作曲〈咖啡！咖啡！〉、〈受苦冤〉；擔任歌手演唱〈蝴蝶夢〉、〈籠中鳥〉等。此外，由他作詞的〈紅鶯之鳴〉（林氏好演唱，古倫美亞發行），當時相當膾炙人口，幾年後延伸出同名的「新歌劇」作品，劇本亦出自蔡德音之手，講述藝旦紅鶯為追求婚姻與生命自由而殉身的故事。除此，他還曾參與臺南出身的知名作曲家王雲峰所拍攝的電影《怪紳士》（1933年），在片中飾演一名惡漢。

值得一提的是，蔡德音在流行歌業界，認識了唱片公司職員兼歌手林月珠，兩人後來相戀、私奔。他們在婚前便一同參與社會運動，也是1933年臺北「臺灣文藝協會」的創會成員，共同漢譯日本作家山本有三的獨幕劇〈慈母溺嬰兒〉（嬰児ごろし），發表於1934年出版的機關刊物《先發部隊》。〈慈母溺嬰兒〉亦有延伸的同名臺語流行歌，由蔡德音作詞。

　　參與臺灣文藝協會期間，蔡德音和朱點人共同擔任機關刊物《先發部隊》（後改名《第一線》）的幹部，負責審查小說與戲劇作品。事實上，這本雜誌的經營，有部分經費來自蔡德音向泰平唱片公司徵求廣告贊助，創刊號的廣告裡，有一首名為〈先發部隊〉的歌曲，作詞者亦是蔡德音。

　　除了臺語流行歌，蔡德音陸續在《先發部隊》、《第一線》、《臺灣文藝》等雜誌發表文學作品，如：隨筆〈我不願厭世〉、〈一個人集〉；民間故事〈碰舍龜〉、〈洞房花燭的故事〉、〈圓仔湯嶺〉、〈離緣和崩崁仔山〉；戲劇〈天鵝肉〉；小說〈補運〉等，其作品中常見對迷信、不事生產的階級、當局對社運的打壓、女性社會處境等的反思與批判。其後曾於楊逵創辦的《臺灣新文學》裡列名營業部幹部。

　　1940年左右，蔡德音被日本政府派往中國擔任翻譯官，往後隨工作輾轉於上海、南京、漢口等地。戰爭結束後，蔡德音一家返臺，暫居桃園林月珠大哥家，並在當地的中小學擔任國語文教師，當時有不少外地人前來拜師求教。蔡德音在1940年便曾編寫《華語正則入門》（桃園：華語同好會）。戰後的1946年，持續編輯《國語發音教育補充課本》（桃園：國語普遍促進會）等書，同年楊逵創辦民眾出版社，原定出版《蔡德音歌集》三冊，但可能因翌年發生二二八事件，楊逵被捕，出版計畫遂中止。

蔡德音也在事件後被捕,入獄九個多月,出獄後輾轉於臺灣各地生活。目前所知,其一九五〇年代以後參與的文化工作,是曾執筆臺中大華文化社的「科學偵探奇案小說」作品:《鑽石怪盜》(1956)、《國際原子諜團》(出版年不詳)等。另外,1974 年 10 月,曾參與《大學雜誌》舉辦的「日據時代的臺灣文學與抗日運動」座談會。

蔡德音和林月珠於 1983 年移居洛杉磯,晚年活躍於當地亞洲移民圈,參與日語文學團體,並從事舞蹈、臺語教學。他們的故事,曾被臺灣的大愛電視台拍成電視劇《詠》,於 2001 年播出。[86]

第三節 臺灣新文學社的楊逵

楊逵(1906 ～ 1985),本名楊貴,其他筆名有楊建文、賴健兒、林泗文、伊東亮、公羊、SP、狂人、陳水性等。臺南新化人。1924 年從臺南州立第二中學校自主退學,前往日本東京,其後考入日本大學專門部文學藝術科夜間部,日間從事各種零工維生。

楊逵在日本期間,開始參與政治運動,同時也關注築地小劇場的發展動態,參與佐佐木孝丸的「前衛座演劇研究所」,曾受日本普羅藝術聯盟千田是也的指導。1927 年 9 月,於東京記者聯盟機關雜誌《号外》(號外)雜誌上發表〈どうすりや餓死しねえんだ:自由労働者の生活断面〉(怎樣才不會餓死?:自由勞動者的生活斷面)。

1927 年返臺後,楊逵加入臺灣文化協會、農民組合,並認識後來的伴侶葉陶。同年他負責起草臺灣農民組合第一次全島大會宣言,其後積極投入農民運動,多次被捕。1928 年成為新文協機關刊物《臺灣大眾時報》

86——參考自:毓文(廖漢臣),〈同好者的面影(二)蔡德音先生〉,《臺灣文藝》2:2,1935 年 2 月 1 日。蔡烈光,《陳年往事話朱家》,臺北:玉山社,2019 年 12 月。蔡烈輝,〈說說我自己〉,「台美人西遊足跡」網頁。蔡烈輝,〈蔡烈輝小傳〉,「台美史料中心」網頁。陳君玉,〈日據時期臺語流行歌概署〉,《臺北文物》4:3,臺北:臺北市文獻委員會,1955 年。許容展,〈蔡德音〉、〈林月珠〉,收錄於柳書琴主編,《日治時期臺灣現代文學辭典》,新北市:聯經,2019 年 6 月。

的記者。楊逵在戰前的創作語言主要是日語，戰後則改以中文寫作，文類包含小說、詩歌、隨筆、評論、戲劇、翻譯等。其最為人熟知的作品，是日語小說〈送報伕〉（新聞配達夫），此作曾於 1932 年 5 月，經賴和之手登載於《臺灣新民報》日刊，但僅刊出前篇的連載，後篇遭禁。雖然如此，這篇小說在兩年後獲選日本東京《文學評論》第二獎（首獎從缺）。接著又兩年，由中國左翼文學評論家胡風（張光人）譯成中文介紹到中國。而其實楊逵曾於 1931 年，嘗試以臺灣話文翻譯馬克思主義文獻。1932 年還撰寫了臺灣話文小說〈貧農的變死〉、〈剁柴囝仔〉，當時皆未發表，前者則於 1935 年改題為〈死〉，連載於《臺灣新民報》。[87]

1935 年前後，圍繞臺灣文化界的「文藝大眾化」理念，特別是延伸的「文學性」、「大眾性」問題，楊逵分別與臺南風車詩社的李張瑞、臺灣文藝聯盟的劉捷等人發生論戰，對於臺灣文壇影響深遠。這些筆戰還引發多場周邊論爭，當時有不少臺南出身或與臺南淵源深厚的作家參與其中，如往後任職臺南的新垣宏一、鹽分地帶詩人吳新榮與林精鏐等人。[88]在這些論爭裡，可以看到楊逵的思想和行動始終帶有深刻的階級反省，並真正體現和貫徹了平等的信念。同時也是一位積極的實踐者，在各種社會議題或文化課題上，總是不斷地為現實困境尋找可行方案。當時的知識階層和文化工作者，大多抱持將「文學性」、「大眾性」分層分離的文學觀，於是或擇一精進，或調和之，或主張降低文學性配合大眾寫作。但楊逵始終深信「最具藝術性的東西往往就是最具大眾性的東西」，主張應該將常識中的「文學性」與「大眾性」問題化。他對「知識階級／大眾」、「藝術化／大眾化」這種既定的「上／下」結構和菁英思維提出深切檢討，強

87——楊逵生平參考自：王拓整理，楊翠增撰，〈楊逵年表〉，「楊逵文教協會」網頁。黃惠禎〈楊逵〉，收錄於柳書琴主編，《日治時期臺灣現代文學辭典》，新北市：聯經，2019 年 6 月。黃惠禎《左翼批判精神的鍛接：四〇年代楊逵文學與思想的歷史研究》，新北：秀威，2009 年。邱坤良，〈文學作家、劇本創作與舞台呈現：以楊逵戲劇論為中心〉，《戲劇研究》第 6 期，2010 年 7 月。另外，關於楊逵的臺灣話文小說，請見「臺語文學卷」。

88——這幾場論爭的細節，請見許倍榕〈日治時期臺灣的「文學」概念演變〉，成功大學臺灣文學系博士論文，2015 年。

調知識階層與大眾之間的相對關係，不應等同於等級關係。而這也是文聯
分裂前後、漢語文學沒落當下，他始終對殖民地的語言問題、文藝大眾化
的實踐，保持謹慎態度且不輕言放棄的原因。

　　1935 年 12 月，楊逵離開文聯，創辦《臺灣新文學》雜誌，如前所述，
不同於文聯任由漢語文學逐漸沒落，《臺灣新文學》傾力延續漢語文學的
發展可能，除了積極邀稿、推出漢語創作的特輯，更在當局禁漢文之後，
提案協助漢語作品的日譯發表。而這個刊物，也是以下將介紹的「臺南藝
術俱樂部」成員，最重要的發表園地。

第四章

從文學到民俗研究

第一節　臺南藝術俱樂部

由《赤道》同人發展而出的「臺南藝術俱樂部」，成立於 1936 年 10 月，主要成員有：莊松林、趙啟明、鄭明、黃耀麟、董祐峰、徐阿壬、張慶堂等人。該組織內分「文藝」、「演劇」兩部，另設置「臺灣舊文獻整理委員會」，專事臺灣相關古文獻的整理與考證。據莊松林所言，著手整理文獻，是為尋求文藝創作與編劇的題材，也為因應日益緊縮的言論空間，在言論受限的情況下，取材歷史文獻，或許較能避免日警查禁，亦能成為發揚歷史文化的新徑。[89]

臺南藝術俱樂部的成員大多以漢語創作，他們並未發行機關雜誌，而是投稿至《臺灣文藝》、《臺灣新文學》。當楊逵決意設立臺灣新文學社時，曾親訪全臺各地，向作家邀稿。莊松林等人認同《臺灣新文學》雜誌「中日文兼重，不分派別」的原則，在臺南藝術俱樂部尚未正式組織團體之前，便已集體供稿，成為該刊的漢語文學主力之一。

成員莊松林、趙啟明、鄭明的生平，請見「《赤道》主要成員」小節。以下介紹其他幾位主要人物。

一、黃漂舟

黃漂舟（生卒年不詳），本名黃耀鏻（亦見作麟、磷），筆名漂舟、孤舟。戰前以漢語、日語寫作。1934 年曾為泰平唱片的臺語童謠〈天黑黑〉、〈放風吹〉作詞，皆由快齋（邱創忠）作曲，鶯兒演唱。1936 年與莊松林等人共組「臺南藝術俱樂部」，曾在《臺灣新文學》發表臺語民謠〈討海人〉；臺語童謠〈海水浴〉、〈黑暗路〉，同時也以筆名孤舟發

89——朱鋒（莊松林），〈不堪回首話當年〉，《臺北文物》3：3，臺北：臺北市文獻委員會，1954 年 12 月，頁 67。

表日語現代詩〈春日〉、〈小作農〉、〈農民〉。是年亦於《臺灣文藝》發表日語現代詩〈真理〉、〈夢〉，兩首作品完成於前一年。當時作者身處中國上海，前者似是反思日益加深的東西方對立，對「傳統」、「真理」的政治正確與可變性流露懷疑；後者慨嘆生命的艱難，由文末附註可知，是為「苦悶的摯友草野君」所寫。戰後任職於新聞界，1954 年莊松林在〈不堪回首話當年〉一文中，感嘆「臺南藝術俱樂部」同人皆已封筆，「惟漂舟雖自光復後，從事報界，然而現在對文學沒有一點興趣了」。專長應與經濟相關，著有《臺灣經濟與企業》（全民日報社，1950）、《臺北市志：經濟志》（臺北市文獻委員會，1965）、《談臺灣金融》（1970）等書。[90]

二、董祐峰

　　董祐峰（約 1913～1943），本名董金富，臺南市人。同時以日語、漢語創作。1936 年 4 月與黃金火等人成立「南薰簧樂團」（南薰リードバンド），他們有感於當時「藝術大眾化」逐漸走向兩極端，若非脫離民眾而趨於高蹈，便是走向媚俗而粗製濫造。因此有意透過最親民的樂器口琴「引導一味追求古都殘夢的臺南走向開朗的風氣」。具體目標是透過演奏介紹東西方名曲、整理及發表臺灣歌謠、創作新歌曲等。同年 10 月，與莊松林、趙櫪馬等人組織「臺南藝術俱樂部」。其日語創作多發表於《臺灣文藝》、《臺灣新民報》、《臺灣新文學》，主要作品有：現代詩〈道化者外一篇〉、〈未練〉、〈俺を見ろ〉（看我）、〈螞蟻〉、〈傷痕〉、〈愛は囁く〉（愛在低語）；隨筆〈微風〉；獨幕詩劇〈森の彼方へ〉（森林的彼方）；評論〈南薰リードバンドの創設について〉（關於南薰簧樂團的創立）。其中詩劇〈森林的彼方〉，無論形式或寓意，在當時都是相

<hr>

90——參考自：朱鋒（莊松林），〈不堪回首話當年〉，《臺北文物》3：3，臺北：臺北市文獻委員會，1954 年 12 月，頁 68。另，唱片資訊來自國立臺灣歷史博物館「臺灣音聲一百年」網站。

當特異出色的作品，劇中透過不同人物，歌詠疲憊生命即將抵達的「森林」，全詩充滿暮歌氛圍，卻是哀傷與希望並存，盡頭似是死亡，也是理想新境。董祐峰曾在楊逵創辦臺灣新文學社時，回應該社對臺灣作家提問的「反省與志向」，表示期待的作品，是在個人體悟上進一步添增「獨創性」的作品，而此「獨創性」，必須排除派系鬥爭，且非拘泥於個人情感的鄉土色。另外，漢語創作方面，目前可見 1939 年於《風月報》發表現代詩〈她的眼睛〉。1942 年 10 月，由陳姓大宗祠出資，與莊松林一同調查臺南古蹟，發掘明鄭時期的洪夫人之墓。[91]

三、徐阿壬

徐阿壬（生卒年不詳），「臺南藝術俱樂部」同人。作品主要發表於《臺灣新民報》、《臺灣新文學》。1933 年於《臺灣新民報》發表漢語現代詩〈月亮〉、〈異鄉的懷感〉；1936 年發表〈我的情願〉於該報，同年亦於《臺灣新文學》發表漢語現代詩〈不要忘了我吧！〉、民間故事〈石仔蝦殺弟案〉。其現代詩作品多為抒發個人情思，如失戀情緒、生命的喟嘆、思鄉的愁感等。〈石仔蝦殺弟案〉於雜誌發表時，標記為「臺南史遺」，全篇嘗試以小說手法，記述一樁發生於清末臺南府城的苧絲商殺弟慘案。[92]

四、張慶堂

張慶堂（生卒年不詳），筆名唐得慶。臺南新化人。1936 年參與「臺南藝術俱樂部」。求學時期的 1930 年便曾創作漢語小說，此篇多年後改寫為〈年關〉，發表於《臺灣新文學》。目前可見作品，有 1935 年刊登於《臺

91—— 參考自：莊永清，〈以文學介入社會——「臺南藝術俱樂部」作家群初探〉，《文史薈刊》復刊第 10 輯，臺南：臺南市文史協會，2009 年 12 月 31 日。朱鋒（莊松林），〈臺灣的明墓雜考〉，《臺南文化》3：2，1953 年 9 月 30 日，頁 44-55。鄭喜夫，〈莊松林先生年譜〉，《臺灣風物》25：2「悼念民俗學家莊松林先生特輯」，臺北：臺灣風物雜誌社，1975 年 6 月 30 日，頁 14。羊子喬、陳千武主編，董祐峰等著，《森林的彼方》，臺北：遠景，1982 年。

92—— 參考自：羊子喬、陳千武編，《望鄉》，臺北：遠景，1982 年；朱鋒（莊松林），〈不堪回首話當年〉，《臺北文物》3：3，臺北：臺北市文獻委員會，1954 年 12 月。

灣文藝》的漢語小說〈鮮血〉；1936年發表於同刊的現代詩〈長足高飛〉。〈鮮血〉敘述樂觀的農民「九七」，向地主承租田地，夢想豐收後改善家庭經濟，但儘管耐苦忍勞積極工作，收成卻不足以繳租，理想破滅後，不得已賣掉耕牛，前往都市當人力車夫，但處境依然艱困，故事結尾，他因疲困勞動而遭汽車撞倒，躺於血泊之中。於《臺灣新文學》發表的作品，有1936年的漢語小說〈年關〉、〈老與死〉、〈他是流眼淚了〉，及1937年的〈畸形的房子〉。〈年關〉首先以主角阿成孩子的視角，描述受生活之苦催逼的父母，在生活與精神上的變化。繼而由人力車夫阿成的角度，敘述在年關將近時，儘管努力工作，卻遭乘客刁難侮辱，最後鋌而走險行搶被捕。〈老與死〉主角為農民烏肉兄，因村莊推行「模範部落」而被命令整修房子，但窮困無能為力，在警察責問時，試圖以過去參與社會運動時得知的世界無產階級連帶說服警察，卻被視為農民組合的餘孽而遭到斥打。他在貧病中失去意識，來到「花的世界」見到亡妻，卻苦無路徑走近她，幻夢中被孩子搖醒，為了家計不得不重新振作，故事結尾簡單一行「幾天後，烏肉兄又在田裡苦笑了」，可說道出張慶堂筆下人物共有的無奈與韌力。黃得時曾正面評價此篇小說，認為主角的人生觀與個性躍然紙面，並推薦讀者搭配芥舟（郭秋生）的小說〈王都鄉〉相互對照閱讀。〈他是流眼淚了〉亦描述佃農的苦境，此篇觸及底層階級同伴的微妙互動，苦難時雖有互助之時，但終於還是在殘酷的生活競爭裡，相互傷害、欺騙。1937年以筆名唐得慶發表小說〈畸形的房子〉，此篇因檢閱而腰斬大半，目前可見篇幅，描述主角阿雲、梅英這對投身農民組合的戀人，雖遇種種困頓，卻始終以堅定信念前行，作者亦生動描寫雙方家人的心態和阻撓，但幾經波折後，終得和解。[93]

93——參考自：朱鋒（莊松林），〈不堪回首話當年〉，《臺北文物》3：3，臺北：臺北市文獻委員會，1954年12月。莊永清，〈以文學介入社會——「臺南藝術俱樂部」作家群初探〉，《文史薈刊》復刊第10輯，臺南：臺南市文史協會，2009年12月31日。張恆豪主編，《陳虛谷、張慶堂、林越峰合集》，臺北：前衛，1990年。石廷宇，〈張慶堂〉，收於柳書琴主編，《日治時期臺灣現代文學辭典》，新北市：聯經，2019年6月。黃得時，〈評《臺新》八月號創作〉，《臺灣新文學》1：8，1936年9月。

「臺南藝術俱樂部」的活動，在 1937 年當局廢禁報紙漢文欄後日趨沈寂，但其附設的「臺灣舊文獻整理委員會」仍維繫下來，並以莊松林開設的「永安玩具部」為據點，持續耕耘。

第二節　民俗研究與文獻整理

　　1937 年，隨著戰爭的接近，中日關係緊張化，總督府開始採取急進政策，加強臺灣人的日本化，具體措施如報紙漢文欄廢止、臺灣語的使用限制、寺廟整理、改姓名、徵募臺灣人軍伕等。[94]皇民化運動中的公學校漢文廢止、日刊報紙漢文欄廢止，嚴重衝擊發展條件日漸受限的漢文寫作，部分漢詩會活動也受到監控，遭當局懷疑有「企圖透過漢詩復興支那文化」之嫌。[95]隨著《臺灣文藝》、《臺灣新文學》相繼停刊，作家的活動場域遂移至四大日報的日文文藝欄，分別由西川滿（臺灣日日新報）、岸東人（臺南新報）、田中保男（臺灣新聞）、黃得時（臺灣新民報）主持。整體而言，在戰爭影響下，文學活動相對低迷，同化政策與言論箝制日益急進，臺灣人首當其衝。除了漢語寫作直接受到限制，過去曾有自由主義或社會主義思想背景的文化人，也難有發表言論的意願和條件。他們當中有人因工作離臺，或選擇停筆，靜觀時局，或在有限的報刊上勉力筆耕。[96]

　　在此變動下，臺南藝術俱樂部的文學活動逐漸停擺。趙啟明 1938 年客故香港，董祐峰也在 1943 年過世。成員中仍持續活動者，主要是莊松林。1939 年，他與友人陳華研擬「演劇同好者集合趣意書」，試圖號召同志，但響應者不多，終未能組成。同年莊松林在臺南市西門町（今真善美戲院對面）開始經營「永安玩具部」，這裡後來成為臺南藝術俱樂部「臺

94——春山明哲，〈解説——日中戦争期の臺湾民衆の「素顔」〉，收於春山明哲編，《臺湾島內情報・本島人動向》，東京：不二出版，1990 年 2 月。頁 4。

95——春山明哲編，《臺湾島內情報・本島人動向》，東京：不二出版，1990 年 2 月。

96——陳淑容，〈戰爭前期臺灣文學場域的形成與發展——以報紙文藝欄為中心（1937-40）〉，國立成功大學臺灣文學系博士論文，2009 年 7 月，頁 45-122。

灣文獻整理委員會」的固定集會地點。其後莊松林自籌經費購買日本京都彙文堂的舊文獻，並與青年時期結識的石暘睢、鹽分地帶的吳新榮，及移居臺南的廖漢臣等人投入民俗研究，戰爭時期在《臺灣藝術》、《民俗臺灣》雜誌上發表不少日語文章。對這些作家而言，轉入民俗研究，實非偶然。以下以臺灣文藝協會與臺南藝術俱樂部為中心，大略介紹臺灣作家從文學界轉入民俗研究的歷史經過。

前述 1934 年臺北的臺灣文藝協會發行全漢語雜誌《先發部隊》，遭日本當局干涉，要求刊載日語稿件。遂於 1935 年 1 月發行機關雜誌時，改題為《第一線》，同時收錄漢語、日語作品，並於當期推出「臺灣民間故事特輯」。這個專題，與臺灣文藝協會成員的採集經驗或工作經驗有關。例如：郭秋生在鄉土文學／臺灣話文論戰期間，曾主張採集過去的歌謠與現行民歌，作為臺灣話文字化的基礎，並為民眾編製識字讀本。他在 1932 年將採集成果發表於《南音》雜誌的「臺灣話文嘗試欄」。而李獻璋也同樣在《南音》時期整理發表民歌、俚諺，1933 年在《臺灣新民報》上發表〈臺灣謎語纂錄〉系列文章。他們重視民間文學與民眾生活的親近性，認為在缺乏政經資源的情況下，如欲推動民眾的識字教育和思想改革，最可行的方式，就是借助源自民眾生活、傳播性較高的民間文學。

此外，當時他們有感臺灣人在臺灣研究上的怠慢，眼見日本與中國的民間文學、民俗研究，特別是臺灣相關研究專書陸續出版，產生「甘心委諸人家去研究」的焦慮。[97]日本殖民統治下臺灣民間文學較有系統的采錄，可上溯至 1900 年「臺灣舊慣研究會」的成立，其後有宇井英、川合真、平澤丁東、片崗巖、佐山融吉、大西吉壽等的諸多採集研究。而臺灣人進

97──黃得時，〈卷頭言：民間文學的認識〉，《第一線》，1935 年 1 月。

行的民間文學採集工作，較早有 1924 年周定山採集但未出版的《鄉土文藝初稿》手抄本、1926 年張淑子輯錄的《教化三昧集》，及 1927 年 6 月，鄭坤五在《臺灣藝苑》闢「臺灣國風」專欄介紹蒐集的臺灣歌謠。另外，臺灣古典文人的民間文學採集，較具規模的是 1930 年開始於《三六九小報》上的一系列采錄和仿作。1930 年 9 月，《三六九小報》闢「黛山樵唱」專欄，由懺紅等人發表採集的民歌，繼之有古圓（蕭永東）的歌謠仿作。由於民歌採集逐漸受到關注與歡迎，1930 年 12 月 9 日，《三六九小報》刊登了徵集「臺灣民歌、童謠、傳說、故事」的啟事。而這些採集仿作，也影響了不少現代文學作家往後投入民間文學的整理工作。

　　臺灣的現代文學作家對於民間文學的重視，較早可以從賴和的作品與行動裡看到，他肯定底層民眾的藝術表現，認為「乞丐走唱的詞曲」同樣具有文學價值，並實際著手記錄這些民間藝人的口頭藝術。[98]到了鄉土文學／臺灣話文論爭期間，主張臺灣話文的黃石輝與郭秋生，從臺灣話文字化、文學大眾化的層面突出民間文學的重要性。而更積極提倡民間文學整理研究的，是 1931 年 1 月，醒民（黃周）在《臺灣新民報》上發表的〈整理「歌謠」的一個提案〉，此文就「學術」與「文藝」兩方面，申論歌謠整理的意義乃提供民俗研究的材料、保存富有文學價值的作品，並期待由此產生新的「民族的詩」。[99]此後《臺灣新民報》廣向讀者徵集，半年內便獲得百餘首歌謠，成績相當可觀。[100]

　　緊接著 1932 年《南音》創刊，除了郭秋生的「臺灣話文嘗試欄」及李獻璋的俚諺、民歌採集之外，也有黃春成、明塘、鄭坤五、陳逢源的采錄或相關文章。1932 年 7 月，東京的「臺灣藝術研究會」發行《福爾摩沙》

98——胡萬川，〈賴和先生及李獻璋先生等民間文學概念及工作之探討〉，收於《民間文學的理論與實際》，清華大學出版社，2004 年 1 月。
99——其內容大致轉引自《歌謠》週刊的〈創刊詞〉，北大歌謠研究會，1922 年 12 月 7 日。
100——李獻璋，《臺灣民間文學集》，臺灣新文學社，1936 年 6 月 13 日，頁 2。

雜誌，在〈創刊詞〉裡亦提議「整理、研究向來聲勢微弱的文藝作品，和現在膾炙人口的民間歌謠及傳說等鄉土藝術」[101]，當期並刊載了蘇維熊的〈對臺灣歌謠一試論〉。當時的新文學作家，從文化啟蒙、文藝大眾化、作為臺灣文學的前史與基礎、民族文化保存、民俗研究等不同面向，提示民間文學整理研究的意義。

臺灣文藝協會的《第一線》，便是在這些逐漸形成的共同關注與基礎下，進一步體認「故事類的整理工作太少」，於是展開「傳說故事」的蒐集。但因為口傳故事的文字化，與歌謠的記錄不同，故事的篇幅、內容、版本等更為複雜，牽涉到「整理」或「改寫」的問題，這也是「臺灣民間故事特輯」刊行後隨即招來批評，甚至引發論爭的原因。

論爭同樣發生於文聯與臺灣文藝協會之間。文聯的主事者劉捷、張深切等人，基於文化啟蒙運動的理念，強調民間文學的「再利用」價值，但言論中經常將其定位為前現代遺物，談及民眾及其文化時，亦帶有文化階級暗示，將民間文學視為「啟蒙民智」的手段。反之，李獻璋等人則突出民間文學的美學價值，嘗試理解這些傳說故事並非無稽之談，而是源自於特定的時空與自然觀，因此主張再利用之虞，應重視「再評價」。這場看似圍繞在方法論上的爭議，發生在文聯的主事者與臺灣文藝協會之間非偶然。先前提到，這兩個團體之間存在既合作且競爭的關係，而漢語寫作空間縮減的危機感，也助燃了這場論爭的發生。雙方在方法論上非截然二分，然而他們對於殖民地的語言政治、民間文學的評價問題，確實存在著不同的對應態度。如廖漢臣所言，論爭的衝突點應歸結在「民間文學的價值問題」，此為思想對立的主因。

101——〈創刊詞〉，《福爾摩沙》創刊號，1933 年 7 月 15 日。涂翠花譯，收錄在黃英哲主編，《日治時期臺灣文藝評論集（雜誌篇）‧第一冊》，國家臺灣文學館，2006 年 10 月，頁 51。

李獻璋等人對於民間文學的言論，反映了他們的文化觀與民眾觀。這種對民間文學價值的再思考，或許難免帶有浪漫主義的色彩，然而身處殖民地，這些作家對於文化之間的權力關係甚是敏感，也促使他們反省其中的各種主導性價值，特別是統治階層的文明觀與審美觀。於是在面對涉及文化評價的議題時更為謹慎，也對國家政策、商業主義、菁英主體的政治或文化運動裡，將民眾視為被動客體的價值取向，所漠視的個體尊重及人我關係平等，更為警覺，並由此進一步重新思考「民」的文化與力量，這或許也是他們往後走向民俗研究的思想基礎與原因。

當時參與 1935 年《第一線》的「臺灣民間故事特輯」的臺南出身者，主要為臺灣文藝協會成員蔡德音，撰寫了民間故事〈碰舍龜〉、〈洞房花燭的故事〉、〈圓仔湯嶺〉、〈離緣和崩崁仔山〉等。此後李獻璋計畫集稿刊行《臺灣民間文學集》，於是前往拜訪莊松林並向他邀稿。據莊松林所言，歷經幾個月的蒐集與撰寫，他完成了〈鴨母王〉、〈林投姊〉、〈賣鹽順仔〉、〈郭公候抗租〉、〈鼓吹娘仔〉、〈和尚春仔〉等六篇，但因後兩篇「有些淫誨，恐有傷風化」而未受採用，其餘皆收入該書，於1936 年 6 月刊行。此後臺南藝術俱樂部同人，亦陸續於《臺灣新文學》雜誌上發表采錄改寫的成果。

事實上，莊松林的〈鴨母王〉，亦曾引發議論。此篇發表於《臺灣新文學》（1936 年 4 月），後收錄進李獻璋編的《臺灣民間文學集》。〈鴨母王〉發表後，王詩琅曾提出商榷：「『鴨母王』是篇故事，不是創作，這篇雖很有趣，但故事有故事的寫法。但我想這篇不無小說手法的粉飾之嫌」。[102]對此莊松林事後回憶時曾說明，他認同王詩琅的批評，「然而

102—— 王錦江（王詩琅），〈一個試評──以「臺灣新文學」為中心〉，《臺灣新文學》1：4，1936 年 5月 4 日，頁 96。
103—— 朱鋒（莊松林），〈不堪回首話當年〉，《臺北文物》3：3，1954 年 12 月。頁 66。
104—— 關於王詩琅對此事的思索，可參考葉瓊霞，〈文化人的面影──王詩琅的臺灣史工作〉，《文史彙刊》復刊第 10 輯，2009 年 12 月。
105—— 請見本卷下篇「日語現代文學篇」，頁 309。

為了另創一格，使其適合讀者的口胃，才採取了以故事的材料，加以史的考證，然後運用小說的寫法，把它寫成民間故事與歷史小說的中間體裁的作品。」[103] 顯見王詩琅認為作家應有意識地節制文學技巧，保留民間口傳文學質樸的特色。而莊松林的〈鴨母王〉從情節、人物描寫到場景，都充滿誇張的戲劇性，帶有較濃厚的文藝風格。[104] 然而嚴格說來兩者都是作家的改寫，只是作家介入故事的深淺有異。

莊松林、趙啟明等人成立的「臺南藝術俱樂部」，另置「臺灣舊文獻整理委員會」，從事蒐集研究臺灣舊文獻，除了莊松林自述受臺南的《三六九小報》影響甚巨，想必也與作家這些歷來的關注和經驗有關。戰爭時期，臺南有多位作家投入民俗研究，在《臺灣藝術》、《民俗臺灣》雜誌上發表諸多文章。[105] 甚至到戰後，仍持續民俗研究及文獻工作。

第三節　誰是赤崁生？

歷經戰前文化運動與民俗研究，至戰後持續從事臺灣文史研究的臺南人當中，還有兩位重要人物：石暘睢、林勇。巧的是，兩位都曾以筆名「赤崁生」撰文。1930 年《臺灣新民報》週刊的「曙光欄」，曾出現以「赤崁生」為筆名的漢語現代詩作品：〈冷熱〉、〈哭〉、〈暴風雨裡〉、〈詩〉。[106] 這位「赤崁生」，一說為石暘睢，一說為林勇。[107] 而楊守愚之子的楊恰人〈守愚寫作雅號〉一文中，亦曾提及〈暴風雨裡〉、〈詩〉兩作，內容與楊守愚新詩原稿集裡的詩作一致，推測「赤崁生」可能也是楊守愚的筆名之一。[108] 以下簡介臺南出身者石暘睢與林勇的生平。

106── 〈冷熱〉、〈哭〉兩首，登載於《臺灣新民報》324 號，1930 年 10 月 11 日；〈暴風雨裡〉、〈詩〉兩首，登載於《臺灣新民報》325 號，1930 年 10 月 18 日。

107── 謝碧連〈石暘睢〉，《臺南文化》新 55 期，臺南市：臺南市政府，2003 年 9 月。葉石濤、鍾肇政主編，《光復前臺灣文學全集：亂都之戀》，臺北：遠景，1979 年。林錫田，〈我的父親〉，《臺南文化》新 55 期，臺南市：臺南市政府，2003 年 9 月。

108── 楊恰人，〈楊守愚寫作雅號〉，2004 年 7 月 30 日，賴和紀念館網站。瀏覽日期 2023 年 3 月 3 日。

一、石暘睢

石暘睢（1898～1964），字穎之，號石叟，筆名赤崁生、赤崁主人、赤崁老人，臺南市人。出生於頂南河街的「石鼎美」祖宅（位於今臺南市中西區西門路）。三歲失怙，由母親督育成長。幼時從前清秀才邱及梯學習漢文。1907年進入臺南第二公學校（今立人國小），其後就讀同校二年制高等科。1915年畢業後，聽從母命結婚，未繼續升學。此後自修各種文史書籍，研究家中歷代所藏，並時常前往各地進行田野調查。約莫1929年在「興文齋書局」認識莊松林，從此成為民俗研究的同伴。1930年當局舉辦「臺灣文化三百年紀念會」，臺南州知事聘請日人村上玉吉負責史料展覽，村上看重石暘睢的研究，邀請他擔任委員。此次展出相當成功，也讓石暘睢有更多機會投入文獻工作。除了參與1935年「始政四十周年記念臺灣博覽會」、先後投身「臺灣史料館」、「臺南市歷史館」，也結識了前嶋信次、國分直一、金關丈夫、廖漢臣等人。他經常與廖漢臣、莊松林相聚「永安玩具部」暢談，並一同為1941年創刊的《民俗臺灣》撰文。期間亦曾在《臺灣時報》、《科學の臺灣》、《文藝臺灣》等刊物上發表文章。在皇民化運動與戰火波及的危機感中，持續對肖像、神像、古碑、歌謠、墓塚、匾聯及生活器物進行調查研究，留下可觀的成果。1944年受聘為臺南高等工業學校建築科的「臺灣古代建築」顧問。1945年臺南市歷史館將部分史料移至赤崁樓的蓬壺書院，戰爭結束後石暘睢為維護史料而遷居此書院，稱「思無邪齋」。其行事嚴謹，公物與私藏之分明，深受時人敬重。同年臺南市政府成立，受聘為「臺南市立歷史館」職員。先後策辦「民族英雄鄭成功史料展覽會」（1946）、「臺南市歷史展覽」（1948）。1951年擔任「臺南市文獻委員會」委員，翌年也成為「臺南縣文獻委員會」顧問。常與莊松林、吳新榮一同踏查訪問、採錄文物，

並以中文撰寫臺南文史相關文章，發表於《臺南文化》、《南瀛文獻》、《臺灣風物》、《公論報》等刊。1954 年策辦雲嘉南地區的「臺灣歷史文物展覽會」。1958 年石暘睢與莊松林等人倡議成立民間文史研究團體「臺南市文史協會」，廣納更多無法受聘到文獻委員會的民間研究者。該組織成立之初，會牌即掛於石暘睢寓所。1961 年臺南市文獻委員圍繞「鄭成功登陸的地點」發生論爭，分裂為「顯宮派」與「土城派」，持前者觀點的石暘睢與莊松林、林勇等人積極投入勘查、調閱文獻，據理力爭。1964 年病逝於思無邪齋。畢生淡泊名利，專注研究，是諸多臺日文化界人士心目中的「活字典」。在戰前、戰後的文化政治裡，石暘睢等人以臺南文史為中心的調查事業、著述、博物館展示，曲折卻也穩實地，在日本或中國中心史觀之外，拓展出相當特殊的地方史視域和社會實踐方法，為今日我們理解臺南乃至臺灣的文史藝術，留下可貴的資產和另類價值。[109]

二、林勇

　　林勇（1904～1992），字朝棟，號鶴亭，筆名凌浪生、赤崁生、浪生、呭生。臺南安平人。幼時從外祖父之弟李章三學習漢文。[110]安平公學校（今石門國小）畢業後，約莫 1920 年赴日就讀名古屋中學，一年多後因父喪返臺。1922 年任職於大日本鹽業株式會社安平出張所（今德記洋行）。當時臺灣社會運動蓬勃發展，林勇對政治動向與國際情勢十分關注，經常參與臺南地區的文化演講，頗受當時活躍的蔡培火、盧丙丁、王受祿、韓石泉等人影響。他與安平當地知識青年張長庚、吳讚成、邱三奇、李建章、李命、李阿買、林八豹等人組織「共勵會」，一同學習新知和研討時事。

109── 謝碧連，〈石暘睢〉，《臺南文化》新 55 期，臺南市：臺南市政府，2003 年 9 月。謝碧蓮，〈別矣！市刊《臺南文化》〉，《臺南文獻》第 2 輯，臺南市政府文化局，2012 年 12 月。謝仕淵，〈石暘睢（1898-1964）文史調查事業之初探：兼論戰後初期的臺灣博物館〉，《師大臺灣歷史學報》第 9 期，2016 年 12 月，頁 139-170。

110── 李章三，本名謝繼（1861-1932），人稱「老繼仙」，曾於安平開設「蘭谷軒書房」。

1927 年，成立「安平讀報社」，擔任社長，鼓勵當地民眾讀報學習。1928 年辭職前往廈門短暫遊學約二個月。爾後曾任職於臺灣興信所、東洋保險株式會社、市役所稅務課等。1930 年前後，開始研讀中外文學名著，嘗試創作小說、詩詞。1930 年在《臺灣新民報》週刊上發表漢語現代小說〈叔父！〉，這篇小說共連載三回，描述喪父的克剛、克毅兄弟被託付由叔父照顧，卻因叔父的私心，眼見放蕩的堂兄弟落榜後被勸往日本留學，而好學的克剛克毅兄弟卻備受阻撓無法繼續升學。[111] 這篇小說與作者生平有些近似，事實上林勇辭去製鹽株式會社的工作後，曾撰文〈請准遊學中華〉給叔父，幾經波折後雖如願赴廈，卻因後援無繼而被迫返鄉。此作可能多少寄託了年少時的遺憾。此外，亦於同刊上發表現代詩〈冷熱〉、〈哭〉、〈暴風雨裡〉、〈詩〉。1932 年《臺灣新民報》改為日刊後，林勇持續發表現代詩〈她的幻影〉、〈不該〉、〈愛之魔〉、〈孤獨〉；1935 年發表論述文字〈體育與社會〉、〈論讀書〉；隨筆〈中秋問明月〉、〈談談我的幾個趣味〉、〈心影片片〉等文。在文學創作上，林勇除了自行摸索，也常和「共勵會」的同伴切磋，尋求他們的建議。「共勵會」成員十分熱中學習，1933 年，他們商討一起學習世界語或北京語，後決議延請北京歸來的臺北人李文揚為師，輪流於會員家舉辦講習，共同學習北京語，為時約半年。1940 年，林勇進入臺灣總督專賣局臺南支局工作，直至戰後。往後曾擔任安平區副區長、區長等職，除了致力地方建設工作，也開始投身研究地方文化。1948 年發表〈鄭成功與赤崁〉，翌年撰寫〈安平與赤崁城〉。1951 年受聘為「臺南市文獻委員會」委員。1953 ～ 1964 年任職於臺灣省糧食局臺南事務所，一面從事公職，一面有系統地持續梳

111—— 凌浪生，〈叔父！〉，《臺灣新民報》328-330 號，1930 年 8 月 30 日、9 月 6 日、9 月 13 日。

理安平文化歷史，並於 1960 年完成《台灣城懷古集》（由興文齋出版）。1961 年臺南市文獻委員圍繞「鄭成功登陸的地點」發生筆戰，林勇曾撰文〈鹿耳門之地點考〉、〈對鹿耳門古港道里方位考的商榷〉、〈拜讀「鄭成功登陸地點考證報告書」有感〉等文。1967 年受臺灣省文獻委員會的王詩琅、王世慶邀請，參與「臺灣省文獻委員會編製日據時期臺灣總督府檔案卡片目錄計畫」。於是 1968 至 1969 年間，林勇與莊松林專職負責《臺灣總督府公文類纂》目錄的編譯。當時整理殖民時代的文獻仍屬敏感，期間一度引起警調人員注意。後來林勇因病返鄉，癒後持續翻譯工作，歷時兩年又兩個月，完成 715 卷的公文史料翻譯，為往後的臺灣文史研究奠定重要礎石。1992 年以 89 歲之齡逝世。[112]

112—— 林錫田，〈我的父親〉，《臺南文化》新 55 期，臺南市：臺南市政府，2003 年 9 月。

第五章

臺南人的
島外文化活動

在本篇最後的章節，將補充幾位日治時期在島外發展，且透過漢語從事文化運動或文筆活動的臺南人。以下談及的一九二〇年代島外文化運動裡，雖未見漢語現代文學作品，但留下演講、戲劇，與雜誌發行的記錄，本文僅作簡介，期待未來有更多史料出土，得以進一步加以考察。而1930年以後，在島外以漢語從事文筆活動的臺南出身者，最知名的莫過於宋斐如和劉吶鷗。宋斐如嚴格說來並非從事文學創作，然而他撰述許多文化、政治、經濟方面的評論與專書。戰後在臺創辦的《人民導報》，容納了多位中臺兩地的左翼知識分子及文藝家，此報不僅勇於批判時政，漢日語並刊的副刊亦曾登載或引介許多文藝作品。劉吶鷗則長年於中國發展文藝事業，組織文藝團體、經營出版社、創刊文藝雜誌，後來投身電影領域，留下不少創作及譯作。以下分節敘述。

第一節　郭丙辛與江萬里

一九二〇年代初期，廈門的臺灣留學生的反日本殖民運動十分活絡。1924年4月由集美中學的翁澤生等人成立「閩南臺灣學生聯合會」，透過演講會、新劇演出（如《無冤受屈》、《八卦山》等）、創刊《共鳴》雜誌等，鼓吹反殖民運動。該組織有兩位臺南出身者：郭丙辛、江萬里。

郭丙辛（生卒年不詳），臺南北門人。就讀廈門中華中學時參與「閩南臺灣學生聯合會」，後來在1924年11月聯合會的秋季大會上，於廈門思明教育會館裡演說「日本管轄後臺灣的慘狀」，陳述殖民地臺灣人遭受的經濟、文化、政治統治與不平等待遇，全文後來被刊載於《思明日報》。1925年4月，以郭丙辛與林茂鉾為核心，聯合廈門的臺灣人、中國人學生共組「中國臺灣同志會」，並刊行機關報《臺灣新青年》。 [113]

113—— 臺灣總督府警務局，《臺灣總督府警察沿革誌第二編：領台以後の治安狀況（中卷）臺灣社會運動史》（東京：綠蔭書房，1986年復刻版），頁96-101。

江萬里（1903～1994），臺南市人。上海聖約翰大學畢業後，赴廈門中華中學擔任英文教師。1923 年參與「閩南臺灣學生聯合會」的成立，翌年結婚後即返回臺南，任職於林記商行。戰爭時期曾被當局徵調至爪哇擔任翻譯官。戰後與侯全成、韓石泉、林占鰲等人共同接辦光華女中（戰前原名和敬商業實踐女學校），並任教於此。其後轉職美孚石油公司，遷居臺北。1994 年過世，葬於臺南教會公墓。[114]

第二節　宋斐如

宋斐如（1902～1947），本名宋文瑞，筆名蕉、蕉農、沉、沉底、永瑞、劍華、奔流等。臺南仁德人。1922 年畢業於臺北商業公學校，1923 年考取北京大學預科，1926 年就讀該校經濟系。

1927 年與張我軍、蘇維霖、洪炎秋、吳敦禮等人，創刊《少年臺灣》月刊，擔任主編，並以筆名奔流發表〈敬神嗎？民族自殺！〉。1930 年與劉思慕、呂振羽、夏次叔等人創辦「新東方學社」，主編《新東方》月刊。同年任教北京大學，翌年離職，追隨軍閥馮玉祥，與多位學者為馮講授經濟、政治、法律、白話文、日語等。

1935 年前往東京帝國大學進修。1937 年返中投入抗日運動，隔年參加「中華全國文藝界抗敵協會」，並組織「戰時日本問題研究會」，創辦《戰時日本》雜誌，擔任主編。戰爭時期撰寫出版《戰時日本工業的危機》、《九國公約與我們應有的鬥爭》、《日本鐵蹄下的東北》等十幾部著作。1941 年與臺灣人李友邦、謝南光等人發起「臺灣革命同盟會」，並於 1942 年重慶的「臺灣光復運動宣傳大會」上，代表該同盟會演說「臺灣的慘狀與祖國的責任」。1943 年任《廣西日報》主筆，曾發表〈論臺

114── 朱瑞墉，《臺北濟南長老教會──歷史與信徒》，臺北：朱江淮文教基金會，2017 年 12 月，頁258-261。

灣的革命戰略〉等多篇文章。1944年受聘為中央設計局臺灣調查委員會
兼任專門委員，1945年改為專任。

1945年10月與李純青、李萬居、黃朝琴等人，隨臺灣省行政長官公
署前進指揮所返回臺灣，協助接收工作。不久後受派為長官公署教育處副
處長，是當時公署內唯一臺籍高級官員。12月，與蘇新、白克、馬銳籌、
夏邦俊、鄭明祿、謝爽秋等人籌辦《人民導報》。該報於1946年1月創刊，
宋斐如擔任社長，重要幹部尚有鄭明祿、王井泉、王添灯等。另外，擔任
編輯與記者的成員，除上述籌辦者，還有吳克泰、周青、呂赫若、楊毅、
黃榮燦等人。

《人民導報》因敢於批判時政，報導戰後初期臺灣社會的真實樣態，
1947年二二八事件後，遭當局查封停刊，並有多位社員遇難。宋斐如也
在不久後的3月11日被捕失蹤。[115]

第三節　劉吶鷗

劉吶鷗（1905～1940），本名劉燦波，筆名吶鷗、吶吶鷗、葛莫美、
莫美、夢舟、洛生、白璧。臺南柳營人。曾就讀鹽水港公學校、長老教中
學（今長榮中學），1920年赴日，進入東京青山學院中等學部，1926年
畢業於該校高等學部。

其後前往上海，進入震旦大學法文特別班，結識戴望舒、施蟄存。
1927年6月赴日，於東京雅典娜法語學院選讀法文、拉丁文。9月重返上
海，不久後前往北京，在此結識孫春霆、馮雪峰、丁玲、胡也頻等人。
1928年，與戴望舒、施蟄存、孫春霆、馮雪峰、黃嘉謨、郭建英等文友

115── 參考自：翁曉波、梁汝雄，〈宋斐如生平簡介〉，收於宋斐如，《宋斐如文集 卷五》，臺北：海峽
　　　學術出版社，2006年。藍博洲，《尋找二二八失蹤的宋斐如》，新北：印刻，2020年。

共組「水沫社」，並出資創辦「第一線書店」，發行標榜無主義的《無軌列車》半月刊。同年以筆名吶鷗發表短篇小說〈遊戲〉、〈風景〉於該刊，並出版譯作《色情文化》，該書收錄前一年日本諸多代表性文藝雜誌中的短篇小說，包含片岡鐵兵、橫光利一、林房雄、中河與一等人的作品，皆以現代主義和中日問題為主題。[116]此後也撰述大量的電影評論。同年 12月，《無軌列車》被認為是共黨刊物而遭當局查禁，第一線書店亦停止營業。1929 年 1 月改組為「水沫書店」出版社，設立於上海日租界。是年 9月該社發刊《新文藝》雜誌，劉吶鷗於該刊持續發表電影評論、文學譯作、短篇小說。1930 年出版新感覺派風格的短篇小說集《都市風景線》，此書描寫上海的都市生活樣態，前衛手法與美學深刻影響文友，開啟中國新感覺派的發展。

1931 年遷居法租界，開始接觸電影，並持續譯介電影理論與撰寫評論。1932 年 1 月，水沫書店毀於一二八事變（第一次松滬戰爭），此後赴日停留數月。同年參與藝聯影業公司的《猺山豔史》，投身電影界。1933 年 3 月與黃嘉謨等人於上海創設「現代電影雜誌社」，發行《現代電影》。11 月，兩人擔任編導，赴廣州拍攝《民族兒女》（此片未上映）。同年還拍攝了實驗性紀錄片《持攝影機的男人》。1935 年 2 月，與高明、姚蘇鳳、葉靈鳳、穆時英合辦《六藝》月刊，共出刊三期。7 月進入「明星影片公司」，擔任電影《永遠的微笑》編劇，但此片開拍時，轉職「藝華影片公司」，編導電影《初戀》。1936 年 6 月進入國民黨「中央電影事業處」，參與攝製商業電影與官方影片。其後遷居南京，1937 年中日戰爭爆發後返回上海。1938 年 1 月擔任「中華全國電影界抗敵協會」首

116—— 藤井省三，〈臺灣新感覺派作家劉吶鷗眼中的一九二七年政治與性事——論日本短篇小說集《色情文化》的中國語譯〉，收於康來新、許秦蓁合編，《劉吶鷗全集增補集》，臺南：國立臺灣文學館，2010 年 7 月。

屆理事。1939 年 6 月與穆時英、黃天始等人成立「中華電影股份有限公司」。1940 年 6 月，出資電影《支那の夜》（支那之夜），於日本、香港、上海、滿洲國上映。同年 8 月國民新聞社的社長穆時英遭暗殺，劉吶鷗接任社長，不久後亦於 9 月遭暗殺，得年 35 歲。

劉吶鷗認為「好作品總是描繪出時代特色和氣氛」，堅持「藝術的內容只存在藝術形式裡」，重視藝術處理的完整性，以及對新的想像、意識、情感的積極探索。他在漢語現代文學創作上的語言風格，或如文友黃嘉謨所言，受日本新感覺派影響，特別留意表現方法，同時因透過特殊方式學習北京話，文章讓人感到活潑、新鮮。[117]在諸多同時代友人的記憶中，劉氏具多語天分。這天分所映現的，似是國籍的跨越也是喪失，被殖民者的身份始終牽動他的藝術實踐。或因如此，造就其積極的多方位、無主義的開放性，及留意作品對未來的想像和暗示。並且在不妥協的藝術執著裡，留下多重意義的政治（無法）超越。是日治時期少見同時活躍於中國文學界、電影界的臺灣人。[118]

由宋斐如、劉吶鷗兩位人物的中國經驗裡，還可以連結出多位臺南出身者。與兩位皆有交集的，是先前談到語言改革時介紹的黃朝琴。他與劉吶鷗為同鄉舊識，1927 年在上海成為鄰居。此前黃氏曾在 1920 年於《臺灣日日新報》上發表過〈上海遊記〉[119]，定居上海前後，在《臺灣民報》發表遊記〈遊美日記〉、〈馬來半島的印象〉。[120]劉氏的文友廈門人郭建英，即黃氏妻子的弟弟，同為新感覺派推手，在上海時期留下許多翻譯、隨筆、漫畫作品，後來定居臺灣，曾任臺灣第一銀行總經理。此外，劉吶鷗經常往來的臺南人還有林澄水、林澄藻兄弟。他們同為長榮中學校友，

117── 松崎啓次，〈劉燦波槍擊〉，原收於《上海人文記：映画プロデューサーの手帖から》（東京：高山書院，1941 年），引自康來新、許秦蓁合編，《劉吶鷗全集增補集》，臺南：國立臺灣文學館，2010 年 7 月。

118── 參考自：康來新、許秦蓁編選，《臺灣現當代作家研究資料彙編 53 劉吶鷗》，臺南：國立臺灣文學館，2014 年 12 月。許秦蓁，《摩登‧上海‧新感覺──劉吶鷗（1905 ～ 1940）》，臺北：秀威，2008 年 2 月。康來新、許秦蓁合編，《劉吶鷗全集增補集》，臺南：國立臺灣文學館，2010 年 7 月。徐禎苓，〈劉吶鷗的東亞想像：《持攝影機的男人》的風土表述、尖端獵奇與昭和文化〉，《臺灣文學研究學報》第 34 期，2022 年 4 月，頁 11-44。

林澄藻曾就讀青山學院，而林澄水後來住在上海，與劉氏往來頻繁。另外還有出身臺南基督教世家的蔡愛仁、蔡愛禮兄弟。兩兄弟皆為長榮中學、日本青山學院的校友。其中蔡愛禮與劉吶鷗為同學，劉氏的筆名「吶吶鷗」即出自於他。

　　在殖民地不健全條件下生長的漢語現代文學，戰後因官方語言轉變似是多了一些發展空間，然而在新政權下的言論與文藝環境裡生存，其實並不容易。本單元述及的作家，多位在戰前過世。戰後黃朝琴、蔡培火、韓石泉活躍政界；陳逢源成為企業家；王受祿、黃金火因各自的理由，皆不再過問政治，戰後持續行醫。曾由黃金火協助逃亡的陳天順，戰後返臺後投身官方控制下的臺灣省工會並創辦《工人報》；林占鰲積極辦學，參與多所學校的重整或創設；梁加升因其子死於白色恐怖而出家為僧；黃漂舟從事報業。而莊松林、石暘睢、林勇等人則持續投入文獻整理工作。這些人走入文獻研究，除了戰前的採集整理經驗、具備足以跨越兩個時期的語言能力、人脈關係之外，或如王詩琅所言「人生在世，走的路大都是環境迫出來的」[121]，在無法選擇的時代裡，不得不從文壇前線轉入這個多少保留文化活動可能性的領域，持續從事臺灣研究。

　　戰後仍從事漢語現代文學創作的人，是莊松林、楊逵、蔡德音。莊松林的文史研究與民間文學等，常見於《臺灣文獻》、《臺北文物》、《臺南文化》、《南瀛文獻》、《文史薈刊》、《臺灣風物》、《中華日報》、《公論報》、《徵信新聞報》等。楊逵因 1949 年執筆〈和平宣言〉而觸

119—— 黃朝琴，〈上海遊記〉（共六回），《臺灣日日新報》，1920 年 12 月 1 日至 1921 年 1 月 6 日。
120—— 黃朝琴，〈遊美日記〉（共八回），《臺灣民報》113-120，1927 年 7 月 11 日至 8 月 29 日。黃朝琴，〈馬來半島的印象〉，《臺灣民報》294，1930 年 1 月 11 日。
121—— 王詩琅，〈自序〉，《臺灣民間故事》，臺北：玉山社，1999 年 2 月。

犯當局，於同年的「四六事件」中被捕，後於綠島服刑。期間手未輟筆，努力從日語轉換為漢語寫作，寫下不少劇本、小說、散文。[122]蔡德音在二二八事件後被捕入獄，出獄後曾執筆偵探小說。

作家們戰後的聯繫與扶持留下許多故事。如前述林勇與莊松林受王詩琅之邀，參與臺灣省文獻委員會的計畫編製《臺灣總督府公文類纂》目錄。又如張梗早逝，其妻張尚枝撫育獨子張東亮，1958 年張東亮與葉榮鐘的大女兒葉蓁蓁在日本結婚。[123]再如蔡德音與林月珠夫婦，育有兒女十人，雖歷經白色恐怖，但他們與過去的同志一直保持情誼，互相支持。他們的次子蔡烈輝因家境主動退學就業，曾在王詩琅的引介下為兒童雜誌《學友》繪製插圖兼日文翻譯。另外，他們將四子王玉江過繼給王萬得、游阿梨夫婦當養子（王玉江成年後曾因「民主臺灣聯盟案」入獄）。不僅如此，昔日同志朱點人死於白色恐怖，為了幫助朱家，多年後林月珠夫婦甚至與王詩琅、廖漢臣、林克夫等人，共同撮合次女蔡烈光，與朱家長子朱筆岫結婚，蔡烈光晚年也為這段歷史寫下《陳年往事話朱家》一書。值得一提的是，蔡德音與林月珠晚年移居美國後，參與當地的日語文學團體，林月珠創作不斷，發表過一百多首日語詩歌，曾數度獲獎。[124]而這些經歷，也為這個曾劇烈地跨越時空和語言課題的世代，留下了特別的一頁。

---

122 —— 楊逵的戰後作品，請參考《臺南文學史·現代文學卷：戰後（1945～）》，頁 220。

123 —— 林莊生，《懷樹又懷人：我的父親莊垂勝、他的朋友及那個時代》，臺北：玉山社，2017 年 6 月，頁 321。

124 —— 蔡德音、林月珠生平資料，參考自蔡烈光，《陳年往事話朱家》，臺北：玉山社，2019 年 12 月。蔡烈輝，〈説説我自己〉，「台美人西遊足跡」網頁；蔡烈輝，〈蔡烈輝小傳〉，「台美史料中心」網頁。許容展，〈蔡德音〉、〈林月珠〉，收錄於柳書琴主編，《日治時期臺灣現代文學辭典》，新北市：聯經，2019 年 6 月。

日語現代文學

◆ 鳳氣至純平

日語現代文學

　　本單元討論日本殖民統治時期（以下簡稱「日治時期」）及戰後，在臺南及臺南出身者生成的日語現代文學（以下簡稱「日語文學」）作品及相關活動，部分小節或人物的介紹涉及俳句、短歌，但主要以現代文學為主。依照年代分為：日治初期至一九二〇年代、一九三〇年代、一九四〇年代、戰後。除了臺灣人、日本人個別的文學活動之外，特別關注兩者的交流、互動關係。臺南不同於臺北，其人口比例到了日治末期一直都是臺灣人占多數，以 1938 年為例，相較於臺北市日本人人口比例已高達三成左右，臺南市則僅有百分之十四，甚至臺南州便僅僅百分之三，低於全臺灣的日本人人口比例百分之五，換言之，是一群少數日本人生活於臺灣人的包圍裡。[125]

　　此外，在臺南從事文學活動的日本人多為學校教師，自然與臺灣人學生接觸，這些因素促成臺日人接觸、互動的可能性。而這些日籍老師除了教學、文學活動之外，同時也具備「業餘文史研究者」的身分，透過這些活動結識了臺南在地的史家、知識分子，臺日人的合作交流也並非限於文學活動，因此本單元雖以文學活動為主，但也觸及廣義的文史領域，如文化活動、歷史調查、研究等動向，期能較全面性的掌握日治時期臺南的現代文學，和相關文化活動及其發展。

　　主要討論對象，首先是一九三〇年代成立、以臺灣人為首的文學社群──「風車詩社」和「鹽分地帶」作家群。前者，是楊熾昌擔任《臺南新報》文藝欄編輯期間邀集文學同好，如李張瑞、林修二等人所形成的群組，爾後成立「風車詩社」並創刊《風車雜誌》（1933 年）。而後者，

125── 大東和重，《臺南文學──日本統治期臺灣・臺南の日本人作家群像》，兵庫：關西學院大學出版會，2015 年 3 月，頁 30-31。

是吳新榮、郭水潭等人為首形成佳里、北門一帶「鹽分地帶」的作家群。吳、郭等人皆參與臺灣人為主的全島性文學組織「臺灣文藝聯盟」（刊行《臺灣文藝》），並於佳里成立支部（1935年）。此外，臺南出身的楊逵等人在臺中創辦《臺灣新文學》雜誌，莊松林等人成立「臺灣新文學社臺南支社」，吳新榮等人後來也離開「臺灣文藝聯盟」而參與「臺灣新文學」陣營（1936年）。可說，臺南的臺灣人文學活動一方面與全島性活動並行、互相交集，另一方面也自行發展臺南在地的文學活動。[126]

而日本人方面，岸東人擔任《臺灣日報》（《臺南新報》改名）學藝欄編輯，聚集當時生活在臺南的日籍作家，包括在臺灣成長的國分直一、新垣宏一、短暫停留臺南的濱田隼雄，以及曾任教於臺南第一中學校（戰後成為臺南二中），後來成為著名伊斯蘭史學者的前嶋信次等人。很巧的是，四位皆為任教於中等教育機構的教師，他們一邊從事教學工作，一邊從事文學創作及各專業領域的調查或研究。一九三〇年代，臺日人的文學、文史活動基本上大多分開進行，但到了一九四〇年代便產生匯集、互動的契機。

1939年，由西川滿等人籌畫，集結全島諸多臺日人作家，成立了「臺灣詩人協會」，隔年更擴展為「臺灣文藝家協會」，成員包括上述的吳新榮、郭水潭、國分直一、濱田隼雄等人，以及同樣臺南出身的葉石濤、王育德、邱永漢等較晚輩的作家群。一九四〇年代日本當局也開始重視日本「地方文化」一環的臺灣文化，使得臺灣文化各領域的活動在「地方文化」的框架之下蓬勃發展，亦促使臺日文化人的合作與交流。在臺南最顯著的成果便是《民俗臺灣》的「臺南特輯」、「北門特輯」。這兩個特輯

126—— 楊逵的生平事蹟，請見本卷「漢語現代文學篇」，頁282；《臺南文學史．現代文學卷：戰後（1945～）》，頁220。

皆結合了臺南在地的臺日文化人，如：國分直一、吳新榮、莊松林等人合作而成。換言之，這是一次一九三〇年代各自發展的臺南臺日文化人的大匯流。

　　1945 年日本戰敗，在臺日人經過「引揚」[127]離臺返日，但部分人士仍保持與臺灣、臺南之間的關係留下文字紀錄，臺灣人則經歷另外一段苦難歷史，有人留在臺灣，也有人選擇離開，遠赴前殖民國日本，他們分別以日語記錄自己的遭遇。雖然他們是戰後活躍的作家，但連續性而言，和日治時期的關係較為密切，因此本篇最後簡述戰後產生、臺南作家的日語文學。

127―― 「引揚」即撤僑，1945 年日本戰敗後日本民間人士從臺灣、朝鮮、「滿洲國」等地返日，此遣返特
　　　稱「引揚」，軍方人士則稱「復員」。

第一章
日治初期至中期的
日語文學

日治時期臺南的日語文學，因為先天的條件，首先由居住於臺南的日本人開啟。統治初期至一九二〇年代便有一些文學社團與同人性質的刊物，如：1904年《南溟文學》；1925年蕉風吟社《蕉風》；1928年臺南短歌會《樹蘭花》、樗吟社《樗》（俳句雜誌）；1930年馬櫻丹社《馬櫻丹》、《擲彈兵》，以及唯一臺灣人創辦的《赤道》等。但皆為短期、零星性質的刊物、團體，除了少數刊物仍留存部分期號之外，如今刊物多已散佚，實際活動狀況亦不得而知。

第一節　一九二〇年代的文學活動——
　　　　　　《荊棘の座》與今村義夫

一、《荊棘の座》——
　　　一九二〇年代目前唯一留存的臺南日文文藝雜誌

　　《荊棘の座》（荊棘之座）是唯一現存的、一九二〇年代臺南刊行的日文文藝雜誌。現今僅見一期（1920.5），封面「第二號第一卷」，不過從內容（如編輯後記、贊助廣告的祝賀詞等）來看，應該是創刊號，荊棘の座社發行，臺灣文事株式會社印刷，全日語文學雜誌，同仁包括岡垣義人、古山陽雄、井川厚二郎、齊田悟、莊村謙吉、井手俊二郎，各人物經歷不詳，只知岡垣義人、井手俊二郎從事醫療相關工作，另有齊田悟是小學老師，曾任教於鳳山公學校，是臺灣共產黨員簡吉的同事，但兩人是否有實際互動就不得而知了。雜誌收錄四篇短篇小說，值得一提的是，作品背景皆不在臺灣，而是日本內地某處，登場人物自然也只有日本人。另有兩首詩、數篇散文隨筆。現存一期的編輯後記寫道：「我們並不是想要在臺灣、南國這樣蟻國般的地方當個井底之蛙自鳴得意，而是懷著希望創造真正的藝術這樣的巨大野心，希望有人能鑑賞、品味我們的藝術，將珍珠擺在

其面前的豬的眼裡，我們的藝術是沒有價值的。」明顯感受得到藝術至上主義的氣息，同時也看到此時期日人的文藝雜誌，已漸漸擺脫早期文人趣味、生活排遣的性質，開始發展為具有特殊文化層次意味的「事業」。[128]

二、參與「臺灣民報」的臺南出身臺灣知識分子

經歷日治初期的武裝抗日與殖民政府的打壓，一九二〇年代臺灣知識分子將抗日陣地轉至政治領域，推行「臺灣議會設置請願運動」，成立「臺灣文化協會」，更是刊行當時唯一的臺灣人言論機關，《臺灣青年》、《臺灣》、《臺灣民報》、《臺灣新民報》（一般統稱「臺灣民報」系列），這些政治、文化運動裡可見多名臺南出身知識分子的身影，甚至也發表數篇文學性作品。

1915 年在東京成立臺灣人留學生組織「高砂青年會」，臺南出身的林茂生擔任會長，後來改名為「東京臺灣青年會」。1920 年由留日臺灣學生成立「新民會」，臺南出身的會員包括：劉明朝（柳營）、吳三連（學甲）、蔡培火（北港）等，另有連雅堂為名譽會員。同年刊行漢日文並用的雜誌《臺灣青年》，蔡培火擔任編輯兼發行人，曾發表於該刊物的臺南人包括劉明朝、吳三連、蔡培火、黃朝琴（鹽水）、陳端明（東山）、劉子恩、劉清風、顏春芳（以上三名皆臺南市）、王開運（路竹人，後長居臺南市）等。1922 年，該刊物改以「臺灣雜誌社」的名義，刊行《臺灣》（漢日文並用），雜誌社十二名職員中有三名臺南出身者，即蔡培火、劉明朝、吳三連（後來臺南市人謝星樓（本名謝國文）入社）。在《臺灣》雜誌發表文章的臺南出身者除了上述數名職員之外，亦有陳逢源、連雅堂、黃朝琴、黃郭佩雲（黃朝琴妻）等人。雖然大部分文章皆屬於時論、評論性質，唯其中陳逢源〈臺南公園

128—— 有關日治時期文藝雜誌的發展及演變，參考許倍榕，〈日治時期臺灣的「文學」概念演變〉，成功大學臺灣文學系博士論文，2015 年。

の池畔に立ちて〉（站在臺南公園的池畔），則是一篇具有文學性質的隨筆作品。[129] 此文後來亦收錄於其個人文集《雨窗墨滴》（臺北：台灣藝術社，1942年）。1923年，「臺灣雜誌社」於東京刊行全漢文的半月刊《臺灣民報》，後來《臺灣》停刊，《臺灣民報》也開始偶有刊登日文文章，上述蔡培火、黃朝琴、吳三連、謝星樓等臺南出身者持續擔任幹事，由此可知，日治中期以後臺灣人重要的言論園地「臺灣民報」上臺南出身者占有一席之地。[130]

三、《臺南新報》與今村義夫

在一九三〇年代出現較具規模的文學團體、活動之前，日刊報紙《臺南新報》一直是臺南在地文學的重要平臺。《臺南新報》的前身《臺澎日報》，於1899年6月15日由日人富地近思獨資創刊，1903年改題為《臺南新報》。1926年以後，以「南文藝」、「文藝」、「學藝」等名稱設置文藝欄，1930年至1932年間更設有「海外文藝 news 欄」，廣泛介紹海外思潮。[131] 而設置這些「文藝欄」之前，也能見一些文學作品、評論，如轉載自日本報紙的連載小說等。其中，當時擔任《臺南新報》記者的今村義夫留下不少隨筆作品。

今村義夫約莫1893年左右出生於日本九州，十歲時隨母親來臺，往後十年的學生生活一直在臺北度過，曾就讀臺北第一中學校。1914年畢業後進入《臺南新報》社會部擔任記者，後來抱著「擠身於中央文壇」夢想的他，受到該社主筆西崎巒州的鼓勵，渡海遠赴東京，一邊在媒體人茅原華山的雜誌社工作，一邊就讀於專修大學。[132] 然而在此半工半讀的「苦學」期間得了肺病，不得已休學回臺，後來在《臺南新報》繼續擔任記者工作。雖然他早年曾在1913年《臺灣日日新報》上發表評論文，不過從回臺後的1921年至

129── 陳逢源，〈臺南公園の池畔に立ちて〉（站在臺南公園的池畔），《臺灣》，第3年8號，1922年，頁54-55。

130── 莊永清，《日治時期臺南新文學史料的歷史考察》，《文學臺南──臺南新文學特展圖誌》，臺南：國立臺灣文學館，2012年，頁126-129；莊勝全，〈《臺灣民報》的生命史──日治時期臺灣媒體的報導、出版與流通〉，臺北：政治大學臺灣史研究所博士論文，2017年。

131── 有關《臺南新報》文藝欄，參考柳書琴主編，《日治時期臺灣現代文學辭典》，新北：聯經，2019年6月，頁441。另，《臺南新報》已由臺灣歷史博物館已臺南市立圖書館館藏為底本刊行復刻版（2009年），但現存年份只有1921年至1937年1月。

1925 年 11 月 11 日過世，這約莫五年的時間，才是他發表文章最為活躍的時期。除了《臺南新報》之外，他也在月刊雜誌《實業之臺灣》上刊登多篇文章，另外亦出版《臺灣之社會觀》、《臺灣產業問題管見》、《臺灣的都市與農村問題》三本專著。他過世後，由「朋友內臺人三十餘名發起」，刊行了共有九百多頁的大部文集—《今村義夫遺稿集》（以下略稱《遺稿集》）。他的文章及著作論及政治、經濟、文化、教育、藝術、文學等等諸多方面，從他寫作時間並不算長，且最後幾年大多臥病在床無法出門的生活來看，這寫作量相當驚人。

值得一提的是，他過世時《臺南新報》刊登其訃聞，葬禮代表列名林茂生、陳逢源等人。不僅如此，《臺灣民報》還特別刊登楊雲萍撰寫的死亡報導〈今村義夫長逝了〉[133]，文中介紹他的為人：「他是個博學的人，就中對農業經濟的研究，在臺灣是數一數二的學者。他平生對臺灣新人的運動最抱有理解的，時常在南報紙上，為著正義人道起見，寫了不少的論文，都是人人知道的。」去世約半年後出版遺稿集時，《臺灣民報》再次登載消息，根據此報導：「故南報記者今村義夫氏的為人、以及學識，當真是在臺內地人所罕見的。所以他的生前，本島人中領服他的不少」[134]，由此可知，今村生前與這些「抗日知識分子」有不少往來，且他們對今村義夫的學問及為人，抱持著相當的肯定與敬意。

在他去世前的日子，《臺南新報》陸續連載一連串可謂「病床日記」的隨筆，內容包括文學作品的讀書心得、病痛的苦悶、對妻小的牽掛等，透露日本知識分子遠離日本內地、繁華臺北，而臥病在古都府城一隅租屋的無奈、孤獨心境，相當動人。[135]

132—— 專修大學：1880 年創立的私立大學，位於東京。

133—— 《臺灣民報》，第 81 號，1925 年 11 月 29 日。

134—— 〈今村君的遺稿出世〉，《臺灣民報》，第 110 號，1925 年 6 月 20 日。

135—— 有關今村義夫的生平，參考鳳氣至純平，〈在臺日人的反同化論述：以今村義夫為考察對象〉，收入薛化元、若林正丈、松永正義編，《跨域青年學者臺灣史研究論集》，臺北：稻鄉，2008 年，頁 137-172。

第二節 日人臺南題材作品的指標性存在——
佐藤春夫的〈女誡扇綺譚〉

談一九二〇年代的臺南日語文學，不能不提日本著名作家佐藤春夫的中篇小說〈女誡扇綺譚〉（以下簡稱「綺譚」）。雖然佐藤只是短暫來臺旅遊，居留臺南的時間也僅僅幾天，但該作品對臺灣文壇，尤其對在臺日人的臺南書寫影響很深，無論是將其視為模仿對象或超越對象。[136]

佐藤春夫（1892～1964）是日本著名的小說家、詩人、文藝評論家，出生於日本和歌山縣新宮，慶應義塾大學預科肄業，1917年於各文藝雜誌發表〈西班牙犬の家〉（西班牙犬之家）、〈病める薔薇〉（疾病的薔薇）等正式登上文壇，為大正時期與谷崎潤一郎、芥川龍之介齊名的作家，代表著作有《田園の憂鬱》（田園的憂鬱）、《殉情詩集》、《晶子曼陀羅》等。

〈綺譚〉最初刊登於《女性》（第7卷第5號，1925.5），隔年二月由第一書房刊行單行本。佐藤春夫曾於1920年7月至10月到臺灣、福建旅遊，在臺灣以高雄為據點屢次前往臺南，除了臺南之外，也展開臺灣島內旅行，造訪嘉義、北港、日月潭、埔里、霧社、臺中、鹿港等地，回日後，1921年起至一九三〇年代，陸續發表以這趟旅遊為題材的旅記、小說，〈綺譚〉便是其中一篇。[137] 順帶一提，後述的臺南作家楊熾昌，因為其父親楊宜綠（1877～1934）任職《臺南新報》的關係，結識佐藤春夫，帶他導覽赤崁樓、媽祖宮等景點。[138]

小說以古都臺南的禿頭港為舞臺，主角日本報社記者「我」和臺灣友人「世外民」，一同踏進位於臺南禿頭港的廢屋，聽見神秘的女聲。於是

136—— 有關〈女誡扇綺譚〉對臺灣文壇的影響，參考和泉司，〈日本統治期臺灣文壇における「女誡扇綺譚」受容の行方〉，《藝文研究》83號，2002年12月，頁20-42。

137—— 大東和重，《臺南文學——日本統治期臺灣・臺南の日本人作家群像》，兵庫：關西學院大學出版會，2015年3月，頁56-61。

138—— 呂興昌，〈楊熾昌生平著作年表初稿〉，收錄於楊熾昌，《臺南市作家作品集水蔭萍作品集》，臺南：臺南市立文化中心，1995年，頁378。

139—— 柳書琴主編，《日治時期臺灣現代文學辭典》，新北：聯經，2019年6月，頁274。

「我」開始尋找其淵源並得知該廢屋有關的淒厲傳說故事，即該地「望族沈家（隱喻陳家）與土豪劣吏勾結掠地致富，並巧取豪奪與對岸貿易最後敗亡的興亡經過」，以及「該家族唯一後嗣瘋女的悲戀故事」。結局部分由此傳說連結一名當代女婢的真實故事，其不願被迫與情人分離而嫁給日本人，最後選擇自殺。小說裡傳說與現實事件交錯，再以偵探小說、歌德小說的手法呈現，佐藤本人認為「本作是其浪漫寫作路線最後的得意之作，亦是自己作品中屈指可數的稱心之作」。島田謹二（1901～1993）曾任教於臺北帝國大學文政學部，戰後成為著名的比較文學研究者，他將〈綺譚〉評價為「異國情調書寫的臺灣散文文學王座」[139]。

〈綺譚〉對後進作家的影響深遠，中村地平（1908～1973）受到該作的影響，對「南方」產生莫大憧憬，於是遠赴臺灣就讀臺北高等學校，作家初期留下多篇臺灣相關作品，河原功認為這些作品群「受到佐藤臺灣作品的濃厚影響」；後述前嶋信次（1903～1983），1932年任教於臺南第一中學校（現臺南二中）後，參考〈綺譚〉行走於臺南，拍攝作品裡出現的「銃樓」建物。[140] 但是，值得一提的是，上述島田謹二也提倡應由在臺日人寫出跳脫異國情調的、扎根於臺灣的在地性作品。[141] 而實際上到了一九四〇年代，西川滿、新垣宏一等「灣生」作家嘗試創造跳脫、超越〈綺譚〉的作品。

有關〈綺譚〉已有相當多的先行研究，如邱若山、藤井省三、河野龍也、許俊雅等。[142] 藤井省三從臺灣民族主義誕生的觀點分析作品的不同面向，邱若山再以浪漫主義的兩義性連結島田與藤井論述的兩個面向作完整解讀。[143] 此外，河野龍也對作品舞台及作品與傳說故事的關聯等進行

140—— 大東和重，《臺南文學——日本統治期臺灣‧臺南の日本人作家群像》，頁100-101。

141—— 和泉司，〈日本統治期臺灣文壇における「女誡扇綺譚」受容の行方〉，頁27。

142—— 如邱若山，《佐藤春夫臺灣旅行關係作品研究》，臺北：致良，2002年；藤井省三著，張季琳譯，《臺灣文學這一百年》，臺北：麥田，2004年；河野龍也編，《佐藤春夫讀本》，東京：勉誠出版，2015年；許俊雅，〈關於1930、一九四〇年代佐藤春夫《女誡扇綺譚》的中譯及改寫——兼論「女誡扇」之意涵〉，《東吳中文學報》第32期，2016年11月，頁215-240。

143—— 柳書琴主編，《日治時期臺灣現代文學辭典》，新北：聯經，2019年6月，頁274。

精闢、踏實的實地考證，找到主角和世外民常光顧的酒家「醉仙閣」的遺址以及經營者後代。中譯方面，除了在臺灣有邱若山、詹慕如、賴香吟的譯作之外，許俊雅指出在佐藤發表該作品五年後的 1930 年，在中國由蕭林翻譯並連載於《學生雜誌》，不僅如此，第二次世界大戰結束後再度由徐卓呆改寫為〈赤崁鬼語〉，甚至進行電影拍攝計畫。[144] 2020 年，適逢佐藤春夫來臺一百周年，在臺灣出版兩本佐藤春夫相關著作：一本是配合國立臺灣文學館舉辦的特展「百年之遇──佐藤春夫 1920 臺灣文學旅行展」，河野、張文薰、陳允元共同編輯的研究論集《文豪曾經來過：佐藤春夫與百年臺灣》（臺南：國立臺灣文學館，2020 年）；另一本是由林水福翻譯佐藤春夫非臺灣相關的代表作品，如〈西班牙犬之家〉、〈田園的憂鬱〉、〈晶子曼陀羅〉等，刊行《晶子曼陀羅──佐藤春夫經典作品選》（臺北：聯合文學，2020 年），這兩本著作的誕生讓臺灣讀者能夠更全面地接觸佐藤作品。

第三節　《擲彈兵》與《赤道》──
臺日人分別創辦的左翼雜誌

　　1930 年至 1931 年的兩年間，臺南不約而同出現兩本左翼雜誌，一本是在臺日本人創辦的《擲彈兵》，另一本則是臺灣人創刊的《赤道》。

　　《擲彈兵》僅見第二輯（1931.2），擲彈兵社發行，日本兵庫縣「青燈社」印刷，全日語文學雜誌，作品以現代詩為主，也包括少數小說、短歌、散文。當時居住於臺南市北門町（現臺南火車站前站一帶）的篠原謙一郎擔任編輯兼發行人，其他同仁包括織田不亂、影山郁、サトーヒロキ、

144── 許俊雅，〈關於 1930、一九四〇年代佐藤春夫《女誡扇綺譚》的中譯及改寫──兼論「女誡扇」之意涵〉，《東吳中文學報》第 32 期，2016 年 11 月，頁 215-240。

柚木久夫等，個人經歷資料皆不詳，唯獨織田不亂，在短歌雜誌《ゆうか
り》（尤加利）、俳句雜誌《あらたま》（新玉），發表作品，目前可確
認至 1941 年。第二輯卷頭言宣示刊物立場：

> 或ゆる意味に於て受難なりし一九三〇年を謹で送る。（謹告別一切都
> 是災難的一九三〇年）
>
> 然してそれは一九三一年を果敢なる闘爭の年としてのつながりによつ
> てのみ極めて有意義に持たれた。（然而，這一年只有連結到勇敢鬥爭
> 年的一九三一年時才有意義）
>
> 新しい年プロレタリアの名と共に光輝あれ（新的一年，光輝就在普羅
> 列塔利亞之名下！）[145]

這種具有左翼色彩的口吻、性格，除了織田不亂政治口號式的散文〈擲彈兵〉
之外，刊於卷頭言後的詩作〈同志に〉（致同志）更清楚表達其階級立場：

> 鐵の意志（鐵的意志）
>
> 燃え上る信念（燃燒的信念）
>
> 血みどろな鬥心（血淋淋的戰鬥心）
>
> 街頭に　農村に　工場に（在街頭、農村、工廠）
>
> 吹きつのる嵐をついて　をいらは突き進む（衝破暴風雨，我們突進）
>
> 「失ふものは鐵鎖のみ」（「我們會失去的只有鐵鎖」）
>
> がつしりと未來を信じるをいらの手は（確信未來的我們的手）
>
> たゞ一つの言葉で進む（僅靠一句話前進）

145—— 篠原謙一郎，〈卷頭言〉，《擲彈兵》第二輯，1931 年 2 月，頁 1。原日文，筆者自譯，以下同。

ローザとカール（羅莎與卡爾 [146]）

俺もをいらの足場の一つだ（我也是我們的踏板之一）

よろこんで投げ出そう（我很願意犧牲）

吹きつのるテロルの盾（日趨嚴峻的恐怖活動的盾牌）

一九三一年！！肉彈だ（一九三一年！肉彈！）

同志よ、一も退くな（同志們，一步也不可後退）

一九三〇、一二（一九三〇、一二）[147]

無法得知該雜誌後來的去向，不過可確定的是，1930 年的臺南確實有存
在著一群左翼傾向的日本人。

在同一個時期，臺南的臺灣人也曾創辦一本左翼刊物，那便是 1930
年 10 月 30 日由臺南的「赤崁勞働青年會」成員創刊的《赤道》。同仁包
括林秋梧、盧丙丁、趙啟明、林占鰲、林宣鰲、莊松林等人，具有左翼色
彩的中日文並用的綜合雜誌。[148] 刊行至第 6 號，其中 2 號和 5 號遭到禁刊，
現存創刊號、2 號和 4 號。停刊後原計畫改名為《廢兵》而重新復刊，但
主事者林秋梧過世而停擺。現存每一期的封面都相同，在紅星照耀的地球
上，兩個巨大工人跨海握手，明確顯示刊物的跨國左翼立場。

除了第 4 號全漢文之外（漢文部分，請見本書「漢語現代文學」），
創刊號和第 2 號收錄若干日文文章和現代詩如下：

創刊號

秋田雨雀〈ソウエート、ロシヤの概觀〉（蘇維埃俄羅斯概觀）頁 9

哨兵〈ゴマカシ〉（欺瞞）頁 9

146── 即羅莎 · 盧森堡與卡爾 · 馬克思。

147── 篠原謙一郎，〈同志に〉，《擲彈兵》第二輯，1931 年 2 月，頁 2-3。

148──《日治時期臺灣現代文學辭典》，頁 409-410。

紅治〈子守歌〉（搖籃曲）頁 10

潔秀〈抛り出された者〉（被抛棄的人）頁 10

無作者〈爆裂彈〉頁 10

第 2 號

秋田雨雀〈ソウエート、ロシヤの概觀〉（蘇維埃俄羅斯概觀）頁 9

紅治〈子守歌（續）〉頁 10

狂工人〈振り上げろ、同志達〉（舉起來吧，同志們）頁 10

無作者〈爆裂彈〉頁 10

創刊號和第 2 號連續刊登秋田雨雀〈ソウエート、ロシヤの概觀〉（蘇維埃俄羅斯概觀），秋田雨雀（1883～1962）是日本著名的劇作家、詩人、小說家，也從事社會運動，早稻田大學英文科畢業。該文原收錄於《現代生活叢書第 7 輯最近のソウエート ロシア》（帝國教育會出版部，1929），主要內容介紹秋田 1927 年至 1928 年造訪俄羅斯的見聞錄，共七章，十五頁，但《赤道》連載創刊號和第 2 號分別刊登第一章和第二、三章，第 4 號便未見該後文，很有可能連載中斷。

　　此外，筆名「紅治」的詩作〈子守歌〉（搖籃曲）也是創刊號、第 2 號連續刊登，如副標題所說「在逝世三周年，獻給父親」，其述說作者對父親的思念，而作品共四段皆描述工人父親在工作上的不幸遭遇，如第一段：

指を無くしたお父さん（失去手指的父親）

或る寒い夜にて居た時でした（在某個寒夜睡覺時）

お父さんの唸る　に（聽到父親的呻吟）

目を醒まして見れば（醒來後發現）

驚いたよ（令人驚訝的是）

ホウタイに包まれた左の手先か（被繃帶包裹的左手指尖）

紅い紅い血の滴り（鮮紅的血滴）

お、それは鐵砧の上で（唉，那是在鐵砧上）

金槌に碎かれたのだ（被鐵鎚敲碎）[149]

而第三段最後兩句「唉，那是長期以來被虐待的後果（おゝそれは長い月日に　虐げられた償ひでした）」，顯然，該作品控訴資本主義工業社會對基層階級的剝削、虐待。

相較於〈子守歌〉控訴底層階級苦悶的生活，刊登於第 2 號的〈振り上げろ、同志達〉共有四段的現代詩，則較有能動性、攻擊性的普羅戰鬥詩歌，如第一段：

振り上げろ、同志達（舉起吧，同志們）

握りこぶしを（你們的拳頭）

こぶだらけのこぶしをだ（滿是疙瘩的拳頭）

××目がけて（瞄準××）

こつんと行くんだぞ（打下去吧）

ナニ？鼻柱が凹んだ！（什麼？鼻子凹下去了！）

いいぢやないか（很好啊）

ナニ？血花が散つた！（什麼？噴了血花！）

かまうもんか（管他了）[150]

××應為「ブル」即布爾喬亞等詞彙，作品呼籲普羅階級奮起對抗資本家、資本主義社會。另外，兩期皆刊登的〈爆裂彈〉，是羅列式的時事

149—— 紅治，〈子守歌〉，《赤道》創刊號，1930 年 10 月，頁 10。

150—— 狂工人，〈振り上げろ、同志達〉，《赤道》第 2 號，1930 年 11 月，頁 10。「××」照原文。

批評，一項數十字，每期登載十項左右，〈ゴマカシ〉（欺瞞）性質雷同，藉以帶有諷刺意味的文字批判當代事物，依序職業介紹所、免費住宿、公設當鋪、╳章佩用者、乞食收容所、╳╳機關、股票交易所、╳關、社會政策、╳╳教育、宗教、產業合理化、諸獎勵法、慈善事業、間╳稅、軍縮條約、╳╳學者、布爾喬亞式、機會主義式藝術。具體內容如：「求職者一千名卻只有三個名額的職業介紹所」、「巧妙完成布爾喬亞獨占的股票交易所」、「消除大眾╳╳的╳╳教育」、「讓╳╳主義社會罪惡╳╳化的慈善事業」等。[151]

　　耐人尋味的是，在臺南幾乎同時期存在兩本分別由臺、日人創辦的左翼雜誌《擲彈兵》、《赤道》，似乎未見任何的交集，或許日治中期為止的臺南，臺日人文化、文學人士透過日文的交流並不頻繁，上述今村的案例是一個少見的情形。不過，到了一九三〇年代後，臺南的臺日人文化人逐漸產生一些交流、對話。

151—— 哨兵，〈ゴマカシ〉，《赤道》創刊號，1930 年 10 月，頁 9。

第二章
一九三○年代臺灣人
的日語文學

一九三〇年代的臺灣逐漸出現較有規模、持續性的文學團體與刊物，臺南的文學活動也活絡了起來，無論是臺南在地的活動，或全島性團體的附隨性質。這時期也產生了一些臺、日人合作的藝文活動，這些合作的契機，可從以下不同面向分析其原因。第一，與在臺日人「在地化」、「土著化」有關。統治初期來臺的日本人被揶揄「出稼ぎ根性」，亦即不少人抱著「賺到錢便離開的心態」，但到了一九三〇年代，隨著統治時間拉長，也逐漸出現一批在臺日人居臺時間長達三十年甚至四十年，這個現象可從以下數據資料得到印證。1930 年的國勢調查（即戶口調查）新增一項調查項目：即日本人的居臺年數，依據其調查結果整理如下：

內地人全人口	221808
在臺 31 年以上	5153
30-26 年	6782
25-21 年	14208
20-16 年	27948
15-11 年	35647
臺灣出生內地人	75457
在臺 11 年以上＋臺灣出生者	165195

※ 整理自 1930 年國勢調查[152]

調查顯示，居住十年以上者，加上臺灣出生者（即所謂的「灣生」），其人數比例高達內地人全人口的 74％，也就是說將近 4 分之 3 的在臺日人幾乎「定居」於臺灣。此「定居」現象含有兩種面向，一方面有些在臺日人已經開始「灣化」，這是當時對在臺日人的負面稱呼，意指「受到臺灣人、臺灣社會的影響而變得頹廢、懶惰」。他們有些人發現自己在日本

152——〈內地人在臺年數〉，《臺灣時報》，1935 年 5 月，頁 49。

內地已經沒有競爭力，只好繼續留在臺灣；但另一方面，也有部分人士較正面看待「灣化」現象，認為那意味著紮根臺灣，也對臺灣這塊土地逐漸產生感情，甚至視之為「終生之地」。

1928 年臺北帝國大學成立，使得臺灣學子從初等教育到大學都可以在本地完成。殖民地教育資源初步的完備，也連帶影響了第二代、第三代「灣生」的生活與認同。他們對日本內地逐漸產生疏離，反而更親近臺灣，甚至無論在自己的生命經驗上或殖民統治的角色上，皆正面看待其「灣化」現象。換言之，「居住於臺灣」這件事本身變得有價值，包括當時文獻顯示：當局期待灣生為首的在臺日人成為「最了解臺灣人的日本人」，並扮演楷模角色。這些居臺許久或在臺出生的日人，較之前人更注意臺灣的文化與歷史價值，他們在「穩定」的社會裡，較有餘裕從事文化活動，也紛紛出現了建立「臺灣文化」或投入「臺灣研究」的動向，同時情感、認同上與臺灣之間的距離也隨之拉近，在文學、文化的領域裡，出現紮根於臺灣這塊土地的相關活動，自然也接近臺南在地臺灣人文化人士。

但是，在此所謂的「穩定」必須添加一段註解，促成合作的要因，並非單純是在臺日人的處境及個人情感所致，而是有更多外在因素交織而成的結果，除了在臺日人「臺灣在地化」的因素之外，至少也要討論另一個當事人即臺灣人的情形，以及當時臺灣外在的政治、社會因素。

臺灣人方面，一九三〇年代左右，經歷霧社事件，以及日本內地與臺灣島內的左翼大打壓，日本對臺統治獲得更進一步的「穩固」、「穩定」，臺灣知識分子的行動也再度從政治轉移到文化領域，著力於文學、戲劇等文化抵抗運動。對在臺日人而言，這「穩定」免除了兩種「威脅」，首先是統治初期武裝抗日的「威脅」，再者是一九二〇年代臺灣

人展開以「臺灣議會設置請願運動」為首的政治運動，「威脅」在臺日人身為殖民者的權益。不僅消除「威脅」，因為文化這個看似「非政治」的領域，這些關注與動向形成了臺、日人各自的文化活動匯流、合作的土壤，臺灣這個「鄉土」成為他們共同的話題。不僅如此，雖然1937年左右總督府推動「皇民化運動」後，臺灣的文化、歷史與傳統一度面臨遭到限制或破壞的危機，但1940年以後，日本中央開始提倡重視地方文化，作為「日本帝國區域內一個地方」的臺灣，其特有的「臺灣文化」自然也受到關注。於是「表面上」臺、日人透過建立臺灣文化的共通目標，有了愈來愈多合作與對話的機會。換言之，一方面日本人對臺灣的關心、情感有所改變並較親近「臺灣文化」，臺灣人方面則由早期的抵抗運動遭到打壓之後，轉而嘗試透過「臺灣文化」延續其運動，兩者「臺灣文化」的協力、合作與匯流，是兩者經過不同歷程後產生。[153]

以下按照時間順序，介紹一九三〇年代臺灣人、在臺日人的文學活動，進而述及一九四〇年代臺日人合作的文化活動。

第一節　「風車詩社」

1933年起，風車詩社的核心人物楊熾昌由紺谷淑藻郎之手接任《臺南新報》學藝欄編輯職務，之後以風車詩社同仁為主，刊登諸多臺籍、日籍作家的文章、文學作品，臺灣人作家包括李張瑞、林修二、王白淵、陳奇雲、郭水潭、徐瓊二、陳周和等，日本人作家則有新垣光一（即新垣宏一）、戶田房子、北川原幸友、佐藤博、島元鐵平、三木武子、北小路晃、吉村敏、西川滿、保坂瀧雄、日高紅椿等。

153——有關在臺日人的「臺灣在地化」，參考鳳氣至純平，《日治時期在臺日人的臺灣歷史像》，臺北：南天，2020年。

同年 6 月，楊熾昌發起成立「風車詩社」。主要成員有楊熾昌、林修二、李張瑞、張良典、戶田房子、岸麗子、島元鐵平等。1933 年 10 月刊行〈風車（Le Moulin）〉第一輯，爾後至 1934 年 12 月為止，共出四輯，不過除了第三輯以外，皆已散佚。前三輯由楊熾昌擔任編輯，第四輯則由李張瑞負責。目前僅存的第三輯，其刊載作品是：

> 詩作：利野蒼〈古びた庭園〉（古老的庭園）等七首、水蔭萍〈ドミ レエヴ〉等兩首、林修二〈月光と散步〉（月光與散步）等 [154]

> 隨筆：水蔭萍〈炎える頭髮──詩の祭禮のために〉
> （燃燒的頭髮──為了詩的祭典）

> 小說：柳原喬〈花粉と唇〉（花粉與嘴唇）

當時現實主義為主流的臺灣文壇裡，「風車詩社」具有濃厚的象徵主義與超現實主義色彩，堪稱日治時期第一個標榜現代主義旗幟的文學團體。[155]楊熾昌的詩論〈炎える頭髮──詩の祭禮のために〉，可視為其文學態度的宣稱：

> 為了超現實主義的一種詩論。詩的祭典之中有所謂超現實主義。我們在超現實之中透視現實，捕住比現實還要現實的東西。那是黑手套的手。然而我們對這個「超越現實的現實」的東西，只能通過超現實主義的作品才能接觸。我認為這是新展開的，不，是使常在進化的藝術的見解會更進一步的關鍵。不過它會使一切藝術向新方面開展的事雖然還是個疑問。但我認為，這樣的手法難道不應該做為解開藝術之謎的鑰匙嗎？ [156]（節錄）

154── ドミ・レエヴ即法文「Demi Rêve」，半夢的意思。
155── 參考，《日治時期臺灣現代文學辭典》，頁 368-369。

楊熾昌（1908～1994），筆名水蔭萍、柳原喬等，臺南市出身，就讀臺南第二中學校時結識李張瑞，1929年畢業後，隔年赴日就讀東京的文化學院。返臺後，1933年起負責《臺南新報》的「學藝欄」，並與李張瑞、林修二等人成立「風車詩社」，創刊《風車》雜誌。1935年末擔任《臺灣日日新報》記者而搬遷至臺北，隔年又回臺南，服務於臺南支社。1939年加入西川滿等人創立的全島性文學組織「臺灣詩人協會」，及改組後的「臺灣文藝家協會」。楊熾昌甫返臺時，持續將詩作投稿日本的文學雜誌，如《神戶詩人》、《詩學》、〈椎の木〉（椎之木），臺灣發表的作品則散見於《臺南新報》、《臺灣日日新報》、《文藝臺灣》等。戰前著作有詩集《熱帶魚》、《樹蘭》及詩歌評論《洋灯の思維》（洋燈的思維，臺南金魚書房，1937年），但皆已散佚。戰後曾出版《燃える臉頰》（燃燒的臉頰，1979年），收錄了1933年至1939年間作品。此外，作品中譯收錄於有呂興昌編、葉笛翻譯《臺南市作家作品集水蔭萍作品集》（臺南：臺南市立文化中心，1995年）。[157]

李張瑞（1911～1952），筆名利野蒼，臺南關廟出身。雙葉公學校畢業後，由於父親工作的緣故移居車路墘糖廠，1929年臺南第二中學校畢業後，赴日就讀「日本農業大學」[158]，1932年返臺後長年服務於嘉南大圳水利會。其詩作、隨筆發表於《風車》、《臺南新報》、《臺灣新聞》、《臺灣新文學》等。戰後白色恐怖時期以「叛亂」為由被判15年有期徒刑，但經蔣介石改判「死刑」，1952年於臺北馬場町執行槍決。李張瑞《風車》第三輯發表的作品後來由葉笛翻譯，與散文〈感想として〉（作為感想）一併收錄於《葉笛全集9翻譯卷二》（臺南：臺灣文學館，2007年）。

156——此文有兩個版本，一是刊登於《風車》雜誌；另一刊登於《臺南新報》，本文採用1934年4月刊登於《臺南新報》的版本，中譯參考楊熾昌著，葉笛譯，《臺南市作家作品集水蔭萍作品集》，臺南：臺南市立文化中心，1995年。

157——有關楊熾昌的生平，參考《日治時期臺灣現代文學辭典》，頁148-149；大東和重，《臺南文學の地層を掘る——日本統治期臺灣・臺南の臺灣人作家群像》，兵庫：關西大學出版會，2019年3月，頁87-139。

另外〈天空的婚禮〉等九首作品後來由陳千武中譯，並收錄於羊子喬、陳千武主編《廣闊的海》（臺北：遠景，1997 年）。此外，還有以風車詩社為題材的電影《日曜日式散步者》專刊：《日曜日式散步者——風車詩社及其時代 1 暝想的火災》（以下簡稱《暝想的火災》），書中收錄選譯的數首詩作、文學評論〈感想として〉（作為感想）、〈詩人の貧血——この島の文學〉（詩人的貧血——這個島的文學）、給楊熾昌的公開信〈秋窗〉、兩篇極短篇小說〈窗邊的少女〉和〈迎娶送嫁〉等。[159]

林永修（1914～1944），筆名林修二、南山修，麻豆出身。1928 年進入臺南第一中學校（現臺南二中），與張良典同期，1933 年畢業後留學日本，投考慶應義塾大學、早稻田大學預科均獲錄取，最後選擇慶應大學，1936 年正式入學慶應義塾大學英文科，1940 年畢業。同年因病返臺，在故鄉麻豆休養，1944 年因結核病而去世。其詩作、散文等除了於《風車》、《臺南新報》發表之外，亦發表於《臺灣新聞》、《臺灣日日新報》等。戰後由楊熾昌彙整出版遺稿集《蒼い星》（蒼星，1980 年，限定 200本），另有呂興昌編訂、陳千武中譯《林修二集》（新營：臺南縣文化中心，2000 年）。[160]

張良典（1915～2014），筆名丘英二，出生於臺南安定，後來搬遷至車路墘糖廠，李張瑞為糖廠宿舍鄰居。臺南第一中學校畢業後，北上就讀臺灣總督府臺北醫學專門學校。詩作發表於《臺灣文藝》、《銀鈴》等。[161]

戶田房子（1914～？），出生於東京，五歲左右來臺，1930 年臺南第一高等女學校畢業，1938 年離臺回東京。除了《臺南新報》之外，返日後持續於《華麗島》、《文藝臺灣》發表詩作、隨筆等，1941 年成為《文藝首

158——日本未曾有「日本農業大學」，有待查證。

159——有關李張瑞的生平，參考《臺南文學の地層を掘る——日本統治期臺灣‧臺南の臺灣人作家群像》，頁 87-139；陳允元、黃亞歷主編，《日曜日式散步者——風車詩社及其時代 1 暝想的火災》，臺北：行人文化，2016 年 9 月，頁 72。

160——有關林修二的生平，參考《日曜日式散步者——風車詩社及其時代 1 暝想的火災》，頁 108；《日治時期臺灣現代文學辭典》，頁 148。

161——有關張良典的生平，參考《日曜日式散步者——風車詩社及其時代 1 暝想的火災》，頁 122。

都》同人並發表作品，亦在楊熾昌也曾投稿的《文藝汎論》發表詩作、小說，如描述臺南的〈南方の町〉（南方之町）。其詩作中譯收錄於《瞑想的火災》。另，戰後著有《燃えて生きよ—平林たい子の生涯》（熾熱地活著吧—平林たい子的生涯，東京：新潮社，1982年）、《詩人の妻—生田花世》（詩人之妻—生田花世，東京：新潮社，1986年）。[162]

在當時以普羅文學為主流的臺灣人文壇中，風車詩社的現代主義色彩經常被視為異質。他們堅持文學是一門澈底獨立的藝術，不受任何手段所利用。觀察 1934 至 1936 年期間李張瑞、楊熾昌等人的評論文字可以了解，身為被殖民者，他們理解臺灣的被殖民現狀與普羅文學發展趨勢的必然，但對臺灣文壇「形式上只是模仿日本的普羅文學」、「寫作之人基於某種『英雄主義』而選擇普羅文學」等輕率的文學態度感到不滿。他們痛感臺灣作家「沒有自己的文字與文學傳統」的共同困境，對於風車同仁大多不諳漢文，只能透過日文表達，且沒有野心成為「民族的代言者」而只想專注文學創作，這種文學路線被臺灣人視為「異邦人」，他們有相當的自覺，並曾對此透露矛盾心情：一方面強調「我們並不是沒有你們那邊的人所寫的那種不平或反抗心，只不過是不寫」，一方面也期待「從更大的文學見地來思考，我想我們的文學態度也能被接納才是」。其強調的「新文學精神」，內涵與當時臺灣人文壇的「新文學精神」相當不同。從他們反對臺灣日籍詩人保坂瀧雄等人追求「富於人情而能打動心弦」的詩；推崇伊藤整的意識流；盛讚西川滿、北川原幸友等人經營的《媽祖》雜誌，期待此刊能「從更自由的立場朝新文學精神邁進」來看，風車詩社試圖發展的文學路線，是捨棄向來以感情

162—— 有關戶田房子的生平，參考《臺南文學の地層を掘る——日本統治期臺灣 · 臺南の臺灣人作家群像》，頁 108。

為本位的詩歌傳統，專注創造新的詩形。換言之，他們談的「新文學精神」，或許可理解為對以情動人、內容優位等寫作「常規」所發出的反動。[163]這是風車詩社的特色，也是與當時反殖民文化運動路線的臺灣人作家的扞格所在。

第二節　鹽分地帶

鹽分地帶並非正式成立的文學團體，指的是以臺南佳里為聚集中心，包括鄰近的七股、將軍、北門等沿海地區的文學者。1933 年 10 月成立「佳里青風會」，主要成員是被稱為「北門七子」的吳新榮、郭水潭、林芳年、林清文、王登山、徐清吉、莊培初。[164] 1934 年，張深切、賴慶、賴明弘、楊守愚等人商議後決定成立全島性的文學組織臺灣文藝聯盟，同年 5 月 6 日於臺中召開成立大會，鹽分地帶的吳新榮、郭水潭亦列席，並於 5 月 27 日決定成立支部「臺灣文藝聯盟佳里支部」，6 月 1 日於佳里公會堂舉行成立大會，來賓有林茂生、王烏硈、石錫純、黃大賓等人，本部有張深切、葉陶參加。[165]在支部成立之際，郭水潭在《臺灣文藝》發表〈臺灣文藝聯盟佳里支部宣言〉[166]，該刊物也曾策畫鹽分地帶作家的詩作特輯〈鹽分地帶の人々─文聯佳里支部作品集〉（鹽分地帶的人們─文聯佳里支部作品集）。[167]不過，後來楊逵等人不滿《臺灣文藝》的編輯方針，於 1936 年 12 月創刊《臺灣新文學》，吳新榮、郭水潭、王登山等人也參與了該刊的編輯事務。

他們的文學趨向為「關懷故鄉、土地與人民，除了以詩歌對殖民者以『現代化』為名將資本主義強加在殖民地社會造成的傷害多有批判，也以文藝評論反對超現實主義及藝術至上主義。」[168]由此可知，與同時期在臺

163—— 關於風車詩社李張瑞等人的文學路線分析，參考許倍榕，〈日治時期臺灣的「文學」概念演變〉，成功大學臺灣文學系博士論文，2015 年。

164—— 參考《日治時期臺灣現代文學辭典》，頁 369-370。

165—— 吳新榮，《吳新榮日記全集 1》，臺南：臺灣文學館，2007 年 11 月，頁 114。

166—— 《臺灣文藝》第 2 卷第 8、9 合併號，1935 年 8 月。

167—— 《臺灣文藝》第 3 卷第 3 號，1936 年 1 月。

168—— 《日治時期臺灣現代文學辭典》，頁 370。

南成立的「風車詩社」相較，其文學觀與風格不盡相同，甚至有衝突。實際上，吳新榮與楊熾昌、李張瑞見面後，在日記上曾語帶諷刺地稱之為「薔薇的詩人」[169]。而郭水潭也在報紙上撰文批評「薔薇詩人」缺乏時代心聲、遠離現實，只是「幻想美學的裝潢」[170]。

吳新榮（1907～1967），臺南將軍鄉人，就讀臺灣總督府商業專門學校預科後，1925年赴日，先後就讀岡山的金川中學、東京醫學專門學校。在東京時加入「東京臺灣青年會」和「東京臺灣學術研究會」，曾被捕入獄。1932年畢業返臺，接手經營佳里醫院。行醫的同時，也和郭水潭等人形成「鹽分地帶」文學群體從事文學活動，創作詩、散文等。1942年紀念亡妻的日文散文〈亡妻記〉獲得眾多文學同仁的好評。從一九四〇年代起至戰後，投入臺南地方文史研究，和國分直一等人合作完成《民俗臺灣》的北門特輯。[171]

值得一提的是，吳新榮和接下來將探討的臺南日籍作家新垣宏一，曾有過一場筆戰。1935年前後，臺灣人文壇正在為「文藝大眾化」展開路線論爭的時期，新垣撰文批評，並主張「文學是獨立的學問」。此前新垣也曾在《臺南新報》上發表〈詩の果物店で（在詩的水果店）〉，認為「詩人必須是信仰家，必須是沒有宗教氣味的信仰家」。1935年文藝大眾化論爭展開的時期，新垣正就讀臺北帝國大學文政學部文學科，他在戰後的回憶錄裡談到此時期的文學關心，是偏重形式美感的探索與追求。對於這樣的新垣所說的「文學是少數人的占有物」，吳新榮撰寫〈象牙塔之鬼──主駁新垣氏〉一文回應：「雖然那是事實，但我們對此既成事實叛逆，而要求文學歸屬大眾。正如呼籲政治歸屬大眾一樣。」吳新榮考慮到菁英與

169──《吳新榮日記全集1》，頁188。

170──羊子喬編，《郭水潭集》，臺南：臺南縣立文化中心，1994年12月，頁160。

171──有關吳新榮的生平，參考《臺南文學の地層を掘る──日本統治期臺灣・臺南の臺灣人作家群像》，頁43-85；《日治時期臺灣現代文學辭典》，頁141-143。

大眾之間的落差是「現行制度」使然，而非兩者存在先天優劣關係，關鍵在於社會能否改善這種後天的不平等，如能不對「既成事實」消極承認而能積極改變，文學終能從知識階級手中解放。這是吳新榮文學觀的重要特點，不僅是與藝術至上主義者的差異，也是他與許多臺灣人作家雖致力推動「文藝大眾化」卻抱持菁英價值觀而流露對大眾智識的懷疑，很大的不同之處。[172]

郭水潭（1908～1995），號「千尺」，取自李白詩句「桃花潭水深千尺」。出生於臺南佳里，就讀佳里興公學校時，蘇新是同班同學。該校高等科畢業後，也在私塾「書香院」學習漢文。因短歌的造詣受北門郡守賞識，1925 年後，任職北門郡役所等當地的公家單位，亦兼任郡守口譯等。他在鹽分地帶作家群形成之前，便曾於 1930 年加入「あらたま」（新玉）短歌團體；1929 年開始投稿多田利郎創辦的《南溟樂園》詩誌（兩年後改題為《南溟藝園》），受到多田的回應與邀請。此後郭水潭邀集徐清吉、王登山等人加入並陸續發表新詩，此舉在鹽分地帶新文學團體「青風會」、「臺灣文藝聯盟佳里支部」等尚未成形之前，是一次突破性的文化行動。1935 年後作品積極發表於《臺灣新聞》、《臺灣文藝》等報刊雜誌，《臺灣新文學》雜誌創刊時亦參與編務。1935 年以〈某個男子的手記〉獲《大阪每日新聞》小說入選佳作。1937 年受薦為《大阪朝日新聞》「南島文藝」欄的特別寄稿家。1939 年他邀吳新榮一起加入西川滿主導成立的全島性組織「臺灣詩人協會」，也參加改組後的「臺灣文藝家協會」。1942 年國分直一來訪時，郭水潭替吳新榮帶路，調查平埔族遺跡，後來促成《民俗臺灣》的北門特輯。郭水潭也陸續發表鄉土文化的考察論

172—— 關於吳新榮與新垣宏一的筆戰，參考許倍榕，〈日治時期臺灣的「文學」概念演變〉，成功大學臺灣文學系博士論文，2015 年。

述。戰後曾任職於吳三連主政的臺北市政府，其後亦參與臺北市文獻委員會，從事文史研究，同時加入「臺北歌會」，持續短歌、俳句等日本定型詩的創作。1971年開始發表中文詩。1994年臺南縣政府出版《郭水潭集》，收錄戰前戰後的詩作、小說、隨筆及研究論述等。[173]

　　林芳年（1914～1989，原名「林精鏐」，1954年正式改名），出生於佳里，祖父林波為鹽分地帶首富，父親林泮（林芹香）為著名漢學家。1933年二十歲時開始以日文發表作品，至1945年為止，創作的現代詩多達三百餘首，另有小說、散文、評論等作品數十篇。初期多愛情詩，亦具現實關懷與鄉土情感，自述曾受佐藤春夫與林芙美子影響而開始重視寫作手法及表現技巧。1935年8月與莊培初創刊《易多那》文藝雜誌，該誌包含小說、詩、評論，但僅發刊一期。1935年文藝大眾化論爭之際，林芳年作為觀戰者，也曾撰文〈關於臺灣現階段的文學大眾化──給陳永邦先生〉表達其文學思索。當時陳永邦主張：「即使現在的文學大眾不懂也沒有關係。我們默默地精進文學之路，還是比誇大地叫喊等於癡人之夢的文學大眾化，要好幾倍呢。」陳永邦關注文化啟蒙運動脈絡下的文學發展，但建議作家循「務實」路線，先專注於「默默地精進文學之路」。對此林芳年批評：「陳先生並非提倡文學無用論，而是慨嘆著臺灣的文化水準低劣」，對陳氏等人將文學高蹈化神秘化，以及把知識階級先驗地擺在大眾之上的態度感到不滿。這樣的文化觀與大眾觀，與前述吳新榮的文學觀有呼應之處，也是了解鹽分地帶作家群文藝觀的重要切入點。戰後任職於臺糖公司，因工作所需曾中譯出版商業書籍《商品銷售叢譚》（1960）、《市場理論與實務》（1963）。1967年（54歲）左右恢復文學創作，開始以

173──有關郭水潭的生平，參考王昶雄，〈千尺深潭愈離愈遠：懷念郭水潭兄〉，《聯合報》1995年4月1日，37版；羊子喬，〈橫看成嶺側成峰──試為郭水潭造像〉、呂興昌，〈郭水潭生平著作年表初稿〉，收錄於羊子喬編，《郭水潭集》，臺南：臺南縣立文化中心，1994年12月，頁570-596；葉笛譯，《曠野裡看得見煙囪──林芳年作品選譯集》，臺南：臺南縣政府，2006年11月。

中文發表小說、散文於報刊。1983 年出版匯集中文創作的《林芳年選集》，其後又陸續出版《失落的日記》（1985）、《浪漫的腳印》（1987）等書。2006 年臺南縣政府刊行由葉笛翻譯的選集《曠野裡看得見煙囪──林芳年作品選譯集》。[174]

王登山（1913～1982），出生於臺南北門。家裡代代從事鹽業。公學校時期便開始創作詩歌，就讀臺南第二中學校（今臺南一中）時，因父親過世而輟學。後任職於北門庄役場。曾隨郭水潭加入南溟藝園社，作品以短歌、新詩、散文為主，多描述個人生活境遇及情感、鹽村風物、底層人物的困頓。俳句造詣深，經常發表於專賣局月刊、《臺灣日日新報》文藝欄等，郭水潭高度評價王碧蕉與王登山，為鹽分帶地帶俳句創作最優者。二十四歲時與郭水潭之妹結婚，郭氏著名的詩作〈廣闊的海──給出嫁的妹妹〉便是為此而寫。1933 年吳新榮等人創立「佳里青風會」，王登山為成員之一；同年亦加入日本東京的《藻波》；1934 年作品〈鹽田的風景〉登載於東京臺灣留學生組成的「臺灣藝術研究會」之機關刊物《フォルモサ》（福爾摩沙）；1935 年「臺灣文藝聯盟佳里支部」成立，擔任編輯員，此後積極參與文壇活動，其後亦參與 1935 年創刊的《臺灣新文學》編務；1943 年與吳新榮、王碧蕉、林芳年、林金莖及北門郡守五藤男共組俳句社團「白柚吟社」。王登山戰後境遇起起伏伏，曾追隨新劇團、擔任守衛。現存手稿中有多首描述為了藝術離鄉加入劇團而到處漂泊的心境與思鄉之情。王登山克服語言轉換後，曾於《民聲日報》等發表詩歌作品。1953 年整理自選集，抄錄十八至二十七歲期間發表於報章雜誌的小品文、詩作，題為《偽りなき告白》（無偽的告白）。[175]

174—— 有關林芳年的生平，參考《日治時期臺灣現代文學辭典》，頁 187-188；林捷津，〈詩朵的祝福〉、葉笛，〈心象風景／憤怒的詩人〉、陳豔秋，〈從失落的日記找尋浪漫的腳印〉、黃章明，〈林芳年先生年譜〉，皆收錄在葉笛譯，《曠野裡看得見煙囪──林芳年作品選譯集》，臺南：臺南縣政府，2006 年 11 月；黃武忠，〈「鹽分地帶」詩作最多的一位：林精鏐〉，《日據時代臺灣新文學作家小傳》，臺北：時報文化，1980 年，頁 127-128；林芳年與陳永邦的文藝觀分析，參考許倍榕，〈日治時期臺灣的「文學」概念演變〉，成功大學臺灣文學系博士論文，2015 年。

175—— 關於王登山生平及其子王光輝的訪談，參考王秀珠，〈日治時期鹽分地帶詩作析論─以吳新榮、郭水潭、王登山為主〉，國立高雄師範大學國文教學研究所碩士論文。

莊培初（1916～2009），臺南佳里人，筆名庄訊濃、青陽哲、嚴墨嘯。公學校畢業後考入以日人子弟就讀的臺南第一中學校，奠定優異的日文能力，在學期間與張良典、林永修等人結識，其後加入「青風會」、「臺灣文藝聯盟佳里支部」等，成為鹽分地帶新文學同人。曾任《臺灣新民報》記者。1935年8月與林芳年創刊一期《易多那》文藝雜誌。擅長撰寫評論、小說，林芳年評其技巧穩健老成，戰前的文學成就與吳新榮乃伯仲之間。戰後曾任職臺南縣農會，其後從事貿易工作。推測因白色恐怖（羊子喬認為是受李張瑞之死所影響），從此遠離文壇，長年不願公開談論文學，甚至曾拒絕受頒鹽分地帶文學營的「臺灣新文學貢獻獎」。莊培初的詩歌創作重視技巧，風格傾向抒情、唯美，林芳年認為與其廣泛涉獵西洋文學有關，曾說「如果站在很肯努力用功觀點說話時，無疑的莊培初是一位最能虛心探討，最具教養的文學經營者。」著名詩作有〈一個女性的畫像〉、〈有一天早晨的感情〉、〈想著〉、〈一片傷感〉、〈冬月〉、〈冬情〉、〈壺〉等，亦曾於《臺灣新文學》發表小說〈鄙地世俗事〉。作品未集結成書，部分收錄在羊子喬、陳千武編《光復前臺灣文學全集十：廣闊的海》（臺北：遠景，1982）、陳明台《陳千武譯詩選集》（臺中：臺中市文化局，2003）。[176]

林清文（1919～1987），筆名史光、森揚人。臺南佳里人。畢業於佳里公學校高等科。1938年曾以軍伕身分隨「臺灣農業義勇團」到上海，翌年返臺。其後受郭水潭影響而開始以日語創作，是「北門七子」中最年幼者。1939年成為《臺灣藝術》同仁。此後曾於《臺灣新民報》、《興南新聞》等報刊，發表現代詩〈給規矩男、不二男兩兄弟〉、〈新生之歌〉，及小說

176──關於莊培初生平，參考《日治時期臺灣現代文學辭典》，頁205-206；林芳年，《林芳年選集》，臺北：中華日報，1983年；羊子喬、陳千武編，《光復前臺灣文學全集十：廣闊的海》，臺北：遠景，1982年。

〈上海女郎〉、〈夜來香〉、〈煙霧〉等。1941 年投身新劇，參與日日新劇團、臺灣演劇會社的演出，亦創作劇本〈陽光小鎮〉、〈風雨米約小花〉、〈白蘭之歌〉、〈我要活下去〉等。熱愛戲劇的林清文，戰後持續參與「世紀新劇團」、「大地演劇社」，並創作〈西施〉、〈愛的十字路〉等多部劇本。1953 年前後成立「新生活劇團」，編導〈母愛〉、〈暗光〉、〈廖添丁〉等劇。其中以〈廖添丁〉是其經過親身考察後撰寫的劇本，深受觀眾歡迎，曾為避免當局禁演而改名〈胡劍榮〉。晚年完成自傳小說〈愚者自述〉，連載於《自立晚報》，後由哲嗣林佛兒改題《太陽旗下的小子》出版。林芳年曾說：「林清文是位小說家，同時也是一位劇作家。他雖未參加鹽分地帶的文學活動組織，但他在光復前所發表的小說、散文、詩等作品，幾乎超過鹽分地帶的任何一個同仁。」對這位文友的藝術成就予以高度評價。[177]

徐清吉（1907～1982），臺南佳里人。與郭水潭為高等科同學，1931 年受郭氏之邀，參與日人多田利郎創辦的《南溟藝園》（原名《南溟樂園》）。1932 年與吳新榮、郭水潭等人共組「佳里清風會」。亦為 1935 年「臺灣文藝聯盟佳里支部」的成員。1936 年中國作家郁達夫訪臺時，曾與吳、郭一同到臺南鐵路飯店拜訪。作品以現代詩為主，發表於《南溟藝園》、《臺灣新聞》、《臺灣新文學》等刊物，目前可見作品有〈流浪者〉、〈魔掌〉、〈鄉愁〉、〈詭上的旗〉、〈拾った古画帖〉（撿到的古畫帖）等，作品富含人道關懷與社會批判意識。戰後投入文獻整理工作，文章可見於《臺灣風物》等誌。[178]

177——參考自許獻平，〈鹽分地帶新文學拓荒者——北門七子〉，《南瀛文獻》第 4 輯，2005 年 9 月。林芳年，〈鹽窩裡的靈魂〉，收於《南瀛文學選：評論卷（一）》，臺南縣立文化中心，1991 年。林清文，《太陽旗下的小子》，臺北：蔚藍文化，2019 年。

178——參考自黃勁連編，《南瀛文學選——詩卷（一）》，臺南縣立文化中心，1991 年。

第三章

一九三〇年代日本人
的日語文學──
岸東人與《臺灣日報》「學藝欄」

第一節　《臺灣日報》的學藝欄

　　1937 年 4 月 1 日《臺南新報》更名為《臺灣日報》，「晚報」第四版固定設置「學藝欄」，由在臺日人岸東人（本名「岸至」，1888-1941）負責編輯。出現固定的「學藝欄」，其實和當時的政策有關，日治時期臺灣四大日刊報，包括《臺灣日日新報》（臺北）、《臺灣新聞》（臺中）、《臺灣日報》（臺南）以及臺灣人創辦的唯一日刊報《臺灣新民報》，在當局的壓力下，於 4 月 1 日起全面廢止「漢文欄」（《新民報》4 月 1 日先減半，6 月 1 日全面廢止）。《臺南新報》原先早報、晚報各設置一版「漢文欄」，但隨著改名為《臺灣日報》，漢文欄也消失，必須填補其空白，「學藝欄」便是在這樣的時空脈絡下擁有較大且固定的版面。[179]

　　《臺灣日報》「學藝欄」的推手岸東人，1913 年早稻田大學政治學科畢業，1916 年左右遠渡上海，歷任《上海每日新聞》記者、東亞同文書院英語講師，1921 年回日成為自由撰稿人，1935 年來臺擔任臺南新報編輯局記者，爾後擔任學藝欄編輯（～ 1940.7）。[180]他在擔任編輯期間前後的日籍投稿者，包括岸東人、國分直一、小林土志朗、中島源志、新垣宏一、濱田隼雄、前嶋信次、吉村敏。其中前嶋、濱田、國分和新垣這四位，都是當時任教於臺南的中學、高中的教師，除了文學活動之外，各自也著手臺南的文化、歷史、考古等研究，並與臺灣人學生、研究者有不少互動。因此，雖然不同於楊熾昌編輯的時代，岸東人擔任學藝欄編輯後，寄稿者以日人為主，但無論學校內外，臺南的臺日人交流、互動關係仍然延續下去。

---

[179]——有關《臺灣日報》設置「學藝欄」的經緯，參考松尾直太，〈《臺灣日報》"學藝欄"及其主編岸東人〉，《臺灣文學學報》第八期，臺南：臺灣文學館，2006 年 6 月，頁 63-96。

[180]——有關岸東人的生平，參考〈《臺灣日報》"學藝欄"及其主編岸東人〉，頁 71-72。

第二節　聚集《臺灣日報》的日本文化人

　　前嶋信次（1903 ～ 1983），戰後日本著名的伊斯蘭史、東西交涉史學者。出生於山梨縣，就讀東京外國語學校法語科後，於東京大學文學部東洋史學科專攻伊斯蘭史。1928 年畢業後跟隨恩師藤田豐八來臺，在甫成立的臺北帝國大學文政學部擔任助手。1932 年 4 月赴任臺南第一中學校（現臺南二中），擔任歷史老師，王育德、陳邦雄等人都是他的學生。直到 1940 年再度返回東京為止，有八年的時間在臺南度過，除了進行臺灣漢族、原住民研究之外，也在《臺灣日報》上發表記錄行走於臺南街上的隨筆式作品，在此過程中也結識了石暘睢、莊松林等臺灣人鄉土史家、知識分子。回到東京後，在滿鐵東亞經濟調查局從事伊斯蘭地區的調查研究。1951 年起任職於慶應義塾大學語學研究所，1956 年升任教授，同時參與日本伊斯蘭協會的設立。其研究成果相當龐大，近年刊行的《前嶋信次著作選》共四卷，匯集未收錄於單行本的文章，第三卷是《〈華麗島〉臺灣からの眺望》（從「華麗島」臺灣眺望）（東京：平凡社東洋文庫，2000 年），主要收錄其臺灣相關文章。[181]

　　濱田隼雄（1909 ～ 1973），筆名秦伸彌、佃龍、速河正夫，出生於宮城縣仙臺市，1925 年首度來臺旅遊，隔年就讀於臺北高等學校文科，1929 年畢業後返日，就讀於東北帝國大學法文學部，專攻日本文學。畢業後曾在東京任記者工作，為具有左翼色彩的刊物撰稿，1935 年 11 月再度來臺，赴任臺南第一高等女學校。1937 年調任至臺北第一高等女學校，1946 年返日回到故鄉仙臺，在高中教書的同時，也發表諸多仙臺及其歷史相關的作品。在臺時期主要作品有長篇小說《南方移民村》（1941 年

---

[181]──有關前嶋信次的生平，參考《臺南文學──日本統治期臺灣‧臺南の日本人作家群像》，頁 109-157。

10 月起於《文藝臺灣》連載，後來 1942 年 7 月由東京的「海洋出版社」出版）、〈草創〉、〈本島農人傳〉（未發表）；短篇小說〈病牀日記〉、〈橫丁之圖〉、〈公園之圖〉、〈蝙翅〉等。[182]

　　他於 1937 年，即轉任至臺北這一年，結識了岸東人，開始在《臺灣日報》發表各種文類的文章，包括評論龍瑛宗的著名作品〈パパイヤのある街〉（植有木瓜樹的小鎮）的評論文〈文藝月評「パパイヤのある街」〉（上·下）；以原住民神話為題材的奇幻小說〈キナジー物語〉（奇拿餌物語）、以臺灣漢人的歷史為題材的〈綺談臺南蟹〉；記錄臺南生活點點滴滴的隨筆〈南都雜記貼〉等。此外，離開臺南後的 1940 年，與曾在臺南第一高等女學校當同事的國分直一，在「學藝欄」上公開兩人的往來信件，主要討論《南方移民村》的執筆進度及寫作心得。

　　國分直一（1908～2005），出生於東京，同年渡臺住在高雄，1918 年隨著父親調職，舉家遷移至臺南。1922 年與 1927 年前後就讀於臺南第一中學校、臺北高等學校，1930 年赴日考取京都帝國大學史學科，專攻日本史。1933 年畢業，同年 9 月來臺南，赴任臺南第一高等女學校，工作之餘開始著手臺南、高雄等地民族、考古學調查，並陸續在《臺灣日報》及研究期刊上發表成果。1943 年 5 月北上繼續擔任教職，1945 年日本戰敗後被國民政府留用，曾擔任臺灣大學文學院史學系副教授。1949 年返日，歷任各高中、大學教師，從事考古學、民族學的研究。臺灣相關研究著作包括研究西拉雅族文化習俗的《壺を祀る村──南方臺灣民俗考》（祀壺村──南方臺灣民俗考），是國分唯一一本日治時期刊行的著作，戰後返日後著有：《臺灣の民俗（臺灣的民俗）》、《臺灣考古誌》、《臺灣考古民族誌》等。

182── 有關濱田隼雄的生平，參考鳳氣至純平，《日治時期在臺日人的臺灣歷史像》，臺北：南天，2020 年 10 月，頁 221。

新垣宏一（1913～2002），出生於高雄，曾就讀高雄第一小學校、高雄中學校，1931 年北上進入臺北高等學校文科，是濱田、國分的學弟，前嶋是當時法文課的老師。在校時結識黃得時，應他的邀稿，於《臺高新聞》發表短篇小說〈でぱあと開店〉（百貨公司開張），其發想來自於剛開幕的臺灣第一家百貨公司「菊元百貨店」。另和曾任臺南神學院院長的黃彰輝牧師（1914～1988）住在同一個高等學校宿舍「七星寮」。新垣就讀臺北高校時，校園的左翼思潮正盛，當時他擔任宿舍的文藝圖書委員，因擔心官憲搜查，曾主導將一批左翼雜誌焚燬。前已談及，1932 年新垣在《臺南新報》上發表〈詩の果物店で〉（在詩的水果店）批評普羅文學將藝術作為鬥爭武器，並主張「藝術的起源是遊戲」。這些言論引來臺灣人作家徐瓊二的不滿，兩人隨即展開筆論。徐瓊二由「藝術起源於勞動」立論，批評新垣只知依循體制教育且缺乏社會性；而新垣則從詩的形式改造、詩風、真善美境界等方面，強調相對於政治宣傳的「藝術良心」。[183]

　　1934 年進入臺北帝國大學文政學部文學科，專攻國文學，受到國文學學者瀧田貞治、英國文學學者矢野峰人、工藤好美、比較文學學者島田謹二等教授等人的薰陶。高等學校、大學時期已在《第一線》、《臺灣文藝》、《臺灣新文學》、《臺灣日日新報》等刊物發表詩作、評論，同時也創刊學術性雜誌《臺大文學》。1937 年臺北帝大畢業後，任職於以臺籍學生為主的臺南第二高等女學校，教授國文（即日語），1941 年底轉任臺北第一高等女學校。他在上述四名日人作家當中，是唯一從出生至日本戰敗為止，無論求學階段和工作時間一直都在臺灣生活的人。雖然在臺南生活的時光僅僅四年，但無論是發表刊物或作品題材，其與臺南的關係

183—— 參考新垣宏一著，張良澤編譯，《華麗島歲月》，臺北：前衛，2002 年 8 月、新垣光一（新垣宏一），
　　　〈詩の果物店で〉，《臺南新報》，1932 年 3 月 15 日（6）。

相當密切，即使北上後發表的作品，也有不少作品與臺南生活相關。例如〈盛り場にて〉（在鬧區）描述徘徊於臺南夜市的臺灣人底層少年的生活、〈城門〉和〈訂盟〉則描述新垣與臺灣人學生之間的互動交流，其中〈訂盟〉中的臺灣人兄弟疑似是以王育霖與王育德兄弟為模型，由此可窺知臺日知識分子價值觀異同的實際樣貌。[184] 此外，他在《臺灣日報》連載〈臺灣文學艸錄〉，發表其臺南研究的成果，其中值得一提的是，有關佐藤春夫〈女誡扇綺譚〉的調查考證。透過此實地踏查的研究，他逐漸發覺不同於佐藤筆下浪漫、異國情調式的臺南，因此他對佐藤作品的評價與過去一面倒的肯定態度不同，而是腳踏實地且細膩地考證歷史與作品背景、題材的異同。可以進一步說，這是他意識到長期居住臺灣、臺南的日本人，甚至臺灣出生成長的「灣生」實際的生活後，才能發現、表現的臺灣。[185]

除了濱田之外，前嶋、國分、新垣三名都不約而同地對臺南及周邊的文化、民俗、考古研究產生興趣，同時也結識了具有共同興趣與關懷的在地臺灣人知識分子、史家等。即使如此，一九三〇年代臺南活躍的文學群體：風車詩社、鹽分地帶及《臺灣日報》的日人作家並未形成明顯的互動、合作關係，甚至出現彼此質疑、批評的情形。如上所述，吳新榮曾經語帶諷刺地形容李張瑞是「薔薇詩人」，他也與新垣宏一展開短暫的文學論戰，主要批評新垣「為藝術而藝術」的創作態度。這些緊張關係，交流互動，到了一九四〇年代，變成熱絡的交流互動，尤其透過《民俗臺灣》的活動，開花結果，大放異彩。

184——有關新垣宏一的生平，參考新垣宏一著，張良澤、戴家玲譯，《華麗島歲月》，臺北：前衛，2002年8月；《日治時期臺灣現代文學辭典》，頁255-257；《臺南文學——日本統治期臺灣‧臺南の日本人作家群像》，頁325-396。

185——新垣宏一，〈第二世の文學〉（上），《臺灣日日新報》，1941年6月17日；〈第二世の文學〉（下），《臺灣日日新報》，1941年6月19日。

第四章

戰爭時期的臺南
日語文學——
文學與臺灣史、臺南史

1937 年 7 月 7 日的盧溝橋事件引發中日戰爭，四年後的 1941 年 12
月 8 日（當地時間為 7 日），日軍突襲美國夏威夷珍珠港，開啟與英
美等國之間的「太平洋戰爭」，直到 1945 年 8 月 15 日，日本接受波
茨坦宣言宣佈「無條件投降」為止，日本展開八年多的「總力戰」。
[186]因應戰爭需要，不僅是日本內地，臺灣當局也從各方面實行配合戰
爭的「國家總動員體制」，除了物資方面進行配給制等統制政策之外，
思想、文化方面也被收整於政府的管制操控之內。不過值得注意的是，
這段時間的文化統制政策，官方並非採取全面的壓迫、管制手段，在
滲透統合力而採取的重視「地方文化」政策下，反而讓臺灣文化受到
重視並獲得一定程度的發展空間，但此時期的臺灣文化，被定義為日
本文化的地方文化之一，而文化活動被置於皇民奉公會的統制之下，
亦呈示其參與協力國策的必然性。例如，一度遭禁的布袋戲，在太平
洋戰爭爆發之後，由皇民奉公會改造為日式和臺式的折衷形式舉辦公
演。[187]這絕非是「從思想、文化的消極性統制（異端的排除），到積
極性統制（國策等於戰爭協力的動員）的變化，而是此後異端排除的
擴大和動員對象的擴大同時進行」[188]。垂水千惠總結這段期間臺灣當
局的文化政策：「日本近代史裡，從未有像這時期『文化』受到為政
者重視、討論，及統制的時代。何況殖民地這種終極的狀況之下進行
的文化活動，不可能與政治背景無關」。[189]

　　一九四〇年代初誕生三本日文雜誌《文藝臺灣》、《臺灣文學》及
《民俗臺灣》，也是上述時代脈絡之下的產物，而在各個刊物的參與
者都可見在臺南的臺日人文化人的身影。[190]

186——有關「總力戰」對臺灣的影響，參照近藤正己，《總力戰と臺灣──日本植民地崩壞の研究》，東京：
　　　刀水書房，1996 年 2 月；林繼文，《日本據臺末期（1930-1945）戰爭動員體系之研究》，臺北：稻鄉，
　　　1996 年 3 月。

187——田村志津枝，〈臺灣大眾の藝能のありさま〉，《岩波講座 近代日本と植民地 7》，東京：岩波書店，
　　　1993 年 1 月，頁 184。

188——赤澤史朗，〈戰中、戰後文化論〉，《岩波講座 日本通史 19 近代 4》，東京：岩波書店，1995 年 3 月。

189——垂水千惠，《呂赫若研究》，東京：風間書房，2002 年 2 月，頁 283。

第一節　《文藝臺灣》與《臺灣文學》兩大陣營與臺南作家

　　1940 年與 1941 年，誕生兩本臺灣全島性規模的日文雜誌——《文藝臺灣》、《臺灣文學》，所謂全島性規模，雖然兩本雜誌皆以臺北為據點，但雜誌同仁含括全臺灣，居住於臺南的臺日人作家也參與其中。

　　1939 年 9 月，西川滿、北原政吉等人在臺北設立「臺灣詩人協會」，並於同年 12 月創刊新詩為主的刊物《華麗島》，主要會員共 33 名，如池田敏雄、石田道雄、黃得時、中山侑、新田淳、楊雲萍、龍瑛宗等，該團體也包括臺南臺日人作家，如吳新榮、郭水潭、莊培初、林芳年、水蔭萍、新垣宏一、喜多邦夫，以及在臺北讀書的王育霖、邱炳南（即邱永漢），換言之，其成員含括一九三〇年代在臺南各自展開文學活動的群體，即鹽分地帶、風車詩社、日人作家。《華麗島》僅刊行一次，臺南作家刊登作品如：郭水潭〈世紀の歌（世紀之歌）〉、王育霖〈愛の巡禮〉（愛的巡禮）、新垣宏一〈廢港〉、水蔭萍〈月の死面——女碑銘第二章〉（月之死面——女碑銘第二章）、喜多邦夫〈元會境想譜〉（以上皆為新詩），邱炳南〈廢港〉（散文）；此外，原「風車詩社」同仁戶田房子也發表詩作〈遠い國〉（遠方之國）。新垣宏一、邱炳南不約而同以「廢港」為題，不難想像仍受到佐藤春夫同樣取材自廢港的〈女誡扇綺譚〉之影響。

　　隔年 1940 年 1 月 1 日，「臺灣詩人協會」發展為綜合性文學團體「臺灣文藝家協會」，並創刊《文藝臺灣》，除了詩人協會的原班人馬之外，亦有張文環、周金波、立石鐵臣等各界文藝人加入，也包括濱田隼雄、前嶋信次等臺南作家（此時期濱田已移住臺北）。該協會設置於西川滿所經營的「日孝山房」，因此其營運方式、雜誌色彩等受到西川滿個人的影響。

190——有關戰爭時期的文化狀況，參考鳳氣至純平，《日治時期在臺日人的臺灣歷史像》，臺北：南天，2020 年。此外，根據莊永清，一九四〇年代初期臺南曾前後出現兩個文學團體：一是內河邦芳、中島源治、松本瀧朗等人組成的「臺南短歌會」；中尾較一、安井貞文等人的「南方文藝研究會」，後者還刊行《南嶺》，但刊物已散佚，其活動情形也不得而知。莊永清，《日治時期臺南新文學史料的歷史考察》，《文學臺南——臺南新文學特展圖誌》，臺南：國立臺灣文學館，2012 年，頁140。

刊物從 1940 年 1 月 1 日起至 1944 年 1 月 1 日，共刊行 38 期，臺南作家分別發表眾多作品，如新垣宏一、林芳年、吳新榮、王育霖、水蔭萍、邱炳南、濱田隼雄、國分直一、喜多邦夫等。此外，葉石濤〈林からの手紙〉（林君寄來的信）便刊登於該誌第 5 卷 6 號（1943 年 4 月）。

　　《文藝臺灣》創刊隔年，張文環、陳逸松、中山侑等人和西川滿的編輯方針產生分歧而另起爐灶，1941 年 5 月創刊《臺灣文學》，由王井泉、陳逸松等人提供經濟方面的援助。主要作家包括張文環、呂赫若、吳新榮、巫永福、楊逵、中山侑、坂口䄂子等。臺南作家的作品，除了吳新榮的著名作品〈亡妻記〉之外，也刊登林芳年、郭水潭等人的詩作。在這段時間未見臺南發行的文學刊物，也就是說，臺南的臺日人作家主要利用臺北刊行的兩大日文雜誌作為發表舞台，對他們而言，是戰爭時期的重要文學發表園地。

　　到了 1944 年，上述兩本刊物經過「臺灣決戰文學會議」決定停刊，於 1944 年 5 月作為「臺灣文學奉公會」的機關雜誌創刊《臺灣文藝》。先前 1943 年 4 月，臺灣文藝家協會改組為皇民奉公會中央本部的下屬組織臺灣文學奉公會，成為以協力戰爭為目的，將臺灣文藝家一元化的團體隸屬軍方報導部門、總督府情報課，受日本文學報國會臺灣支部的影響與指導，說明文藝活動全力服務於戰爭。同年 11 月 13 日該組織舉辦臺灣決戰文學會議，《文藝臺灣》核心人物西川滿在會議上提議將雜誌獻給臺灣文學奉公會，迫使既有文藝雜誌統合，《臺灣文學》也在不得已情況下停刊，《臺灣文藝》是在以上兩本刊物整合而成。此時期文學完全無法和政治、時局脫離關係，新垣宏一、濱田隼雄、吳新榮等人發表配合國家政策的作品。

第二節　歷史作為文學素材

　　一九四○年代的日文作品裡，有一個特徵是產生許多「以臺灣史為題材」的作品，當時具有代表性的兩位日人作家西川滿、濱田隼雄，分別撰寫長篇小說〈臺灣縱貫鐵道〉、《南方移民村》。〈臺灣縱貫鐵道〉不同於以往西川滿的浪漫主義、幻想題材的作品，其在總督府圖書館（現為臺灣圖書館）涉獵眾多史料、文獻而成，具有寫實色彩的歷史小說。主要描述日軍征服臺灣本島的歷史過程，故事的結尾在臺南，北白川宮能久在臺南逝世，舉行弔念他的「大招魂祭」。[191]《南方移民村》是濱田移居臺北後發表的作品，以臺灣東部的日人移民村「鹿田村」（實為「鹿野村」）為背景，以寫實手法描述來自日本東北地區的農業移民，在嚴苛條件下，其堅韌的精神努力改善生產力、生活環境，但最後仍不敵於自然環境，決定前往「南方」即南洋地區發展。他在撰寫之前埋頭翻查農業移民相關資料，甚至前往東部實際踏查，雖然作品最後以濱田自認為「歪曲」的結果收尾，但一定程度成功描寫出東部農業移民的「歷史」。兩部作品皆符合當時政府的國家政策，因此被視為國策小說。但值得注意的是，西川、濱田不約而同以臺灣的歷史為題材創作，顯見當時在臺日人對臺灣史的興趣。

　　其實不僅上述兩人對臺灣史產生興趣，《文藝臺灣》第五卷一號針對雜誌同仁進行一項調查，詢問「希望採用於自己作品的事情或地方」，結果 19 人當中竟有超過一半的人回答希望以臺灣史為題材。整理調查中的歷史題材，可歸納四種類型，即「殖民‧帝國史」、「個人家族史」、「庶民史」，以及「地方史」。「殖民‧帝國史」主要呼應當

191——其實此作品相當於「前篇」，西川原本打算在「後篇」敘述日本建設臺灣縱貫鐵道的過程，但最後未完成。

時國家政策，如上述濱田、西川在調查中分別提及「臺灣糖業史」、「臺灣鐵道史」，此外新田淳計畫以「理蕃政策」為題材，另有黃得時則計畫以鄭成功為題材，他表示：

> 首先歷史小說方面，以鄭成功為主的明末清初東亞情勢為主題，尤其日支混血兒的鄭成功，以支那大陸為開端經略臺灣更延伸呂宋島招諭的壯圖，彷彿今日所謂大東亞共榮圈的確立。藉由描述這位英傑，能夠同時了解漢人對滿人的民族鬥爭，以及日本人與支那人的民族融和兩個面向。[192]

不僅以日治時期在臺日間最常被提及的鄭成功為題材，而且將當時鄭成功的事蹟比擬當下日本「大東亞共榮圈」的成果與野心，並提及「日本人與支那人」的民族融和暗示當下「日華親善」的政治話語等，清楚地將歷史上鄭成功的事蹟投射於日本的現況。

　　提「個人家族史」寫作計畫的作家包括濱田隼雄、西川滿、川合三良、大河原光廣、新田淳等人。濱田不僅提出「臺灣糖業史」的寫作計畫，也表達書寫「祖先以來的我的歷史」的意願，西川滿則提出「臺灣的煤炭史」寫作構想，其含有「帝國‧殖民史」的要素，同時西川的父親西川純便是當初為了經營煤礦業來臺，後來靠該企業在臺置產，換言之，日本統治後「臺灣的煤炭史」也是與西川滿的成長與其家族息息相關的歷史。大河原光廣在南部恆春、滿州等地從事教職工作，擁有在偏鄉地區之間多次調職的經驗，他希望追溯這些任職各地方的時光，並且實際創作一篇短篇小說〈轉勤〉（調職）；新田淳雖然回答中並未提

192——〈雞肋〉，《文藝臺灣》第 5 卷 1 號，頁 35。

及自己或家人，但其作品〈元旦の插話〉（元旦插曲），是描述日本治臺初期的「土匪襲擊」，根據西川滿的說法，該作品其實取材自新田父親的親身經歷與遭遇。有關「庶民史」，新田淳、小林井津志皆表示撰寫歷史上的無名人物為題材的作品。

「地方史」主要取材自作家出身地或居住地，如小林井津志打算以建設高雄鳳山「曹公圳」的曹謹為主題，描寫「他的公益心、曹公圳起工的經緯及其間的苦心，以及當時南部臺灣農民等的樣子和為政者的態度等」[193]。另，臺灣作家周金波列舉兩項地方史相關寫作計畫，「分類械鬥為開端的雞籠血痕小史」，以及構想描述「由顏國年等設立，也被稱為公寓型態的先驅，居住於基隆市博愛園的某個階級人們的生活」，兩者都是以周金波的故鄉基隆為創作背景，且記錄的對象也是庶民階層。[194]

在臺南教書的新垣宏一，其書寫計畫相當完整且具有規模，是「地方史」與「庶民史」的綜合體。他的構想是描述一個從領臺初期至當今時代的臺灣史[195]，內容是從甲午戰爭中「比志島混成隊」「攻略澎湖島」的「登陸戰」談起，參加作戰的主人公安田後來定居臺南，是個以「俠義」聞名的人物。此後故事背景移到臺灣本島，乃木希典在鳳山「本島人」陳姓少年的引導下率領日軍進臺南城，接下來的描述幾乎都是日治臺後的臺南，在此定居的安田有一女，後來與陳姓少年結婚，由於陳氏有功於軍方，受到日人優厚的待遇，後來在臺南置產並獲得相當的社會地位。作品描述他們內臺婚姻和第二代的情形，並穿插臺南的歷史，作品也涉及與「皇軍入城」有關的基督教學校沿革，其中特別側重在一

193——〈雞肋〉，《文藝臺灣》第 5 卷 1 號，頁 34。
194——〈雞肋〉，《文藝臺灣》第 5 卷 1 號，頁 31。
195——〈雞肋〉，《文藝臺灣》第 5 卷 1 號，頁 30。

位日本人的事蹟，他是以英國人教員為主的校園裡唯一一位日人教師，作者預告將會特別著墨於這位人物不平凡的生活。新垣還透露該作品已經有「原型」，且長年持續構思著。雖然上述這些撰寫計畫多數未成形，但從這些作品構想的說明可以想見，對這些作家們而言，臺灣已不再只是單一的「臺灣」，而是細緻化為每位敘述者的居住地、出生地或生活的城市、部落等，也不僅是單一的「臺灣史」，而是已經具有形成如新垣文中提及的「臺南史」這種地方性細部歷史的可能。在上述作家當中，西川滿實際以臺南史為題材進行創作。

第三節　西川滿〈赤嵌記〉

　　出生於東北福島縣會津市的西川滿（1908～1998），二歲時隨家人來臺，臺北第一中學校畢業後，未能考上臺北高等學校，1928年赴日求學，就讀早稻田第二高等學院、早稻田大學法文科，1933年畢業後回臺，順帶一提，此時期吳新榮、楊熾昌也恰巧於東京留學。隔年1934年進入《臺灣日日新報》負責編輯文藝欄，此外積極創辦、刊行文學雜誌、個人作品集等，如雜誌《媽祖》（1934年）、詩集《媽祖祭》、《亞片》，1939年9月主導組織「臺灣詩人協會」並刊行詩誌《華麗島》，隔年將此改組為「臺灣文藝家協會」，創刊《文藝臺灣》，他於一九三〇年代後半至一九四〇年代前半，主導臺灣日文文壇，是此時期最具代表性的在臺日人作家之一。他居臺生活的重心一向都在臺北，1940年首度造訪臺南。他與臺北帝大教授島田謹二、畫家立石鐵臣獲邀來南，在臺南市公會堂（現位於民權路）舉行「文藝演講會」，上述三名與前嶋信次上台演講，當日夜晚，西川與前嶋、新垣宏一舉辦三人座談會，該座談會紀錄刊登於《文藝臺灣》第1卷2號（1940.3）。根據負責導覽的新垣宏一的回憶：

那時在臺北的西川滿剛由詩作轉入寫小說的階段，我為了讓他看看臺南的風物，並為廣泛宣傳《文藝臺灣》的存在，便勸他來臺南一遊。於是，西川滿、島田謹二先生、立石鐵臣等人應我的邀請來臺南，西川於途中折進斗六街的貴公子鄭津梁家…（中略）…記得那是昭和十四年（一九三九）一月之事。西川滿的〈雲林記〉、〈赤崁記〉等傑作就是這時取材的。島田先生也因為看了安平、才把它寫入《華麗島文學誌》的一部分吧。西川滿走訪了天后宮、陳氏家廟、米街、赤崁樓、摸乳巷大街小巷，便完全迷醉於其中了。[196]

雖然西川曾在 1939 年發表詩作〈安平旅愁〉，不過如新垣宏一所言，1940 年的〈赤崁記〉才是他造訪臺南後首度撰寫、將他在臺南的所見所聞投入在內的臺南相關作品。該作刊登於《文藝臺灣》第 1 卷 6 號（1940.12）。

　　作品可分為起承轉合的四章：第一部分，「我」利用演講機會造訪盛夏的臺南，在赤崁樓一名陳姓青年前來攀談，陳告訴「我」他聽「我」前日在公會堂舉辦的演講，並慫恿「我」撰寫以赤崁樓為題的作品；第二部分，兩人約在大天后宮（現位於永福路）造訪陳的女性友人家，陳感嘆鄭成功孫子鄭克塽悲慘命運，並強調唯獨江日升《臺灣外記》的歷史記載可信賴，勸「我」一讀；第三部分分量最多，「我」回臺北後閱讀陳姓青年寄來的陳迂谷《偷閒集》，並透過《臺灣外記》陳述鄭克塽和陳永華的事蹟，也就是嵌套的方式交代歷史事蹟；結局部分，我為了探查再度造訪臺南，前往陳姓青年在包裹上留下的住址處，沒想到此處為陳永華憂憤而死亡的陳家祖廟，也未見陳姓青年與女性友人，最後

196—— 新垣宏一編著，張良澤譯，《華麗島歲月》，臺北：前衛，2002 年 8 月，頁 49-50。

「我」自言自語「他們是鄭克𡏭與文正女陳氏的幽靈？」。此作品「文類而言，是取材自鄭氏一族的歷史小說，利用嵌套式的構造讓作品具有幻想要素」。[197]

刊登〈赤嵌記〉的下一期《文藝臺灣》第 2 卷 1 號，以日本內地作家為主的作家為對象的問卷，「印象最深刻的作品」，69 名當中多達 33 名作家提及西川滿的名字並給予肯定，且其中 22 名作家特別提及〈赤嵌記〉，可見其矚目的程度。西川滿本身也在戰後回顧「至今我仍認為此作品（按：〈赤嵌記〉）是我小說中的代表作品」[198]。後來，收錄該作的作品集《赤嵌記》，1943 年獲得「臺灣文化賞」[199]，無論是西川本人或他人的評價，〈赤嵌記〉堪稱是西川滿在臺時期的代表作。

先行研究已指出西川〈赤嵌記〉受到佐藤春夫〈女誡扇綺譚〉影響，當時便有類似看法，例如上述新垣引文中提及的鄭津梁說道：「〈赤嵌記〉是可匹敵〈女誡扇綺譚〉力作，同時也是第一篇取材於臺灣史實的優秀作品」（引自上述問卷），另外，國分直一評語如下：

> 造訪臺南不為人知的遺跡，將圍繞著鄭克𡏭死亡的陳家悲劇，運用作者一流的、充滿哀怨、幻想的筆跡描寫出來。掌握這種題材並敘述，令人聯想到佐藤春夫氏的〈女誡扇綺譚〉。
> 踏查不為人知的史蹟，根據綿密的史料調查而構成，此作品的生命在於，將讀者帶進如〈梨花夫人〉（引用者：西川滿作品）等的特色，即哀怨、幻想的世界。[200]

197── 大東和重，《臺南文學──日本統治期臺灣・臺南の日本人作家群像》，頁 232-233。另作品概述參考《日治時期臺灣現代文學辭典》，頁 290-291。

198── 西川滿，〈わたしの造った限定本 11　赤嵌記〉，《アンドロメダ》第六十六號，1975 年 2 月。《アンドロメダ》是西川自費刊行的雜誌。

199── 臺灣文化賞，1943 年 2 月由「皇民奉公會」設立，宗旨是「表揚在提升臺灣文化上有功的文化人或機關、刺激展開活躍的實踐活動、期待臺灣文化劃時代的躍進、提高文化藝能部門奉公的成果」。

〈赤嵌記〉的出現及當時的高評價，可說明佐藤春夫〈女誡扇綺譚〉在一九四〇年代的臺灣文壇仍具有一定程度的影響力。即使如此，在這個時間點，也逐漸萌生出試圖脫離〈女誡扇綺譚〉影響的作家與作品。

第四節　《文藝臺灣》的臺南特輯

對臺灣史的關注不僅呈現於文學創作，《文藝臺灣》曾經也策劃〈臺南特輯〉（第 3 卷 2 號，1941.11），刊登文章如下：

國分直一〈臺南の歴史概觀〉（臺南歷史概觀）

石暘睢〈古都臺南の街名考〉（古都臺南的街名考）

新垣宏一〈露地の細道〉（巷裡的小路）

喜多邦夫〈鳳凰木と赤崁樓〉（鳳凰木與赤崁樓）

永松顯親〈古都への愛著〉（對古都的留戀）

國分直一〈臺南歷史概觀〉依照年代爬梳臺南的歷史，如介紹近期考古研究的成果；荷蘭和漢人陸續移住的過程；清治下臺南市街、地形的轉變；治臺後的發展等，文末表達作者對臺南的史觀：

臺南的歷史，古代部分必須在南太平洋諸島的文化與諸島之間民族移動，這兩個問題的關聯下思考，在近世時期必須在歐洲、支那、日本這廣泛的關係下理解，在這樣的意義上，它實為世界文化史的一環。

由此可知，國分以相當宏觀的視角觀察臺南這個土地的歷史。此文戰後由葉石濤翻譯，並收錄於《臺灣文學集 1 日文作品選集》（高雄：春暉，1996 年 8 月）。

第一屆獎項分為文學、詩歌、音樂、戲劇等部門，文學部門則由西川滿〈赤嵌記〉、濱田隼雄《南方移民村》、張文環〈夜猿〉獲獎，三名同時也代表臺灣參加第一回「大東亞文學者大會」。參考《日治時期臺灣現代文學辭典》，頁 475-476。

200——大東和重，《臺南文學——日本統治期臺灣‧臺南の日本人作家群像》，頁 228。

石暘雎〈古都臺南的街名考〉，列舉改隸當時臺南市區的街名並附上簡單的說明，如內宮後街、武館街、鞋街等等。新垣宏一〈巷裡的小路〉是一篇散文，介紹臺南市區巷弄裡的老店、名宅等、舊地名的由來。喜多邦夫〈鳳凰木與赤崁樓〉、永松顯親〈對古都的留戀〉則是兩篇小品，皆透露出兩位生活在臺南的日本人對臺南的情感。

第五節　《民俗臺灣》的「臺南特輯」、「北門特輯」

相較於上述文學雜誌雖然有臺南的臺日人共同參與，但並未具體互動、合作，同時期創刊的《民俗臺灣》，便可見一九三○年代分別活動的臺日人之間的交流、對話。1941 年 7 月創刊的《民俗臺灣》，是以月刊型態發行的日語雜誌，直到 1945 年 1 月停刊為止，共發行了 43 號（44號已編排完成，但因戰爭局勢激化的緣故而無法發行，後來收錄在戰後出版的復刻版），雜誌成員以臺北帝國大學醫學部解剖學教授金關丈夫，以及臺灣總督府情報部的池田敏雄為核心人物，除了臺北帝大教授中村哲、岡田謙、版畫家立石鐵臣、攝影家松山虔三、國分直一等在臺日人之外，也有陳紹馨、黃得時、楊雲萍等多位臺人執筆者，根據三尾裕子的統計，可能有三分之一的投稿者是臺灣漢人。[201]

過去《民俗臺灣》受到正反面兩種評價甚至產生爭論，吳密察總結雙方的看法，指出《民俗臺灣》及其背後的民俗學研究或許帶有「殖民主義」或「原罪」，但另一方面，也提醒該雜誌在戰爭時期，確實在地域性的文化耕耘上留下不少成果，且培養了一群業餘的研究者，他們從記錄調查開始了解自己社會的歷史、宗教、民俗，這些人後來成為臺灣

---

[201]——三尾裕子，〈以殖民統治下的「灰色地帶」做為異質化的可能性——以《民俗臺灣》為例〉，《臺灣文獻》第 55 期 3 期，2004 年 9 月，頁 26-61。另，有關民俗臺灣，參考〈日治時期在臺日人的臺灣歷史像〉，頁 187-197；戴文峰，〈日治晚期的民俗議題與臺灣民俗學——以《民俗臺灣》為分析場域〉，中正大學歷史研究所博士論文，1999 年。

[202]——吳密察，〈《民俗臺灣》發刊的背景及其性質〉，吳密察策劃，石婉舜、柳書琴、許佩賢編，《帝國裡的「地方文化」——皇民化時期臺灣文化狀況》，臺北：播種者，2008 年 12 月，頁 49-81。

歷史及民俗研究的第一個世代。[202]而國分直一、吳新榮等人合作完成的兩次臺南地方特輯—〈臺南特輯〉和〈北門特輯〉，即印證了吳密察的觀點。

1933年赴任臺南的國分直一，大約一九三〇年代後半開始著手臺南、高雄等地的考古、民族學研究，其研究契機除了受到高校時期學長鹿野忠雄（1906～1945）的影響之外，也受到周邊人士——如同事前嶋信次、任教於臺南第二高等中學校的金子壽衛男（1914～1995）等人的刺激。此外，透過調查、研究，也結識了臺南在地的學者、知識分子，如石暘睢、莊松林，以及跟著老師金子壽衛男從事考古挖掘活動的葉石濤（1925～2008）等。[203]他後來將研究聚焦於平埔族文化、歷史，陸續在《民俗臺灣》發表其研究成果。由於特別對「祀壺」習俗產生興趣而進行田野調查，在此過程裡認識了吳新榮、郭水潭等「鹽分地帶」的作家們，他們連結彼此的人脈關係，共同策劃出〈臺南特輯〉和〈北門特輯〉，兩特輯的執筆群堪稱是臺南在地研究者的大集結。[204]

〈臺南特輯〉刊登於《民俗臺灣》第11號（1942年5月），國分在〈卷頭語〉強調民俗、習俗研究在理解一個民族上的重要性：

……習俗、俗信等似乎具有深刻意義，不應單純排擠之。我們必須思考其如何誕生、具有什麼樣的意義。我認為在與支撐習俗、俗信的要素之間的關係裡思考之，是理解民族的重要途徑。探討民俗世界宛如充滿驚奇的旅行。這個世界顯示，人類活在自然、社會裡，充斥著眾多樸素的、愚蠢的智慧與心理。[205]

203—— 這些臺南的人際網絡，參考大東和重，《臺南文學——日本統治期臺灣‧臺南の日本人作家群像》。

204—— 尤其國分直一與吳新榮交情頗深，吳新榮妻子去世時，國分親自帶花束前往佳里弔唁。吳新榮，《吳新榮日記全集6》，臺南：臺灣文學館，2008年6月，頁43。

205—— 國分直一，〈卷頭語〉，《民俗臺灣》第11號，1942年5月。

其實當時《民俗臺灣》不斷受到質疑，在戰時體制下，創辦一份乍看之下無助戰爭的民俗研究雜誌，國分的文章強調理解民族的習俗、俗信之重要性，以此凸顯雜誌對殖民統治、戰爭時局的貢獻。

題為〈臺南の民俗〉（臺南的民俗）的特輯收錄以下文章：

國分直一〈臺南小史〉

楊雲萍〈「臺南古蹟志」に就いて〉（有關「臺南古蹟誌」）

朱鋒（即莊松林）〈臺南年中行事記（上）〉

陳保宗〈臺南の音樂〉（臺南的音樂）

石暘睢〈臺南の石敢當〉（臺南的石敢當）

淵田五郎〈臺南の招牌〉（臺南的招牌）

國分直一〈臺南小史〉增補前述《文藝臺灣》上發表的〈臺南歷史概觀〉，在此不再贅論。楊雲萍〈有關「臺南古蹟誌」〉依序介紹連雅堂著作《臺南古蹟誌》的內容，文當開頭特別引用此書〈自跋〉：

台南為吾故里，為桑與梓，必恭敬止。況釣遊之地，而不心烏繫之。顧自改隸後，輒遭毀廢，今其存者十不得一。爰志其略以示後人。若夫壇廟祠宇書院寺觀，具載臺灣通史，茲不復贅。

文末感嘆，雖然書籍內容僅止於目錄程度，但「光是如此，我們便能感受到連氏對故鄉臺南連綿不絕的愛與惓惓的思念」。

朱鋒〈臺南年中行事記〉分為上中下三集，中篇刊登於第 13 號（1942年 7 月）；下篇則刊於第 16 號（1942 年 10 月），依照月份介紹臺南一年的習俗活動，上篇從一月到三月；中篇從四月到九月；下篇則從十月到十二月。陳保宗〈臺南的音樂〉分為四節，包括〈前言〉、〈臺灣音樂的

分類〉、〈臺南的臺灣音樂〉、〈結語〉。主要內容在〈臺南的臺灣音樂〉部分，作者更分為孔子祭、迓媽祖、做戲、慶弔、日常娛樂，分別介紹各場合使用的音樂。文末指出，大部分音樂不限臺南，但唯獨孔子祭的「聖樂」和「十三音」便是臺南特有的音樂。石暘睢〈臺南的石敢當〉從石敢當的意義、起源談起，最後列舉臺南市區設置的石敢當，共五座。淵田五郎〈臺南的招牌〉，作者觀察臺南街頭的招牌並依序介紹，包括膏藥店、打銀店、打鐵店、茶莊、豆油店，另附上照片。除了特輯文章之外，在該期《民俗臺灣》，立石鐵臣在封面發表昔日赤崁樓的版畫作品，另有版畫連載〈臺灣民俗圖繪〉，則刊登當下的赤崁頭風貌。另外，攝影集〈寫真解說　臺南の風物（臺南風物）〉，渡邊秀雄攝影，國分直一解說，照片題材包括大東門、孔廟、太平教會堂、嶽帝廟街、販賣油炸粿（即油條）的少年、運河、魚塭等水邊風景、臺南臺地。

〈北門郡特輯〉則分為兩期：第 13 號（1942 年 7 月）和第 14 號（1942 年 8 月），第 13 號刊登文章分別如下：

第 13 號

國分直一〈阿立祖巡禮記（上）〉

郭水潭〈北門郡の地理歷史的概觀（上）〉（北門郡地理歷史概觀（上））

大道兆行（即吳新榮）〈續飛蕃墓〉

王碧蕉〈北門嶼の傳說〉（北門嶼的傳說）

第 14 號

郭水潭〈北門郡の地理歷史的概觀（下）〉（北門郡地理歷史概觀（下））

　　國分直一〈阿立祖巡禮記（下）〉

吳新榮〈「漚汪」地誌考〉

根據《吳新榮日記》，吳新榮在日記上記錄該特輯的構想（日記稱「佳里地方特輯」），據此當初的構想如下：

一、吳新榮〈「漚汪」地誌考〉

二、郭水潭〈北門郡の地理歷史的概觀〉（北門郡地理歷史概觀）

三，國分直一〈「阿立祖」巡禮記〉

四、郭水潭〈南鯤鯓廟誌〉

五、國分直一、渡邊秀雄〈佳里地方風物〉

六、大道兆行〈續「飛番墓」〉

七、吳新榮〈民間療法百種〉[206]

由此可知，除了四、五、七之外，該特輯基本上按照吳新榮的構想呈現。

　　國分直一〈阿立祖巡禮記〉分上下集，認為透過調查祀壺習俗的留存狀況能夠瞭解平埔西拉雅族的分布的國分，閱讀吳新榮刊於《臺灣文學》的文章〈飛番墓〉，國分便前往佳里造訪吳新榮、郭水潭，在郭水潭的陪同下走訪北門地區的聚落。〈阿里祖巡禮記〉並非嚴謹的學術論著，而是他在北門地區調查的紀錄、心得，根據這些田調資料，國分逐步完成其平埔族研究。

　　郭水潭〈北門郡地理歷史概觀〉也分上下集，連續兩期刊登，依序介紹北門地區各地的地理、歷史及地名的由來等，包括國聖港（國姓港）、西港、佳里、漚汪、將軍、佳里興、北門嶼，結尾部分提及「鹽分地帶」的由來：「河川氾濫不僅形成北門郡的三角洲，海岸線附近低夷濕潤且含有強鹽，這便『鹽分地帶』的名稱由來」。

206——《吳新榮日記全集 6（1942）》，頁 36。

吳新榮〈續飛蕃墓〉是其在《臺灣文學》第 2 卷 1 號（1942 年 2 月）
發表的文章〈飛蕃墓〉的續集，吳前往北頭洋，調查當地阿立祖和飛蕃墓
的紀錄。值得一提的是，文中提及他因公務北上時遇見眾多友人：

> 我透過 C 君的介紹認識「民俗臺灣」的 K 博士，也在 O 君的陪同下與「臺
> 灣文學」的 T 君會面。

雖然該文以英文字母呈現，但對照日記後可知「C 君」是陳紹馨、「K 博
士」是金關丈夫、「O 君」是王井泉、「T 君」是張文環。除此之外，日
記還寫到，吳新榮也出席王井泉作東的宴會，與會者包括楊佐三郎、黃得
時、名和榮一、中山侑、張文環、藤野雄士等人。[207] 這些人物皆為《臺灣
文學》陣營的文化人，從此可窺見吳新榮當時的人際網絡。

王碧蕉〈北門嶼的傳說〉介紹兩則北門嶼的傳說，「白馬麻藤」與「南
鯤鯓廟的前身」，後者或可視為吳新榮特輯構想中〈南鯤鯓廟誌〉的替代
文章。吳新榮〈「漚汪」地誌考〉，從《諸羅縣誌》和《臺灣通史》記載
的分歧談起，探討「漚汪」的地理位置、地名由來等。

刊登特輯的 13、14 號，另有臺南相關文章，包括：南千尋〈臺南新
舊街巷名の比較—媽祖祭遶境巡路に從ひて〉（臺南新舊街巷名之比較—
沿著媽祖祭遶境巡路）、賀來猛夫〈臺南と基督教〉（臺南與基督教）、
朱鋒〈臺南年中行事記（上）〉松山虔三攝影〈臺南・舊神學校と附近〉
（臺南・舊神學校與其周邊）（以上 13 號）；廖漢臣〈臺南の俚諺〉（臺
南的俚諺）（14 號）。

207——《吳新榮日記全集 6（1942）》，頁 8-9。

1945 年日本戰敗，在臺日本人必須遣返回日，臺灣人則「回歸祖國」迎接新政權，往後經歷另一個獨裁統治，言論思想方面受到嚴厲控制。即使如此，雙方對臺南的關心、調查與研究並未中斷。戰後國分以學者身分來臺，在各地進行研究，吳新榮、莊松林、石暘睢等人亦在各單位、各領域默默耕耘。

第六節　其他作家

一、庄司總一《陳夫人》

　　庄司總一的《陳夫人》是繼佐藤春夫〈女誡扇綺譚〉後，再度受到日本中央文壇注目的以臺南為舞台之作品。庄司總一 1906 年出生於日本山形縣酒田，父親在臺灣開設醫院，1913 年庄司跟著母親來臺居住臺東，隨後遷居臺南，小學畢業後就讀臺南一中（現臺南二中），畢業後赴日，進入慶應義塾大學預科，受到西脇順三郎的薰陶。一九三〇年代以「阿久見謙」的筆名，在日本「三田派」的《三田文學》、《素質》、〈新三田派〉等刊物陸續發表小說，但在文壇並未特別顯眼的存在。[208] 他於 1940 年改以本名「庄司總一」出版《陳夫人》第一部「夫婦」，受到文壇矚目，1942 年出版第二部「親子」。1944 年由東京通文閣出版兩部合訂版，1943 年獲得由日本文學報國會主辦的第一回「大東亞文學賞」。

　　作品以臺南為舞臺，主軸為臺南大家族陳家的「陳清文」與日本女孩「安子」的「內臺婚姻」，而實際上該主題符合當局皇民化運動所推動的「日臺親善」，作品本身帶有政治意涵。即使如此，由於過去未出現如《陳夫人》一樣，日本作家「很寫實地」描述臺灣人及其家庭的生活、心境，

208―― 三田派主要是慶應大學畢業的作家、詩人，三田為慶應大學所在地。

因此在臺灣文壇引起廣大迴響，如濱田隼雄、新垣宏一撰文表達該作品帶來的衝擊。不僅是日籍作家，甚至臺灣作家如吳新榮、龍瑛宗、巫永福也發表心得，當時人在東京的呂赫若遍尋不著小說，因而先觀賞在「文學座」公演的舞臺劇，在徹夜讀完劇場販賣部購得的原著，他在《興南新聞》（由《臺灣新民報》改名）連載〈《陳夫人》の公演〉（《陳夫人》的公演），訴說當時的感動。但同時也出現批判的聲音，如臺北帝大教授中村哲認為該作品的寫實性不足，另有當時任職於臺北帝大土俗人種學教室的社會學者陳紹馨更加以嚴厲批評，該文〈小說《陳夫人》に現れたる臺灣民俗〉（出現於小說《陳夫人》的臺灣民俗），刊登於《民俗臺灣》創刊號的卷頭論文，某種程度反映《民俗臺灣》對《陳夫人》的立場。[209]即使有大量正反兩極的評價，《陳夫人》無疑是一九四〇年代具有代表性的日本人臺南書寫作品之一。

　　日治時期臺南的「日語文學」，由於先天的條件，起先由居住於臺南的日本人開始，統治初期至一九二〇年代，出現零星的文學團體、刊物及個人的作品，一九三〇年代後，才有臺灣人和日本人各別經營，或臺日人合作、較有規模的文學產出。一九三〇年代「風車詩社」、「鹽分地帶」（臺灣文藝聯盟佳里支部）及《臺灣日報》「學藝欄」，這三個群體，雖然也穿插臺日人之間的互動，但從各群體的核心人物來看，雙方的活動幾乎是平行線的狀態。縱使如此，那時候的零星互動，可視為1940年《文藝臺灣》和1941年《民俗臺灣》刊行後，臺日人文學及文化活動密切合作的伏流。

209—— 有關庄司總一，《陳夫人》，參考大東和重，《臺南文學——日本統治期臺灣‧臺南の日本人作家群像》，兵庫：關西學院大學出版會，2015年3月，頁160-212；柳書琴主編，《日治時期臺灣現代文學辭典》，新北：聯經，2019年6月，頁327-328。

具體而言，兩本刊物以吳新榮、國分直一為主，陸續推出「臺南特輯」、「北門特輯」等展現臺南文學、文史研究的成果。而這些交流互動，隨著1945 年日本戰敗，在臺日人遣返後一度中斷。不過，臺灣人日語文學的活動仍然持續，且由龍瑛宗負責編輯的《中華日報》日文版，也繼續提供作家們發表日文作品的園地。即使國民政府全面禁止使用日語後，日文作家仍以公開或不公開的方式以「曾經是國語」的日語創作。而曾經聚集於《民俗臺灣》的臺、日人，更是在短暫的斷絕後，再度以學術交流的方式合作，進行臺南及臺灣民俗、歷史、考古等研究，讓戰前的文化活動延續下去。

第五章

戰後臺南的
日語文學

1945 年 8 月 15 日，收音機播放前日錄製的昭和天皇《終戰詔書》而宣布日本敗戰，七十一天後的 10 月 25 日於臺北市公會堂（現中山堂），中華民國臺灣省行政長官公署長官陳儀接受第十五任的末代總督安藤利吉投降，臺灣正式「回歸」中華民國這「祖國」，臺灣人將面臨莫大社會、政治改變，被捲入時代巨變的漩渦裡。[210] 從文學史的角度來看，首當其衝且最大的影響，便是「國語」的轉變，具體而言，國民政府在「光復」一年後禁止媒體刊登日語。當時大部分臺籍作家在日治時期接受相當完整的日語教育甚至其熟練程度更勝於臺語等本土語言，他們早已習慣透過日語接受、傳播知識，同時藉此表達自己的想法、思想。因此這場「國語」的轉換，讓他們頓時失去其所熟悉的溝通利器「日語」。面對這個局勢，作家們分別做出不同選擇：有人因為失去利用已相當熟悉的日語發表的舞臺，因而沉寂許久或甚至斷筆，也有人儘管失去發表舞臺仍然堅持用日語寫作，更有人努力學習新的國語，嘗試中文創作，本節先從戰後初期短暫存在的《中華日報》日文版談起，進而介紹戰後仍留下日語作品的幾位臺南作家及跨語作家。

第一節　《中華日報》——
日文「文藝欄」主編龍瑛宗及其他作家 ————————

1946 年 2 月 20 日，國民黨中央宣傳部在臺南創刊《中華日報》，邀請著名作家龍瑛宗（1911-1999）擔任《中華日報》日文版「文藝欄」主編，3 月 2 日起不定期刊登，經由改名為「文化欄」（本文通稱「文藝欄」），至 10 月 23 日為止（日文版於隔日 10 月 24 日廢止），提供作者以日文發

210——有關 1945 年 8 月 15 日至 10 月 25 日的臺灣社會、政治的動盪，參考阿部賢介，《關鍵七十一天——二戰前後臺灣主體意識的萌芽與論爭》，臺北：蔚藍，2020 年。另，日本戰敗後大日本帝國海外領土的接收、撤退經緯，參考加藤聖文，《「大日本帝國」崩壞——東アジアの 1945 年》，東京：中央公論，2018 年。

表文學作品的園地。此壽命雖然短暫，但因主編龍瑛宗開闊的文學視野與優異的文學品味，匯集了當時許多受日本殖民教育長大的臺灣作家，使得日文版文藝欄展現豐富多元的內容。此外，日文「家庭欄」也不時刊登女性議題相關文章、討論，本節利用國立臺灣文學館出版《1946年《中華日報》日文版文藝副刊作品集》，釐梳刊登作品及其時代意義。[211]

一、《中華日報》日文版簡介——文類與作者

龍瑛宗1937年初登文壇，就以〈植有木瓜樹的小鎮〉在日本《改造》雜誌獲第九屆懸賞小說佳作，一生主要都在新竹北埔與臺北一帶活動。他雖非臺南本地人，但1946年，他短暫服務於臺南《中華日報》，擔任日文版「文藝欄」主編，由於龍瑛宗當時已具在日本中央文壇得過獎的高知名度，他與葉石濤也曾經先後於西川滿創辦的《文藝臺灣》擔任編輯。透過葉石濤再邀請到葉認識的年輕文友，加上龍瑛宗本身優異的文學品味和開闊的文學視野，日文版雖僅維持半年多，但龍瑛宗積極提供版面給各類文學作品，包括小說、散文、詩作及日本俳句，展現豐富多元的內容。不僅文學作品，也時常登載議論性文章：政治、社會、性別、歷史、文化，是相當開放的言論空間。主要投稿者包括龍瑛宗、王育德（1924～1985，筆名王莫愁）、葉石濤（1925～2008，筆名鄧石榕[212]）、吳瀛濤（1916～1971）、詹冰（1921～2004，本名詹益川）、吳濁流（1900～1976）、楊逵（1906～1985）、王碧蕉（1915～1953）、蔡德本（1925～2015）、邱媽寅（1925～？）、黃昆彬（？～？）、施金池（1926～？）等文學創作者，其中吳瀛濤發表多篇日文現代詩；吳濁流寫劇評；楊逵則撰寫紀念魯迅逝世周年的文章。此外也廣泛網羅各領域的人士，如畫家莊

211—— 黃意雯主編，《1946年《中華日報》日文版文藝副刊作品集》，臺南：臺灣文學館，2018年1月，本文譯文參考作品集。

212—— 葉石濤日文讀音是「よう　せき　とう」，鄧石榕為「とう　せき　よう」，亦即顛倒本名讀音。

世和（1923～2020）、賴傳鑑（1926～2016）、漫畫家洪晁明（1924～2003，本名洪朝明）、邱素沁（？～？，邱永漢之妹，筆名彭素）、日籍俳句作家阿川燕城（？～？）等。陳邦雄（？～？）〈石器時代を訪ねて——臺南臺地の周邊の各遺跡〉（尋訪石器時代——臺南臺地周邊各遺址）一文，[213]延續日治時期日籍教師，如前嶋信次、國分直一等人的臺南考古研究，陳本人便是前嶋信次臺南一中時期的學生。除了臺灣本地的臺日籍作者之外，也轉載日本的女性運動者，如山川菊榮（1890～1980，著名社會主義者山川均之妻，本身也社會運動者）、阿部靜枝（1899～1974）、藤田たき（藤田 taki，1898～1993）、山岸多嘉子（？～？）等人的文章。

二、龍瑛宗《中華日報》上的作品

　　龍瑛宗不僅擔任編輯，本身也發表眾多作品，類型包括小說、現代詩、書評、隨筆、評論等（詳見附錄）。部分文章使用筆名，如李志陽、劉春桃、彭智遠、魯敏遜、R、風等，且依照文類、內容，分別使用不同筆名，如〈名著巡禮〉及後期的評論文〈知性之窗〉專欄使用「R」（龍及劉的日文音為「りゅう（ryuu）」），其他除了魯敏遜固定用於現代詩之外，李志陽、彭智遠等不一定，但小說作品及文友楊逵、吳濁流作品的評論則使用本名，或許顯示其重視的程度。[214]

　　在〈名著巡禮〉專欄上，龍瑛宗以筆名「R」介紹、評論經典的文學名著，包括沈復的《浮生六記》、劉鶚的《老殘遊記》、魯迅的《阿Q正傳》、日本作家樋口一葉的《濁江》、《比肩》、英國作家史威夫特的《格列佛遊記》、法國作家巴爾札克的《貝姨》、左拉的《娜娜》、莫泊桑的

213——《中華日報》，1946 年 4 月 26 日。

214——王惠珍將龍瑛宗《中華日報》時期的作品，分為三大類型：一、對殖民地文學的反省；二、中國認知的重建；三、女性啟蒙論述。參照，王惠珍，《戰鼓聲中的殖民地書寫——作家龍瑛宗的文學軌跡》，臺北：臺大出版中心，2014 年，頁 377。

《女人的一生》、阿納托爾・法朗士的《藍鬍子與七位妻子》、皮埃爾・洛蒂的《菊子夫人》、本傑明・貢斯當的《阿道爾夫》、法國思想家孟德斯鳩的《波斯人信札》、德國作家歌德的《少年維特的煩惱》、西班牙作家賽萬提斯的《唐吉訶德》、梅里美的《卡門》、挪威作家比昂松的《阿恩尼》、俄國作家果戈里的《外套》、屠格涅夫的《初戀》、托爾斯泰的《復活》、杜斯妥也夫斯基的《罪與罰》、阿志巴綏夫的《蘭德之死》、高爾基的《我的大學》、《海燕》等，這些評介文章篇幅雖短，卻可見龍瑛宗開闊的文學視野與獨特的解讀視角。

從評論類的文章來看，龍瑛宗似乎很重視新時代的女性問題，如女性與讀書、女性與化妝、婦女與天才、婦女與學問、女性美的變遷、男女間的愛情、貞操問答等，這些文章多半在《中華日報》日文版的「家庭欄」發表。其中，有關「女性為何化妝」的討論，龍瑛宗較為保守、男性觀點的文章引起不少女性讀者的反彈，後來陸續刊登女性論者的反駁文章。這些文章的發表固然和他在《中華日報》日文版擔任編輯有關，但也可見當時戰後初期對女性權益的重視，及其時興起的一股以女性為討論主題的氛圍。這些作品成為戰後他第一本出版的書——《女人的素描》。

另外，他「文藝欄」發表了一篇重要小說〈燃える女〉（燃燒的女人）。[215]這篇短篇小說描述戰爭末期，一位男子把妻兒送到鄉間避難，卻執意和年輕情婦留在市區偷歡的婚外戀情事，最後他的無視與「不會剛好炸到我們吧」的僥倖心態導致情婦被炸死。而在文章最後，當他看到他的情婦成為一具燃燒完的枯骸時，男子才「因為一個女孩，而且還是年輕美女，為了金錢而臣服於男子支配、被左右意志，最後失去生命」而「像

215——此文原刊於《中華日報》日文版的「文藝欄」1946年4月23日。龍瑛宗著、蕭志強譯，〈燃燒的女人〉，黃意雯主編，《《1946中華日報》日文版文藝副刊作品集（上）》，臺南：臺灣文學館，2018年12月，頁106-111

孩童那樣嚎啕大哭」。全文情緒相當平穩，沉靜地白描寫法凝聚了一股令人不寒而慄的力道。

龍瑛宗《中華日報》日文版著作目錄

日期	標題	作者名	類別	欄位
3/15	個人主義的結束——老舍的《駱駝祥子》	龍瑛宗	評論	文藝
3/21	在臺南詠唱	彭智遠	現代詩	文藝
4/4	臺北時代的章炳麟——流亡人士的一則漫談	彭智遠	評論	文藝
4/11	名著巡禮 卡門（梅里美著）	R	書評	文藝
4/23	短篇 燃燒的女人	龍瑛宗	小說	文藝
4/26	名著巡禮 菊子夫人（皮埃爾‧洛蒂著）	R	書評	文藝
4/28	女性與讀書	龍瑛宗	評論	家庭
5/2	名著巡禮 復活（托爾斯泰著）	R	書評	文藝
5/9	名著巡禮 蘭德之死（阿志巴綏夫著）	R	書評	文藝
5/10	名著巡禮 藍鬍子與七位妻子（阿納托爾‧法郎士著）	R	書評	文藝
5/13	名著巡禮 唐‧吉軻德（賽萬提斯著）	R	書評	文藝
5/14	文學有必要嗎——時代與文化的問題	劉春桃	評論	文藝
5/14	名著巡禮 波斯人信札（孟德斯鳩著）	R	書評	文藝
5/20	名著巡禮 阿Q正傳（魯迅著）	R	書評	文藝
5/23	名著巡禮 阿道爾夫（貢斯當著）	R	書評	文藝
5/30	「飯桶」論	風人原作，彭智遠譯	譯文	文藝
5/30	名著巡禮 少年維特的煩惱（歌德著）	R	書評	文藝
6/1	海捏喲	劉春桃	現代詩	文藝

6/1	名著巡禮 老殘遊記（劉鐵雲著）	R	書評	文藝
6/5	名著巡禮 格列佛遊記（史威夫特著）	R	書評	文藝
6/7	名著巡禮 阿恩尼（比昂松著）	R	書評	文藝
6/9	社會評論 女性為何要化妝	龍瑛宗	評論	家庭
6/13	名著巡禮 我的大學（高爾基著）	R	書評	文藝
6/22	擁護文化 祝賀臺灣文化協進會成立	龍瑛宗	評論	文藝
6/22	名著巡禮 女人的一生（莫泊桑著）	R	書評	文藝
6/25	名著巡禮 濁江、比肩（樋口一葉）	R	書評	文藝
7/25	知性之窗 饑饉與商人 悲慘的逸事	無	評論	文化
8/1	來歷	魯敏遜	現代詩	文化
8/1	名著巡禮 娜娜（埃米爾・左拉）	R	書評	文化
8/4	婦人與天才	龍瑛宗	評論	家庭
8/8	認識中國的方法	彭智遠	評論	文化
8/8	知性之窗 人才的扼殺——關於人事問題	風	評論	文化
8/11	每週評論 女性與學問 現代的文化已失調	R	評論	家庭
8/16	中國文學的動向	李志陽	評論	文化
8/16	臺南的薔薇	魯敏遜	現代詩	文化
8/16	名著巡禮 罪與罰（杜斯妥也夫斯基著）	R	書評	文化
8/18	每週評論 女性美的變遷 近代崇尚健康美	R	評論	文化
8/22	知性之窗 理論與現實 該當好好觀察現實	風	評論	文化
8/25	每週評論 居里夫人——關於婦人的能力	R	評論	家庭
8/29	血淚史 楊逵的〈送報伕〉	龍瑛宗	評論	文化
8/29	名著巡禮 初戀（屠格涅夫著）	R	書評	文化
9/1	每週評論 靈性和官能的一致	無	評論	家庭
9/5	知性之窗 羅斯柴爾德家族 ——成為大富豪的秘訣	R	評論	文化

9/8	每週評論 結婚生活的理想狀態	無	評論	家庭
9/12	中國古代的科學書 宋應星的《天工開物》	彭智遠	評論	文化
9/12	名著巡禮 浮生六記（沈復著）	R	書評	文化
9/15	每週評論 女人啊為何哭泣	R	評論	家庭
9/19	從臺南到臺北	李志陽	隨筆	文化
9/19	知性之窗 薔薇戰爭 臺胞被奴化了嗎	R	評論	文化
9/22	每週評論 男女間的愛情	R	評論	家庭
9/28	傳統的潛在力量──吳濁流氏的《胡志明》	龍瑛宗	評論	文化
9/28	名著巡禮 外套（果戈里著）	R	書評	文化
10/3	知性之窗 戰爭或和平	R	評論	文化
10/6	每週評論 婦女與政治	R	評論	家庭
10/13	短篇 可憐鬼	龍瑛宗	小說	文化
10/13	名著巡禮 貝姨（阿爾札克著）	R	書評	文化
10/15	新劇運動的前途 我看熊佛西作品《屠戶》	龍瑛宗	評論	其他
10/17	心情告白	龍瑛宗	現代詩	文化
10/17	知性之窗 為了知性 離別的話語	R	評論	文化
10/19	中國近代文學的始祖 於魯迅逝世十周年紀念日之際	龍瑛宗	評論	其他
10/20	貞操問答	龍瑛宗	隨筆	家庭
10/20	每週評論 女性與經濟	R	評論	家庭
10/23	關於日本文化──今後的心態	龍瑛宗	評論	文化
10/23	停止內戰吧	彭智遠	評論	文化
10/23	名著巡禮 海燕（高爾基著）	R	書評	文化
10/24	再會了日文版 獻給同仁們的離別花束 臺灣將 何去何從	龍瑛宗	評論	其他

三、戰後初期開放的言論空間——王育德、黃昆彬等

　　該時期，臺灣人對國民政府的期待破滅，逐漸轉為失望，本省／外省的族群矛盾也日趨明顯，無論是小說、詩作等文學作品，抑或社會、政治評論文對此加以批判，可以想像 1945 年至 1947 年二二八事件發生之前，臺灣曾經出現相當開放的言論空間。

（一）王育德

　　王育德其實日治時期便開始寫作生涯。初次寫作主要透過其就讀之「臺北高等學校（今臺灣師範大學前身）」校友會刊物《翔風》。[216] 其中除了 1941 年 7 月 9 日一篇在《翔風》第 22 期發表的〈臺灣演劇的今昔〉，1942 年 9 月 20 日在《翔風》第 24 期發表的〈臺灣的家族制度〉外，他的文藝創作最早是以短篇小說〈過渡期〉發表於與〈臺灣的家族制度〉同期的《翔風》第 24 期。本篇內容以一位於日本就讀大學的臺籍青年黃文賢返回故鄉臺南的經歷為主，他回鄉乃因父親配合地方大規模遷墓要求，正準備要移走文賢母親的墳，遷葬不僅牽涉諸多傳統習俗，更牽動黃家另位夫人，也是長子黃文欽與文賢的家族地位，與同父異母間的競爭關係。相對於擁有高學歷的次子主角文賢，父親覺得他比懶散無能的長子值得寄以希望，但面對一味要求文賢讀漢文的父親，文賢有許多價值的扞格，但故事最後卻是文賢認真起來與父親一起讀漢文卻導致父親過累倒下，造成異母的兄長文欽對他的不諒解，主角在悲憤中離家，但不久也鼓勵自己應該咬牙撐過這「過渡期」。此文呈現了家族紛爭之糾纏，及兩代間傳統現代視野的差距。而背景為戰爭時期的臺南，也捕捉了日治時期臺南南山公墓遷葬的爭議。對照王育德後來的自傳[217]，可以發現他自幼成長於大家

216—— 其實王育德哥哥王育霖亦曾是文藝青年，《翔風》中都可見他們的文學創作。王育霖作品見及相關記事參考，王克雄、王克紹編著，《期待明天的人：二二八消失的檢察官王育霖》，臺北：遠足文化，2017 年 1 月。

217—— 王育德父親王汝禎共娶妻三位，其中王育德與兄王育霖為二房毛新春所生，家族共三房家族。王育德、王明理日文原著，吳瑞雲、邱振瑞漢譯，《王育德自傳暨補記》，臺北：前衛，2018 年 9 月。

庭，大家庭的紛爭是他思索現實的起點[218]，而此文發表的階段正是日本戰爭時期，他已經感受到臺日之間的極大差別待遇，這些都種下王育德現實主義精神的起源。

　　到了戰後，王育德以本名及筆名「王莫愁」在《中華日報》日文版發表小說、評論。評論文包括社會評論、文藝評論，如〈臺灣戲劇的確立〉、〈文學革命與五四運動〉、〈打破封建文化：臺灣青年前進之道〉、〈重新認識孔教〉、〈徬徨的臺灣文學〉、〈為了內省與前進：臺灣人的三大缺點〉、〈關於相親結婚〉、〈透過戲劇〉等，從這些題目可以見到王對傳統文化的檢討及戲劇作為文化教育推動媒介的觀點。其中〈徬徨的臺灣文學〉是他最為人注目的論述。本文首先談到臺灣並非文學的不毛之地，反而比其他地方擁有更豐饒的土壤，但為何一直沒有佳作產生？「臺灣文學莫非是受到咀咒？」文中認為這乃是臺灣人總是身處恐怖政治之下，後天受到許多人為禍患，使得臺灣作家無法掌握臺灣活生生的特殊的現實，而往往只能撰寫較不具影響力的保守主題。王育德提到，大東亞戰爭爆發後臺灣作家面對日本政府大力鼓吹的皇民文學，只有兩條路：一條是書寫民族自瀆的「謊言的文學」；另一條打消文學創作的念頭。而好不容易臺灣光復了，日文卻要被廢止了，甚至連表現臺灣人處境的戲劇公演〈壁〉都要被禁，臺灣人以為民主的政府應該會和日本政府不一樣，會尊重言論自由出版自由才是吧？如果不是這回事，那麼現在的臺灣就只有「阿山的文學」[219]了。

　　小說部分，王育德發表了兩篇小說：〈春戲〉、〈老子與墨子〉[220]，〈老子與墨子〉以老子與墨子對話，討論臺灣該以哪一種處世哲學來面對的問

218—— 對照王育霖早年刊於《翔風》雜誌的一篇〈期待明天的人〉，一樣也寫及大家庭的困擾，一樣也以寄望明天收尾，和王育德這篇〈過渡期〉可以並讀比較。參考，王克雄、王克紹編著，《期待明天的人：二二八消失的檢察官王育霖》，臺北：遠足文化，2017 年 1 月，頁 87-94。

219—— 見「中華日報」日文版的「文化欄」，1946 年 8 月 22 日，王莫愁著、廖詩文譯，〈徬徨的臺灣文學〉，《《1946 中華日報》日文版文藝副刊作品集（下）》，臺南：臺灣文學館，2018 年 12 月，頁 151-154。

題。〈春戲〉藉臺灣女子迎接留日未婚夫回臺，卻發現未婚夫身邊帶著另位女子的尷尬，討論兩性在婚姻市場中不平等的位置，及男性尊嚴問題。此外，該作品的語言運用相當耐人尋味，尤其會話部分夾雜中文、臺語和日語，如「そ、そ、さうぢやないんだよ。默つて聽いてよ。阿姐！二十年の春ごろから、もう批も自由に書けなくなつたでせう。不是我的罪了、後は無法度よ。丁度それからＢ二九の大爆擊で僕たちは二人散り散りばらばらになつたんだ（中譯：不是這樣子的！阿姐，請妳聽我說。昭和 20 年（1945 年）左右春季，連寫一封信都困難。不是我的罪，後來就沒辦法。剛好那時候，遭到 B29 轟炸機的空襲，我們兩個便走散了）」，日文為主，但「阿姐」、「批」、「無法度」是臺語，「不是我的罪了」則是中文，無論其是否作者虛構，不難想像戰後初期臺灣的語言狀況相當混雜。

（二）黃昆彬

龍瑛宗與王育德之外，黃昆彬也是其時值得注意的年輕作者，他在《中華日報》日文版〈文藝欄〉的發表有〈隨想：愚人愚想〉，是對文學追求的反思與辯證；〈祈禱（上）（下）：獻給剛往故的周馬古夫〉，是分成兩篇刊出的懷友之作，作者感懷一位前日遭槍殺的俄羅斯商人朋友。這兩篇文字雖然都極短，卻洋溢詩意與情感，意境頗高。他也發表一篇小說〈李太太的慨嘆〉，[221] 是一篇以嘲諷方式表現戰後初期來臺中國人利用權勢冒名占位不公現象，具有強烈批判意識的作品。本篇中「李太太」悅治的先生李載復原本不高興從上海降調外島臺灣，後來聽說臺灣即使只是砂糖，往來臺灣中國之間運輸就可輕易賺上數百萬，於是到臺灣之後李

220——二文原刊於「中華日報」日文版的「文藝欄」1946 年 5 月 9 日，王莫愁，〈春戲〉，與 1946 年 7 月 3 日，王莫愁，〈老子與墨子〉。分別見《《1946 中華日報》日文版文藝副刊作品集（上）》，臺南：臺灣文學館，2018 年 12 月，頁 167-174，與《《1946 中華日報》日文版文藝副刊作品集（下）》，臺南：臺灣文學館，2018 年 12 月，頁 3-7。

221——黃昆彬，〈李太太の嘆き〉，《中華日報》，1946 年 6 月 19 日。

載復偽造李太太大學畢業學歷，安排太太擔任單位裡的科長，以獲取可能的利益。本文非常巧妙地直接以「李太太」心虛卻又無能的個人視角來看待自己、先生，與臺灣人之間權力關係的不均等，文末連她都不禁慨嘆：「臺灣真正的光明到來，會是在何時呢？」。也因為這樣的批判意識，黃昆彬在戰後因案被抓關了一段時間，他的創作有一部分在《新生報》〈橋〉副刊，是位具有強烈寫實主義精神的創作者，葉石濤在一篇訪談中即曾談及好友黃昆彬是比他有才華的創作者[222]，可惜黃在戰後初期因接觸匪諜入獄兩年多，出獄之後停筆不再寫作，轉入法界，直到晚年才又重拾文筆投稿全國文學獎，並從兩千多件稿件中成為五件入圍作品之一（作品未見）。

（三）非文學類作者——洪晁明與莊世和

　　後來活躍於不同領域的作者也發表批評臺灣社會的作品，在此介紹漫畫家洪晁明和畫家莊世和。洪晁明本名洪朝明，1938 年於新竹市和葉宏甲、陳家鵬、王花（本名王超光）、林河世等人創立「新高漫畫集團」，在總督府機關雜誌《部報》、《新建設》等發表漫畫作品，其作品受到日本著名漫畫家清水崑（1912～1974）的高度肯定。戰後該集團成員與黃金穗、鄭世璠等人創刊《新新》月刊雜誌，洪晁明發表多篇諷刺、批評社會問題的作品，議題包括物價飆漲、貪官污吏等。龍瑛宗也為該刊物撰寫數篇文學作品，洪、龍兩人或許透過《新新》雜誌的活動結識。洪晁明在〈文藝欄〉發表兩首詩：〈朋友啊〉、〈葬禮〉，其中後者充滿諷刺地評論當時社會環境：

222—— 莊紫蓉訪談葉石濤，〈自己和自己格鬥的寂寞作家——專訪葉石濤〉，2001 年 3 月 7 日，參吳三連臺灣史料基金會「臺灣作家訪談錄」專題。http://www.twcenter.org.tw/thematic_series/character_series/taiwan_litterateur_interview/b01_13101/b01_13101_1_

葬式がありました（舉行了葬禮）

誰れの？（是誰的呢？）

飢えて　しんだ人の（是因飢餓　而死去的人的）

あなたは會葬に行きましたか？（你去參加葬禮了嗎？）

勿論！よろこんで（當然！開開心心地參加了）

彼が再び飢えることのない為めに（因為他再也不會挨餓了）

葬式がありました（舉行了葬禮）

誰れの？（是誰的呢？）

きやうだいを　食つて中毒した人の（是吃了親族　而中毒的人的）

あなたは會葬に行きましたか？（你去參加葬禮了嗎？）

勿論！よろこんで（當然！開開心心地去了）

彼が再び中毒することのない為めに（因為他再也不會中毒了）

葬式がありました（舉行了葬禮）

誰れの？（是誰的呢？）

むのうの　仕事師の（是無能的　企業家）

あなたは會葬に行きましたか？（你去參加葬禮了嗎？）

勿論！よろこんで（當然！開開心心地去了）

彼が再びへまをすることのない為めに（因為他再也不會出錯了）

　　莊世和 1923 年出生於臺南，幼時遷居屏東，潮州公學校畢業後，
1938 年赴日就讀川端畫學校，1940 年入學東京美術工藝學院純粹美術部
繪畫科，1943 年再進研究科深造，學習立體派、超現實主義等一九三〇
年代以來逢勃發展的日本現代主義的前衛藝術。1946 年研究科畢業後返

臺，曾設立新藝術研究所（1952 年）、綠舍美術研究會（1957 年）、新造型美術協會（1961 年）、南部現代美術會（1968 年）等團體，致力於南部臺灣的美術教育推廣。2020 年逝世，家屬其部分文物捐贈與國立臺灣美術館。

莊世和除了在〈家庭欄〉撰寫兩篇評論文〈臺灣女性與美術〉、〈女性的服裝美〉，也發表兩首詩作〈同胞〉、〈迎接光復一週年〉，後者刊登於1946 年 8 月 16 日，即日本投降，「臺灣光復」的一年後，全文如下：[223]

臺灣に光復の日がやつて来た（臺灣光復之日終於到來）

私は日本でこの感激を知つた（我在日本得知了這件令人感動的事）

泣いた！思ふ存分泣いた（哭了！痛快地哭了）

然し、謙虛な氣持で日本人と語つた（但仍然懷著謙虛的心情和日本人攀談）

日本人は私が臺灣に歸つてくるのを惜んだ（日本人對於我將回來臺灣一事感到惋惜）

私は歸つて來なければならない（但我必須回來）

光復した臺灣の姿を みに（瞻仰臺灣光復後的樣貌）

光復した鄉土を耕すために（為了耕耘光復的鄉土）

私を待つてゐる兩親の許に（回到始終等候著我的雙親身邊）

憂愁から歡喜に返つた兄弟達の處へ（回到化憂愁為歡喜的兄弟們身邊）

いろいろな空想と理想が去來した（種種的空想和理想在心中來來回回）

それから、一年經つた（在那之後，過了一年）

臺灣は變つた（臺灣變了）

223——《中華日報文化欄》，1946 年 8 月 16 日。

私の住む街から日本人の姿が消えていつた（在我住的市街日本人的身影消失了）

物價騰貴で貧民は頸を括り（物價飛騰貧民上吊自盡）

同胞は餓死した（同胞們餓死了）

街には失業者がうようよしてゐる（市街上擠滿了失業者）

工場は動かうとしない（工廠怠於運作）

通貨は膨張する一方だ（通貨膨脹愈發劇烈）

生産は停滞してゐる（生産停滯）

文化は低下した（文化衰敗了）

惡疫ははびこつてくる（惡疫蔓延了起來）

不良少年少女が増えた（不良少年少女增加了）

ピストル事件があつた（槍擊事件發生了）

強盗が人を殺した（強盜殺人了）

監舎は囚人でいつぱいだ（監獄裡擠滿了囚犯）

おお、臺灣よ（嗚呼，臺灣呀）

かなしき臺灣よ（悲哀的臺灣呀）

おん母の暖かき懷をさがし求める孤兒よ（探求著母親溫暖胸懷的孤兒呀）

臺灣は、これからだ（臺灣，始自現在）

建設はこれからだ（建設也從現在開始）

起て！わが同胞よ！（起來吧，我的同胞！）

文中「孤兒」臺灣的形象，讓人聯想吳濁流的長篇小說《亞細亞的孤兒》，耐人尋味的是，該小說從 1943 年動筆 1945 年完稿，於 1946 年 9 月起陸

續刊行五冊，換言之，莊世和和吳濁流不約而同地以「孤兒」形容臺灣。目前無法確認莊世和是否有機會閱讀《亞細亞的孤兒》。不管如何文字充分顯示，臺灣知識分子對「光復」的期待逐漸轉為失望的過程，「槍擊事件發生了」宛如預告了二二八事件的序幕，儘管文末仍然抱持著建設新臺灣的期望，但歷史告訴我們，莊世和的希望不久後完全落空。

四、廢止日文版

令人遺憾的，戰後初期提供開放的日語發表空間之《中華日報》日文版，維持不到一年，1946 年 10 月 23 日刊登最後一期〈文藝欄〉，隔日全面廢止日文版。其實早在 8 月時便登載反對廢止日文版的文章，可見有關廢止的討論、計畫老早出現，到了 10 月廢止定調後，日文版仍然持續表達反對聲音。10 月 24 日最後一日日文版更刊登惋惜廢止的文章，其中，龍瑛宗發表〈再會了日文版　獻給同仁們的離別花束　臺灣將何去何從〉討論臺灣，尤其本省人如何面對當下的世界局勢。此外，前一日最後一期〈文藝欄〉也以彭智遠的筆名發表一首詩作〈停止內戰吧〉，訴說戰爭下民眾的痛苦與厭戰情緒，強調老百姓才是國家主人：

內戰をやめろ（停止內戰吧）
內戰すれば老百姓はますます苦しむ（若是內戰老百姓會愈來愈苦）
痩せて痩せて痩せて死んぢまふ（愈發消瘦消瘦消瘦終而死去）
老百姓なくてなんの國家ぞ（沒有老百姓就沒有國家啊）

內戰をやめろ（停止內戰吧）
哀れな老百姓たちは（悲哀的老百姓們）
涙を泛べて涙を泛べて（泛著淚光　泛著淚光）
安居樂業を望んでゐる（期盼著安居樂業）

內戰をやめろ（停止內戰吧）

內戰すれば老百姓たちは（若是內戰，老百姓們）

暗黑から生れて暗黑のまま（在黑暗中誕生，又不得不繼續在黑暗中）

墓場に急がねばならぬ（趕赴墓地）

內戰をやめろ（停止內戰吧）

和平、奮鬥、救中國（和平、奮鬥、救中國）

自由と繁榮の上に（在自由與繁榮之上）

われらの美しい新中國を（建設我們美麗的新中國）

每段開頭重複呼叫「內戰をやめろ」，「やめろ（停止）」是命令詞，語氣甚重，顯示龍瑛宗心中的強烈吶喊。日文版廢止後，龍瑛宗離開臺南，轉往銀行工作謀生，因中文學習轉換不順，這位受日本殖民統治長大，在日治時期作品量很大的重要作家，戰後的文學創作可以說因此沉寂了數十年漫長時光，這是跨越語言時代的作家最典型的困境與遭遇。

　　隔年 1947 年發生二二八事件，曾在《中華日報》日文版發表作品的作家及親友也難以倖免，王育德的哥哥，法官王育霖被抓後下落不明，其好友黃昆彬也遭到逮捕，還經歷兩年的牢獄之災，王育德得知黃崑彬被抓之後決定偷渡逃亡至日本，一去自此未曾再有機會回到臺灣。從此也中斷了其小說的創作，日後專研臺語研究，以及從事臺籍日本兵的補償運動。除了王育德、黃昆彬之外，尚有邱媽寅、葉石濤、蔡德本、王碧蕉等年齡相仿的年輕創作者，他們的作品包括邱媽寅短篇小說〈天然痘〉描述戰後初期發生於基隆碼頭的悲劇[224]；葉石濤短

224—— 邱媽寅，〈天然痘〉，《中華日報》，1946 年 5 月 13 日。

篇小說〈玻璃泥坊〉（玻璃小偷），透過學校發生的偷竊案訴說當時民眾的困苦生活[225]；蔡德本詩作〈盜人（小偷）〉，借用小偷的口中批評「╳╳」：「有一群╳╳牟取私利的人」，可推測「╳╳」應為「官員」等詞彙，揭露當時貪官污吏猖獗的腐敗社會；[226]鹽分地帶的現代詩、俳句作家王碧蕉的隨筆〈臺灣の春〉，詳述臺灣四季的變化，並提倡立足於臺灣土地的季節感受。[227]後來在 1947 年二二八事件之後白色恐怖氣氛中，幾乎無一例外的，或因被控涉及左派地下組織、或因被控涉匪，都曾有過黑暗慘淡的牢獄時光，甚至王碧蕉於 1953 年牽連「李媽兜案」被政府以顛覆政府為由而遭到槍決。從他們的作品，我們可以看到他們表現出來的現實關懷或批判；而他們的遭遇，也正說明了具現實意識的臺籍創作者在戰後普遍共同的命運。

第二節　持續筆耕的臺南出身日文作家──
葉盛吉、郭淑姿、邱永漢、王育德、黃靈芝──

　　本節介紹戰後仍然持續以日文寫作的臺南出身作家，有人在禁用日文後，繼續用日文撰寫日記，如葉盛吉、郭淑姿；也有人在戰後初期的肅殺氛圍下選擇逃亡至舊殖民母國日本，用日文記錄臺灣的苦難、研究臺灣，如邱永漢、王育德；更有人留在臺灣，私下默默進行日文創作，或以自費的方式出版，如黃靈芝。

一、臺灣知識分子的日文日記──葉盛吉與郭淑姿

　　近年來，日記儼然是臺灣文史領域裡一份重要研究素材[228]，也不斷刊行日治時期臺灣知識分子的日記，如吳新榮、簡吉等。出生於臺南新營、

225── 葉石濤，〈玻璃泥坊（玻璃小偷）〉，《中華日報》，1946 年 8 月 16 日。
226── 蔡德本，〈盜人〉，《中華日報》，1946 年 7 月 18 日。
227── 王碧蕉，〈臺灣の春〉，《中華日報》，1946 年 5 月 23 日。
228── 如張隆志主編，《跨越世紀的信號 2：日記裡的臺灣史（17-20 世紀）》，臺北：貓頭鷹，2021 年；陳文松，《來去府城透透氣：一九三〇～一九六〇年代文青醫生吳新榮的日常娛樂三部曲》，臺北：蔚藍，2019 年等，皆以日記為重要題材。

白色恐怖受難者的葉盛吉（1923～1950），1938年至1950年被逮捕為止，留下長達12年的日記，最近陸續由中央研究院臺灣史研究所出版，共八卷，此外也整理出版《葉盛吉獄中手稿與書信集》、《葉盛吉畢業論文與創作集》。雖然他不是文學作家，但臺南出身且受過「完整日本教育」的他，其日記有助於我們了解日治時期菁英的教育經驗、閱讀習慣及思想軌跡，特此介紹，雖然他的日記一部分寫於日治時期，但閱讀貫穿戰前至戰後，提醒讀者1945年並不是一個休止符，而是連續性歷史的轉捩點而已。[229]

葉盛吉出生於1923年，臺南新營人（1941年曾改為日本名「葉山達雄」），出生不久被叔父抱養，1930年至1936年就讀新營公學校，並考進以日本學生為主的臺南第一中學（現南二中），1943年經過屢次挑戰後終於考上位於東北仙臺的二高（第二高等學校），1945年3月畢業後隨即進入東京帝國大學醫學院，歷經日本戰敗，1946年4月回臺轉到臺灣大學醫學院，1949年完成論文〈尼采之精神醫學的考察〉而畢業於臺大，經歷臺大實習、鳳山軍醫等最後赴任潮州的瘧疾研究所，1950年5月涉案「臺灣省工作委員會學委會李水井等叛亂案」而遭到逮捕，同年11月29日被綁赴馬場町刑場處刑。[230]

他的日記從就讀南一中時期的1938年，至被逮捕前一天的1950年5月28日為止，斷斷續續維持13年。1938和1939年的兩年，學校旅行的旅記占有很大篇幅，分別去澎湖和日本內地。尤其1939年日本行的記載特別詳細，從九州門司上岸一路往東到栃木縣日光，其間參觀九州各地如福岡、熊本、長崎；關西地區如神戶、京都、大阪和奈良；關東地區如東京、鎌倉、橫須賀、熱海、日光等，長達十八天的旅遊紀錄再搭配各觀光

229——1945年不是一個結束，這說法臺灣的讀者或許覺得並不稀奇，但對日本人的筆者而言，思考臺灣問題時往往忽略的重要視角，因此特此說明。

230——有關葉盛吉生平參考，許雪姬、王麗蕉，〈葉盛吉日記的整理、翻譯與解讀〉，收錄於《葉盛吉日記（一）1938-1940》，新北：國家人權博物館籌備處、臺北：中央研究院臺灣史研究所，2017年，頁28-33。另外，好友楊威理曾撰寫葉的傳記，楊威理，《ある臺灣知識人の悲劇——中國と日本のはざまで　葉盛吉傳》，東京：岩波書店，1993年。中譯版，陳映真翻譯，《雙鄉記：葉盛吉傳：一台灣知識份子之青春、徬徨、探索、實踐與悲劇》，臺北：人間，2009年。

景點的紀念章，作為殖民地青年的「母國」之旅的紀錄，是一份相當珍貴的史料。1940 年以重考生生活為主，可窺見一心想考上「母國」名校的臺灣青年，其煩悶和振奮之間搖擺的心路歷程。此外，處處可見其讀書經驗、心得，有時與當時的社會環境、個人心境息息相關，例如日本戰敗不久閱讀托爾斯泰《戰爭與和平》、孫文《三民主義》（日譯版）等，耐人尋味的是，他也曾閱讀「天才文學少女」黃鳳姿的著作《七娘媽生》、《七爺八爺》，並寫下心得如下：

> 她從萬華那雜然而陰沈又特殊的氛圍中發現一種豐潤的生活，並以憐愛的感情來描繪，這是她的特色。幼時所見臺灣傳統的鑼聲，慶典的喧鬧等等，如今想來也有令人從心底泛起哀愁之處。[231]

這段文字，可說相當程度「日本化」的臺灣青年與少女心靈的交會，同時，黃鳳姿的文字讓葉盛吉產生對遺忘許久的臺灣風景的記憶。無論旅記、重考生活或讀書心得，他的日記值得從殖民地青年的精神史面向加以深究。

順帶一提，比較他與稍年長的吳新榮的日文日記，儘管同樣具有日本留學經驗，但以日文的操作、熟練度而言，葉盛吉的日文勝於留下許多文學作品的吳新榮，亦可探討不同世代臺灣人的「殖民語言」使用狀況。而葉盛吉妻子郭淑姿（1925～2004），也在同一時期留下紀錄，時間從 1944 年至 1953 年。[232] 郭淑姿於 1943 年臺南州立第二高等女學校畢業，戰後服務於土地銀行臺南分行（位於臺南中正路），1949 年與葉盛吉結婚，但他隔年便留下一子（葉光毅，成大退休教授）受難。郭淑姿身為白

231——《葉盛吉日記（二）1941》，新北：國家人權博物館籌備處、臺北：中央研究院臺灣史研究所，2017 年，頁 82。「天才文學少女」是日記中葉對黃鳳姿的稱呼。

232——日記主編許雪姬指出：「1944-1949 年並非逐日撰寫，是有感而發、特別重要的是才記，應該算是「隨想錄」」。許雪姬，〈記主郭淑姿的一生與其日記（1925-2004）〉，收錄於許雪姬、王麗蕉主編，《郭淑姿日記（一）1944-1950》，臺北：中央研究院臺灣史研究所，2020 年。

色恐怖受難者遺孀，記錄了這段苦難、煎熬的日子，可交叉閱讀葉、郭夫妻的日記，對照彼此對同一件事情的描述、看法，除此之外，亦可從新時代的職業婦女、「跨語」世代（由於銀行上班，她快速學會中文，1953年的日記已是中日文日數參半）、基督徒等不同面向閱讀。

二、「賺錢之神」的作家時光——邱永漢

（一）臺灣‧香港‧日本

　　邱永漢（1924～2012），本名邱炳南，父親青海幼時從福建來臺，在臺南西門市場做起生意發財致富，母親「堤八重」是日本籍，九州福岡縣久留米市出身。邱永漢的學經歷相當輝煌，就讀日本人為主的南門小學校，畢業後進入臺北高等學校尋常科、高等科。高等科在學期間便開始日語創作，1939年起，和同學創辦詩刊《夜來香》（刊物已多數散佚），也在該學師生共辦的《翔風》上發表詩作〈霧〉、〈家鴨〉、〈雨愁〉、〈書物〉等，同時期將〈廢港〉刊登於西川滿創辦的《華麗島》，並於1941年加入「臺灣文藝家協會」，同年發表評論文〈文學的處女地〉，1942年赴日考入東京帝國大學經濟學部。在就讀該校研究所時遇到日本戰敗，1946年輟學返臺，但兩年後牽涉臺灣獨立運動而逃亡香港從商。居港時期的1954年，透過舊知西川滿的引介將小說〈密入國者の手記（偷渡者手記）〉發表於東京《大眾文藝》而受到日本文壇矚目，爾後移住東京，並刊行短篇小說集《濁水溪》。隔年小說〈香港〉於《大眾文藝》連載，該作品於1956年獲得日本兩大文學獎之一第34屆直木賞（另一則「芥川賞」，2021年李琴峰首度以臺灣出身作家的身分獲獎）。

　　此時期邱永漢的創作能量相當旺盛，1954年至1958年之間發表將近三十篇短篇小說為主的作品，除了上述兩篇之外，亦有〈濁水溪〉、〈敗

戰妻〉、〈客死〉、〈檢察官〉、〈故園〉、〈毛澤西〉、〈首〉、〈長すぎた戰爭〉（漫長的戰爭）、〈風のある日〉は（有風的日子）、〈見えない國境線〉（看不見的國境線）、〈韓非子學校〉、〈刺竹〉、〈東洋航路〉、〈惜別亭〉、〈南京街裏通り（南京街後巷）〉、〈海口紅〉（海的口紅）、〈傘の中の女〉（傘中女）、〈マネキン少女〉、（人形模特兒少女）〈香港に死す〉、（死於香港）〈華僑〉等，也刊行收錄這些作品的小說集《刺竹》（清和書院、1958）、《惜別亭》（文藝評論新社，1958）。借用臺灣文學研究者岡崎郁子的評語：相較於日治時期臺籍作家，邱永漢的日語文章是「相當完美、無可挑剔」。

不過，如日本社會對他普遍的認知是「金儲けの神樣（賺錢之神）」，後來他的生活重心愈趨偏向理財炒股，陸續發表股票評論、積蓄錢財相關的文章、書籍，此外料理、食物相關書籍暢銷後，也刊行〈食は廣州に在り〉（食在廣州）、〈象牙の箸〉（象牙之箸）、〈食前食後〉、〈奧樣はお料理が好き〉（夫人愛烹飪）、〈邱飯店のメニュー〉（邱飯店的菜單）等。

1972 年，曾被列為黑名單的邱永漢接受國府的安排，再度踏上睽違將近二十年的故鄉臺灣。之後一九七〇年代後期起，他重新開始小說創作，如長篇小說《女の國籍》（女人的國籍）（日本經濟新聞社，1979），在殖民統治下的臺灣，一名沒落華族的女性「華子」嫁給臺灣豪門，時間從一九二〇年代至日本敗戰，背景含括日本、臺灣、滿洲、北京、上海等，具有相當規模的歷史小說。此時期另出版收錄十篇短篇小說的作品集《たいわん物語》（臺灣物語）（中央公論社，1981）。[233]

233——有關邱永漢的經歷，參考岡崎郁子著；葉笛、鄭清文、涂翠花譯，《臺灣文學——異端的系譜》，臺北：前衛，1997 年 1 月）；垂水千惠著；涂翠花譯，《臺灣的日本語文學》，臺北：前衛，1998 年 1 月；柳書琴主編《日治時期臺灣現代文學辭典》，新北：聯經，2019 年 6 月，頁 216-217。

（二）邱永漢與王育德

　　〈偷渡者手記〉是戰後邱永漢的處女小說，也是代表作品之一。如邱本人透露，也已有先行研究指出，這部作品主角以王育德為人物原型。[234] 邱與王的經歷相當類似，同樣臺南出身，臺北高等學校的同學，他們也先後考進東京帝國大學，分別就讀經濟學部、文學部，不僅如此，兩人都在戰後初期脫離國府政權下的臺灣，經由香港定居日本。

　　作品以主角「游天德」自白的方式進行，具體而言，游天德以非法入境為由受審，一審二審皆判為強制遣送，其自白內容來自在最終審前向法官提出的請願書，文中控訴日本殖民統治與戰後國府政權對臺灣人的暴力、差別待遇，和現實王育德的處境一樣，游天德哥哥也在二二八事件發生後「被消失」，游認為只要有蔣介石的軍隊，臺灣就沒有未來，因此帶著妻小飛往香港，再抵達日本重新就讀尚留下學籍的東京大學，不過由於觀光名義，滯留期限已過，因此游自首後申請日本居留權，請願書訴說上述來日經緯，以及居留申請在一二審均遭否決後等待三審的不安心情。[235]該作是在臺灣內部二二八事件仍然是禁忌的時代便述及事件內容，具有一定程度的史料價值，也描述臺灣人對日本、國府前後兩政權的嚴厲批判，無論臺灣文學領域或臺灣史上皆有意義非凡的作品。

　　縱使如此，因為作品直接利用王育霖、王育德兄弟的經歷，不僅如此，邱也在〈濁水溪〉、〈檢察官〉等作品述及王家兄弟兩人，甚至在〈檢察官〉裡，根據王育德所言「描述哥哥夫妻和嫂嫂娘家的部分加以歪曲」，因此先行研究曾指出邱和王後來交惡。對此，王育德次女近藤明理否認此說，邱、王兩人定期在日本舉辦的臺北高等學校同學會見面。

234——參考，岡崎郁子，《臺灣文學──異端の系譜》（東京：田畑書店，1996年），頁112-113。另有中文版，葉笛、鄭清文、涂翠花譯，《臺灣文學──異端的系譜》，臺北：前衛，1996年。

235——和泉司指出，實際上王育德的案子並未上官司，而僅在日本入國管理局申請特別居留許可。參考和泉司，〈邱永漢「密入國者の手記」における創作と事實の混交──亡命者が生き殘る戰略として〉，《日本臺灣學會報》第23號，2021年6月。

三、「臺灣文學界的異端」黃靈芝的日語世界

「臺灣文學界的異端」黃靈芝（1928～2016）[236]，出生於臺南望族，本名黃天驥，臺南文史研究者黃天橫是同輩親戚，父親黃欣（1885～1947）明治大學畢業，經營各種企業，也擔任臺灣總督府評議員，是日本當局於 1922 年首次任命的臺灣籍評議員之一，其宅邸「固園」位於現臺南市東門路一帶，黃靈芝在此度過童年。或許由於父親的社會地位，黃靈芝不是公學校，而就讀日本學生為主的花園小學校，班上只有他一個臺灣人。小學六年級時改姓名為「國江春菁」[237]，太平洋戰爭爆發的 1941 年，進入臺南一中。岡崎郁子指出，在他入學不久，遭到學長們的私刑，讓他深深感受到「臺灣人的悲哀」。

戰爭末期至戰後不久，黃靈芝相繼失去雙親，到了戰後無意間看到日籍老師在街頭拍賣家財道具，以往總是侮辱臺灣學生的老師如今落魄的樣貌，這些經驗都讓他體會人生的無常。日本戰敗隔年他入學臺灣大學外文系，卻無法適應來自中國大陸的教授們所說的中文，於是開始向雕塑家蒲添生學習雕塑。但不久後他罹患當時被視為「絕症」的肺結核，經歷一段痛苦的治療、休養階段，在面對死亡的養病階段，他開始執筆其處女作〈蟹〉，日後他創作的三十數篇中、短篇小說以「死亡」為主題的作品居多。[238]

黃靈芝出院後搬往臺北，之後一九五〇年代起真正展開其創作活動，很弔詭的，他在日本統治結束，臺灣的「國語」已從日語轉換為中文，且於 1946 年 10 月禁止媒體使用日文後，才真正開始用日文寫作。而他最初投稿作品的刊物，是當時少數允許刊登日文的《軍民導報》文藝欄，耐人尋味的是，該刊物是在禁止日語的時代，卻由國民政府發行的日文雜誌。

236——研究黃靈芝的日本學者岡崎郁子，在其著作《黃靈芝物語——ある日文臺灣作家の軌跡》（東京：研文出版，2004）的後記，回憶認識黃靈芝的契機，她出席其著作《臺灣文學——異端の系譜》（臺北：前衛，1996）的新書發表會，在會場上詩人李敏勇說道：「說到異端，黃靈芝才是臺灣文學界的異端吧」。岡崎郁子，《黃靈芝物語——ある日文臺灣作家の軌跡》，東京：研文出版，2004 年，頁 289。另有中譯版，林雪婷譯，《黃靈芝的文學軌跡——一位戰後以日語創作的臺灣作家》，臺北：臺灣大學出版中心，2019 年。

237——2002 年黃靈芝在日本出版其作品集《宋王之印》時，著者名稱使用此日本名字。

他也透過此投稿結識錦連、羅浪、謝喜美等同好之士，並成立日文文藝的同好會（未命名）。

在他的文學生涯中，較眾人所知的是俳句創作活動。1970年，中華民國筆繪於臺北主辦「第三屆亞洲作家會議」，川端康成、中河與一、主持俳句雜誌《七彩》的東早苗等人來臺，一九五〇年代便開始創作俳句的黃靈芝，帶東早苗等人到臺南觀光，藉此機會和他談妥設置《七彩》臺北支部，雖然和《七彩》之間的合作關係很快就結束，但1971年起，黃等同好獨自發行《臺北俳句集》第一集，並成立臺灣的俳句會。他從1989年12月起至1998年9月，長達九年的時間將〈臺灣歲時記〉連載於日本的俳句雜誌《燕巢》，介紹臺灣特有的俳句季語共379個，於2003年彙整後在日本出版，這堪稱是黃靈芝畢生大作。除了俳句作品與相關論述之外，他也留下其他文學作品，他將自己的作品匯集為《黃靈芝作品集》，但由於自費出版，以贈送的方式跟友人分享，目前流通有限。有幸2020年11月，由臺南市政府文化局出版，阮文雅編譯的《黃靈芝小說選》上下共兩冊，讓臺灣讀者能夠容易接觸黃靈芝的創作。

他和年長五歲的葉盛吉，同樣出生於臺南的兩人，一些經歷重疊，黃靈芝比葉盛吉晚五年進入日本人為主的臺南第一中學，戰爭戰後的混亂下，葉、黃前後進入臺北帝國大學（臺灣大學），分別就讀醫學系、外文系。但後來的人生天壤之別，相對於葉盛吉被捲入共諜案而英年早逝，黃靈芝罹患肺結核，一度瀕臨死亡，但治癒後，到2016年去世為止，展開了超過半世紀的寫作生活，且使用語言是前殖民者的統治

238——有關黃靈芝的生平，參考岡崎郁子，《黃靈芝物語——ある日文臺灣作家の軌跡》。另外，處女作〈蟹〉執筆當時似乎未公開，遲至1968年，黃自己譯為中文投稿，刊登於《臺灣文藝》並獲得1970年度「第一屆吳濁流文學獎」。

語言「日語」。對比兩位臺南出生的新世代臺灣知識分子截然不同的命運，令人深深感到經歷重層殖民統治的臺灣，其歷史的複雜性。

四、其他作者

除了上述作者之外，亦有與臺南有淵源的人物留下日文作品：辛永清《安閑園の食桌──私の臺灣物語》，[239]作者辛永清（1933～2002），臺南望族出身，1955年赴日專攻音樂，後來因緣之下轉為料理研究家，長年主持烹飪節目，該書是料理隨筆合集，每篇都是作者的童年回憶加上相關菜餚的食譜，可窺見早期臺南豪門的生活樣貌；今林作夫《鳳凰木の花散りぬ──なつかしき故鄉臺灣古都臺南》（鳳凰花凋謝──令人懷念的故鄉臺灣古都臺南），[240]作者今林作夫（1923～？）本名今林敏治，臺南出生的「灣生」，該書是作者晚年的回憶錄，可觀察「統治者」少年如何觀察日治時代的臺南社會；日影丈吉（1908～1991）是日本著名推理小說家，他在戰爭末期被徵兵到臺灣，根據此經驗，戰後留下數篇臺灣為舞台的推理小說，其中《應家の人人》（應家的人們）[241]，軍方派任的久我中尉調查臺南「大耳降」（應影射「大目降」即新化）發生的離奇命案。

本篇從日治時期至戰後，爬梳用日語寫作的臺南作家、作品。一九三〇年代臺南日語文學創作逐漸活絡，一開始臺灣人、日本人較無交集，但雙方處境、心態的變化，即日本人的「臺灣在地化」和臺灣人對文化運動的重視，以及臺灣政治、社會等外在環境的轉變，1940年可見現代臺日人合作的文學、文化活動，包括兩者對臺南歷史、文化的關注。

239── 辛永清，《安閑園の食桌──私の臺灣物語》，東京：文藝春秋，1986年。另有中譯版，劉姿君譯，《府城的美味時光──臺南安閑園的飯桌》，臺北：聯經，2012年。

240── 今林作夫，《鳳凰木の花散りぬ──なつかしき故鄉臺灣古都臺南》，福岡：海鳥社，2011年。

241── 日影丈吉《應家の人人》（東京：東都書房，1961年）。臺灣相關作品另有《內部的真實》、《華麗島志奇》等，前者於2023年出版中文版，高詹燦譯，《內部的真相》，臺北：衛城，2023年。

戰後部分從 1945 年日本投降，「臺灣光復」談起，釐梳臺籍日文作家面對時代巨變、「國語」轉換前後的局勢，各自的選擇、決定，以及其日後的發展。

　　1946 年 3 月起短暫存在的《中華日報》日文版（〈文藝欄〉和〈家庭欄〉），在知名作家龍瑛宗的編輯下，為日文能力相當熟練的臺籍作家、知識分子提供相當開放的發表舞台，刊登眾多文學作品及各種評論文。透過這些作品群，我們可以窺見當時臺籍知識分子的思維，以及對時局的態度。可惜，日文版廢止、禁用日文導致他們失去自己的喉舌。不久後更發生二二八事件，以及緊接而來的白色恐怖，在動盪的年代，諸多人受難，有人遭遇牢獄之災，甚至喪命。倖存者都必須拋棄舊「國語」，而重新學習新的「國語」。在此過程中，有些人從此斷筆，也有人必須沉寂許久才重返文壇。也有如王育德、邱永漢等脫離新政權的枷鎖，逃至舊殖民母國，展開新生活。另有「臺灣文學界的異端」黃靈芝留在臺灣，默默耕耘其日語創作。透過這些文學作品，可以知道臺籍知識分子在重層殖民統治、國語政策下的經歷與遭遇。

臺南文學史 2

古典文學卷 日治~戰後 1895—
現代文學卷 日治 1895—1945

發 行 人	黃偉哲	
發行總監	謝仕淵	
主　　編	陳昌明	
作　　者	薛建蓉・施懿琳・許倍榕・鳳氣至純平	
督　　導	陳修程・林韋旭	
行　　政	陳雍杰・李中慧・蔡宜瑾	

出　　版　　臺南市政府文化局
地　　址　　永華市政中心　708201臺南市安平區永華路2段6號13樓
　　　　　　民治市政中心　730210臺南市新營區中正路23號5樓
T　E　L　　06-6324453
網　　址　　https://culture.tainan.gov.tw/

出　　版　　國立成功大學
地　　址　　701401臺南市東區大學路1號
T　E　L　　06-2757575
網　　址　　https://www.ncku.edu.tw/

計畫執行　　文訊雜誌社
計畫主持　　封德屏
企畫行銷　　徐嘉君
執行編輯　　游文宓・曾士銘
校　　對　　薛建蓉・施懿琳・許倍榕・鳳氣至純平・杜秀卿・李星瑩・林裘雅・吳栢青・
　　　　　　黃秀珠・黃亮鈞・楊淑娟・劉晉綸・嚴鼎忠

編印發行　　文訊雜誌社
　　　　　　地址　　100012臺北市中正區中山南路11號B2
　　　　　　電話　　02-23433142
　　　　　　發行業務　高玉龍
　　　　　　電子信箱　wenhsunmag@gmail.com
　　　　　　郵政劃撥　12106756文訊雜誌社

美術設計　　黃子欽
印　　刷　　松霖彩色印刷事業有限公司

出版日期　　2023年11月
版　　次　　初版一刷
定　　價　　新臺幣640元

I S B N　　978-626-7339-37-4
套　　號　　978-626-7339-41-1

GPN：1011201383｜臺南文學叢書L164｜局總號2023-736

國家圖書館出版品預行編目(CIP)資料

臺南文學史. 古典文學卷：日治-戰後(1895-). 現代文學卷：
日治(1895-1945)/薛建蓉, 施懿琳, 許倍榕, 鳳氣至純平作；
陳昌明主編. – 臺南市：臺南市政府文化局, 國立成功大學,
2023.11

　　面；　公分. – (臺南文學叢書；L164)

ISBN 978-626-7339-37-4(精裝)

1.CST: 臺灣文學史 2.CST: 地方文學 3.CST: 現代文學 4.CST:
臺南市

863.9/127　　　　　　　　　　　　　　　　112017455